HISTOIRE DES ANTILLES FRANÇAISES
XVIIe-XXe siècle

collection tempus

Paul BUTEL

HISTOIRE DES ANTILLES FRANÇAISES

XVIIᵉ-XXᵉ siècle

PERRIN

www.editions-perrin.fr

© Perrin, 2002 et 2007 pour la présente édition
ISBN : 978-2-262-02662-2

tempus est une collection des éditions Perrin.

A mes petits-enfants.

INTRODUCTION

Dans un arc des îles de la Caraïbe de plus de 3 000 kilomètres, de la Guyane à la Floride, les Antilles françaises – Martinique, Guadeloupe et ses dépendances, Saint-Barthélemy et Saint-Martin – n'occupant pas une superficie totale de 2 900 kilomètres carrés, paraissent, selon une expression employée au XIXe siècle par des négociants de Bordeaux, n'être que « des points imperceptibles dans le vaste océan », à quelque 7 000 kilomètres de la France. À une échelle bien différente, celle des Grandes Antilles, ses 115 000 kilomètres carrés donnent à Cuba une allure de géant et la Jamaïque ou Haïti, avec 11 000 et plus de 27 000 kilomètres carrés, ont aussi une tout autre dimension. Il est vrai que les anciennes possessions de la couronne anglaise, de la Barbade à Antigua, ne couvrent pas plus de 2 200 kilomètres carrés, et des îles hollandaises comme Saba ou Saint-Eustache, avec moins de 20 kilomètres carrés pour chacune, ne sont que des « cailloux ».

Cette place si modeste dans la hiérarchie des terres caraïbes ne saurait faire oublier que les Antilles françaises sont des lieux chargés d'histoire, depuis leur fondation à l'époque de Richelieu jusqu'à leur complète intégration dans la nation par la loi de départementalisation de 1946. Ces îles ont une identité restée relativement mal perçue des foules de touristes qui s'y pressent, attirés par la douceur du climat et les plaisirs de la mer. Comme le visiteur d'au-

jourd'hui, les pères fondateurs, un d'Esnambuc et un Liénart de l'Olive, les missionnaires du XVIIᵉ siècle, tel le père
Du Tertre, se montrèrent fascinés par la beauté d'îles si
différentes des terres qu'ils avaient quittées. Dans ce
monde tropical, Du Tertre voyait l'image du Paradis
qu'avant lui un Colomb avait déjà entrevue à Cuba ou Hispaniola (Haïti) :

> L'expérience a fait voir dans la découverte de ce
> nouveau monde que toutes les régions situées sous
> la zone torride, tant en deçà qu'au-delà de la ligne
> équinoxiale, sont les plus bénignes, les plus saines
> et les plus tempérées de toutes les régions du
> monde ; d'où plusieurs théologiens ont soutenu que
> la terre d'Éden ou le paradis terrestre était situé sous
> l'équateur, le lieu le plus agréable de la terre[1]*.

Agrément et salubrité d'un climat rafraîchi par l'alizé
atlantique – « la chaleur y était agréablement tempérée...,
on y respirait un air sain et délicieux » –, luxuriance de la
végétation – « dès les premières pluies tant soit peu abon-
dantes, tous les arbres se recouvrent de leur première ver-
dure, de leur première beauté et sortent toutes leurs fleurs,
les forêts sont pleines d'odeurs si suaves et si ravissantes
qu'elles pourraient rivaliser avec les meilleurs parfums
d'Europe » –, tout est fait pour charmer le missionnaire.

Mais la séduction originelle des Iles peut faire place à la
crainte envers les caprices d'un climat jusque-là inconnu du
voyageur. « L'hiver et l'été de ce pays-là sont très différents
de ceux de l'Europe », note Du Tertre. En effet, deux
grandes saisons se partagent l'année aux Petites Antilles, le
carême, saison sèche, de janvier à mai, l'hivernage, saison
humide, de juin à décembre. C'est cette dernière qui sur-
prend le plus par les cyclones dévastateurs qui y survien-
nent et qui ont rythmé l'histoire des Iles. Du Tertre se

---

* On trouvera les notes en fin de volume.

montre épouvanté par la soudaineté et la violence de ces « ouragans, horribles et violentes tempêtes qu'on pourrait prendre pour de vraies images de l'incendie final et de la destruction générale du monde[2] ». Ces Indiens rencontrés par le missionnaire n'évoquaient-ils pas les tourbillons capables de « faire fleurir la mer, obscurcir l'air et périr les canots » ? Près d'un siècle plus tard, Thibaut de Chanvallon, qui vit sa plantation de Rivière-Pilote entièrement détruite par un cyclone en 1756, notait dans son *Voyage à la Martinique* comment « la désolation et la mort accompagnent un ouragan..., elles [les plantations] sont détruites tout d'un coup..., des arbres aussi anciens sont déracinés, enlevés de terre, ceux qui restent sont brisés comme de fragiles roseaux ». Même s'ils échappaient à la fureur de l'ouragan, les colons devaient tenir compte de conditions climatiques qui étaient loin d'être toutes favorables. À Saint-Domingue, la sécheresse sévit dans le nord-ouest et au centre de l'île, plaines de l'Artibonite et de l'Arcahaye mises en valeur au XVIIIe siècle au prix de travaux d'irrigation importants. En Martinique, le sud de l'île est exposé également à la sécheresse, et la situation est la même pour la Grande-Terre en Guadeloupe. Même dans les secteurs bien dotés en pluie, la sécheresse nuisible à la maturation de la canne à sucre pouvait survenir, et il s'y ajoutait pendant la saison des pluies des « avalasses », averses torrentielles également redoutées.

Tout en offrant ces contrastes d'un milieu propre à déconcerter le découvreur puis le colon et à ne pas susciter toujours l'attrait qu'on s'est plu à leur trouver, en dépit aussi de leur éloignement – la traversée dura plus d'un mois jusqu'au milieu du XIXe siècle –, les Antilles développèrent une attraction de plus en plus forte. Elles représentaient un enjeu international et économique dès les règnes de Louis XIII et de Louis XIV, et continuèrent à le faire jusqu'au début du XIXe siècle, disputées principalement entre l'Angleterre et la France. Relais de la puissance maritime de ces pays, elles furent, en effet, avant tout des terres de plantation pour la production de denrées exotiques, tabac, sucre, café, aux modes de consommation grandissant sans cesse en Europe. Impatients de trouver dans ces nouvelles terres de quoi satisfaire la faim de « novelletés » de leur métropole, les découvreurs n'hésitèrent pas, dès les premiers temps, à y jeter les bases d'une société de plantation, d'abord fondée sur la destruction de l'Indien, premier occupant des Iles, puis sur la servitude du cultivateur, engagé blanc et esclave africain.

Obtenant ses plus spectaculaires résultats dans la Perle des Antilles, Saint-Domingue (Haïti), au cours du xviiie siècle l'économie de la plantation sucrière et caféière soutint un essor croissant des ports atlantiques européens et l'enrichissement de leurs bourgeoisies. Le seul exemple de Saint-Domingue suffit à représenter la dimension du dynamisme de la plantation antillaise : de 7 000 tonnes vers 1715, sa production de sucre de canne passa à plus de 80 000 tonnes à la veille de la Révolution. Sa main-d'œuvre esclave approchait en 1789 les 500 000 captifs, en 1700 ils n'étaient pas 30 000. La réexportation des denrées coloniales qui connut à Bordeaux un taux de croissance de l'ordre de 6,5 % par an des années 1730 aux années 1780 assurait à ce port le premier rang sur le continent européen à la fin du xviiie siècle ; il redistribuait alors plus de la moitié des réexportations coloniales de la France.

Des deux côtés de l'Atlantique de nouvelles élites trouvèrent leur origine dans cet essor : négociants des ports de la métropole, de Marseille au Havre, mais aussi commissionnaires des Iles, à Saint-Pierre en Martinique comme au Cap-Français à Saint-Domingue. Peut-être plus en Martinique qu'à Saint-Domingue où une bonne part ne résidait pas, partant d'une réussite inégale mais pour certains fort brillante, les planteurs surent au sein des Conseils souverains constituer une élite sociale et intellectuelle, « consciente de son rôle dans l'organisation administrative » des Iles, se considérant comme un gardien légitime de l'ordre intérieur face aux représentants du pouvoir royal et forte de ses alliances familiales[3]. Du XVIIIᵉ au XIXᵉ siècle, sur 109 conseillers en Martinique, une cinquantaine se recrutaient dans seulement une vingtaine de familles. Les hommes de couleur libres, quelque 30 000 en 1789 à Saint-Domingue, commençaient à former une importante fraction du petit et moyen commerce comme de l'artisanat et constituaient un groupe original.

Cette société de la plantation antillaise prolongea son existence jusqu'au cœur du XIXᵉ siècle, quand l'abolition de l'esclavage en 1848 donna aux Noirs la liberté mais laissa subsister une économie qui ne disparut que lentement avec la substitution de l'usine à l'habitation sucrerie sous le Second Empire et les débuts de la Troisième République.

Les turbulences de la Révolution n'exercèrent qu'une influence relativement réduite, à l'exception de Saint-Domingue. Elles ne parvinrent pas à y détruire l'ancien régime économique et social et n'y représentèrent pas une vraie rupture du temps, en dépit des espoirs créés en Guadeloupe par une libération très restreinte des esclaves sous le proconsulat de Victor Hugues. Seule, à Saint-Domingue, la révolution noire réussit, au prix de terribles souffrances. Elle parvint à arracher la Grande Antille à l'Empire colonial français, mais y détruisit pour sa plus grande part une richesse jusque-là exemplaire. Cependant, à long terme, le modèle haïtien devait entraîner la remise en cause de la société de plantation. En effet, en Martinique comme en Guadeloupe, sans doute à un moindre degré dans cette dernière île où la société des habitants sucriers avait été déjà atteinte fortement par la libération des esclaves sous la Révolution et où un assez grand nombre de ses membres avaient émigré, à l'imitation de ceux de Saint-Domingue, les planteurs craignaient que ne se reproduisît dans leur île la révolution noire qui avait provoqué la dislocation de l'économie et de la société de Saint-Domingue. Sous la Restauration et la monarchie de Juillet, ils vécurent dans la peur de voir s'instaurer sur leurs terres une libération de la main-d'œuvre esclave obtenue dans la même violence qu'à

Haïti, alors qu'elle leur paraissait indispensable à la survie de leur propriété. Ils y étaient d'autant plus attentifs qu'au même moment, pour les années 1820-1835, l'économie sucrière connut un regain de vitalité[4].

Face à eux, les libres de couleur, au nombre grandissant et forts d'une aisance acquise dans les métiers du commerce et des professions libérales, revendiquaient une égalité des droits espérée sous la Révolution mais qui leur était toujours refusée. On mesure dans l'affaire Bissette, ce négociant libre de couleur condamné injustement en Martinique en 1824, l'intensité des fantasmes racistes entretenus chez les Blancs, cela alors que ces mêmes libres ne demandaient nullement la libération d'esclaves dont eux-mêmes possédaient un certain nombre[5]. Leur tort était d'avoir une origine, bien lointaine pour autant, dans l'institution de l'esclavage. La ségrégation des couleurs se fit alors bien plus forte qu'avant la Révolution, les colons réagissant contre un courant abolitionniste né avant 1789 en France mais qui se renforçait singulièrement.

Ces années préabolitionnistes comptèrent pour beaucoup dans la formation de l'identité antillaise. Alors s'y définit en Martinique la puissance des grandes familles békés, le plus souvent alliées et non pas opposées aux riches commissionnaires de Saint-Pierre. En France, les libres de couleur trouvaient des appuis, y accomplissaient leurs études et étaient susceptibles de montrer leurs talents dans les professions du droit et du commerce. Ils y rencontrèrent des hommes disposés à les écouter, un Victor Schœlcher ne représentant que l'un d'eux. Exilé en France, Bissette fut un des premiers libres de couleur à faire les nouveaux choix au début des années 1830, défendant l'abolition avant Schœlcher. De leur côté, les Békés étaient loin de rester isolés dans une superbe ignorance des changements : beaucoup, un Pierre Dessalles, un Pécoul ou un Levassor, séjournant en France pour de longues périodes, y avaient des parents, des amis, des clientèles. Forts de leurs alliances avec le commerce dans les ports ou à Paris, en province avec la grande propriété, ils y constituèrent des groupes de pression, « Américains » de Bordeaux ou de Nantes qui, comme avant la Révolution, se montrèrent capables d'exercer leur influence sur la presse et l'opinion. Cela fut surtout vrai des années 1840 quand la prospérité de la Restauration et des débuts de la monarchie de Juillet prit fin. Rares étaient alors ceux qui, comme un Pécoul, pouvaient espérer voir grandir encore leur fortune, beaucoup se repliaient dans une volonté âpre de défendre avec la plus grande fermeté leur propriété de terres et d'esclaves minée par le poids croissant des dettes.

L'abolition de l'esclavage ne surgit donc pas en 1848 de manière inopinée, imposée à des colons fléchissant en quelques jours. Depuis de longues années, elle avait été préparée, espérée par les uns, crainte par les autres. Mais les mesures l'appliquant prirent, dans le plus court terme, un caractère hâtif, sinon improvisé, et ses conséquences socio-économiques furent décisives. Déjà gravement atteinte par la conjoncture, car l'économie de l'habitation sucrière supportait au milieu du siècle difficilement la concurrence soit des nouveaux producteurs tels Cuba ou Porto Rico, soit encore plus celle des betteraviers en métropole, en quelques semaines la plantation se vit menacée de perdre sa main-d'œuvre. Les nouveaux libres acceptèrent mal, en effet, de continuer à travailler dans une culture de la canne contraignante qui leur rappelait les temps de l'esclavage. Les nouveaux contrats d'association des cultivateurs au profit de l'exploitation ou de colonats partiaires eurent du mal à s'appliquer.

Apparemment cependant, dans le court terme, la société de plantation et le régime institutionnel contrôlé par les colons parurent pouvoir se maintenir. Dans le cadre du régime autoritaire des débuts du Second Empire, contrôlés étroitement par un système de surveillance policière réprimant tout vagabondage des nouveaux libres refusant le travail – ce fut l'instauration du *livret* exigé par l'Administration –, les anciens esclaves, même ceux parvenant à se constituer de petites propriétés dans les mornes[6], en Martinique ou en Guadeloupe proprement dite, participaient encore à l'économie de la plantation. Après l'échec des projets de fusion des races entretenus en 1848-1849 par un Bissette allié à un Pécoul qui s'appuyaient sur les esclaves des campagnes en y profitant pour Bissette d'une exceptionnelle popularité mais ne parvinrent pas à rallier des anciens libres groupés autour de Schœlcher, ces mêmes anciens libres virent contenus leurs espoirs de participer aux institutions de manière réelle[7]. Soutenus par l'Administration, les Blanc-Pays de Guadeloupe et encore plus les Békés de Martinique n'abandonnèrent pas la direction des affaires publiques. Sérieusement ébranlé par la crise sucrière, un certain nombre ayant d'ailleurs quitté les Antilles, leur crédit demeurait encore réel, appuyé sur les nouvelles institutions bancaires, Banque de la Guadeloupe et Crédit foncier colonial. Le règne de l'usine était à peine commencé, son meilleur exemple, qui fut la fondation de l'établissement de Darboussier près de Pointe-à-Pitre en Guadeloupe, ne date que de 1869.

C'est après 1870 que se discernent les nouveaux aspects de l'identité antillaise. En Martinique, l'insurrection du Sud porta un coup sérieux au prestige des Békés et, dans les deux îles, l'instauration du suffrage universel donna aux élites de couleur des moyens jusque-là inconnus. Si l'abstention des cultivateurs des campagnes resta forte jusqu'à la fin du siècle, elles purent néanmoins prétendre défendre leurs intérêts. Ce fut la naissance d'un pouvoir politique et civil des mulâtres qui pénétrèrent les conseils généraux des Antilles et ne tardèrent pas à les représenter en métropole à la Chambre des députés. Il se produisit la « substitution » des mulâtres dans les institutions, elle était crainte des colons qui la laissèrent cependant s'opérer en s'éloignant volontairement de la représentation née d'un suffrage universel méprisé par la plupart.

Dans ces années 1870-1880, l'identité antillaise, c'est aussi, dans une concurrence internationale accrue, alors que s'accusait davantage l'archaïsme des techniques utilisées par les *sucrôtes*, les habitations sucreries traditionnelles, la substitution des usines à sucre à celles-ci. La crise sucrière des années 1880 accéléra leur déclin. Les saisies des plantations par leur créancier principal, le Crédit foncier colonial, commencées à la fin du Second Empire, se précipitèrent et, à leur tour, les usines à sucre furent touchées par la crise de 1894-1895. Cette crise fut à l'origine d'un malaise social qui s'accentua au début du xxᵉ siècle. Surgit alors un nouveau visage des Antilles où les divisions devenaient plus âpres ; on entra dans une ère de violence. Les élites mulâtres qui avaient choisi la République dans la perspective de l'assimilation par l'école et les lois de la métropole s'étaient appuyées sur les Nègres des villes et des campagnes. La décennie 1890 vit une élite nègre se former, en particulier en Guadeloupe ; elle rejetait le climat de mépris dans lequel les mulâtres tenaient les Nègres.

Le représentant le plus populaire de cette élite, Hégésippe Légitimus, accéda à la députation et à la présidence du conseil général en 1898. Légitimus trouva dans le socialisme de Guesde l'inspiration de sa politique et très vite accrut son prestige sur les cultivateurs de la canne à sucre. Il accepta dans les années 1900 le « mariage de raison » entre le Travail et le Capital, entre le Socialisme et l'Usine, « pacte » rejeté par certains de ses premiers amis, tel un Boisneuf. Aux prises avec les mouvements sociaux les plus durs, grandes grèves de 1902 et 1910, les grands sucriers y virent un moyen de calmer le jeu. L'Administration ne craignait pas en même temps de soutenir dans la fraude électorale la plus patente un Légitimus contre les notables mulâtres.

Ces violences surgirent au lendemain de catastrophes naturelles qui affectèrent gravement les Iles. En 1897, ce fut en Guadeloupe un tremblement de terre, suivi en 1899 d'un des plus forts cyclones que cette île ait connu au

XIXᵉ siècle. En Martinique, l'éruption de la Pelée en 1902 détruisit Saint-Pierre, « le Paris des Antilles », et y décima les élites békées et mulâtres. Dans de tels moments les Antilles purent certes compter sur l'aide de la métropole, mais les rapports avec celle-ci ne répondirent pas toujours aux aspirations des habitants. Les mulâtres républicains voyaient dans l'assimilation le moyen de faire progresser la colonie, les Blancs s'en méfiaient dans la mesure où elle pouvait aller sur le plan économique à l'encontre de leurs intérêts. Ainsi la loi d'assimilation douanière de 1892 et la remise en cause du régime donnant aux assemblées locales la plus large initiative en matière budgétaire furent-elles rejetées par eux car ils les rendaient responsables pour une part de la crise sucrière.

À la veille de la Première Guerre mondiale, les Antilles avaient acquis une identité complètement différente de celle qu'elles présentaient un siècle plus tôt. Pour tracer les principaux traits de cette nouvelle identité, il faut, bien sûr, retenir les mutations du XIXᵉ siècle, l'abolition de l'esclavage, le déclin des habitations sucreries, la crise affectant les usines qui avaient fortement profité de ce déclin mais connaissaient aussi la crise, enfin l'accès des élites mulâtres à la direction des affaires politiques et civiles. Mais il serait trompeur de s'en tenir là car les legs des siècles précédents ne peuvent être ignorés. La campagne martiniquaise ou guadeloupéenne restait marquée par la place des habitations qui exerçaient leur rôle d'aimant sur ces campagnes, ayant seulement perdu pour la majorité leur rôle dans la fabrication du sucre et envoyant leurs récoltes aux usines. Leurs travailleurs vivaient toujours étroitement dépendants des initiatives du propriétaire ou du géreur. C'est davantage dans les bourgs et les mornes des hautes terres que l'on voyait paraître les différences : dans les premiers, dès les années 1820-40, les libres de couleur avaient pris les métiers du commerce et de l'artisanat, dans les seconds, de petits propriétaires se firent nombreux dès la Second

Empire, appartenant pour une grande part au groupe des nouveaux libres de 1848[8].

Autre legs du passé, la « cascade de mépris » liée à la couleur de la peau. Les fidèles d'un Légitimus ou d'un Bois-neuf réclamèrent de la société politique une nouvelle considération, mais, au-dessous d'eux, restaient rejetés les plus défavorisés : en Guadeloupe, dans les années 1880, le sénateur Isaac n'hésitait pas à opposer « nos populations saines, neuves, en voie de moralisation rapide... aux débris inférieurs... d'une civilisation et d'un peuple dégénéré[9] ». Le *coolie*, l'Indien immigré pour constituer la main-d'œuvre substituée aux nouveaux libres, de 1850 à 1884, était méprisé, voire haï, tout comme l'était aussi le travailleur venant des colonies britanniques voisines qui, comme l'Indien, acceptait des salaires trop bas.

Encore ne faut-il pas ignorer les rapports, souvent diffus, liant les « classes ». Comme au XVIIIe siècle, les Blancs se faisaient parrains de mulâtres ou de Nègres, et ces mêmes Blancs acceptaient d'avoir recours aux remèdes des « Nègres panseurs[10] ». Le quimboiseur exerçait toujours ses talents dans les campagnes pour guérir ou jeter un mauvais sort. Le tissu social urbain voyait les hiérarchies de la fortune rassembler des dynasties marchandes mulâtres et békées et, au quotidien, bien des relations se nouaient, effacées de la mémoire insulaire par les crises électorales. Une même hostilité pouvait dresser le Blanc créole et le mulâtre contre un administrateur trop rigide ou un métropolitain riche de capitaux et imposant sa concurrence.

Après la Première Guerre mondiale, les bases de l'économie et de la société antillaise restèrent, en grande partie, fidèles au modèle de la fin du XIXe siècle. L'essor de la production du rhum pendant la guerre favorisa un certain redressement de l'économie sucrière avant que celle-ci ne connût les effets de la crise mondiale de 1929. Les affrontements politiques et sociaux purent encore se durcir dans les joutes électorales et les grandes grèves des travailleurs des plantations. Le débat de l'assimilation se poursuivit, et

les fêtes du Tricentenaire de 1935 parurent conduire à
l'unanimité en célébrant la fondation d'une geste coloniale
favorisant le renouvellement de la flamme patriotique des
deux côtés de l'Atlantique. Sous Vichy, le repli forcé des
Iles sur elles-mêmes et les difficultés économiques auraient
pu soutenir le retour à une tradition éloignée de la vie politique connue depuis les années 1870. Après la « libération »
de 1943 et dans l'après-guerre, le projet de l'assimilation
trouva une audience nouvelle à la faveur des réformes
sociales entreprises en métropole. Ce fut l'introduction du
régime de la départementalisation qui lia davantage, pour
le meilleur et le pire, les Antilles à la France.

En dépit de l'impact qu'eurent sur les mentalités un événement tel que celui de l'abolition de l'esclavage, l'histoire
des Iles, relativement favorisée pour les XVIIe et XVIIIe siècles
dans les domaines de la plantation esclavagiste et du
commerce comme dans celui de l'histoire des sociétés,
moins sans doute dans celui des cultures, paraît conserver
pour le XIXe siècle et même le XXe une certaine opacité. Au
mieux, elle a été écrite souvent dans la volonté de répercu-
ter la violence des luttes déployées et l'ampleur des transformations de l'économie, cela au prix de silences
regrettables. La restitution de la place de chaque groupe,
Békés, mulâtres, Nègres, métropolitains, dans le devenir
social et économique s'impose. Il s'agit de dégager le
concert souvent subtil des vues des uns et des autres. Les
indices les plus familiers de la vie quotidienne éclaireront
peut-être davantage sur l'histoire réelle de ces îles. C'est à
ce prix qu'on peut tenter de restituer toute leur identité,
l'esquisse ainsi tracée s'éloignant et du portrait peut-être
trop flatteur de l'ancienne prospérité des temps précédant
la Révolution et de la seule réflexion sur les effets de celle-
ci et des mutations abolitionnistes.

Première partie
Les Antilles au XVIIe siècle

En dépit des prétentions de François Ier à contester le monopole des Ibériques aux Amériques et malgré des projets de colonisation au nord de l'aire caraïbe, en Floride, ou plus au sud, en Guyane et au Brésil, il fallut attendre le XVIIe siècle pour voir les Français prendre pied aux Petites Antilles afin d'y créer des colonies. Les initiatives françaises faisaient partie d'un ensemble européen : les aventuriers anglais, hollandais et français commencèrent à négocier avec l'Indien ou avec le colon espagnol pour participer aux richesses de l'Eldorado, richesses considérablement grossies par la légende. Les États relayèrent ces initiatives, un Charles Ier d'Angleterre ou un Richelieu en France confièrent à d'audacieux capitaines « flibustiers » la mission d'être les premiers pionniers et de fonder les colonies, un Thomas Warner et un Belain d'Esnambuc se partagèrent ainsi la première île colonisée, Saint-Christophe. Mais ces colonies grandirent hors du contrôle des États, en développant un commerce actif qui profitait de la vogue en Europe de nouveaux produits exotiques, comme le tabac. Souvent interlope, entretenant des relations illicites avec les colonies espagnoles, ce commerce échappait au monopole des compagnies chargées de la colonisation. Jusqu'à Colbert, et même au-delà, la métropole commerciale des Antilles françaises fut Amsterdam.

Les maîtres des Iles, Poincy à Saint-Christophe, Houel en Guadeloupe et Du Parquet en Martinique, parvinrent à s'y tailler des principautés et souvent, malgré « l'aigreur fréquente des esprits », à dominer une société originale fondée sur la servitude des uns, engagés blancs puis esclaves, sur la fortune des autres, en utilisant leur clientèle et en ignorant le pouvoir de la Compagnie des îles d'Amérique avant de voir celui-ci disparaître au milieu du siècle. La reprise en main des colonies par la monarchie absolutiste sous Colbert n'empêcha pas le maintien de trafics commerciaux donnant encore une grande part des profits à l'étranger. Les Iles prirent alors un nouveau visage. Les terres étaient gagnées par la culture de la canne à sucre demandant le travail d'esclaves de plus en plus nombreux et enrichissant un petit nombre de « maîtres de cases ». Les ports français, La Rochelle et plus encore Nantes et Bordeaux, surent prendre alors les « virages antillais » nécessaires[1]. Cet essor du commerce maritime reposait sur une révolution sucrière faisant de la canne à sucre la première culture de plantation antillaise. À la fin du siècle, la colonisation de la partie occidentale de Saint-Domingue fit franchir une nouvelle étape à la construction de l'Empire colonial français aux Antilles : sur ces nouvelles terres, la plantation sucrière devait connaître un essor sans précédent au siècle suivant.

Des choix stratégiques s'imposaient aux puissances afin de protéger et d'étendre des colonies séparées de leurs métropoles par près de 7 000 kilomètres dans un Atlantique à la traversée longue et risquée. Il fallut doter les Antilles en approvisionnements, armes, munitions, soldats, avec des moyens navals certes remarquablement augmentés par Colbert en France mais qui se révélèrent rapidement inférieurs à ceux de la Grande-Bretagne, principal rival de la France aux Iles[2].

1

Le temps des pionniers

MYTHES ET RÉALITÉS INSULAIRES

Cette île est Tarsis, est Cethia, est Ophir et Cipango
et nous l'avons appelée Espagnole[3].

L'or des Îles nourrit l'imagination d'un Colomb après sa
découverte d'un Nouveau Monde. Depuis longtemps le
mythe insulaire agissait sur l'esprit de ses contemporains.
Les Îles, terres nouvelles, étaient confondues avec un Paradis terrestre recherché à l'occident par le Moyen Âge. Mais
Colomb entendait bien retrouver les Indes par l'ouest car
les richesses de l'Asie, celles des épices tout autant que l'or
déjà découvert par les Portugais du XVe siècle sur la côte
d'Afrique, excitaient les imaginations. Or l'exubérance de
la végétation du monde insulaire et le bon naturel de ses
habitants ne purent en masquer la relative pauvreté. Pour
une quête de l'or décevante à terme, les Espagnols n'hésitèrent pas à décimer les populations indiennes d'Hispaniola
(Saint-Domingue) et de Cuba. Les compagnons de Colomb
et leurs successeurs ne virent, en effet, dans le monde
indien que la richesse en or ou en épices qu'il pouvait recé-
ler. Avec le Mexique et le Pérou, le continent leur ouvrit
l'image des Indes « toutes pavées d'or et d'argent ». Le
catastrophique déclin de la population indienne et les res-

sources en or et en butin à gagner plus à l'ouest laissèrent la société insulaire victime de l'esprit de l'aventure recherchée d'île en île, mais demeura le mythe des îles du Pérou, nom qui désignait encore les Petites Antilles au XVIIe siècle.

Dès les années 1500, les Français, comme les Anglais et plus tard les Hollandais, furent décidés à s'attaquer au monopole de l'Espagne et du Portugal sur le Nouveau Monde.

> Empuis aucunes années en ça, les Dieppois et les
> Malouinais et Bretons vont quérir des bois à teindre
> rouge, coton, guenons et perroquets[4].

Le Normand Paulmier de Gonneville avait atteint la côte du Brésil dès janvier 1504 ; il laissait entendre dans son journal de bord une familiarité des marins français sans doute très exagérée avec l'outre-Atlantique. Mais, dans la première moitié du XVIe siècle, des raids de course se développèrent en direction des Iles : à Porto Rico, San Juan fut mis à sac, et des villes d'Hispaniola attaquées en 1539 et 1543. Sur la côte de la Terre-Ferme, les riches îles perlières de la Margarita avaient fait l'objet d'attaques rochelaises une dizaine d'années auparavant. De Dieppe et Honfleur en Normandie, de La Rochelle et Bayonne ou Saint-Jean-de-Luz, en Aquitaine, partaient ces navires qui autorisent à parler de la présence continue des Français dans la mer des Antilles en ce deuxième quart du XVIe siècle. Les raids étaient de pillage mais aussi de commerce ; on chargeait en Guinée africaine les Noirs pour les vendre aux colons espagnols de la Terre-Ferme, au Venezuela et en Colombie. En revanche, les guerres civiles et religieuses de la deuxième moitié du siècle en France ne furent pas favorables à cette expansion maritime et commerciale.

Il faut cependant se garder d'y voir une période de complète interruption des entreprises maritimes. D'une part, la connaissance de l'Atlantique, indispensable aux trafics, s'améliorait par une constante fréquentation des

« bancs » de Terre-Neuve, découverts dès la seconde moitié du xve siècle par les marins basques et bretons. Pour la pêche à la morue, des centaines de bateaux gagnaient les bancs pour revenir vers les ports de l'Europe du Sud satisfaire une demande de poisson forte pendant le carême. D'autre part, on continua à fréquenter les Petites Antilles : tel navire de Fécamp quittait ainsi en 1572 La Rochelle « pour trafiquer avec les habitants des îles cannibales draps, toiles, couteaux, poignards et quincailleries » avant d'aller faire la course autour de Porto Rico[5]. Depuis Bordeaux, en 1580-1581, deux bâtiments partirent pour le commerce de Guinée et des Iles, c'était déjà le trafic triangulaire. Mais ces expéditions n'aboutirent pas à la mise en place d'une colonisation ; seuls la course et le commerce « au bout de la pique » étaient les objectifs des marchands investissant dans ces expéditions. Au xviie siècle, un Richelieu et un Colbert devaient donner une tout autre ampleur aux projets antillais.

Première colonisation à Saint-Christophe

En créant en 1626 la Compagnie de Saint-Christophe, le cardinal de Richelieu manifestait des vues apparemment proches de celles des souverains français du xvie siècle comme de celles plus récentes des marchands hollandais de la Compagnie des Indes occidentales fondée en 1621. Il s'agissait bien d'attaquer les Espagnols au Nouveau Monde, et les Iles étaient les « avenues des faubourgs de l'Inde, l'entrée du Pérou » d'où leurs possessions seraient ruinées. L'agression contre les colonies du Roi Catholique fit partie du programme de la compagnie française, mais les financiers de l'entourage du Cardinal avaient en vue un autre objectif qui, lui, était purement commercial. Il était dans le profit à tirer de la vente du tabac, produit encore relativement rare mais dont la mode se développait depuis la fin du règne d'Henri IV. En privilégiant une production obtenue dans une colonie, Richelieu espérait tirer parti de la mode existante et, trois ans plus tard, il décida de faire payer trente sols par livre sur les tabacs étrangers mais d'exempter de ce droit le produit venant de Saint-Christophe.

Pour la réalisation de son projet de colonisation, la rencontre de Richelieu avec Pierre Belain d'Esnambuc fut essentielle. Ce gentilhomme normand était déjà familier des îles de la Caraïbe par ses voyages de flibuste effectués dès le début des années 1620. Le 1er mai 1623, « Pierre de Belain, écuyer, sieur d'Esnambuc, capitaine et conducteur après Dieu du navire appelé l'Espérance... étant de présent dans ce port et Havre de Grâce, prêt à partir pour faire, Dieu aidant, le voyage du Pérou, Brésil et autres îles... pour vendre, troquer, permeter et débiter toutes et chacunes les marchandises ici prises, à autres marchandises, renouvalités, bêtes et oiseaux qu'ils y pourront recouvrer[6]. » Il était, début 1625, sur la côte de Saint-Domingue et avait fait escale à Saint-Christophe. Mais il était loin d'être le seul : en 1624, un bourgeois du Havre, Pierre Gourney, était « prêt à s'embarquer pour aller aux isles de la Martinique, Dominique et autres circonvoisines auxquels lieux icelluy prétend faire résidence l'espace de trois à quatre ans pour y naviguer et trafiquer toutes sortes de marchandises... pour faire jardiner auxdits lieux pour y faire du petun[7] ».

Déjà, en fait, les Anglais de Thomas Warner se consacraient en 1625 sur Saint-Christophe à la culture du tabac, et d'Esnambuc put en voir les premiers succès. On comprend qu'il ait cherché à obtenir la protection de Richelieu et un soutien financier et maritime pour revenir s'installer aux Antilles. Le soutien financier resta médiocre : le capital de la Compagnie de Saint-Christophe qui donnait à d'Esnambuc « commission d'établir une résidence de Français dans l'île de Saint-Christophe » se montait à 45 000 livres alors que les seules marchandises chargées en

1623 sur le premier navire de Belain d'Esnambuc valaient 3 500 livres.

De grosses difficultés attendaient les compagnons de d'Esnambuc. Dès le début de leur installation, la Compagnie se trouva incapable d'assurer leur ravitaillement et les Français ne parvinrent à se maintenir dans l'île que grâce au commerce interlope des Hollandais. Cette situation devait demeurer une constante de la colonisation française aux Antilles jusqu'au dernier tiers du XVIIe siècle. « Il est vrai de dire, rappelait quelques années plus tard le père Du Tertre, que sans les secours que nos colonies ont reçu des Hollandais elles n'eussent jamais subsisté[8]. » Installés aux deux extrémités de l'île tandis que les Anglais en occupaient le centre, les Français restaient en nombre inférieur : en 1635, l'année de la colonisation en Martinique et en Guadeloupe, ils pouvaient être moins de 2 000 alors que les Anglais dépassaient les 5 000 colons. À la même date, les sujets du roi Charles Ier étendaient leur domination sur les îles proches de Nevis, Montserrat et Antigua, « comme une ruche trop pleine jette ses essaims dehors ». Les Anglais pouvaient recevoir des navires qui, venant de la Barbade, allaient en Virginie et faisaient escale dans l'île alors que les Français étaient plus isolés. Les renforts ne leur furent acheminés que très lentement et dans de difficiles conditions : en 1628, le débarquement de six cents Français épuisés, affamés, malades et éberlués sur les plages de Saint-Christophe tourna à la catastrophe :

> Plus de trente étant comme agonisants, n'ayant pas la force de se traîner dans quelque case, furent inconsidérément laissés sur le bord de la mer, et personne ne s'étant mis en peine d'aller les chercher le soir, ils furent mangés par les crabes, alors descendus des montagnes en une si prodigieuse quantité qu'il y en avait des monceaux, aussi haut que des cases, au-dessus de ces pauvres misérables[9].

À l'écart des premières places à vivres ou à tabac, à quelques centaines de mètres des frêles abris fortifiés, se révélait un univers hostile, domaine de la nature foisonnante et menaçante.

Or la puissance navale espagnole était loin d'être détruite : en 1629, avec ses trente-cinq galions, Don Fabrique de Toledo attaqua les établissements anglais et français de l'île ; ses soldats brûlèrent les récoltes, il n'y avait plus assez de vivres, en particulier le manioc déjà indispensable. Les survivants, soit fuirent dans la montagne où ils furent secourus par les Indiens, soit quittèrent la colonie pour tenter de s'établir à Antigua, puis Montserrat. Revenus plus tard avec d'Esnambuc, les colons furent menacés de famine, les jardins à vivres étaient détruits et le tabac devait être replanté.

Un tableau trop sombre de cette première colonie ne convient cependant pas car Saint-Christophe, dans les premières années, avait pu profiter de la forte demande européenne en tabac, à Londres et Amsterdam. À la veille de l'expédition de Toledo, les Anglais produisaient près de 400 000 livres de tabac, les Français, 200 000. Certes, après 1630, les cours du produit chutèrent fortement, le tabac de Saint-Christophe de qualité inférieure se voyait préférer les tabacs virginien et surtout vénézuélien. Mais les bâtiments hollandais continuèrent à commercer avec la colonie, trouvant une base d'opérations dans l'île proche de Saint-Eustache. Surtout aussi, en dehors des habitants qui semaient le tabac et les vivres, bien des colons se livraient aux pillages dans la Caraïbe dans des expéditions de flibuste et venaient troquer leurs prises contre le tabac. Enfin un apprentissage de la colonisation se fit à Saint-Christophe. Ses pionniers y reçurent des Indiens d'utiles leçons sur le logement, la nourriture, la chasse et surtout la navigation à pratiquer aux îles. La colonie fut une base de migration des colons vers les autres Antilles.

Les Français à la Martinique et en Guadeloupe

Afin de remédier aux insuffisances de la Compagnie de Saint-Christophe qui ne parvenait pas à remplir ses objectifs, le 12 février 1635, Richelieu signa l'acte de naissance de la Compagnie des îles d'Amérique, élargissement de la précédente, à laquelle il s'associait encore personnellement. À lui seul, il avait fourni près d'un tiers du capital de la Compagnie de Saint-Christophe, entraînant avec lui de grands personnages de son entourage ; il fit de même pour la nouvelle compagnie.

Cinq mois plus tard, le 25 juin 1635, au chant de l'hymne *Vexilla Regis*, Liénart de l'Olive plantait la croix et le drapeau aux fleurs de lis sur la côte occidentale de la Martinique, entre les sites de Saint-Pierre et de Fort-de-France. Démunie de véritables moyens financiers, la Compagnie avait laissé Liénart de l'Olive et son compagnon Du Plessis s'associer avec un groupe de marchands de Dieppe pour trouver les navires et les hommes. Ce port avait déjà connu des départs vers la Caraïbe dès le XVIe siècle, mais auparavant, pour la colonisation de Saint-Christophe, Le Havre et Honfleur avaient été choisis. Jugeant l'île trop montagneuse, « si burinée de précipices et de ravines », Liénart de l'Olive fit se rembarquer ses trois cent cinquante hommes et les dirigea vers la Guadeloupe où ils parvinrent le 28 juin.

Cependant, la même année, les Français devaient s'installer en Martinique. Près de quinze ans plus tôt, l'île avait vu venir des sujets de Louis XIII. Des flibustiers tel Charles Fleury et ses compagnons, nouant des contacts favorables avec les Indiens, fréquentèrent la Martinique en 1619-1620. En 1624, la *Sainte-Anne* venait « couper, dôler et embarquer du bois jaune[10] ». Mais ces expéditions n'étaient aucunement tentatives de colonisation. Toute autre était l'entreprise de Belain d'Esnambuc, ce gentilhomme normand, déjà « acclimaté » aux Iles par son séjour à Saint-

Christophe. Alors que l'expédition de Liénart de l'Olive était faite d'immigrants venus directement de France, la Martinique fut colonisée depuis Saint-Christophe, île qui joua un rôle essentiel de relais entre le royaume et les colonies nouvelles, leur fournissant hommes et vivres. Au mépris des instructions de la Compagnie des îles d'Amérique qui défendit, en mars 1635, à d'Esnambuc de laisser partir quelque habitant de sa colonie pour d'autres îles, l'aventurier prit sur lui d'expédier en Martinique deux bâtiments montés par une centaine d'hommes de Saint-Christophe qui débarquèrent le 1er septembre 1635. « Tous gens de main, accoustumez à l'air, au travail et à la fatigue du pays, et qui estoient très habiles à défricher la terre, à la cultiver et y planter des vivres et fort adroits pour y dresser des habitations..., ils se fournirent en plants de manioc et de patates ainsi que de pois, de fèves et d'autres grains[11]. » Du Tertre exagère peut-être l'expérience antillaise des hommes de d'Esnambuc car parmi eux il y avait un certain nombre d'engagés récemment arrivés de France qui avaient trouvé à Saint-Christophe des ressources insuffisantes. Mais, entre la première colonisation de la Martinique et celle de la Guadeloupe, il y avait bien là un singulier contraste.

En effet, dans la dernière île, l'insuffisance des vivres embarqués en France se révéla criante dès les premiers jours, et une famine terrible décima un grand nombre des nouveaux colons. Relatant trois ans plus tard les débuts de l'installation des Français en Guadeloupe, dans un but moins d'information que de propagande pour inciter au départ de nouveaux hommes, la *Gazette* de Théophraste Renaudot omettait soigneusement de parler de « l'horrible famine » de 1635[12]. Il est vrai qu'aux dires de Du Tertre le choix du site par Liénart de l'Olive pour débarquer, au nord-ouest de l'île, près de Sainte-Rose, était peu heureux : « Ils s'arrêtèrent par malheur à l'endroit le plus ingrat de toute la colonie. » Mais surtout la mésentente entre les deux chefs de l'expédition, Liénart de l'Olive et Du Plessis, éclata dès le début ; le partage des vivres et des munitions ne se passa pas « sans querelles entre ces deux capitaines ». Il est vrai que Du Tertre accuse aussi « l'avarice des marchands et des commis des vaisseaux qui, ne recherchant que leur profit, n'approvisionnèrent les navires qu'avec des produits à bon marché, mauvaise nourriture ». Au bout d'à peine deux mois, les colons « se trouvèrent au milieu des bois sans patates ni manioc à planter, sans pois et sans fèves à semer ». Des vivres et des plants furent demandés à Saint-Christophe, mais ils se révélèrent insuffisants ; le 16 septembre 1635, un navire affrété par des marchands de Dieppe put mettre à terre cent quarante hommes, mais il ne laissa que peu de vivres. Les promesses de la Compagnie d'approvisionner les colons pendant une année au moins n'étaient pas tenues et, jusqu'en 1640, la situation devait rester précaire en Guadeloupe.

Grâce à l'expérience de d'Esnambuc et des « anciens » de Saint-Christophe, la Martinique ne connut pas ces débuts difficiles : d'Esnambuc prit soin de faire planter patates et manioc, et les habitants, préservés du risque de la famine, y ajoutèrent le petun, ce tabac que les capitaines de navires, surtout hollandais, informés de cet établissement des Français, venaient charger nombreux. Avant l'âge du sucre, celui du tabac permit une prospérité relative. Surtout, alors qu'une dualité de pouvoirs, entre Liénart de l'Olive et Du Plessis, régnait dans l'autre colonie, en Martinique, d'Esnambuc put s'appuyer sur un clan, celui de ses proches parents, où les solidarités familiales jouèrent favorablement. À sa mort, en 1637, son neveu, Jacques Dyel, sieur Du Parquet, reçut la commission de lieutenant général du roi.

FACE AUX INDIENS

Toujours en vue de présenter un tableau des îles nouvellement colonisées le plus propre à séduire ses lecteurs, la *Gazette* de février 1638 tentait de donner une image très favorable des premières relations des colons, de ceux de la Guadeloupe dans cet exemple, avec les Indiens :

> Le sieur de l'Olive employa tous ses moyens à gagner l'affection des Sauvages de cette île..., il fit montre de bien des présents qui étaient de cristal, des miroirs, couteaux, serpes, peignes, sifflets, aiguilles, épingles et autres bagatelles.

Depuis longtemps, les rapports de troc entre Occidentaux et Indiens étaient nécessaires afin de procurer aux colons les vivres indispensables. En août 1620, le capitaine flibustier Charles Fleury et ses marins, abordant la côte de la Martinique et approchant d'une habitation des Indiens virent que :

> tous les sauvages se rendaient le long de la mer avec l'arc et les flèches prêts à tirer. De quoi les nôtres, ne faisant semblant de se méfier d'eux, leur montraient en s'approchant d'eux des haches, serpes, couteaux, et autres outils en criant toujours, « France bon, France bon », et ainsi abordèrent à terre où ils furent fort humainement reçus desdits sauvages, qui les menèrent dans leurs cases où ils les firent tant manger que la plupart ne purent revenir[13].

Les premiers rapports Indiens-colons en Guadeloupe comme en Martinique furent donc pacifiques et favorables à des colons que la Compagnie laissait démunis et qui pouvaient obtenir des Indiens les vivres, manioc, patates, fruits ou viande de tortue. En outre, de tels comportements répondaient aux instructions des seigneurs de la Compagnie recommandant de conserver la paix avec les Indiens.

Liénart de l'Olive n'oublia pas dans ses premiers gestes sur la nouvelle terre – il avait planté la croix lors de son débarquement dans l'île – l'objectif officiel de la colonisation, la conversion des sauvages, et, dès le début, employa « sa rhétorique » à persuader « par l'entremise des Religieux susdits qu'il fallait quitter les malins esprits qu'ils adoraient pour servir le vrai Dieu ». Au contraire, les flibustiers de Dieppe ou du Havre fréquentant les Iles dans les années 1600-1620 ne voyaient pas les Indiens comme un peuple à « civiliser » par la conversion et se contentaient des seuls rapports de troc, rapports auxquels les colons s'attachèrent en priorité, faisant peu de cas de la mission de la conversion.

Rapidement, pour pouvoir planter les vivres et le tabac, il fallut créer des « habitations », donc défricher des terres que les Indiens contrôlaient seuls jusque-là et qu'ils ne pouvaient que difficilement accepter de voir passer aux mains des colons. La fourniture de vivres par les Indiens, au demeurant restée irrégulière car les réserves des jardins à vivres indiens étaient restreintes, ne pouvait que souffrir de ce qui serait conflit endémique. Plus que celui de la Martinique, l'exemple de la Guadeloupe montre comment grandirent des rapports de plus en plus hostiles conduisant aux guerres indiennes. Le désunion de Liénart de l'Olive et de Du Plessis puisa, en partie, ses origines dans la conduite à tenir face aux Indiens. Le second, conciliant, prônait la paix avec eux, le premier, obsédé par ce déficit des vivres dont ses compagnons souffraient beaucoup, résolut de s'emparer par la force des vivres nécessaires, cela en faisant même occuper les jardins indiens. En décembre 1635, la mort de Du Plessis le laissa seul maître de décider de la politique indienne à mener : « On soufflait déjà le feu qui s'embrasa bientost après contre les Karaibes[14] ». En Martinique, il y eut certes un premier conflit, mais d'Esnambuc, fort de son expérience de Saint-Christophe, manifestait son désir de paix avec les Indiens, et son successeur, Dyel Du Parquet, prôna lui aussi l'entente avec « les sauvages » :

> Touchant les bonnes relations que vous me deman-
> dez d'avoir avec les sauvages, elles ne peuvent être
> meilleures. Nous vivons ensemble comme si nous
> étions français.

Il est vrai que le même Du Parquet ajoutait dans cette lettre aux seigneurs de la Compagnie :

> Ce n'est pas sans grands frais, il faut que je leur fasse
> de continuels présens puisqu'ils viennent nous voir
> journellement[15].

Si, en Martinique, des conflits devaient surgir par la suite assez rapidement, c'est bien en Guadeloupe que la guerre indienne se révéla la plus violente, et Du Tertre y vit la cause de la stagnation de la colonie pendant plusieurs années :

> La mauvaise intelligence de M. de l'Olive avec les
> sauvages a été un invincible obstacle au progrès de
> la colonie française.

Un « lit de coton » abandonné par un colon et pris par des Indiens contre « un porc et quelques fruits », cet acte accompli par des Caraïbes qui n'avaient pas les concepts occidentaux de valeur des produits fut pour Du Tertre un prétexte à la guerre et, décrivant l'expédition de Liénart de l'Olive, le missionnaire va jusqu'à parler de « conspira-tion ». Mais les Indiens pratiquèrent la politique de la terre brûlée : emportant leurs vivres, mettant feu à leurs carbets, ils ne laissaient aux colons que peu de chances de trouver ces vivres qui leur manquaient. Pendant près de cinq ans, ceux-ci vécurent dans les conditions les plus difficiles car brouillés avec les Indiens :

> Avant ces démêlés, les sauvages ne venaient jamais voir les Français les mains vides, et comme ils les voyaient dans la nécessité ils leur portaient toujours quelques vivres, leurs pirogues étaient souvent chargées de tortues, de lézards, de cochons, de lamantins, de patates, de bananes et d'autres sortes de fruits que produit le pays[16].

Comme Du Tertre, le père Raymond Breton et les autres religieux se prononcèrent contre la politique ainsi menée par Liénart de l'Olive : « Il n'était pas permis de faire la guerre injustement à une nation libre et lui ravir ses biens et habitations[17]. » En effet, les Français parvinrent à prendre l'avantage, cependant, « une certaine terreur panique s'était emparée de leur cœur » ; les embuscades succédaient aux embuscades, il fallait se renfermer dans les forts. Seul, en 1640, un changement radical de politique, avec la médiation de Dyel Du Parquet et la nomination d'un nouveau gouverneur par la Compagnie pour remplacer Liénart de l'Olive, devait mettre fin à ces années d'insécurité et de stagnation pour la colonie. Aubert, un « ancien » de Saint-Christophe, arriva en septembre 1640 ; conseillé par Du Parquet, il parvint, en dépit des « boutefeux » de la guerre à imposer la paix. Du Tertre souligne l'importance de celle-ci pour l'avenir de l'île : « Le bruit de cette paix s'étendit dans toutes les îles avoisinantes, et même en France, ce qui attira beaucoup de monde à la Guadeloupe pour y prendre des places. » On voit alors la Guadeloupe imiter tardivement la politique suivie en Martinique par Du Parquet. Il est vrai que les Indiens les plus hostiles se réfugièrent dans l'île proche de la Dominique d'où ils pouvaient encore menacer les colons dans des « descentes » sur leurs établissements. Dans une lettre du 17 août 1639 à la Compagnie, Du Parquet avait noté la paix vécue à la Martinique : « Ils [les sauvages] viennent journellement parmi nous. Il y en a quelques-uns qui souhaitent y prendre des habitations. » En fait, dans cette colonie, s'était réalisée une séparation des établissements qui put contribuer à éviter les conflits quelque temps : à l'est de l'île, sur la côte au vent, frappée par l'alizé, on trouvait les Indiens, cette partie de l'île était encore peu fréquentée par les Français, c'était « la demeure des sauvages », terme adopté pour la carte de Mariette en 1645 ; les Français se réservaient la côte sous le vent, à l'ouest. Plus tard, en 1658, lors d'une nouvelle guerre indienne, une expédition des colons chassa les Caraïbes du nord-est de l'île, entre Macouba et la Caravelle, et les survivants furent désormais cantonnés, « pacifiés », dans quelques établissements de la côte sud-est.

Les relations entre Français et Caraïbes s'étaient dégradées avant 1640, mais les hostilités devinrent plus sévères dans les années 1650. De la part des colons, il ne s'agissait plus tant de chercher à piller les jardins à vivres et à défricher des places à tabac que de tenter d'exterminer les Indiens. Avant le milieu du siècle, entre les expéditions des colons et les raids des Indiens, il y avait des périodes de relative entente, et, même avant 1640, au cours des premières famines de la Guadeloupe, certains Français, comme le rappelle Du Tertre, « se retiraient parmi les sauvages qui les reçurent avec humanité et les traitèrent avec abondance, ne pouvant le faire avec délicatesse[18] ». La pression des habitants, devenus plus nombreux, était plus forte, et les Indiens purent trouver des alliés parmi les esclaves marrons qui fuyaient la plantation. L'immigrant noir introduit de force rejoignait le camp des Caraïbes. Mais ces guerres s'inscrivaient au sein des violentes rivalités éclatant entre les « maîtres » des îles, chacun s'en servant, à l'occasion, pour élargir son aire d'influence et accroître son autorité.

Mais si le colon sans scrupules s'attachait à une politique de massacre des indigènes, n'était-ce pas aussi pour vaincre son impatience de dominer la nature tropicale, l'espace non maîtrisé des Iles s'identifiant à la demeure des sauvages ? L'Indien incarnait le danger de la nature sauvage. Cette image imprégna longtemps l'esprit des colons. Écrivant en 1652 sa *Relation* de la Guadeloupe, le frère Mathias Du Puis montrait le sauvage invisible : « Ils se couvraient tout le corps d'une grande feuille verte, de telle sorte qu'ils ne paraissaient aucunement, cachés dans l'épaisseur des bois..., et dès qu'ils trouvaient l'occasion, ils... perçoient [les colons] de leurs flèches empoisonnées[19]. » Crainte d'un sauvage identifié au cannibale et mépris de peuples qui transgressent les lois de l'humanité civilisée l'emportent chez presque tous[20].

Quand Du Parquet lança, en 1650, une expédition sur la Grenade, au sud de l'archipel caraïbe, c'était apparemment pour répondre à une demande des Indiens habitant l'île. « Gens de cœur et expérimentés dans la culture des vivres et des marchandises du pays » les deux cent cinquante hommes embarqués à la Martinique prirent avec eux les produits nécessaires à la traite avec les sauvages. D'après Du Tertre, il y eut « cession volontaire des sauvages de l'île », qui cependant gardaient leurs carbets et leurs habitations. Rochefort contredit Du Tertre en notant, au contraire, que « les Français eurent à leur arrivée beaucoup de démêlés avec les Caraïbes qui contestèrent quelques mois par la force des armes la paisible possession[21] ». Selon le missionnaire, cette vie « en bonne intelligence avec les sauvages » cessa au bout de huit mois, et la guerre indienne commença. Les Indiens « traîtres » massacraient les Français égarés dans les bois. Avec un renfort de trois cents hommes, le comportement des hommes de Du Parquet changea complètement : ordre était donné de « faire main basse sur tous les sauvages qu'ils rencontreraient et, à la moindre résistance, de leur faire la guerre dans leurs carbets et de les obliger à quitter l'île ». En fait, l'extension des défrichements français provoqua cette résistance des Indiens soutenus par des Caraïbes venus de Saint-Vincent et de la Dominique. « Les Français brûlèrent toutes les cases, détruisirent les jardins, arrachèrent le manioc, enlevèrent tout ce qu'ils trouvaient chez les sauvages[22]. » Avant cette destruction des habitations indiennes, un dernier massacre, particulièrement sanglant, avait eu lieu. Surpris au sommet d'un morne, où ils se croyaient en sûreté, les Indiens y furent massacrés, et « ceux qui échappèrent coururent vers le précipice, là se voyant vivement poursuivis, après avoir mis leurs mains devant les yeux, ils se jetèrent de cette haute montagne dans la mer ». Au morne des Sauteurs, les Français avaient remporté l'avantage mais en donnant à cette guerre de la Grenade un caractère impitoyable.

Ces massacres de la Grenade, peut-être les plus durs des guerres indiennes, furent suivis d'autres combats entre colons et Caraïbes en Guadeloupe comme en Martinique en 1656 et 1658. Ils étaient d'autant plus dangereux pour les colons que les Nègres esclaves qui commençaient à travailler sur les plantations, se révoltant contre leurs maîtres, pouvaient rallier le parti des Indiens : « Les nègres marrons venaient la nuit, furtivement, débaucher ceux qui étaient restés, puis tous se retiraient chez les sauvages..., les sauvages se servirent quelque temps après de ces nègres pour recommencer leurs irruptions, ils les armèrent de flèches et de bâtons..., les nègres marchaient toujours les premiers, comme les plus hardis, le flambeau à la main pour brûler les cases[23]. »

Alors que des trêves avaient marqué les années précédant cette guerre, en 1660, la Martinique et la Guadeloupe connurent une paix générale : une délégation du Conseil souverain de la première colonie se rendit à Basse-Terre, décidée à ne pas « réintégrer » les Indiens s'ils ne rendaient pas les Nègres volés sur les habitations (près de cinq cents). On pourrait leur donner des terres s'ils vivaient en paix. Quinze sauvages « des plus renommés » des îles de Saint-Vincent, de la Dominique et de ceux qui avaient été chassés de celle de la Martinique étaient présents pour la conclusion de la paix qu'ils acceptaient à condition que les colons cessent toute tentative de peuplement sur Saint-Vincent et la Dominique qui resteraient « leur seul lieu de retraite ».

La violence a donc régi les rapports entre Français et Amérindiens, cependant, surtout en Martinique, il y eut place aussi pour des relations tout autres, marquées par une volonté de conciliation, même chez les Français. L'épithète si fréquemment lancée de « sauvage » pour désigner les Indiens pouvait représenter à la fois le mépris et la peur de ces silhouettes inquiétantes attendant les colons dans les embuscades de la forêt. Mais certains purent penser autrement ; sans retenir le seul exemple des missionnaires, comme celui du père Raymond Breton, comment ne pas noter le cas d'un Du Plessis, fondateur de la colonie de la Guadeloupe aux côtés de Liénart de l'Olive, devenu « le compère », l'ami d'un Caraïbe. Les colons ont aussi su apprécier le savoir des Indiens en adoptant bien des éléments de leur vie quotidienne. Pour survivre, ils se livrèrent très tôt à la culture du jardin caraïbe, d'où après écobuage dans la forêt, l'Indien tirait le manioc et la patate douce, base de sa subsistance. Le même colon apprit des femmes caraïbes la fabrication de la galette de manioc, la cassave, qui remplaçait avantageusement le pain. Les Indiens enseignèrent aux Français l'art de la pêche et de la chasse. Toutes ces pratiques font toujours partie de nos jours de la culture créole. Il est vrai que la Compagnie, comme les marchands dieppois, havrais et encore plus hollandais, entendaient avant tout tirer parti de la colonisation en obtenant « les marchandises », en particulier le tabac : « C'est icy le vray pays du petun ou tabac, et c'est notre plus grand trafic », soulignait le père Breton en 1647[24].

L'ÂGE DU TABAC ET DES ENGAGÉS

La culture du tabac avait commencé dès l'installation des Anglais puis des Français à Saint-Christophe et, ce faisant, on perpétuait une tradition caraïbe. De 1625 à 1635, comme la Barbade, Saint-Christophe connut un rapide essor de cette culture qui convenait à la petite plantation créée par des immigrants dépourvus souvent de moyens. Les premières concessions de vingt hectares furent réduites à dix, mais des parts supplémentaires étaient attribuées aux planteurs disposant d'un certain nombre de travailleurs. Au bout de quelque temps, les colons repartaient en France chercher la main-d'œuvre indispensable à la production et à la conquête du sol.

Dans cette phase pionnière de la colonisation antillaise, l'engagement joua un rôle essentiel pour donner cette main-d'œuvre aux Iles, exactement comme il le fit pour les régions continentales de l'Amérique du Nord. L'âge du tabac fut indissociable de l'afflux des « trente-six mois » (voir ci-dessous) apportant la force de travail nécessaire. On retrouve cette place de premier plan des engagés dans les équipages de la flibuste comme plus tard dans les entreprises boucanières de l'ouest de Saint-Domingue. Ce furent ces engagés qui composèrent l'essentiel des hommes recrutés par Belain d'Esnambuc pour « s'habituer, défricher et cultiver le pétun et autres denrées exotiques » à Saint-Christophe en 1627. La plupart étaient d'origine paysanne, recrutés dans les campagnes normandes et habitués au travail de la terre, accompagnés de quelques artisans, scieurs de long, charpentiers, maréchaux-ferrants. Tous partaient pour servir trois ans, encore que quelques habitants ne craignirent pas de tenter d'implanter sur leur habitation le modèle anglais de sept ans pratiqué dans la partie anglaise de l'île. Ce faisant, ils provoquèrent des « assemblées tumultueuses » qui troublèrent la colonie en 1632-1633, et d'Esnambuc dut alors ordonner que « tous les serviteurs qui avaient accompli leurs trois ans auraient leur liberté, et que si les maîtres voulaient s'en servir ils les paieraient comme serviteurs libres ». En effet, l'engagé perdait sa liberté pendant ces « trente-six mois », pour « planter le petun, charfouir et ensemencer la terre, abattre le bois et autres choses qui leur seront commandées ». Les habitants se rendant vendre leur tabac en Hollande, quelquefois en Angleterre, plus rarement en France, pouvaient « venir furtivement » dans le royaume y lever des hommes qu'ils embarquaient avec eux pour les servir à Saint-Christophe. Quand des habitants s'associaient, l'un d'eux pouvait rester en France et se charger d'y recruter des engagés pour l'habitation gérée en commun.

Les engagements se firent d'abord individuellement par contrat passé entre un colon ou son représentant en France et le travailleur recruté. Ainsi, le 20 juin 1640, un cultivateur de la région de Dieppe et sa femme signèrent un contrat avec un marchand habitant de Saint-Christophe venu en personne chercher sa main-d'œuvre. Le recruteur connaissait ses hommes, ceux-ci savaient chez qui ils devaient travailler. Le marchand habitant faisait les avances des frais du voyage en échange de l'engagement à son service. Au moment de leur embarquement, les engagés se voyaient promettre la concession d'un lot de terre à l'expiration de leur temps de service pour devenir, à leur tour, planteur, « maître de case ». Mais, dès 1645, à La Rochelle, Gabriel Debien montre une situation différente : les contrats y furent désormais passés entre le capitaine de navire et les immigrants. « Pourvoyeur d'homme », marchands de main-d'œuvre, les capitaines embarquant les serviteurs se chargeaient de trouver aux colonies le planteur auquel vendre l'engagé. Ce dernier pouvait d'ailleurs faire l'objet d'une revente pendant son temps d'engagement. Dès le début du transport des engagés, les conditions de la traversée de l'Atlantique étaient loin de susciter l'enthousiasme au départ car un entassement, annonçant celui qui devait être pratiqué sur les bâtiments de la traite négrière, régnait à bord : « Il ne sera donné permission au maître de navire d'aller aux isles qu'en réglant le nombre des passagers proportionnés à la grandeur des vaisseaux pour empêcher le désordre arrivé aux derniers vaisseaux partis de France[25]. » Prise par la Compagnie, le 2 septembre 1637, cette disposition prouve que les précautions minimales furent négligées dès ces années 1630. Théoriquement, on comptait un homme au tonneau de jauge, il y en avait généralement davantage[26].

Dans les premières années, au sortir de la servitude, les « petites gens » se virent accorder les concessions libres : « Au commencement que ces îles furent habitées, chacun faisait sa place, ceux qui venaient libres allaient trouver le gouverneur qui leur donnait gratuitement une place de bois de 200 pas de largeur sur 1 000 pas de hauteur à défricher ; le gouverneur en donnait autant à ceux qui sortaient du service[27]. » À partir du milieu du siècle, les choses changèrent car plusieurs éléments contribuèrent à détériorer la condition de l'engagé. Le manque de terres disponibles et, en conséquence, la cherté croissante de la terre, étaient manifestes à la Barbade et à Saint-Christophe dès les années 1640. Cela se produisit plus tardivement à la Martinique et à la Guadeloupe, encore que les conflits répétés avec les Indiens des années 1650 peuvent s'expliquer par une « faim de terres ». Sur la côte sous le vent, autour de Saint-Pierre en Martinique, la première occupée par les colons, on manquait de terres et ce manque peut expliquer la conquête de la Capesterre, la côte au vent, d'où furent évincés les Caraïbes. « Une place de six ou huit mille livres de pétun n'est pas grand chose... À Saint-Christophe, il n'y a plus à défricher, les places y sont hors de prix[28] », le père Du Tertre souligne la différence existant avec la situation des débuts, quand « de bons garçons aux îles... ne faisaient rien d'autre que de belles habitations, qu'ils vendaient ensuite toutes plantées de vivres et de tabac, à très bon marché aux nouveaux venus ». La concession accordée gratuitement à l'issue du temps de service par le gouverneur fut réduite de mille à cinq cents pas de hauteur.

Or, en complète discordance avec cette hausse du prix des terres, on assista à une constante dépréciation du tabac, sensible dès le début de la colonisation en Martinique et en Guadeloupe. D'Esnambuc vendait le tabac de Saint-Christophe en 1629 dix livres tournois la livre, en 1635 le prix était tombé à une livre cinq sols, fin 1639 à moins de quatre sols. Le pécule gagné par l'engagé et touché à la fin des trente-six mois, trois cents puis quatre cents livres de tabac, ne permettait plus, soit de payer un retour éventuel en France, soit d'assumer les frais d'installation sur le lot de terre attribué. L'engagé était souvent contraint de prolonger alors son temps de service, pour au moins trois ans. D'ailleurs beaucoup, décimés par les fièvres ou les maladies pulmonaires, ne parvenaient pas à atteindre le terme des trois ans. À la fin des années 1650, une grande transformation dans la nature des cultures, avec le passage du tabac à la canne à sucre, devait réduire encore plus les occasions offertes à l'engagé. Alors que l'habitation à tabac ne nécessitait qu'un investissement relativement modeste, l'habitation sucrerie obligeait à recourir pour son exploitation à un crédit coûteux des marchands de la colonie, et encore plus de Hollande et du royaume, ou à un capital fourni par des associés en France.

La dureté de la condition fit que le système des engagés ne put assurer convenablement le peuplement de la colonie et faire face aux nécessités des cultures. Après un quart de siècle de colonisation en Martinique, le recensement de 1660 étudié par Jacques Petitjean Roget donne 2 580 Français ou d'origine européenne, 2 683 Africains, mulâtres et sauvages[29]. Le flux d'immigration demeure difficile à mesurer, il est évalué par Jacques Petitjean Roget à quelque 300 hommes par an dans les années 1635-1645 et Gabriel Debien, sur 6 200 contrats d'engagement signés à La Rochelle, en note 4 800 pour les Antilles, de 1638 à 1670.

Mais combien de ces engagés restèrent aux Iles ? En 1645, le père Pacifique de Provins voyait « la plupart des Français qui viennent ici s'en retourner en France au bout de six ans », et Du Tertre parle d'un flux et reflux continuel des voyages de l'Amérique en France et de France en Amérique. Il y avait bien renouvellement constant de la population des colonies. On trouve ainsi peu de noms d'engagés relevés dans les contrats du Havre sur les recensements des années 1660, ce qui tend à prouver que nombreux étaient ceux qui, à la fin de leur temps de service, étaient tentés par le retour au pays. En 1647, en Guadeloupe, le gouverneur Houel se plaignait de l'insuffisance et de l'inadaptation des engagés aux nécessités de la culture, et il suggérait de les remplacer par des esclaves. Le recours à l'esclavage des Africains précéda l'introduction de la plantation sucrière aux Antilles, il fut seulement fortement amplifié par celle-ci.

Ces engagés qui ne pouvaient toujours se fixer sur la terre qui avait vu leur rude labeur en devenant « maîtres de case » avaient, pour quelques-uns, la possibilité de monter dans la société des Iles. Du Tertre note soigneusement comment le commandeur qui fait travailler les serviteurs du maître de case mange à la table du maître et peut gagner jusqu'à trois mille livres de tabac par an, et le torqueur de tabac, nourri et logé, reçoit encore plus, de quatre à cinq mille livres de tabac par an. Un Jean Roy, ancien engagé, devenu un des plus riches habitants sucriers de la Martinique, avait accédé à cet emploi de torqueur après son temps d'engagement. Les anciens engagés purent aussi se tourner vers le choix de la flibuste et connaître dans d'aventureuses campagnes menées dans les eaux de la Caraïbe une fortune rapide. Jean Roy a été également flibustier et Pierre Dubuc, le célèbre habitant de la presqu'île de la Caravelle en Martinique, vendu comme engagé à Saint-Christophe, arrivé dans la première colonie vers 1657, trouva lui aussi dans la course une partie de l'origine de sa fortune. Entretenant le goût des armes dans les expéditions de flibuste, les anciens engagés pouvaient aussi servir les clans qui s'opposèrent dans les Iles autour de leurs premiers maîtres en soutenant les rébellions contre les compagnies.

LES MAÎTRES DES ILES

En créant la Compagnie des îles d'Amérique, en 1635, le roi en attribua la propriété aux Associés et à leurs héritiers à venir ; les seigneurs de la Compagnie pouvaient dès lors concéder des terres et percevoir des taxes sur les marchandises qui entraient ou qui sortaient des colonies. Mais, dès le début, l'économie de plantation qui devait, avec le tabac, créer les ressources capables d'enrichir la Compagnie se heurta aux fluctuations du marché européen – elle devait le faire jusqu'à nos jours. Avant même la fondation des colonies de la Martinique et de la Guadeloupe, une réduction sensible de la demande et une baisse inexorable des prix sévissait à Amsterdam et Londres, principales places important le tabac des Antilles. En outre, aux Antilles françaises, intervint un autre élément qui fut le cadre artificiel imposé à l'économie de plantation par le régime de monopole des compagnies. Très tôt ce monopole fut appelé à se fissurer, sinon même à disparaître dans les faits, dans la mesure où il ne correspondait pas aux besoins des colons. La Compagnie des îles d'Amérique n'offrait pas les débouchés nécessaires et n'assurait pas les approvisionnements indispensables à la vie quotidienne. Ses décisions furent très vite suspectes aux yeux des colons et ils s'habituèrent à ne pas les respecter. Une « aigreur » des esprits grandit rapidement, dressant la grande majorité contre ses commis chargés de lever les taxes sur le tabac aux divers poids du roi répartis sur les côtes des Iles. Lorsqu'en 1638, afin de lutter contre l'avilissement des prix dû à la baisse des cours, la Compagnie décida d'interdire la plantation du tabac aux Iles pour l'année suivante, en demandant aux habitants de lui substituer la culture du coton, du rocou et des vivres, les planteurs s'y refusèrent.

En fait, en dépit des interdits officiels, ils restaient en constants rapports avec la Hollande. Du Tertre n'a aucun mal à souligner le rôle des marchands d'Amsterdam : « Ils y ont envoyé tant de vaisseaux qu'on n'y a manqué de rien, et il est vrai de dire que, sans le secours que nos colonies ont reçu des Hollandais, elles n'eussent jamais subsisté, mais aussi il faut avouer qu'ils en ont tiré la crème et le profit[30]. » La faiblesse de la Compagnie ressort dans ces résistances si efficaces à l'application de ses décisions. Elle restait démunie de navires et impuissante à assurer les débouchés, le projet mercantiliste de Richelieu ne pouvait être respecté. Avant l'installation en Martinique et en Guadeloupe, le 25 novembre 1634, Louis XIII avait interdit aux colons de Saint-Christophe de faire le moindre commerce avec les navires non munis d'une autorisation de la Compagnie. Déjà insuffisamment ravitaillés, ils ripostèrent en choisissant de réserver leurs trafics aux Hollandais.

Échouant sur le plan commercial, la Compagnie des îles d'Amérique pouvait-elle cependant installer ses « créatures » aux Iles ? Ses agents devaient y percevoir des droits qui les rendirent vite impopulaires. Le contrôle réel de la Compagnie sur les hommes appelés à diriger les Iles fut, en fait, très réduit avant même qu'elle ne passât la main en les vendant à des « propriétaires », et la mort de Richelieu, le 12 septembre 1642, lui fit perdre son meilleur protecteur. Les commissions délivrées le 14 février 1635 à Liénart de l'Olive et à Du Plessis qui les plaçaient à la tête de l'expédition française en Guadeloupe les chargeaient de « commander ensemble dans l'île qu'ils habiteraient » ou de « commander séparément s'il arrivait qu'ils en habitassent deux ». Ils étaient donc bien envoyés sous l'autorité de la Compagnie. Mais Pierre Belain d'Esnambuc, le premier à avoir été pourvu aux Iles d'une délégation de l'autorité royale pour « tenir les îles sous l'autorité et la puissance du roi » – il s'agissait de Saint-Christophe –, mécontent qu'on ne l'ait pas prévenu de cette occupation d'une des îles, s'empressa de monter sa propre expédition sur la Martinique. Ce faisant, il montrait son indifférence aux décisions d'une Compagnie qui n'entendait confier qu'aux seuls Liénart de l'Olive et Du Plessis la nouvelle colonisation. Deux ans plus tard, il n'attendit aucun avis des seigneurs de la Compagnie quand il choisit son neveu Du Parquet pour lui succéder en Martinique, le 2 décembre 1637. Ce choix fut ensuite ratifié par la Compagnie qui nomma Du Parquet capitaine général de la Martinique. Averti de la mort de son compagnon, Du Plessis, alors qu'il se trouvait à Saint-Christophe, Liénart de l'Olive « s'empara de tout le peuple », dès son retour en Guadeloupe, et décida une guerre ruineuse contre les Indiens, contraire aux instructions de la Compagnie. En 1639, Du Parquet ne tint pas davantage compte des demandes des seigneurs de la Compagnie qu'il jugeait inadaptées. Ils voulaient établir un juge, un hôpital, le paiement d'amendes. Il refusa le juge, prétexta que pour l'hôpital on manquait de ressources, en ajoutant que la faiblesse des revenus des habitants « qui doivent plus qu'ils n'ont » rendait impossible tout paiement d'amendes. L'agent de la compagnie venu « visiter le tabac » ne fut même pas reçu.

Les gouverneurs, Du Parquet en Martinique, l'Olive en Guadeloupe, jouissaient d'une réelle autorité en s'appuyant sur la milice, organisée en compagnies, ayant à leur tête un capitaine. Les habitants étaient à la fois paysans et soldats. Les capitaines étaient nommés par le gouverneur qui s'entourait ainsi de ses fidèles. Sur le territoire de sa compagnie, le quartier, le capitaine de milice exerçait son autorité avec un prestige indéniable. En 1640, la Martinique possédait quatre quartiers jointifs sur la côte sous le vent, au sud, la Case-Pilote, puis le Carbet, le Fort-Saint-Pierre, et, tout au nord, le Prêcheur. Cette structure n'avait pas encore changé en 1660, il y avait toujours ces quatre quartiers, l'occupation de la Capesterre, à l'est sur l'Atlan-

tique, ne faisant que commencer. Ainsi se dessinaient dans
l'île des réseaux qui pouvaient certes être menacés par les
intrigues et la violence débridée mais que Du Parquet,
comme un peu plus tard Houel en Guadeloupe, surent tenir
assez bien pour faire de la colonie leur chose.

Le jeu des ambitions

Cette indépendance de fait des gouverneurs devait s'accentuer rapidement. Alors que Du Parquet ne suivait pas
les instructions de la Compagnie en 1639, depuis un an,
selon Du Tertre, « un nouveau gouvernement ou plutôt de
nouveaux gouvernements régnaient sur les îles qui allaient
connaître pendant douze années plus de révolutions, plus
de révoltes, plus d'intrigues... qu'un grand empire n'en
déplore quelquefois pendant un siècle entier[31] ».

UN HOMME HABILE, LE COMMANDEUR DE POINCY

Le 6 janvier 1638, un protégé de Richelieu, le commandeur de Malte Longvilliers de Poincy, « guerrier consommé,
grand politicien, homme plein de richesses et d'amis »,
reçut de la Compagnie la commission de capitaine général
à Saint-Christophe, transformée, un mois plus tard, en
commission de lieutenant général du roi aux îles d'Amérique, ceci pour trois ans, « afin d'y faire vivre nos sujets en
union et concorde les uns avec les autres ». Ce dernier
point allait être rapidement démenti par les faits.
Embarqué à La Rochelle, en avril 1638, en qualité de lieutenant de Poincy, M. de La Grange, amenant avec lui « plusieurs jeunes gentilshommes et quantité de gens de
travail », n'hésita pas à bâtir sa propre fortune en quelques
mois. Quand, accompagné lui-même d'autres gentilshommes et « de quantité d'ouvriers des métiers les plus
nécessaires », Poincy arriva en février 1639 à Saint-Christophe, ce fut pour y être logé par son lieutenant « à l'en-

droit le plus minable de l'île », les Nègres qui lui furent attribués étaient « méchants et malingres ». Très vite, le commandeur marqua son hostilité à celui qui paraissait être un rival dangereux. Entourés chacun de leur clan, les deux hommes ne pouvaient éviter un conflit menaçant pour la paix de la colonie. Poincy, le plus habile, « travailla à gagner les esprits des principaux habitants et à se faire des créatures dans tous les quartiers de l'île ». D'un ancien brasseur de Dieppe, il fit un juge à sa dévotion et fit accuser La Grange de trafiquer sur « les traites », le commerce nécessaire aux colons. Cependant son rival pouvait trouver des partisans chez des planteurs furieux de la décision prise par Poincy, le 26 mai 1639, suivant les instructions de la Compagnie, d'interdire la culture du tabac pendant dix-sept mois.

« Homme riche d'inventions », Poincy envisagea, au début de 1640, de tenter une nouvelle fortune en Guade-loupe, colonie que la guerre indienne avait jusque-là condamnée à la stagnation. Des décisions opportunes, capables de faire se relâcher la tension à Saint-Christophe, furent prises pour servir ses projets : à tous les habitants de Saint-Christophe qui accepteraient de partir en Guade-loupe, « on donnerait des habitations..., on leur fournirait des vivres pour leur subsistance jusqu'à ce que le manioc et les patates qu'ils planteraient eussent atteint leur entière maturité ». Quelque 260 départs eurent lieu, et Poincy, ayant accordé l'annulation de leurs dettes aux migrants, il put recevoir le glorieux titre de « Restaurateur » de la Guadeloupe où des succès furent remportés contre les Indiens grâce aux renforts envoyés par lui. Du Tertre sou-ligne le caractère illusoire de cette réussite, beaucoup de nouveaux venus étaient malades ou s'étaient fait vite détes-ter par les vieux habitants en prenant des vivres par la force. À Saint-Christophe, Poincy écarta finalement La Grange, et quand de nouveaux troubles éclatèrent à l'au-tomne 1641, il montra toute sa maîtrise, n'hésitant pas à dicter aux juges chargés de condamner les mutins la peine à infliger à l'un des meneurs et faisant exécuter plusieurs officiers révoltés. Si l'on blâmait dans plusieurs compagnies les violences du lieutenant général, Poincy n'en tenait pas moins la colonie et était parvenu à obtenir le renouvellement de sa commission pour trois ans. Certes, il échoua dans son projet de mettre un de ses fidèles, Sabouilly, à la tête de la Guadeloupe, mais il sut alors dissimuler, paraître exécuter les volontés de la Compagnie, tout en continuant « à amasser du bien, à se faire des favoris et à se fortifier ».

En Guadeloupe, le protégé de Poincy écarté, Aubert, un ancien de Saint-Christophe, devenu « par le ménage de sa femme », la veuve de Du Plessis, un des plus riches habitants de Saint-Christophe, fut choisi par la Compagnie pour diriger la colonie en avril 1640. Aubert sut conclure une paix provisoire avec les Indiens et parut capable de donner à l'île ses nouvelles chances. Ce n'était qu'un sursis car une nouvelle guerre de clans allait éclater. Le nouveau lieutenant général avait bien présenté sa commission aux compagnies et aux habitants de Basse-Terre et Capesterre, cela n'empêcha pas les troubles provoqués par les « boutefeux » de la guerre indienne et l'action de quelques colons marrons, partis à l'aventure, fuyant dans les bois et tentant des descentes sur les habitations. Surtout, Aubert ne put éviter l'engrenage des remous politiques grâce auxquels un nouveau venu, un des seigneurs de la Compagnie, le Normand Houel, devait parvenir à subjuguer la colonie et à construire une fortune comparable à celle de Poincy. En 1642, reçu par Aubert, Houel venu connaître ce qui se passait en Guadeloupe et, ajoute Du Tertre, « choisir une île où il pourrait s'établir », ne mit pas deux ans à se débarrasser de son rival et à contester l'autorité du lieutenant général des Iles, Poincy. Revenu en France et usant de son crédit auprès de la Compagnie, il obtint en 1643 le gouvernement de la Guadeloupe. À son nouveau voyage, il trouva l'île encore sous le choc du cataclysme provoqué par l'ouragan de septembre 1642, cases renversées, arbres déracinés, plants de manioc arrachés de terre, feuilles de tabac mises en pièces. Les vivres manquaient et de nouveaux troubles menaçaient : « Tous les ennemis de la fortune d'Aubert se réjouissaient à la perspective d'un renversement de cette fortune qui accompagnerait la nomination de Houel. » Les intrigues redoublèrent et Aubert fut accusé par Houel de pousser les Indiens à une nouvelle guerre. Toute la duplicité du nouveau gouverneur apparut quand, lors d'un nouveau voyage en France, il parvint à faire condamner Aubert, réfugié à Saint-Christophe, par la Compagnie.

Mais le pire était encore à venir avec un violent conflit entre Houel et Poincy. Le 8 septembre 1644, ce dernier entendait éclairer la Compagnie sur les agissements de son protégé :

> La Compagnie des îles d'Amérique a envoyé à la Guadeloupe pour y commander un jeune jouvenceau qui ne sait ce qu'est l'obéissance à Sa Majesté ; il a pris possession dudit gouvernement sans rendre obéissance à la commission du roi dont je suis porteur..., il est parti de cette île sans ma permission et a laissé le commandement en son absence à qui lui a plu, laissant ladite île au premier conquérant, puisqu'il n'a pas de pouvoir pour donner une commission[32].

Effectivement, Houel avait délégué son autorité à un de ses fidèles, « le sieur Marivet », mais ce choix ruinait les ambitions de certains et l'île se déchira en factions opposées. « Pour maintenir le peuple dans le devoir », Poincy ne craignit pas, en octobre 1644, de nommer, de sa propre initiative, un nouveau gouverneur, « pour faire entièrement toutes les fonctions qu'exerçait ledit sieur Houel..., maintenir la milice et la justice ». Il justifiait sa décision par sa qualité de représentant de l'autorité royale pour toutes les îles, mais elle était contraire au choix de la Compagnie. Soutenu en Guadeloupe par les « anciens » de Saint-Christophe qui y étaient nombreux, il allait cependant à un échec : le nouveau gouverneur fut repoussé par une assemblée des principaux habitants à Capesterre et, après de nouveaux troubles, Houel, revenu dans la colonie, y prit le pouvoir.

En fait, c'est autour de Saint-Christophe et des prétentions du gouverneur de cette île à régir, depuis cette colonie, l'ensemble des Antilles françaises qu'une crise d'autorité se développa, Poincy défiant le pouvoir de la Compagnie. Créature de Richelieu, il avait perdu un protecteur par la mort de ce dernier en 1642, et un fidèle d'Anne d'Autriche, Patrocle de Thoisy, fut nommé par la Compagnie pour le remplacer en novembre 1644, alors qu'il était sommé de regagner la France. Il pouvait paraître alors isolé mais demeurait « fort éclairé dans les affaires ». Paraissant se soumettre en renonçant au profit de Thoisy à sa commission de lieutenant général du roi aux îles d'Amérique, Poincy n'en resta pas moins à Saint-Christophe, libre d'y nourrir ses intrigues. Soutenu par de nombreux fidèles, il se débarrassait des commis de la Compagnie qui lui étaient hostiles et n'exécuta pas l'ordre reçu du roi en février 1645 d'avoir à rentrer dans le royaume.

> L'unique moyen de se garantir de leurs desseins violents [ceux de ses ennemis dans la Compagnie], c'était bien de lever le masque et de les prévenir en s'opposant de toutes ses forces à ceux qui viendraient de leur part à Saint-Christophe pour exécuter quelque commission[33].

Nourrissant la rumeur selon laquelle de nouveaux impôts seraient créés et les droits de la Compagnie augmentés, Poincy se faisait acclamer et, en novembre 1645, quand Patrocle de Thoisy voulut entrer à Saint-Christophe, il avait « levé le masque pour la rébellion », soutenu par Aubert, l'ancien gouverneur de la Guadeloupe. Thoisy fut empêché

de débarquer, « le peuple ne voulait point d'autre lieutenant général que Monsieur le Commandeur de Poincy ».

Une nouvelle tentative pour réduire Poincy à l'obéissance
fut originale car elle fut réalisée à l'initiative du gouverneur
de la Martinique, Du Parquet. Ce dernier était poussé à
agir pour défendre l'honneur de sa famille car ses cousins,
capitaines de milice à Saint-Christophe, y avaient été « hu-
miliés » par Poincy qui voyait en eux les chefs d'un clan
opposé à ses intérêt. Du Parquet tenta de gagner à la cause
de Thoisy un certain nombre d'habitants de l'île, et, rassem-
blant trois cents hommes, il captura deux neveux de
Poincy, « arrêtés dans leurs lits et chargés sur les épaules
de leurs propres nègres » pour être embarqués sur son
navire. Mais, en quelques heures, le gouverneur sut retourner la situation en sa faveur, avec l'aide de ses fidèles et...
des Anglais voisins, pour finalement faire de Du Parquet
son prisonnier.

HOUEL L'AMBITIEUX

L'échec de Thoisy à faire reconnaître son autorité par
Poincy fut suivi d'un conflit tout aussi caractéristique de
l'indépendance de fait à laquelle étaient parvenus les
maîtres des Iles au milieu du XVIIᵉ siècle. À son tour, en
Guadeloupe, Houel y affirma toute son autorité. Obligé de
se réfugier dans cette colonie après avoir été repoussé à
Saint-Christophe, Thoisy ne put faire jeu égal avec Houel.
Avec perspicacité, ce dernier sut s'appuyer sur les intérêts
des habitants : le 10 mai 1646, il accueillit favorablement
la requête de quarante habitants de Capesterre demandant
de ne pas payer cette année-là de droits à la Compagnie,
« voyant les grandes et insignes pertes qui leur sont arrivées depuis trois ans jusqu'à la présente année pour la
fabrique du pétun tant par les vers que par les chenilles et
autres accidents connus de tous[34] ». Surtout, Houel tira

parti de la création d'un Conseil souverain en Guadeloupe, décidée à Paris le 1er août 1645, qu'il composa de ses fidèles. Destiné à « terminer souverainement tous les procès et différends », le Conseil prit des décisions favorables au gouverneur, contre Thoisy. En 1646, il y eut alors deux capitales de l'île, chacune dominée par les rivaux qu'étaient devenus Houel et Thoisy, le premier à Capesterre, le second à Basse-Terre où il avait établi un « Conseil de guerre pour calmer les esprits ». Au même moment, favorisés par l'absence de Du Parquet retenu à Saint-Christophe, des troubles éclatèrent en Martinique qui servirent indirectement les intérêts de Houel. Menées depuis Saint-Christophe par Poincy, des intrigues y nourrissaient l'esprit de rébellion contre les « vexations » de la Compagnie et de ses agents. Le 6 août 1646, à Saint-Pierre, les magasins de la Compagnie furent attaqués, déjà au Prêcheur, le 26 juin, les habitants s'étaient refusés à payer les droits de la Compagnie et l'on réclama l'éloignement de tous les commis de celle-ci, la protection des libertés et des franchises des habitants.

Réprimant ce qui était devenu une véritable sédition, deux habitants, Guillaume Dorange, un des plus anciens colons de Saint-Christophe où il était venu en 1628 comme engagé au service de Liénart de l'Olive, Jérôme de Sarrat, sieur de La Pierrière, tous deux fidèles de Poincy, parurent un moment épouser la cause de Thoisy, mais c'était à terme pour mieux assurer le retour futur de Du Parquet. Rendu « plus hardi » par cette sédition martiniquaise, Houel « fit diverses assemblées, ordonna à plusieurs habitants de prendre les armes », et Du Tertre va jusqu'à le montrer « agissant en homme désespéré, criant tout haut devant les officiers qu'il traiterait plutôt avec le diable et avec le sieur de Poincy qu'avec lui [Thoisy], qu'il se moquait de la Compagnie, qu'il était le *maître de l'île* ».

Pendant toutes ces années de crise d'autorité aux Iles, le pouvoir avait affiché sa méconnaissance de la réalité coloniale. Thoisy restait impuissant à faire reconnaître sa légitimité : défait en Guadeloupe par un Houel qui voyait couronnées ses ambitions, obligé de quitter la Martinique où les notables le livraient à Poincy en échange du retour de Du Parquet, le lieutenant général du roi aux Iles était pourtant pour les seigneurs de la Compagnie complètement libre d'exercer sa charge comme si rien n'avait changé. Le 26 mars 1647, sa commission était prorogée pour trois ans, cela alors qu'un mois auparavant Poincy l'avait obligé à céder et à regagner Saint-Christophe dans la condition d'un prisonnier.

Un an plus tard, la Compagnie reconnaissait son échec, les seigneurs constataient, le 15 mai 1648, « combien les gouverneurs s'étaient rendus les maîtres absolus des îles » ; ses officiers n'y avaient plus d'autorité, plus elle essaierait de les maintenir, plus elle s'engagerait « dans des dépenses insupportables ». Le régime des propriétaires que l'on fait traditionnellement commencer avec la vente des colonies par la Compagnie à leurs gouverneurs a bien commencé auparavant, avec la grande crise de 1646 en Guadeloupe et en Martinique. La Compagnie a dû certes renoncer à son privilège en fonction de grandes difficultés financières mais la crise était bien politique et naissait des ambitions de certains incompatibles avec le régime de la Compagnie.

Une attente patiente, entourée souvent de savante duplicité comme dans le cas de Houel, avait donc réussi aux maîtres des Iles. Un Du Parquet en Martinique, un Houel en Guadeloupe, un Poincy à Saint-Christophe, surent éloigner les gêneurs et s'appuyer sur les plus fidèles. Les actes de vente de 1649 pour la Guadeloupe, de 1650 pour la Martinique, de 1651 pour Saint-Christophe, ne firent que confirmer l'inexorable montée au pouvoir de ceux qui avaient bien reçu délégation de l'autorité royale mais qui ne s'en étaient servi que pour défendre leurs propres intérêts, personnels et familiaux.

Plusieurs éléments s'associèrent pour donner aux quelque quinze années qui précédèrent la reprise en main des Iles par le roi un caractère ambigu, à la fois celui de la prospérité et d'équilibres dominés par les fortes personnalités des propriétaires mais aussi celui de la violence dans des crises toujours ouvertes au jeu des factions. Le prestige des propriétaires put se trouver renforcé par une politique d'acquisitions non négligeables, Marie-Galante et les Saintes pour Houel, Saint-Martin, Saint-Barthélemy, Sainte-Croix pour Poincy, la Grenade, les Grenadines, Sainte-Lucie, pour Du Parquet. L'économie insulaire en Martinique comme en Guadeloupe fut renforcée par la venue des Hollandais, réfugiés du Brésil en 1654, qui apportèrent avec eux la technique du moulin à sucre. L'exemple martiniquais est ici éclairant : des habitants y devinrent sucriers. Dans le recensement de 1660, parmi les dix-huit habitants qui avaient alors plus de 25 serviteurs, la plupart étaient des « habitants sucriers », ce nombre de 25 pouvant être considéré comme représentant le minimum pour pouvoir monter une exploitation de ce type alors que la majorité des habitants se livraient pour la plupart, avec leur famille et un très petit nombre de serviteurs, à la culture du tabac[35]. Les plus grands planteurs dépassaient de beaucoup ce nombre de 25 serviteurs ; dans le quartier de Saint-Pierre, les héritiers de Du Parquet en avaient 161, les jésuites, 89, l'ancien engagé Jean Roy, 53.

CRISE EN MARTINIQUE

Mais la mainmise continue et héréditaire sur les affaires pour quelques familles, aussi bien autour de Du Parquet que de Houel, ne pouvait que susciter les jalousies engendrant les rébellions. Certes, Houel comme Du Parquet avaient tous deux montré un remarquable doigté dans le maniement des complicités, mais il suffisait toujours de quelques intrigues pour faire basculer l'équilibre dans lequel ils tenaient leur colonie. L'exemple de la Martinique est à cet égard frappant. En 1654, une guerre indienne à laquelle les esclaves fugitifs se joignirent plongea l'île « dans un désordre et dans une confusion des plus horribles ». En 1657, ce fut une sédition à Case-Pilote, dirigée par Adrien Charles, un de ces « hommes cruels et furieux » capables de réunir en quelques heures les hommes nécessaires. S'opposant à Du Parquet pour le paiement de quelques droits destinés à lever des soldats et équiper une galiote pour, à Capesterre, battre les sauvages qui facilitaient la fuite des Nègres, Adrien Charles menaça de soulever le Prêcheur après Case-Pilote. Aux obsèques de Du Parquet, mort quelques semaines après cette rébellion, parut se manifester un réel consensus que, cité par Du Tertre, souligne le père Feuillet :

> Je n'ai rien entendu de plus pitoyable au monde, ce n'était que pleurs et gémissements, les uns soupiraient, les autres pleuraient, je vis même des nègres se frapper le corps et s'arracher les cheveux pour témoigner leur extrême affliction[36].

Les tensions n'avaient pas disparu, et, moins de six mois après la mort de son gouverneur, la colonie connut une de ces poussées de fièvre capables de faire se déchaîner toutes les ambitions. La succession de Du Parquet allait être l'occasion de règlements de compte entre les clans qui dominaient l'île. Du Tertre a su pénétrer un passé d'intrigues qui précédèrent cette crise. Les adversaires avaient pu s'éprouver dans l'entourage de Du Parquet : aux Normands « qui étaient du pays de M. du Parquet », et sans doute aussi à des hommes venus du Sud-Ouest, tel Rools de Gourselas, s'opposaient les Parisiens pour lesquels Marie Bonnard, l'épouse de Du Parquet, elle-même parisienne, « avait une si grande inclination ». En interdisant les assemblées des uns et des autres, Du Parquet avait tenté de maîtriser la situation mais l'amertume des Normands « voyant que toutes les grâces étaient pour ceux du pays de Madame » restait forte et ils furent naturellement conduits à contester l'autorité de « la générale » après la mort de Du Parquet. Il suffit de l'arrivée d'un nouveau venu, Jacques de Maubray, dont l'influence sur la veuve de Du Parquet fut très mal perçue par les habitants qui demandèrent qu'il fût chassé de l'île « comme un perturbateur du repos public », pour créer l'occasion d'une première sédition au Prêcheur. L'exil de Maubray à Antigua, sous la pression des mécontents, ne calma pas une agitation qui devait culminer à l'été 1658. Le 22 juillet, à Saint-Pierre, en présence de la générale, une première assemblée des habitants vit quelques mutins renoncer au serment de fidélité qu'ils avaient prêté à Mme du Parquet. De nouvelles charges furent créées, notamment celle d'un syndic des habitants « pour défendre leurs droits » ainsi que des députés des quartiers. Le 6 août, une nouvelle assemblée, toujours à Saint-Pierre, réclama l'emprisonnement de Mme Du Parquet qui fut conduite sous bonne escorte au quartier du Prêcheur. Un ancien fidèle du gouverneur, le Périgourdin Rools de Gourselas, qui avait été nommé en 1652 par Du Parquet major et lieutenant général à la Martinique, joua alors un rôle ambigu. Il siégea dans le Conseil qui se débarrassa un temps de la générale, le 6 août, « sur la plainte des sept compagnies de l'île de la mauvaise conduite de Madame la Générale sur tous les habitants » en ordonnant qu'elle fût démise de tout pouvoir. Mais le même Gourselas faisait décider par le Conseil de reconnaître le fils aîné de Du Parquet, Dyel d'Esnambuc, comme leur gouverneur. Il devait, avec son frère Rools de Laubière, faire arrêter les principaux chefs des mutins, Lemercier de Beausoleil, Plainville, les frères Vigeon, comme « perturbateurs » et les exiler, avec cependant liberté d'emporter leurs biens. Beausoleil fut un des plus riches habitants de la Guadeloupe, il détenait en 1664 neuf engagés et quinze Nègres et siégeait au Conseil souverain de cette île.

L'atmosphère resta tendue en Martinique mais la reprise de la guerre indienne contre les Caraïbes de la Capesterre, « conclue pour les chasser de l'île », qui permit l'occupation à la fin de l'année 1658 de toute cette partie orientale de la Martinique, fit se résorber partiellement la crise, Mme la générale ayant été remise en possession de son gouvernement le 22 octobre 1658. À sa mort, en août 1659, de nouvelles intrigues se déroulèrent pour exercer la tutelle du jeune Dyel d'Esnambuc, le célèbre surintendant Fouquet y fut même mêlé, achetant l'habitation Trois-Rivières qu'il fit fortifier pour en faire un port en liaison avec Belle-Ile, la forteresse d'où il pouvait faire jouer ses intrigues dans le royaume. En 1664, quand les maîtres des Iles furent dépossédés de leur pouvoir, la tutelle du fils de Du Parquet était encore exercée par un de ses parents, Dyel de Clermont.

L'autorité des propriétaires avait pu démesurément grandir mais elle le fit toujours dans une atmosphère de crise latente, livrée au jeu des ambitions. Un pouvoir fort instauré dans le royaume ne pouvait que la remettre en cause. Houel devait céder en Guadeloupe et regagner la France, Poincy était mort opportunément, le 11 avril 1660. Chez les Du Parquet, la faiblesse d'une minorité devait encore plus faciliter la reprise en main de la colonie par le roi. Encore faut-il souligner que cette promesse d'une mutation politique des pouvoirs ne put entraîner avec elle un changement réel des mentalités. Les habitants devaient pour de longues années rester attachés à leurs droits et privilèges, en particulier en matière de commerce. Un Guillaume Littée, qui fonda une des grandes dynasties familiales de la Martinique, fixé auparavant à Saint-Christophe, faisait partie des « Officiers & Habitans » qui demandèrent, en 1665, lors de l'acquisition des îles dépendantes de la seigneurie de Malte par le roi, qu'ils fussent « conservez & maintenus dans tous les droits, privilèges et exemptions dont ils ont jouy depuis l'establissement de cette Colonie[37] ». La même année, en Martinique, le serment de fidélité prêté par les habitants au nouveau régime l'était en garantie de leurs exemptions et privilèges, et la crainte d'une interruption de leur commerce traditionnel avec la Hollande les faisait se soulever quelques semaines après cette prise de serment, exactement comme ils avaient pu le faire sous le régime de Du Parquet.

Le rythme du temps n'a donc pas tellement changé aux Iles avec la reprise en main des colonies par la monarchie, tout au moins dans ses débuts. Les officiers envoyés par Louis XIV pour la réaliser durent tenir compte de la persistance chez les habitants d'un état d'esprit qui concentrait leur attention sur les meilleurs gains à tirer de domaines arrachés à une nature hostile et s'attachait à reconnaître chez celui qui les gouvernait quelqu'un encore proche d'eux. La grandeur d'un pouvoir rendu à la gloire monarchique a pu faire ombre à ce temps des pionniers dans les Iles, l'agitation et le heurt des ambitions, dans une certaine incohérence, en décourager l'analyse, il n'en avait pas moins bien fondé l'âge colonial.

2

Le nouvel âge colonial,
les Antilles sous Louis XIV

DES COLONIES RENDUES À LA GLOIRE MONARCHIQUE

Tracy et la Compagnie des Indes occidentales

Le 19 novembre 1663, une commission royale nommait Alexandre Prouville de Tracy lieutenant général « dans toute l'étendue des terres situées en l'Amérique méridionale et septentrionale de Terre Ferme et des Isles, Rivières, Ports, Havres et Côtes découvertes et à découvrir ». Parti le 26 février 1664 sur le vaisseau du Roi, le *Brézé*, Tracy était à Cayenne le 11 mai et en Martinique le 2 juin. Le 19 juin 1664, il publia sa première ordonnance. Tracy y apparaissait le roi présent en l'île, affirmant clairement sa volonté de rétablir l'ordre. Cependant les ambitions monarchiques contenaient des limites importantes car, le 19 juin, Tracy défendait de lever « aucuns droits sur les sujets du Roy de cette Isle autres que ceux du Roy qui estoient du temps de Monsieur du Parquet », et il n'y soufflait mot de la véritable politique, celle de Colbert, qui était à la base de la reprise en main des Iles, à savoir l'interdiction du commerce avec les Hollandais. Pouvait-on, il est vrai, révéler dès les premiers jours ce qui allait être un des principaux motifs de révolte ? De la présence nécessaire hollandaise, le pouvoir n'ignorait rien : l'année précédente, à Saint-Christophe,

s'était produit un événement « tout à fait remarquable »,
l'embrasement de tous les magasins des marchands hollandais qui étaient à la Basse-Terre, plus de soixante consumés
avec les marchandises, la perte étant estimée à plus de
deux millions de livres[1]. Relatant le fait, Du Tertre note que
cela se produisit alors qu'on projetait en France « de leur
retirer le commerce des Iles ».

Mais, en quelques semaines, ces mêmes marchands
avaient permis à Saint-Christophe de retrouver les ressources nécessaires, il s'y était d'ailleurs produit une baisse
brutale du prix des denrées d'Europe, vu le trop-plein des
marchandises introduites par les Hollandais. On comprend
l'attachement des colons à garder intacts leurs liens avec
les marchands des Provinces-Unies. Cependant, Colbert fit
envoyer à Tracy un arrêt du Conseil qui, prétextant de l'épidémie de peste qui sévissait alors en Hollande, ordonnait
de suspendre aux Iles toute communication avec les navires
de ce pays.

Créée par l'édit de mai 1664, la nouvelle compagnie des
Indes occidentales, qui recevait pour quarante ans une
concession sur l'ensemble des possessions françaises de la
Caraïbe sous la suzeraineté royale, reçut comme mission
majeure de chasser les Hollandais de ces possessions. Mais,
en dépit du capital de sept millions de livres qu'elle se donnait, la Compagnie se révéla, dès les premiers temps, incapable d'assurer un approvisionnement correct des ports
coloniaux.

Ses premiers navires ne firent leur entrée à Saint-Pierre,
en Martinique, qu'en février 1665, avec d'ailleurs des cargaisons insuffisantes qui « n'apportaient pas plus de soulagement qu'une goutte d'eau sur la langue d'un fébricitant ».
À des colons ayant « le cœur hollandais », cette intrusion
d'une Compagnie ignorant leurs besoins réels ne tarda pas
à paraître insupportable car, dans les faits, la supériorité
hollandaise était indiscutable. En 1662, les bâtiments français commerçant avec la Caraïbe n'étaient qu'au nombre de
quatre quand les navires hollandais étaient plus de deux

cents[2]. Or la Compagnie ne laissait espérer que la venue de douze à vingt bâtiments par an. Aussi, en dépit du premier accueil favorable, Tracy commença à voir se détériorer ses rapports avec des habitants privés subitement (au moins officiellement) des vivres et des produits d'Europe. Exagérant sans doute la disette des vivres aux Iles, le lieutenant général se montrait capable de saisir les difficultés vécues par des colons qui « avaient presque abandonné le manioc pour faire du sucre[3] ».

Partie de la Rochelle le 14 décembre 1664, la première flotte de la Compagnie portait M. de Clodoré, le nouveau gouverneur de la Martinique, que Tracy fit reconnaître le 19 février 1665. Avec lui arrivait aussi l'agent général des affaires de la Compagnie, M. de Chambré. Ce dernier avait pour mission de faire accepter par les habitants le monopole de la Compagnie et donc l'interdiction de tout commerce avec l'étranger, un conflit ne pouvait que survenir. « Gentilhomme d'honneur, vaillant, intègre », l'homme de guerre qu'était Clodoré devait faire respecter l'autorité d'une Compagnie déjà détestée et incapable d'assurer l'autre mission que Colbert avait assignée à Tracy, celle de développer un peuplement qui était la condition du développement économique des Iles. Pour ce faire, Tracy avait d'ailleurs fait établir, dès son arrivée, en juin 1664, un recensement général.

Projet d'exclusion des Hollandais et révoltes

L'article XV de l'édit royal du 28 mai 1664 fondant la Compagnie des Indes occidentales réservait aux négociants de cette compagnie la navigation et le commerce avec les Antilles, à l'exclusion des étrangers et des Français n'appartenant pas à la Compagnie. Que Clodoré se soit présenté avec Chambré, l'homme d'un corps déjà rejeté, voilà qui allait lourdement peser sur sa mission comme sur celle de Tracy. Les ambitions de Colbert étaient claires : « En peu de temps, se mettre en état de retirer tout le commerce des

colonies des étrangers et de le ramener dans nos ports pour
en faire profiter les sujets du Royaume ».

N'ayant pu empêcher la mainmise hollandaise sur le
commerce, les seigneurs propriétaires avaient été déclarés
déchus de leurs droits, il fallait donc exclure les marchands
d'Amsterdam du commerce des Iles, l'autorité du roi était
en jeu. L'État s'engageait militairement et financièrement
derrière la Compagnie, « si elle était troublée en la possession desdites terres et dans son commerce », le roi l'assiste-
rait « de ses armes et de ses vaisseaux ».

Manquant de vivres et ne parvenant plus à écouler leur
tabac et leur sucre par suite de la rareté des navires, des
colons de la Martinique réagirent violemment en se soule-
vant au cri de « Vive les Hollandais ». Le commis général
de la Compagnie, Dubuc, qui se trouvait au Prêcheur en
février 1665 pour y établir un magasin, fut ainsi pris à partie par les habitants du quartier. « Ce pauvre commis ne fut
pas plutost sur la place qu'il y vit tout le quartier en rumeur
et soulevé par un certain Rodomon... et par cinq ou six
autres desquels il s'était fait le chef[4]. » Brocardé par eux, il
n'eut que le temps de se sauver jusqu'à sa chaloupe. L'agent
de la Compagnie avait été rejeté à la mer, aux cris de « aux
armes, vive Monsieur Du Parquet ». En effet, les plus exal-
tés étaient allés jusqu'à proposer d'élire un « Protecteur du
peuple » qui serait naturellement l'ancien seigneur propriétaire. Confiné dans son habitation de la Montagne, à Saint-
Pierre, et dépouillé de ses pouvoirs, le fils aîné de Jacques
Du Parquet représentait alors pour les gens du Prêcheur la
continuité d'un âge d'or disparu avec la création de la nouvelle Compagnie. Soutenu par « les plus honnestes gens de
l'Isle » – on pourrait mettre parmi eux ce Jean Roy, l'ancien
engagé et flibustier, devenu gros habitant sucrier, à la tête
d'un atelier de quarante « grands nègres » au Prêcheur, en
1664, qui aurait, selon Du Tertre, intimidé les meneurs
avant l'arrivée du gouverneur –, Clodoré vint à bout du
soulèvement.

L'autorité de la Compagnie se voyait affirmée : les meneurs furent châtiés, Rodomon condamné à la pendaison, un de ses compagnons, Guillaume Henault, banni. Le premier appartenait au groupe des petits habitants, sans serviteur et sans esclave, quand le second avait deux serviteurs français en 1660 et un seulement en 1664[5]. Selon Tracy, qui fit partir pour la France le jeune Du Parquet, on en avait fini avec « la nostalgie du libertinage[6] ». Mais, en réalité, alors que toutes les îles subissaient de fortes privations, l'esprit séditieux était loin d'avoir disparu.

À Case-Pilote, le 1er juin 1665, c'était contre le commis de la Compagnie une nouvelle émeute, là encore menée par de petits habitants, proches de ces torqueurs « tumultueusement assemblez » qui étaient venus trouver Clodoré quelques jours plus tôt. Du Tertre, en raison de leur emploi saisonnier pour la préparation du tabac à expédier, les voit vagabonds, « courir de cases en cases, de magasins en magasins, c'est-à-dire de cabarets, et à l'ombre des bouteilles et des pots ils ont toujours commencé toutes les révoltes des Ant-Isles[7] ». Une centaine d'habitants de Case-Pilote pillèrent le magasin de la Compagnie, criant aux armes, obligeant leurs voisins à les prendre et « allant par tout le quartier de case en case faire soulever tout le monde ». Comme au Prêcheur, les « plus honnestes » s'étaient retirés, le lieutenant de milice, Louis Louvel de Merville, et surtout Claude Dugast de Lisle qui, ayant refusé de conduire la révolte, « s'échappa de leurs mains et alla trouver le gouverneur pour l'avertir de la sédition ».

La rébellion de 1666 se déroula dans des conditions plus défavorables pour le pouvoir. D'une part, la guerre contre les Anglais touchait les Iles, et, d'autre part, c'était une région éloignée et difficile d'accès (on ne pouvait s'y rendre que par mer), sur la côte atlantique de la Martinique, la Capesterre, qui était gagnée par l'agitation. Déjà, en juin 1665, des assemblées de mécontents s'étaient tenues au Marigot où, à la différence de l'émeute de Case-Pilote, « d'honneste gens » avaient paru. Un Jaham de Vertpré put paraître compromis alors que le grand notable qu'était Louis Cacqueray de Valmenier, l'ancien gouverneur de la Grenade, avait été invité à « se vouloir déclarer le chef et le Protecteur du Peuple ». L'agent général de la Compagnie, Chambré, estimait alors que la canaille, dans son désir de piller les riches, pouvait être portée à la sédition mais que les marchands, se voyant interdire le commerce, leurs magasins vides, ne pouvaient que s'y joindre. Du Tertre souligne, par ailleurs, combien « l'oppression et les friponneries de quelques commis... la cherté des denrées qu'ils débitaient » pouvaient être à l'origine des soulèvements. Les noms d'anciens compagnons du père fondateur, d'Esnambuc, étaient cités parmi les mécontents, il y avait une certaine solidarité entre les « gens de néant » et les grands colons.

En juillet 1666, quand Jaham de Vertpré, capitaine de la milice nord de la Capesterre, informa le gouverneur d'une nouvelle sédition, Clodoré tenta de négocier. Il députa le préfet des jacobins, « homme accrédité, estimé, aimé des habitants de la Capesterre » auprès des mutins qu'il rencontra au quartier de la Basse-Pointe, mais le religieux fut reçu « fort insolemment » par leurs chefs. Là encore la répression fut énergique, un des meneurs, un torqueur de tabac, Daniel Jousselin, fut condamné à être pendu. Les séditieux avaient vainement tenté de gagner les habitants du Prêcheur, sur la côte caraïbe, à leur cause, allant jusqu'à solliciter l'un d'entre eux d'accepter la charge de syndic du peuple. Cette fois-ci, les plus riches des habitants, en particulier le sucrier Louis Cacqueray de Valmenier, avaient participé à la poursuite des meneurs sur les contreforts de la Pelée.

La nécessité de rétablir l'ordre menacé par les mouvements séditieux n'excluait pas les concessions auxquelles la Compagnie fut conduite à l'automne 1666, avec l'accord de Colbert, concessions essentielles en matière commerciale. À partir du 18 octobre 1666, on autorisait les habitants à commercer avec les marchands français et étrangers « qui sont en paix ou alliez » (cas des Hollandais), moyennant un droit de 2,8 % pour le commerce français, de 5 % pour l'étranger. C'était déjà pratiquement la fin du monopole.

À la Guadeloupe, sous de Lion, gouverneur en même temps que Clodoré en Martinique, il n'y eut pas d'incidents majeurs. Ce fut la nouvelle colonie antillaise. Saint-Domingue, qui connut quatre années plus tard les mouvements séditieux. Jusqu'en 1660, les établissements de la Tortue et de la côte Saint-Domingue n'avaient guère dépassé les horizons de la flibuste. Lui-même ancien boucanier, Bertrand d'Ogeron sut pratiquer, au début de son gouvernement de l'île, en 1664, une politique intelligente, ayant l'habileté de s'annoncer plus en représentant du roi qu'en représentant de la Compagnie. D'Ogeron allait jusqu'à fausser l'appellation de celle-ci : « Je l'appelle toujours la Compagnie Royale et l'y appellerai jusqu'à ce qu'il me soit défendu... c'est le seul moyen de les rendre capables de quelque discipline[8]. » Il y eut, certes, de petites séditions : en 1665, obligés désormais de comparaître devant le gouverneur pour l'adjudication de leurs prises, les flibustiers de la Tortue se mutinèrent et, en 1666, lors de la guerre anglaise, d'Ogeron ayant prescrit la formation de compagnies de milice pour assurer la défense de l'île, les habitants du Petit-Goave, principal centre de la boucane, tentèrent de s'opposer à « ce commencement de servitude ». Ce fut à nouveau la politique commerciale de Colbert qui fut à l'origine de remuements encore plus graves que ceux de la Martinique en 1670. La Compagnie avait été très affaiblie par la guerre, elle y perdit quatorze vaisseaux, il fallait tout tenter pour lui redonner aux Iles son rôle majeur. D'autre part, en Europe, les ambitieux desseins de Louis XIV sur le continent, mettre la main sur les Pays-Bas espagnols, faisaient des Provinces-Unies le principal adversaire.

On reprenait la politique d'Exclusif commercial, il fallait exclure les marchands hollandais des Iles : le 10 septembre 1668, un arrêt du Conseil ouvrait le ravitaillement des colonies au commerce privé, en excluant les Hollandais ; la Compagnie ne gardait que le monopole de la fourniture des esclaves et du cheptel, importations, il est vrai, essentielles pour la mise en place des moulins à sucre, alors déjà en plein essor aux Iles du Vent. Ces décisions restrictives furent directement à l'origine du soulèvement du printemps 1670. On avait bien toléré, par nécessité, les navires étrangers jusqu'en mars 1670, ils étaient seuls capables d'assurer l'exportation du tabac, alors principale ressource de l'île en dehors de la flibuste. Le 10 juin, défense formelle était faite à tout navire étranger d'aborder les ports et îles de l'Amérique occupés par les sujets du roi. Les Hollandais frappés par ces mesures n'hésitèrent pas à mener dans l'ouest de la colonie, quartiers de Léogane et au Petit-Goave, une campagne visant à convaincre les habitants qu'ils ne les laisseraient manquer de rien et qu'ils les assisteraient ; ils le faisaient en dissociant habilement la cause du roi de celle de la Compagnie. « La compagnie occidentale n'avait point le droit de s'emparer de cette Coste, c'était une usurpation de sa part dont Sa Majesté n'avait aucune connaissance[9]. » Ni compagnie ni gouverneur fut le mot d'ordre des révoltés. Le pouvoir ne parvint à rétablir l'ordre qu'à l'automne 1671, et d'Ogeron dut négocier avec les insurgés. « Nous avons estimé devoir plutôt user envers eux de notre bonté et clémence », déclara le roi dans une ordonnance d'amnistie générale, le 10 octobre 1671.

Le raffermissement du pouvoir monarchique

La description de ces révoltes des colons ne doit pas conduire à croire en une opposition mettant face à face, de manière continue, le pouvoir et les habitants, et, d'ailleurs, le roi se donna de nouveaux moyens dans les années 1670. Une souplesse bien plus grande qu'il n'a souvent été dit inspira la politique de Colbert et, par exemple, dans le cas de Saint-Domingue, il n'y eut pas la répression connue par la Martinique cinq ans plus tôt. Le roi disposait, en la personne du lieutenant général des Iles d'Amérique résidant jusqu'en 1671 à Saint-Christophe comme en celles des gouverneurs particuliers de chaque île, d'administrateurs toujours portés à se dissocier de la Compagnie et de ses commis, les mal-aimés des colonies.

Un véritable tournant fut franchi, en 1674, avec la suppression de la Compagnie des Indes occidentales, ruinée par la guerre et la concurrence du commerce interlope (son passif dépassait les 3,5 millions de livres). Les Iles d'Amérique étaient désormais placées sous l'autorité directe de Louis XIV. Il n'y eut pas ensuite de révoltes notables jusqu'à la fin du règne, cela en dépit des difficultés causées aux planteurs de tabac de Saint-Domingue par la création du monopole de la ferme, en 1674, la ferme dictant une politique de bas prix du produit[10]. Le commerce interlope, toujours pratiqué en dépit des interdits, à l'exception des échanges avec l'Amérique espagnole, et la flibuste favorisée par les guerres, donnant aux colons de nouveaux profits, permirent le relâchement des tensions.

Pour une stabilisation des institutions, le nouveau Conseil souverain joue un rôle essentiel. L'exemple de celui de la Martinique montre l'action des élites aux côtés des administrateurs. Même en 1664, quand le roi voulut reprendre en main le gouvernement des Iles, Colbert désira donner au Conseil qui siégeait déjà du temps des seigneurs propriétaires une plus grande autorité. Sous Du Parquet, le Conseil réunissait le gouverneur, les officiers et les principaux habitants. La sanction royale fut renforcée par Colbert qui demanda au lieutenant général Baas de collaborer étroitement avec le Conseil dont dépendaient les règlements de police. À l'heure où le souverain entendait strictement contrôler dans le royaume l'action des parlements, le Conseil de la Martinique vit sa compétence reconnue et même protégée contre les empiétements des représentants du pouvoir. Il était la seule juridiction supérieure aux Iles ; le conseil du Petit-Goave et celui du Cap à Saint-Domingue ne furent créés que plus tard, en 1685 et 1701. Par l'édit de décembre 1674 qui portait révocation de la Compagnie des Indes occidentales, le nombre des conseillers fut porté de six à dix, et une nouvelle déclaration royale confirma l'établissement du Conseil souverain, le 15 avril 1679. Alors que Baas avait eu, à plusieurs reprises, maille à partir avec des conseillers « fort entêtés de leur souveraineté », Louis XIV manifesta à son successeur Blénac sa volonté de voir l'autorité des magistrats reconnue, lui écrivant en juin 1679 : « Sur ce que vous me dites que les conseillers des îles sont entêtés de leur souveraineté, je dois vous dire qu'au lieu de le trouver mauvais, vous devez leur relever même l'honneur qu'ils ont pourvu qu'ils n'en abusent pas[11]. » Il faut relever que, sur les dix conseillers nommés en 1675, six étaient nobles, mais cette prédominance ne dura pas. Les gentilshommes venus aux Iles étaient tous des officiers d'épée, sans connaissance du droit, plus soucieux d'y faire fortune par un riche mariage, par exemple, et de retourner en France que d'occuper un poste honorifique, sans appointements ni épices. En 1712, le lieutenant général Phélypeaux, interrogé sur la possibilité de placer des gentilshommes au Conseil, répondait : « Ces oiseaux sont ici en fort petit nombre et le peu qu'il y a ne paraît guère propre au barreau[12]. »

En fait, dans ce Conseil de 1675, c'étaient les capitaines de milice qui dominaient, huit sur dix conseillers détenaient cette charge qui leur donnait un rôle d'intermédiaire au prestige reconnu entre les colons et le pouvoir. Il n'y avait qu'un seul gradué. Au-delà de son seul rôle judiciaire, une mission du Conseil restait essentielle, c'était celle d'assurer « un dialogue régulier entre les habitants et les administrateurs du roi[13]. » Par son droit de remontrances sur les ordonnances soumises à l'enregistrement à propos des sujets divers, notamment celui du commerce, si cher aux colons, le Conseil servait de barrière aux « entreprises illégales ». Dans la vie quotidienne de la colonie, le Conseil intervenait très souvent par ses règlements de police, ses arrêts sur la sécurité intérieure, la police des esclaves, les règlements concernant les jeux de hasard, les duels, les cabarets et diverses professions.

Il faut souligner qu'ultérieurement se produisit une modification dans la composition du Conseil qui le rapprocha des élites coloniales de la fin du siècle et surtout du XVIIIe siècle. Alors que les principaux habitants, parfois nobles, étaient appelés par le roi qui s'en réservait la nomination à composer le Conseil en 1675, plus tard, les nouveaux colons qui avaient une certaine connaissance du droit furent préférés. L'habitude fut prise, en effet, par les grandes familles de planteurs d'envoyer un de leurs fils étudier le droit en France. Revenu gradué, il était placé par le gouverneur comme conseiller assesseur pour attendre la vacance d'un siège.

Sans doute faut-il aussi insister sur les relations de « proximité », personnelles et familiales, qui, dans les quartiers, rattachaient les colons au pouvoir. Les gouverneurs, à plusieurs reprises, surent utiliser l'efficace collaboration de certains habitants appartenant aux élites, en particulier dans les réseaux de la milice. Ainsi, en Martinique, Tracy avait-il donné, en septembre 1664, la commission de lieutenant général de l'île à François Rools de Laubière, et il le fit, en février 1665, colonel général de toutes les milices de la colonie, poste important alors que la Compagnie prenait possession de l'île. « Gentilhomme paisible, sage, prudent », Laubière fut député par Clodoré, à la fin de l'année 1666, pour rendre compte de l'état de toutes les îles aux directeurs de la Compagnie, cela à la fin de la période des séditions.

Le réseau des milices offre les exemples de grands colons qui y acquirent leur notoriété, tel ce François-Samuel Levassor de La Touche, ancien flibustier, largement possessionné à Saint-Pierre et au Lamentin, colonel de la milice de ce dernier quartier. Il fut fermier du droit de capitation et du poids royal sur les produits entrés et sortis de la colonie en 1675. Son frère, François, également un colon des premières années, venu en 1645, était aussi capitaine de milice et entra au Conseil souverain. Ces officiers de milice étaient liés par un réseau d'obligations et de solidarités, consolidé par les alliances familiales. Les autorités gardèrent leur fidélité jusqu'au début du XVIIIe siècle mais, dans la célèbre révolte du Gaoulé de 1717, les ambitions de certains, notamment des Levassor, les dressèrent contre les administrateurs. On dispose, à côté des Levassor, d'un autre cas exemplaire, celui de Cacqueray de Valmenier, lui aussi capitaine de milice et premier conseiller en 1675, qui contribua largement à l'apaisement dans le quartier de la Capesterre en 1666, mais qui participa aussi au Gaoulé.

Quatre ans après l'instauration du nouveau Conseil souverain, la nomination par le roi du premier intendant général des Iles, Jean-Baptiste Patoulet, chargé de la justice, police et finances alors que le rôle du gouverneur restait essentiellement militaire, achevait de donner son équilibre au pouvoir. Par sa carrière dans les bureaux de la Marine – il était commissaire général sur la flotte de d'Estrées en 1677 –, Patoulet connaissait les problèmes si importants de l'approvisionnement des colonies et de leur défense. Aux côtés de Blénac, et non sans de fréquentes et violentes dissensions, il joua un rôle important alors que la société se transformait avec l'essor de l'économie sucrière aux îles du Vent et qu'en Martinique une ville nouvelle, Fort-Royal, était fondée. Gouverneur et intendant se devaient de suivre les conseils de prudence donnés par le roi et Colbert ; on venait de vivre les années difficiles de la guerre de Hollande et le pouvoir des élites se renforçait, stimulé par la richesse sucrière. « La principale fin doit être d'augmenter les colonies en y attirant des peuples, ce qui ne peut se faire que par toutes sortes de bons traitements, excusant et dissimulant bien souvent leurs fautes », écrivait Colbert à Baas, en 1670. La même année, le roi le soulignait encore : « Il ne faut point attendre d'eux la même conduite et le même règlement des mœurs que dans mon royaume, ni même apporter la même sévérité à punir leurs dérèglements. » Le pouvoir voyait clairement la spécificité des institutions coloniales, ce ne sera pas toujours le cas au cours de l'histoire antillaise.

Nées des affrontements entre colons et Compagnie, les tensions antérieures étaient apaisées depuis la disparition de cette dernière et Versailles prenait une attitude très libérale en matière de commerce : « L'unique application que vous [gouverneur et intendant] devez avoir est de procurer par tous les moyens une grande liberté dans le commerce sans empêcher les habitants de vendre le sucre aux marchands, au prix et en la manière qu'ils voudront. » Les temps de la rigueur étaient passés pour Colbert. Dans le Conseil de 1675, le pouvoir avait su faire entrer de grands commis de l'ancienne Compagnie, devenus riches habitants. L'ancien commis général, Picquet de la Calle, capitaine de milice et riche sucrier, détenteur de plus de quatre cents hectares dans la Capesterre, à Sainte-Marie, un autre ancien commis, receveur général, Pierre Le Pelletier, devenu lui aussi riche habitant et capitaine de milice, poste où il avait remplacé son beau-père, Richard Jourdain Dubois, propriétaire de plus de 96 esclaves en 1671, montraient, par leur richesse et les alliances obtenues, que les élites acceptaient, sans préjugés, leur élargissement[14].

Nombre d'officiers de la marine royale, tel Pierre de Bègue qui avait appartenu à une compagnie franche de la Marine, devenu riche habitant par son mariage avec la sœur du procureur du roi de la Charvelle, Madeleine Hébert, et devenu major de la Martinique, étaient les artisans du même élargissement. Colbert encourageait ces mariages qui donnaient une nouvelle cohérence aux élites. En 1671, il demandait à Baas d'encourager Madeleine Hébert, à son retour de France aux Iles, « à faire sa résidence aux Iles, et comme elle a en ce pays des habitations considérables et qu'elle est encore jeune, il serait à propos que vous preniez la peine de pratiquer adroitement les moyens de la porter à se remarier, estant important, comme vous sçavez, d'affermir par ce lien les colonies des îles[15] ».

Soucieux de conforter ces élites, le pouvoir restait cependant hostile à tout ce qui pouvait être, en dehors des remontrances du Conseil souverain, l'expression d'un autre corps politique. En 1670, une assemblée réunissant officiers de milice et notables, les Valmenier, Levassor, Du Gast, Roy, Renaudot, Dorange, demandait « qu'il soit permis d'élire un syndic pour remontrer à Messieurs les Commandants les nécessités publiques[16] ». Citant cette demande, Jacques Petitjean Roget souligne qu'aucune suite n'est donnée à la demande d'une élite qui doit rester aux franges du pouvoir. Mais Colbert restait soucieux d'encadrer le travail de ses administrateurs. Le roi avait défini les attributions du gouverneur et de l'intendant, au premier la Défense, au second la Justice, les Finances et la Police. « Vous ne devez en aucune manière vous mêler de ce qui regarde mes fermes, ni prendre connaissance des affaires de finance », mandait-il au gouverneur. Ce soin regardait uniquement l'intendant. Même pour la défense, le gouverneur devait se limiter aux affaires purement militaires. Quand on édifiait, en 1679, le fort Royal, les marchés avec les entrepreneurs ne pouvaient concerner le gouverneur, « vous ne devez pas vous en mêler », seul l'intendant Patoulet devait faire les adjudications nécessaires[17]. Les lettres de Blénac comme celles de Patoulet sont pleines des griefs que l'un et l'autre s'adressaient.

On retrouve la même tendance aux querelles quotidiennes entre un intendant et un gouverneur, à la fin du règne, avec Phélypeaux et Vaucresson. Étant venu sept ans plus tôt que Phélypeaux aux Antilles, l'intendant Vaucresson, avec l'expérience d'un « ancien », jugeait fort mal son gouverneur. Phélypeaux, grand seigneur de la Cour, d'une haute culture, arrivait, en 1711, entouré d'une clientèle ambitieuse, gentilshommes du Dauphiné, protégés de hauts personnages, ou secrétaires particuliers comme ce fils d'un marchand de Montpellier, Jean Assier, promis à un destin de grand colon, qui déplaisait à l'intendant. En outre, Vaucresson le déclarait perdu par ses mauvais conseillers créoles, le procureur général au Conseil, Bertrand d'Hauterive, le major Laguarigue de Survilliers[18].

De son côté, Phélypeaux jugeait sévèrement l'intendant : « Monsieur de Vaucresson n'a aucune lumière, il n'entend point les affaires. » Peut-on penser que le gouverneur avait des motifs valables pour critiquer aussi fortement un Vaucresson qui ne craignait pas de prendre de grandes libertés avec ses obligations ? Vaucresson venait rarement au fort Royal assister aux séances du Conseil dont il était le président, il résidait au Parnasse, dans un site magnifique dominant la rade de Saint-Pierre, où il s'affichait avec Marie-Élisabeth Cacqueray de Valmenier, l'épouse du lieutenant du roi à Saint-Pierre, Mme de Bègue « qui a pris possession entièrement de son cœur[19] ».

Alors que les seigneurs propriétaires avaient su bâtir de considérables fortunes assises sur les plus grandes habitations et sur la perception des taxes, les gouverneurs, dans une mesure moindre les intendants, venus de la métropole, jouissant de l'honneur de servir le roi, ne trouvaient pas, dans l'installation à la colonie, la fortune. Exceptionnels paraissent être les destins d'un Patoulet, voire d'un Vaucresson. En effet, Patoulet se distingua par son sens des affaires, prenant des intérêts dans des cargaisons et dans des raffineries de sucre. Jusqu'en 1715, selon Michel Vergé-Franceschi, Colbert, Seignelay, les Pontchartrain veillèrent au « désintéressement » des administrateurs coloniaux[20]. En poste de 1677 à 1705, les gouverneurs Blénac, d'Amblimont, Des Nos, Machault-Belmont, furent « d'une exceptionnelle intégrité », sacrifiant au service épouse et enfants restés en métropole, leur fortune et même leur vie. Tous quatre, comme d'ailleurs Baas avant Blénac, moururent à Fort-Royal sans avoir revu leur famille. Le poste de gouverneur rapportait trente mille livres d'appointements par an, mais l'emploi nécessitait de fortes dépenses, il fallait « tenir son rang ». Les candidats furent bien moins nombreux dans les années 1700. On n'était pas encore au temps d'un Champigny, gouvernant en satrape les îles du

Vent, de 1727 à 1745, exploitant ses plantations de canne à sucre avec le meilleur sens du profit.

À sa mort, en 1683, Colbert voyait son œuvre de restauration de la gloire monarchique célébrée par le Conseil souverain de la Martinique : « Nous lui devons notre établissement et celui de nos familles », et, écrivant à Seignelay, les conseillers souhaitaient que le fils héritât « du zèle de son père pour l'augmentation de cette Colonie[21] ». Même si l'on veut voir dans ces propos la marque de la flatterie envers le nouveau secrétaire d'État de la Marine qui, d'ailleurs, déjà associé à son père depuis près de six ans et travailleur aussi acharné, sut donner aux colonies les escadres nécessaires à leur défense, il faut reconnaître l'exactitude de ce qui est dit. Avec souplesse, Colbert avait su guider l'action de ses administrateurs ; ce sens des réalités manqua cruellement par la suite, à la fin du règne et au-delà, quand, en 1717, la rigueur excessive et maladroite d'un La Varenne et d'un Ricouart mènera à la révolte du Gaoulé. Pour Colbert, l'affirmation de la gloire monarchique ne pouvait être durable aux colonies que par l'établissement d'un bon équilibre entre l'action de ses administrateurs, celle du Conseil souverain et les réactions des habitants. Dans un seul domaine, celui de la guerre de 1672, menée pour exclure le commerce étranger, celui des Hollandais, des Iles, l'action de Colbert pourrait ne pas témoigner de l'effort de compréhension nécessaire des réalités antillaises. En fait, à terme, elle permettait de renforcer la Marine royale sans laquelle il ne pouvait y avoir de colonies, capable sous Seignelay, en 1688, de rivaliser avec celle de la Grande-Bretagne.

La guerre maritime et les Iles

Dans la mer des Antilles, où l'expansion européenne allait croissant à partir du milieu du XVIIe siècle, les stratégies des différentes puissances étaient diverses. Les Hollandais qui participaient dans les années 1630 à la chasse au trésor espagnol désiraient avant tout s'assurer la possession de points d'appui dans la mer des Antilles, aptes à jalonner la route des échanges, offrant des ports, des bassins de carénage, des magasins et entrepôts. Saint-Eustache au nord, Curaçao au sud, furent les deux principaux. Cependant, comme le démontre Christian Buchet, la faiblesse coloniale de ces positions se fit sentir cruellement pour les Hollandais, particulièrement pendant les campagnes de la guerre de Hollande[22]. Les Anglais furent dans la deuxième moitié du siècle les plus grands rivaux de la colonisation française, ils l'étaient à Saint-Christophe où la cohabitation s'avérait bien difficile avec des Français minoritaires, comme dans les autres îles Leeward du nord de l'archipel, Nevis, Antigua et Montserrat. Ils devaient cependant compter avec la présence dans ces îles d'importants contingents de serviteurs irlandais, à la fidélité très douteuse et passant à l'ennemi lors des guerres. Une autre faiblesse était la présence dans leurs troupes des mêmes Irlandais prêts bien souvent à déserter. En revanche, les Anglais possédaient deux atouts majeurs avec la Jamaïque, conquise en 1655, base de grande flibuste mais aussi d'approvisionnements pour les escadres et la relative proximité des colonies continentales anglaises au rôle essentiel pour les mêmes approvisionnements. Alors que le commerce avec l'Europe se développait, que la traite négrière tendait à s'intensifier, la nécessité des approvisionnements et des débouchés était vitale pour les colons, les difficultés rencontrées par les Français en ce domaine, en dépit des remarquables efforts de Colbert, furent grandes.

Il ne pouvait y avoir de colonies sans de puissantes escadres donnant aux armes royales dans l'outre-mer la même gloire qu'en Europe. Les guerres révélèrent la faiblesse de la Compagnie française des Indes occidentales qui s'y ruina et dut laisser, en 1674, le négoce privé s'implanter durablement aux Iles. Par leur poids dans la vie quotidienne des colons astreints au service des milices et mobilisés pour la défense des colonies comme pour l'attaque de celles de l'adversaire, s'engageant à nouveau avec ardeur dans la flibuste « à compagnon bon lot », par leurs effets immédiats sur les échanges, les guerres jouèrent tout leur rôle. Mais elles contribuèrent aussi à donner un nouveau prestige à la monarchie : la gloire du roi franchit l'Atlantique. Le gouverneur vit sa fonction illustrée par la guerre qui donnait tout son poids à son rôle militaire.

La première guerre aux Antilles opposa l'Angleterre et la France, alliée aux Provinces-Unies en 1666 alors que la Martinique connaissait encore les rebellions. Un sanglant combat eut lieu entre les milices fidèles et celles de la Capesterre au pied de la Montagne Pelée, mais, peu de jours plus tard, le 25 juillet 1666, le bombardement de Saint-Pierre par les Anglais fit l'union des colons et l'ennemi fut repoussé. Le gouverneur Clodoré pouvait se sentir rassuré car il s'était inquiété à la perspective de la guerre ; pour Du Tertre, « il avait affaire à un peuple frétillant et qui, ayant été poussé à bout dans les deux dernières séditions, aurait pu prendre l'occasion de la guerre pour tenter quelque chose de plus fascheux[23] ». La situation devint difficile pour les Anglais à Saint-Christophe où les colons durent faire face aux raids des Caraïbes et aux révoltes des engagés irlandais. Venus de la côte de Saint-Domingue et de la Martinique, les flibustiers firent merveille, bousculant les Anglais. Beaucoup durent quitter leurs terres, ceux qui ne prêtaient pas serment au roi de France devaient vendre leurs domaines aux Français et partir avec leurs esclaves et leurs biens personnels. Il y aurait eu, selon Du Tertre, près de huit mille habitants de l'île chassés par la conquête française. « La personne déplacée » devint une figure familière des sociétés insulaires depuis cette conquête de la partie anglaise de Saint-Christophe. Les colons gagnèrent les autres îles Leeward, Nevis, Antigua, Montserrat ; d'autres se rendirent en Jamaïque et même en Virginie.

En 1667, les succès français continuèrent, Antigua et Montserrat furent prises par Clodoré. À Montserrat, un grand nombre d'Irlandais se rallièrent à la France. Mais la

Martinique fut attaquée à la fin juin par la puissante escadre de sir John Harman dont l'arrivée le 18 juin à la Barbade donnait aux Anglais la maîtrise de la mer des Antilles[24]. Entre le 29 juin et le 7 juillet, les Anglais parvinrent à couler dans la rade de Saint-Pierre trente-trois navires, appartenant pour la plupart à la Compagnie des Indes occidentales ; deux flûtes qui étaient prêtes à partir pour la France, emportant plus d'un million de livres de sucre, représentaient la perte la plus sérieuse pour la Compagnie.

En effet, la guerre était destructrice pour les économies. « Durant tout ce malheureux temps de la guerre, tous les habitants estant contraints d'avoir presque toujours les armes sur le corps, avaient négligé, pour ne pas dire abandonné, leurs habitations ; il ne s'y faisait presque plus de sucre, d'indigo, ni de tabac[25]. » Les navires marchands étrangers, en particulier les hollandais qui avaient subi de lourdes pertes, restaient éloignés des ports antillais.

Le traité de Bréda, le 31 juillet 1667, rétablit le statu quo de l'avant-guerre, mais les Français ne rendirent la partie centrale de Saint-Christophe qu'à la fin de 1668, en gardant nombre d'esclaves et du matériel de moulins à sucre.

La guerre de Hollande fut déclarée par Louis XIV le 6 avril 1672, mais il fallut attendre deux ans pour voir s'engager aux Antilles les combats entre Français et Hollandais, en juillet 1674. La situation des Hollandais était alors critique : forts de leur supériorité démographique dans des îles ayant bénéficié d'une importante immigration, les Anglais s'étaient rendus maîtres de Saint-Eustache, Tortola, Saba, Tobago dès 1672 – Saint-Eustache étant cependant repris par des renforts navals hollandais en 1673. Pour reprendre l'initiative, les Provinces-Unies décidèrent un effort naval majeur en expédiant dans la Caraïbe l'armada de Ruyter composée de 39 bâtiments forts de 1 142 canons, montés par 4 336 matelots et 3 386 soldats[26]. Ruyter croisa à partir du 19 juillet devant la Martinique, se donnant comme objectif la prise de Fort-Royal. La place n'avait pas comme Saint-Pierre un système complet de fortifications, et sa rade était un abri sûr. Sainte-Marthe, alors gouverneur de la colonie, ne disposait que de 261 soldats retranchés dans le fort, d'un vaisseau de 44 canons et d'autres petits bâtiments. Renforcé de miliciens de Saint-Pierre et de la Capesterre, rassemblés en toute hâte, le lendemain matin, Saint-Marthe eut le temps de bloquer l'entrée du Carénage en coulant deux bâtiments. Il faut souligner que seul un répit causé par l'immobilisation de la flotte ennemie par manque de vent lui permit d'agir. Le débarquement des troupes hollandaises se fit dans de mauvaises conditions car, ne pouvant affronter le fort de face, Ruyter fit prendre terre à ses soldats à l'ouest de celui-ci, là où le cordon littoral bordait un vaste marécage. Les Hollandais ne purent se déployer dans ce qu'ils avaient pris pour une terre ferme et qui n'était qu'un marais, gardant les eaux dévalant des mornes, car on était en pleine saison de l'hivernage. Concentrés sur le cordon littoral, les troupes de Ruyter furent exterminées par la mitraille tombant du fort[27]. Une partie des soldats s'étaient d'ailleurs rués sur les magasins de leurs propres marchands, les commissionnaires hollandais, où ils trouvèrent quantité de vin et de tafia, faisant précéder l'assaut d'une beuverie totalement débridée et n'étant alors que d'une bien faible valeur militaire.

Deux ans plus tard, une nouvelle flotte hollandaise s'en prenait à Marie-Galante et obligeait de nombreux colons français à quitter cette île pour Tobago, mais Binckes ne put débarquer au Petit-Goave, à Saint-Domingue, où les flibustiers de la Tortue arrivés en renfort démontrèrent leur valeur. À la fin de la guerre, en 1677, les Français tentèrent une nouvelle fois de reprendre Tobago dont les Hollandais comptaient faire leur principale base aux Antilles. En mars 1677, ils remportèrent une victoire navale coûteuse, quatre navires furent perdus, et elle ne mit pas fin à l'implantation batave à Tobago, en dépit de la supériorité numérique française obtenue grâce aux renforts des milices coloniales.

Dans sa deuxième campagne de décembre 1677, d'Estrées se rendit maître de Tobago, mais, six mois plus tard, dans une tentative pour s'emparer de Curaçao, avec des flibustiers et des miliciens de Saint-Christophe, il fit s'échouer son escadre (dix-huit navires du roi et douze bâtiments corsaires) sur les hauts fonds des îles Avès.

La supériorité maritime des Hollandais n'existait déjà plus après l'échec de Ruyter devant Fort-Royal. En juillet 1677, le futur intendant général des Iles, Patoulet, tirait de manière remarquable les leçons de la guerre contre les Hollandais[28]. Les escadres devaient disposer à la Martinique d'un magasin de marine « bien fourny de toutes choses pour donner aux vaisseaux tous leurs besoins, sans avoir recours aux marchands qui se prévalent de la nécessité et qui vendent à un prix excessif ce qu'on est obligé de tirer d'eux, ainsi qu'il est arrivé la campagne passée ». Goudron, mâts de rechange, quai à construire à Fort-Royal, navire-hôpital où loger les malades de la dysenterie, principale responsable de la mortalité dans les équipages, et fonds à envoyer au commissaire de la Marine, tout cela était rappelé comme étant nécessaire à une utilisation rationnelle de la flotte royale. Les renforts en vivres et en hommes tirés de la Martinique et de la Guadeloupe comme de Saint-Christophe avaient été aussi déterminants, Patoulet le soulignait en demandant de développer l'infrastructure d'accueil des troupes. Mais de tels objectifs ne furent jamais atteints aux Iles avant la Révolution.

À la paix de Nimègue, le bilan français était favorable et, comme en Europe, les armes du roi lui avaient acquis la gloire aux Antilles. Tobago et Cayenne restaient à la France ; surtout, le commerce de la métropole commençait à se libérer de la tutelle néerlandaise avec une remarquable ampleur prise par les trafics du négoce privé. Les ports accomplirent alors leur virage antillais dès la décennie 1670 et encore plus dans les premières années 1680[29]. Cinq cent quatre-vingt-onze navires de plus de cent tonneaux y étaient armés en 1686, ils n'étaient guère plus de trois cents, vingt ans plus tôt.

Les succès français portaient cependant en germe d'autres difficultés car le duel dans la Caraïbe allait désormais opposer Français et Anglais, ces derniers bénéficiant de l'effort maritime remarquable des années de la Restauration. Dans les années 1680, la supériorité navale anglaise n'était pas encore évidente car Colbert avait fait notablement progresser le nombre et la valeur des navires de la flotte royale, de 30 en 1661, ils passèrent à 96 en 1671 et à 276 en 1683.

Par ailleurs, la situation des Antilles anglaises, au début de la guerre de la ligue d'Augsbourg, n'était pas des plus favorables. Dévastées par une véritable guerre civile entre partisans de Jacques II et de Guillaume III qui venait d'accéder à la couronne anglaise, les Antilles britanniques constituaient une proie tentante. Saint-Christophe, où les loyalistes irlandais étaient nombreux, se révélait être l'île d'où les Français pourraient expulser les Anglais. Et, effectivement, dès le début du conflit, Blénac, le lieutenant général des îles d'Amérique, obligea les Anglais à quitter l'île et à se replier sur Nevis, en août 1689.

Mais la réaction des Britanniques fut rapide car la Grande-Bretagne, aux forces supérieures à celles de la France (104 vaisseaux anglais soutenus par 96 hollandais contre 120 pour la France), entreprit de réussir son grand dessein antillais en montant quatre puissantes expéditions de 1690 à 1696. En juin 1690, c'était la reconquête de Saint-Christophe, et de nombreux colons français vinrent se réfugier en Martinique et en Guadeloupe. Les milices de la Martinique, commandées par François-Samuel Levassor de Latouche, un des habitants à la position la mieux reconnue par sa richesse de grand sucrier et son passé d'ancien flibustier, réussirent à repousser les troupes de Wheeler en avril 1693 mais les Anglais avaient pu infliger des dégâts considérables à un grand nombre de plantations. Il faut dire que la stratégie de conquête des Iles ne réussit pas aux

Britanniques, à l'exception de la prise de Saint-Christophe, malgré leurs succès navals, et en dépit du fait que les Antilles françaises étaient livrées à elles-même, ne recevant pas de renforts, sauf en 1692. Pour Christian Buchet, un facteur déterminant de l'échec anglais fut la très forte mortalité qui décima les troupes lors d'opérations menées pendant la saison des pluies qui aggravait l'état sanitaire déjà rendu mauvais en raison du manque d'adaptation des soldats venus d'Europe au climat[30]. Pour combler leurs pertes, les Britanniques enrôlèrent de force un certain nombre de leurs colons, ce qui désorganisait l'économie insulaire. Il faut y ajouter les pertes humaines causées en Jamaïque par le tremblement de terre de juin 1692 qui détruisit Port-Royal. Les opérations de flibuste dirigées par Ducasse dans cette colonie en 1694 en furent facilitées, elles virent le saccage du sud-est de l'île, une cinquantaine de sucreries furent détruites.

En dehors de raids de flibuste ponctuels, les expéditions françaises furent menées, à partir de 1696, pour la conquête des richesses espagnoles, bien moins pour celles des Iles. Ce fut, en 1697, le pillage de Carthagène par Pointis, aidé par 650 flibustiers de Saint-Domingue, cela alors que, la même année, l'amiral Nevil échouait devant le Petit-Goave en perdant 1 300 matelots morts de la dysenterie.

Au traité de Ryswick, la reconnaissance par Madrid de la possession par la France de la partie occidentale de Saint-Domingue fut un fait essentiel. C'était cependant la seule clause qui modifiait, après neuf années de guerre, les rapports de force dans la Caraïbe.

Les douze années de guerre de la Succession d'Espagne, en dépit de la maîtrise de l'Atlantique gagnée par l'Angleterre, n'aboutirent pas non plus à une modification très forte de la situation des puissances, à l'exception de la perte définitive de Saint-Christophe par les Français (l'île avait été rendue à la France à Ryswick). L'intégralité du domaine antillais que Colbert avait voulu voir prospérer était laissée à la France.

La stratégie française fut semblable à celle de la fin de la guerre de la ligue d'Augsbourg : ramener le butin précieux pour des trésors royaux au bord de la faillite en France et en Espagne, soit par le retour des flottes de l'argent, soit en entreprenant le pillage. La supériorité anglaise était plus nette, contre 125 bâtiments français, les Anglais alignaient 163 vaisseaux de ligne et 49 auxiliaires. Déjà très diminuées au début du conflit, les forces espagnoles furent pratiquement éliminées après le désastre de Vigo en 1702 et les Anglais bénéficiaient du concours d'une soixantaine de bâtiments hollandais.

Les Anglais obtinrent dès le début de la guerre la maîtrise de la Caraïbe en empêchant l'adversaire de commercer régulièrement avec ses colonies, cela par une présence quasi continue des escadres dans les eaux antillaises, plus de dix ans de présence anglaise contre seulement quatre années pour les Français. Les Anglais réussissaient ainsi à constituer un double barrage contre les convois, d'une part, à l'aller et au retour d'Amérique dans les eaux européennes, d'autre part, dans la Caraïbe. Aussi peut-on admettre un échec global pour l'arrivée des convois – seulement deux sur six passèrent[31].

En revanche, les succès anglais dans la conquête des Iles furent plus faibles comme dans la guerre précédente. Certes, dès 1702, Codrington reprit Saint-Christophe, mais, en juillet 1703, les Anglais ne purent réussir la conquête de la Guadeloupe, leur corps expéditionnaire fut décimé par la fièvre jaune, en pleine saison des pluies, la moitié des soldats périrent. La résistance de la Guadeloupe était due aussi aux renforts que l'île avait reçus de la Martinique et à une bonne participation des miliciens aux combats.

La paix d'Utrecht tira les conséquences de la supériorité globale britannique. La partie française de Saint-Christophe fut officiellement cédée par la France et, dans le domaine commercial, la Grande-Bretagne obtint, au détriment de la France, l'Asiento, c'est-à-dire le monopole de l'approvisionnement en esclaves pour l'Amérique espagnole. Cette mesure lésa non seulement les intérêts des commerçants de la métropole mais aussi de ceux des îles françaises. Ainsi, en Martinique, de nombreux marchands de Saint-Pierre et même des planteurs comme François-Samuel Levassor de Latouche qui en tiraient de substantiels profits au début du XVIIIe siècle perdirent, au moins sur un plan officiel, cette source de revenus. En fait, par le biais des trafics interlopes qui ne cessèrent nullement, les Iles gardèrent les contacts si fructueux avec la « Côte d'Espagne ».

LA RÉVOLUTION SUCRIÈRE

Vers la « fabrique du sucre », le temps des seigneurs propriétaires

> J'ay dit que les marchands en remportent du sucre, parce que depuis quelque temps on en fait de fort bon dans les Isles, et particulièrement à Saint-Christophe où il y a plusieurs sucreries (père Pelleprat, 1655).

Les îles françaises ne se tournèrent que relativement tard vers la production sucrière. Le boom des années 1650 qui apporta sa prospérité à la Barbade fut ignoré par elles car la véritable expansion du sucre ne s'y produisit que vers la fin des années 1660 et dans la décennie 1670, alors que les prix déclinaient déjà en Europe. L'enthousiasme du père Pelleprat salue l'implantation des premières habitations sucreries mais ne saurait traduire un essor capable de transformer les économies insulaires avant 1660. Certes, il y eut en Guadeloupe, dès 1644, les premiers essais de plantation de la canne à sucre faits par Houel qui répondaient au désir des directeurs de la Compagnie des Iles d'Amérique de faire pénétrer la technique des moulins à sucre hollandais du Brésil aux Antilles françaises, pour produire le sucre à la valeur marchande alors bien supérieure à celle d'un tabac aux prix en complet déclin. En 1642, présentant un projet d'espionnage industriel, ils écrivaient à un marchand de Dieppe, Claude Rozès, « de faire son possible tant en Hollande qu'à Madère ou autres lieux pour traiter avec un ou deux hommes qui sachent travailler à faire le sucre et cuite d'iceluy et n'y rien épargner, étant nécessaire d'en envoyer à la Guadeloupe le plus tôt que faire se pourra ». Le marchand hollandais de Rouen, Daniel Trezel, envoya son fils Samuel rejoindre Houel en Guadeloupe, en 1644, mais le moulin installé ne livrait que « moscouade grossière », après un sommaire broyage de la canne.

Tout autant que Houel, Poincy à Saint-Christophe recherchait aussi l'innovation. En mai 1639, un habitant de Rouen qui avait travaillé à Recife avec les Hollandais proposa au commandeur de faire venir d'Amsterdam un moulin à canne[32]. Le projet resta cependant sans lendemain immédiat, et, en Guadeloupe, les essais de Houel s'étaient révélés décevants. Le père Breton notait bien pour cette colonie, en 1647, que le sucre « vient fort bon et excellent, et les cannes sont bonnes à couper à huit ou dix mois, grosses et succulentes », mais le propos est exagéré car la technique de la plantation de la canne et de la fabrication du sucre ne fut pleinement maîtrisée qu'au milieu des années 1650 avec l'arrivée des « maistres d'engins à sucre » venus du Pernambouc brésilien. Dans les débuts, les moulins à canne que l'on pouvait trouver, par exemple ceux des jésuites à Saint-Pierre en Martinique ou ceux des carmes en Guadeloupe produisaient des eaux-de-vie de sucre, l'activité ainsi menée était celle de la distillation et non celle de la fabrique du sucre[33]. Ce furent les « hommes adroits » venus du Brésil, utilisant les capitaux que les seigneurs propriétaires mirent à leur disposition, qui apprirent à monter les *rolles*, cylindres métalliques verticaux écrasant les cannes et les chaudières où le *vesou* cuisait et se purifiait.

Ils surent aussi faire fabriquer les formes en terre dans lesquelles le sirop se cristallisait et réaliser le blanchiment, ou terrage, de la moscouade, le sucre brut.

À la Barbade, les voyageurs des années 1640 témoignaient de la lenteur des progrès réalisés. Richard Ligon y relevait que « les secrets de la fabrication n'étant pas bien compris », les sucres produits n'étaient que de faible valeur, ils ne duraient pas plus de deux ou trois ans. Mais lui aussi relatait l'apport hollandais : « Recevant de nouvelles directives du Brésil, parfois par des étrangers, parfois par eux-mêmes, et pour le bien général de toute l'île, ils ont amélioré leurs connaissances[34]. » En dépit d'un premier essor du sucre de la Barbade, le pasteur français Charles de Rochefort remarquait encore que les moulins à sucre de l'île étaient parfois de petite taille, avant 1658, car adaptés à de petits domaines : « Beaucoup de ses habitants ne sont pas encore capables d'avoir assez de chaudières et de se procurer les grandes machines où les cannes sont broyées, mais ont de petits moulins aux cylindres mus par deux ou trois hommes ou tirés par un seul cheval, avec une ou deux chaudières ils purifient le jus obtenu et font du bon sucre[35]. » Le propos de Rochefort montre l'existence à la Barbade, à l'époque de sa première prospérité sucrière, d'une classe de petits propriétaires ne disposant que de peu de main-d'œuvre, incapables d'acheter les ateliers d'esclaves nombreux indispensables pour mettre en valeur les grands domaines, entrant cependant dans l'âge du sucre en créant des « micro-sucreries ». Entre le groupe restreint des grands sucriers qui existait dès cette époque à la Barbade et celui de ces petits propriétaires à la main-d'œuvre si réduite existait une autre catégorie de propriétaires qui parvenaient à utiliser de grands moulins à sucre qu'ils approvisionnaient en cannes provenant de petits ou moyens domaines voisins, tout en ne disposant eux-mêmes que de plantations à la taille médiocre. Cette solution évitait aussi le recours à un atelier d'esclaves trop coûteux, et c'était celle utilisée par les planteurs de Bahia. Ce modèle fut présent, une vingtaine d'années plus tard, dans les îles françaises. Pour parvenir à disposer d'un atelier de 90 à 100 esclaves, tel celui du colonel Hilliard dont Richard Ligon visita la plantation en 1647, étendue sur deux cents hectares, il fallait que le planteur eût de grands capitaux. Dans ce cas de la Barbade, ces capitaux étaient fournis aux Barbadiens par les marchands de Londres dans des conditions de crédit attractives. La facilité du crédit dans les Antilles anglaises resta jusqu'au XIXe siècle un de leurs traits distinctifs qu'on ne retrouvait pas aux Antilles françaises.

Les premières réalisations effectives dans les îles françaises furent à Saint-Christophe celles du commandeur de Poincy dans ses habitations de la Grande-Montagne et de Cayonne. Chacune couvrait près de cinq cents hectares en 1660, Poincy y aurait investi pour leur achat près de quarante mille livres[36]. Vers 1650, la Montagne avait plus de trois cents esclaves et trois moulins ; un tel nombre d'esclaves peut se comprendre car le commandeur utilisait avantageusement de nombreux esclaves provenant des prises faites sur des navires étrangers par les flibustiers de l'île, dont une partie revenait de droit au gouverneur. Ce dernier utilisait aussi les capitaux procurés par le droit de capitation et des taxes sur les marchandises. Témoignant de l'importance prise par le sucre à Saint-Christophe sous l'impulsion de Poincy, le droit de capitation fut changé par lui, en 1660, passant de cent livres de tabac à cent livres de sucre. Il y aurait eu ensuite déclin pour l'habitation de la Montagne qui n'avait plus qu'un seul moulin en 1665. Dans la même île les carmes avaient, en 1652, deux moulins à sucre, Du Tertre y montre « l'ensemble des grandes poêles à faire sucre... grands chaudrons... marmites à faire eau-de-vie ».

Les religieux furent aussi à la Martinique aux origines de l'industrie du sucre. Les jésuites construisirent un moulin au nord de Saint-Pierre. Selon le père René Saint-Gilles, une « grande sucrerie » employant une trentaine d'esclaves fonctionnait pour distiller le jus de canne en

1652[37], mais il ne s'agissait pas encore de production de sucre, la technique hollandaise n'ayant pas encore pénétré la Martinique. Ce fut fait pour les jésuites vers 1654 quand un Hambourgeois, Pierre L'Hermitte, alors venu du Brésil, installa sur leur habitation un moulin à eau et des chaudières. À peu près à la même date, les seigneurs propriétaires accueillirent les sucriers hollandais. Les Du Parquet installèrent, toujours à Saint-Pierre, une habitation de 260 hectares avec une sucrerie capable de produire environ 100 000 livres de sucre par an[38]. L'exemple des jésuites et des Du Parquet fut suivi par plusieurs habitants suffisamment aisés pour disposer des quelque 25 esclaves que Jacques Petitjean Roget estime être nécessaires au montage de la sucrerie. En 1660, 18 habitants en Martinique possédaient ce nombre d'esclaves, ils étaient devenus sucriers depuis le milieu de la décennie 1650. On trouve parmi eux plusieurs étrangers comme Pierre L'Hermitte ou le Hollandais Vanool. Le nombre d'esclaves travaillant chez les Du Parquet s'élevait à 161, celui détenu par les jésuites à 89 ; l'ancien engagé et flibustier Jean Roy, au Prêcheur, en avait plus de 50.

Comme en Martinique, dans ce premier âge du sucre, la Guadeloupe présentait, d'une part, des propriétaires de moulins peu nombreux en raison des capitaux nécessaires pour l'équipement et les esclaves, d'autre part, des cultivateurs de canne qui faisaient broyer leur production par les premiers. Les officiers de la Compagnie prévoyaient, en 1645, cette association des deux groupes : « Le sieur Houel, étant à la Guadeloupe, mettra prix aux cannes qui seront apportées par les habitants au moulin de la compagnie[39]. » Il était décidé qu'aucun particulier ne pourrait posséder de moulin afin de faire valoir le monopole de la Compagnie, un tel régime ne subsista pas au-delà des années 1654-1655. Houel constitua sa sucrerie au-dessus de Basse-Terre, sur la montagne Saint-Charles, sur une habitation étendue, obtenue par rachat de petites concessions. Comme en Martinique, l'île vit des étrangers s'installer et posséder après

1654 des habitations sucreries, tel ce Jacob Sweerts à la montagne de l'Espérance, toujours près de Basse-Terre, dont un frère avait un magasin dans ce bourg. Comme à la Barbade, le capital marchand soutenait l'entreprise. En 1661, la Guadeloupe possédait 71 sucreries, il y aurait eu une croissance significative de l'industrie du sucre qui ferait admettre une hausse remarquable du nombre d'esclaves passé, selon Christian Schnakenbourg, de 3 000 en 1656 à 6 323 en 1664, alors qu'en Martinique ils n'étaient que de 2 683 en 1660[40]. Cette importante différence entre les deux colonies pour le nombre d'esclaves peut s'expliquer par une présence plus forte des marchands hollandais qui en étaient les fournisseurs en Guadeloupe.

L'essor du sucre aux Petites Antilles

• De plus en plus d'esclaves

Aux Petites Antilles, la Martinique paraît être l'île qui profita le plus de l'essor d'une nouvelle production sucrière sous le règne de Louis XIV. Saint-Christophe fut touchée à plusieurs reprises par les destructions des guerres, plusieurs de ses plus riches habitants quittèrent la colonie en 1690 et elle était perdue officiellement en 1702. En Guadeloupe, l'intendant des Iles d'Amérique Robert soulignait en 1700 combien la terre y était fertile, l'estimant même en général d'une qualité meilleure que celle de la Martinique (la Grande-Terre aux horizons les plus vastes commençait à être défrichée), mais il notait un déclin. Pendant la domination des seigneurs « particuliers », l'île était « tout aussi florissante et aussi peuplée que la Martinique, mais depuis elle a beaucoup déchu, elle est présentement très faible d'habitants et encore plus faible en nègres, et cette disette de nègres est en partie cause de ce que cette colonie ne s'augmente point comme elle pourrait faire si elle était aidée et secourue[41] ». L'intendant attribuait le déclin à ce manque d'esclaves car il soulignait en même temps que « les cannes de sucre réussissent à merveille en Guadeloupe ».

Dès les années 1660, les planteurs apprirent à mettre en rapport étroit le fonctionnement du moulin, la saison de coupe des cannes et celle des plantations. Pour ce faire, il leur fallait avoir une main-d'œuvre suffisante. La saison de coupe devait être aussi courte que possible, commençant après le nouvel an, elle ne devait pas se prolonger au-delà de mai-juin pour être terminée avant l'hivernage, la saison des pluies. Il fallait faire plusieurs plantations à intervalles réguliers de manière que les cannes ne mûrissent pas toutes en même temps car la production aurait alors dépassé la capacité de broyage du moulin, et l'activité de celui-ci devait être entretenue pendant toute la période de coupe. Une fois récoltée, la canne se détériorait rapidement et devait être traitée dans un minimum de temps. Dans une lettre à Colbert de 1670, le lieutenant général Baas marquait très fortement l'importance du facteur main-d'œuvre dans l'économie du sucre : « Le défrichement et la culture de la terre ne peuvent se faire que selon la force et la faculté des habitants, c'est-à-dire que ceux qui ont beaucoup de nègres, de chevaux et de bœufs pour planter et couper les cannes et tourner incessamment leurs moulins sont forts et font beaucoup de sucre, et ceux qui n'en ont que peu font du tabac ou de l'indigo[42]. »

L'emploi de l'esclave africain dans l'habitation sucrerie s'explique car, pour développer la production, il fallait avoir des coûts de main-d'œuvre suffisamment bas. Or l'engagé blanc qui avait pratiquement constitué la seule main-d'œuvre, au début de la colonisation, permettant celle-ci, coûtait cher. Durement traité, il se faisait difficilement aux conditions climatiques, et les épidémies faisaient des coupes sombres dans les rangs des travailleurs. La durée brève du contrat de service, trois ans seulement chez les Français contre six chez les Anglais, n'incitait pas l'habitant à risquer ses capitaux dans l'achat d'engagés. Élevé dans les premières années, vers 1640-1645, le prix de l'esclave s'est effondré, dès les années 1650 à la Barbade, un peu plus tard dans les autres îles. Se tourner vers une main-

d'œuvre relativement bon marché fut d'autant plus nécessaire qu'en même temps, sur les grands marchés d'Europe,
tels ceux d'Amsterdam ou de Londres, les prix du sucre
furent en baisse des années 1660 à la fin des années
1680[43]. Ils repartirent à la hausse à la fin du siècle.

« Pour faire tout le commerce des Indes occidentales »,
Colbert comprit qu'il fallait établir un puissant courant de
traite négrière, et, pour ce faire, il fit concéder par le roi à
la Compagnie « toutes les côtes de l'Afrique, depuis le Cap-
Vert jusqu'au Cap de Bonne-Espérance ». Mais, dès le
milieu du siècle, les Hollandais avaient accaparé le plus
gros de la traite ; on a pu montrer que leur participation à
la traite atlantique avait été exagérée et qu'il fallait réduire
leur rôle dans le démarrage sucrier des îles anglaises, il
reste que, pour les colonies françaises, ce rôle fut essentiel,
en dépit des ambitions de Colbert[44]. Les entrepôts hollandais de Curaçao et de Saint-Eustache, au sud et au nord de
la Caraïbe, maintinrent, à cet égard, les approvisionnements jusqu'à la fin du XVIIe siècle. L'abbé Brunetti, qui voulut relever en 1660 « la quantité précise d'adultes,
d'enfants, de chaque sexe, tant des européens que des africains et américains » pour la Martinique[45] et donner ainsi
le premier recensement de l'île, soulignait que « les achats
de nègres » lui semblaient indispensables. Prudent, car
sachant alors la quasi-inexistence d'une traite française, il
conseillait à l'habitant de « traiter avec quelque marchand
en Hollande pour les nègres [livrés] aux Isles à tant la pièce[46] ». Lors des guerres ultérieures, les colons furent toujours très sensibles au risque d'une rupture causée par les
conflits dans l'approvisionnement en esclaves. À la fin des
années 1660, l'entrepôt de Curaçao fournissait la Compagnie en Nègres alors que Colbert avait interdit cet achat et
la poussait à faire la traite de Guinée, et, effectivement,
trois expéditions « triangulaires » eurent lieu en 1669. Mais
les prix des Hollandais ne souffraient aucune concurrence :
en 1671, Baas reconnut avoir vendu des Nègres de la
Compagnie 4 000 livres de sucre chacun, « cela est assuré-

ment fort cher et ceci n'est pas le moyen de faire aimer la compagnie... les Hollandais ne les vendent que deux mille livres[47] ». De nouveaux efforts furent accomplis après la guerre de Hollande, alors que l'intendant Patoulet voulait établir des raffineries à Saint-Pierre pour lesquelles il fallait des esclaves. La Compagnie du Sénégal s'engagea à fournir 2 000 Nègres par an en 1679 mais le gouverneur Blénac se plaignait vivement, en 1684, des résultats : 159 Nègres seulement avaient été vendus par cette Compagnie en 1682, et Blénac de s'écrier, « sans nègres, on ne fait rien dans les Isles[48] ».

Fournitures faibles, prix plus élevés, tout était au désavantage du monopole, et, à partir des années 1680, le commerce privé permit aux Antilles de recevoir des esclaves par les négriers de la traite française, mais elles continuèrent à s'approvisionner dans les entrepôts de Curaçao et Saint-Eustache. Les Hollandais avaient transporté 70 000 captifs de 1625 à 1764, 9 000 seulement de 1674 à 1679, et 70 500 de 1680 à 1709, soit un total de quelque 150 000 esclaves pour le XVIIe siècle[49]. Étudiant le cas de la Guadeloupe, Anne Pérotin-Dumon montre comment les liens marchands entre Hollandais établis dans les Iles et ceux d'Amsterdam ou de Flessingue et Middelbourg leur permirent de disposer des réseaux nécessaires, acheminant aux frets les plus bas, consentant les avances nécessaires[50]. La Martinique connut la plus forte augmentation du nombre d'esclaves dans les trente dernières années du siècle, il fit plus que doubler, passant de moins de 7 000 en 1670 à 15 000 en 1700, tandis que la Guadeloupe voyait son nombre d'esclaves stagner, n'atteignant pas les 7 000 en 1700 alors qu'en 1660 il dépassait largement les 6 000. En dépit des guerres, la partie française de Saint-Christophe possédait en 1701 12 000 esclaves, soit presque deux fois le nombre des captifs de la Guadeloupe[51]. Au début du XVIIIe siècle, en dépit de la croissance du nombre de leurs esclaves, assez spectaculaire en Martinique, l'ensemble des Antilles françaises, y compris Saint-Domingue, disposait de quelque 30 000 esclaves contre plus de 110 000 pour les Antilles anglaises. L'ancienneté de l'économie sucrière à la Barbade (50 000 esclaves en 1700) et son démarrage après 1670 à la Jamaïque (40 000 esclaves en 1700) peuvent expliquer cette nette supériorité des colonies de la Grande-Bretagne sur celles de la France.

La croissance des habitations sucreries

Soulignant que l'augmentation du nombre d'esclaves suivait l'essor du sucre aux îles d'Amérique, le jésuite Mongin exagérait sans doute en 1676 la place de ce produit dans les économies insulaires en notant : « Comme les blancs ne sont ici que pour faire du sucre, ils ont besoin d'un grand nombre de gens pour y travailler. » En fait, jusqu'aux années 1680 et même au-delà, répartie entre de petites habitations, la culture du tabac à main-d'œuvre réduite occupait un nombre important de Blancs. En outre, en marge de l'économie de plantation procurant les denrées coloniales d'exportation, tabac et sucre, les cultures vivrières étaient pratiquées par de nombreux habitants qui n'avaient ni canne à sucre ni tabac sur leur terre, et on les trouvait aux côtés des cultures d'exportation assez souvent. La mutation des habitations en habitations sucreries ne touchait qu'un nombre restreint d'habitants mobilisant capitaux et crédits pour acheter l'équipement de « l'engin à sucre », moulin et chaudières, bestiaux et esclaves. La canne à sucre, il est vrai, dépassait le seul cadre des habitations sucreries car elle était cultivée par un certain nombre d'habitants plus modestes qui livraient leur production aux propriétaires des moulins comme le faisaient au Brésil les *lavradores de canha* pour les *senhores de engenho* fabriquant le sucre.

RÉPARTITION DES HABITATIONS EN 1671
EN MARTINIQUE[52]

	Côte atlantique (Trinité à Basse-Pointe)	Nord (Macouba à Anse-Couleuvre)	Côte caraïbe Prêcheur à Case-Pilote	Côte sud Fort-Royal à Riv.-Pilote	Total
Habitations sucreries	9	3	70	29	111
Habitations en cannes	16	3	74	28	121
Habitations en tabac	77	19	79	89	264
Habitations en cult. vivr.	40	7	79	31	157

Le nombre des habitations se livrant encore à la culture du tabac dépassait largement celui des habitations entrées dans l'économie sucrière, 264 contre 232. Mais, par les superficies, la puissance du sucre ressort : en moyenne, l'habitation cultivant la canne à sucre couvrait 61,9 hectares, celle se consacrant au tabac 19,3 hectares, et celle ne faisant que des vivres 15,4 hectares. En 1671, 25 habitations dépassaient les 135 hectares, occupant une surface totale de 6 003 hectares, soit plus de 28 % des terres cultivées, elles ne représentaient pas 4 % du nombre des habitations[53]. On peut leur opposer les 160 habitations ne couvrant pas 7 hectares qui, en surface, représentent à peine 3 % du total et, en nombre, parviennent à atteindre le quart du total.

On comprend mieux la portée de la constitution de ces grandes fortunes foncières autour du sucre si l'on rappelle quelle était à l'origine la grandeur des concessions attribuées aux colons. Jacques Petitjean Roget a étudié la superficie de ces concessions[54] et rappelle comment les dimensions de l'île et la politique de peuplement menée par les seigneurs propriétaires avaient conduit à une attribution gratuite de concessions d'assez faible surface, de façade étroite, en moyenne deux cents mètres, elles étaient toutes en hauteur. Les bâtiments se trouvaient au plus près de la mer, la case du maître sur une légère hauteur ; en montant, on trouvait les « étages » de culture, en bas, les jardins créoles, avec les vivres, principalement manioc, plus haut, canne à sucre ou tabac, parfois les deux, enfin la « savane », pâturage pour les animaux domestiques employés au moulin ou aux charrois, et tout en haut les bois debout, réserve de combustibles. Une des plus grandes habitations sucreries de 1671, celle de la Montagne, au-dessus de Saint-Pierre, achetée en 1666 aux héritiers Du Parquet par le gouverneur Clodoré, le commis général de la Compagnie Picquet de la Salle et Bertrand d'Ogeron, gouverneur de Saint-Domingue, occupait plus de 450 hectares, deux moulins y tournaient, l'un à bœufs, l'autre à eau, approvisionnant les chaudières de deux sucreries. Les vivres étaient cultivés, occupant un tiers de la superficie consacrée à la canne à sucre. Le produit que pouvaient rendre les terres cultivées montait à 400 000 livres de sucre, une des plus fortes valeurs de l'année.

La plupart des grandes habitations furent créées par des « rassembleurs de terres » qui réunirent des *places*, concessions d'origine de dimension réduite. Par exemple, Christophe Renaudot, un notable – il avait été député par le Conseil souverain en Guadeloupe, en 1660, auprès de Houel, pour le remercier de son action en faveur de la paix avec les sauvages, et était un des trois administrateurs de l'hôpital de Saint-Pierre –, avait réuni neuf places. Il constituait ainsi un domaine de plus de 300 hectares, dont une partie seulement était mise en valeur par un « fermier », Jean-Baptiste Lespevurier, produisant pour une valeur de 120 000 livres de sucre, équipée d'un moulin à eau et à bœufs et d'une sucrerie. Là encore, un tiers des terres était occupé par les cultures vivrières. Cinq places étaient à l'origine de l'habitation de Clément L'Hermitte, un Hambourgeois qui cultivait au morne des Cadetz, au-dessus du faubourg du Mouillage à Saint-Pierre, une trentaine d'hectares de canne au revenu s'élevant à 100 000 livres. Son habitation était équipée de deux moulins, l'un à vent, l'autre à bœufs. Les cultures vivrières s'étendaient sur le quart de la surface occupée par les cannes à sucre. Mais le plus remarquable effort de réunion de telles places demeure celui de l'ancien flibustier Jean Roy qui, au Prêcheur, avait constitué son habitation par la réunion de 29 « petites places », plus de 206 hectares étaient consacrés par Jean Roy à la culture de la canne, approvisionnant deux sucreries avec moulin à bœufs qui livraient un produit d'une valeur de 260 000 livres de sucre. Quelque 51 hectares étaient occupés par les cultures vivrières.

De telles réunions de places s'étaient opérées par rachats successifs de petites habitations cultivant les vivres et le tabac. Le déclin des prix de ce produit pouvait décourager les habitants, amenés à vendre soit pour rembourser des dettes, soit pour payer leur retour en France. Le dernier cas de création de grands domaines permettant d'accéder à la richesse sucrière qui n'est pas le moins fréquent est celui de marchands du royaume investissant dans les habitations. Déjà propriétaire de deux plantations en Martinique, le marchand de Dieppe, Étienne Sauvage, passait contrat, le 23 mars 1662, avec un habitant de la Guadeloupe, André Gressier, qui se trouvait être son débiteur, pour la direction d'une habitation[55].

La révolution sucrière obtenait en Martinique ses meilleurs résultats sur la côte caraïbe, à l'ouest de l'île, du Prêcheur à Case-Pilote. On y dénombrait, en 1671, 70 sucreries et 74 habitations cultivant la canne sans posséder de sucreries sur les 111 et 121 habitations semblables dans la colonie. La Capesterre, sur la côte atlantique, tard venue dans la colonisation, était relativement peu touchée par le sucre. Un exemple intéressant est celui de la région de Fort-Royal qui, de Rivière-Monsieur jusqu'au Trou-au-Chat (Ducos) possédait une douzaine de sucreries sur les 29 existant dans le Sud. Il y avait là des concessions faites tardivement et de grandes dimensions. Pour comprendre la place occupée par la côte caraïbe, on peut relever l'ancienneté de la colonisation mais surtout l'influence du bourg marchand et du port de Saint-Pierre qui assurait le plus gros des expéditions et où beaucoup d'habitants avaient leurs magasins. À Saint-Christophe, le fait avait été noté par Du Tertre pour les années 1660 : « Depuis qu'on a commencé à faire du sucre à Saint-Christophe, la rade n'a jamais été sans vaisseaux pas plus que les magasins sans marchandises[56]. » Anne Pérotin-Dumon voit Basse-Terre en Guadeloupe créer autour de son port une auréole de « montagnes à sucreries » ; 38 sur un total de 103 pour toute l'île appartenaient, en 1671, au quartier de Basse-Terre, 27 à celui de Capesterre, travaillant dans la zone d'attraction de ces ports[57].

Moulins à sucre et grandes habitations avaient besoin d'avoir des « ateliers », équipes d'esclaves suffisamment nombreux. Les recensements de 1664 et 1678-1680 offrent des exemples significatifs de la grandeur des ateliers. En 1660, au Prêcheur, Jean Roy disposait de 4 engagés et 29 esclaves adultes, 15 petits, sur son habitation principale, à la Chapelle, de 3 esclaves adultes et 2 petits. Quatre ans plus tard, la main-d'œuvre de Roy était passée à 7 engagés, 40 « grands nègres », 2 « grandes négresses » et 34 petits. En 1680, sur toutes ses habitations, on relevait la présence de 12 Blancs, dont quatre commandeurs, un chirurgien, deux tailleurs, trois tailleurs de pierre, un sucrier et un charpentier, et de 299 esclaves, dont 82 Nègres adultes, 63 Négresses adultes, 11 Nègres sauvages, 6 Négresses sauvages, 9 Nègres infirmes et 128 enfants. L'importance de la culture de la canne et la présence de plusieurs sucreries expliquent le nombre élevé des esclaves. Jean Roy comptait parmi les planteurs pouvant avoir assez d'esclaves pour faire travailler près d'1,4 hectare par travailleur, rapport voisin de celui trouvé à la Barbade par Richard Dunn[58]. La présence des « sauvages », nouveaux arrivés dans la plantation qui étaient le plus souvent appelés « bossales », révèle un souci de renouvellement de l'atelier dont la force de travail est diminuée par l'existence de Nègres infirmes au corps blessé par les rudes tâches imposées. Il est vrai qu'il pouvait s'agir aussi de Nègres surâgés et infirmes, tel était le cas chez Jean Jaham de Vertpré au Marigot, en Capesterre, toujours en 1680. Son atelier comptait à côté de 21 Nègres adultes et 16 Négresses adultes 6 Nègres et 6 Négresses surâgées et infirmes, de cinquante-six à soixante-dix ans pour les hommes et de soixante à soixante-dix-huit ans pour les femmes[59]. Dans ces habitations sucrières, le poids de la main-d'œuvre noire était tel qu'il créait un déséquilibre bien plus élevé entre les populations blanche et noire que dans l'ensemble de l'île. En 1685, la Martinique comptait 10 343 Noirs pour 4 882 Blancs, soit un peu plus de deux Noirs pour un Blanc, mais, sur les habitations de Jean Roy et de Jean Jaham de Vertpré, on trouvait respectivement 15 et 9 Noirs pour un Blanc.

Des cas intéressants sont ceux d'habitants qui, en 1664, ne disposaient que de peu d'esclaves et qui pourtant étaient, en 1671, propriétaires de moulins et de sucreries, en apparaissant plus tard, en 1677 et 1680, disposer d'ateliers importants. Le Hollandais Jean Doens qui détenait à Case-Pilote un moulin à bœufs et une sucrerie n'avait en 1664 que 8 esclaves adultes alors qu'en 1680 il disposait de 43 esclaves adultes. À l'Anse-Couleuvre, Jean Le Roux faisait encore mieux, en 1664, il ne possédait qu'1 seul esclave pour 8 engagés, en 1680, il avait encore 6 engagés mais son atelier comprenait 48 esclaves adultes. Quelque 13 cas ont pu ainsi être relevés d'habitants peu pourvus en 1664 et disposant de gros ateliers une quinzaine d'années plus tard, et, comme ils étaient, en 1671, propriétaires de moulins et de sucreries, on peut formuler l'hypothèse que la constitution de l'atelier a pu se faire avant cette date, dans l'élan de la révolution sucrière.

En dépit de ces exemples de réussite des grands sucriers, dès les années 1680, il ne faut pas négliger, avant 1700, les limites de cette révolution sucrière. D'une part, le produit livré était presque toujours la « moscouade », le sucre

brut, parfois de qualité médiocre faute d'une maîtrise par-
faite des techniques de fabrication. D'ailleurs, sous l'impulsion de l'intendant Patoulet, à partir de 1780, quelques
colons se tournèrent vers l'activité du raffinage. La Martinique comptait trois raffineries en 1680, six en 1688 ; mais,
au même moment, les ports français se dotaient des mêmes
raffineries, et le royaume en avait vingt-neuf en 1683, dont
huit à Rouen. Les raffineurs de la métropole obtinrent du
pouvoir qu'il interdise aux colons cette activité, source de
profits substantiels. Certes, dès 1670, on avait commencé à
produire, sur le modèle hollandais, des sucres d'une valeur
marchande supérieure, les sucres blancs, par les procédés
du terrage. Le 22 mars 1670, Baas signalait à la Compagnie
que « le père Brion [un jésuite] s'est mis à travailler au
sucre blanc et donne un bon exemple aux habitants ». Mais
ce ne fut qu'à partir du début du XVIIIe siècle, après l'échec
des raffineries coloniales, que le procédé put trouver une
assez large utilisation.

D'autre part, l'économie du tabac relativement peu exi-
geante en capitaux et en main-d'œuvre était loin d'avoir
disparu. Les 264 habitations en tabac relevées dans la Martinique de 1671 faisaient encore vivre une grande partie
des colons en 1680. La côte caraïbe, où la révolution
sucrière paraissait l'emporter, du Prêcheur à Case-Pilote,
comptant 70 des 111 habitations sucreries, et 74 des
121 habitations en canne de la colonie, possédait cependant 79 habitations en tabac.

La réalité insulaire changea davantage au début du
XVIIIe siècle. En 1713, les habitations sucreries étaient au
nombre de 274 en Martinique. La région la plus transformée étant celle du sud et du sud-est de l'île, de Fort-Royal
au Marin, avec un total de 191 sucreries ; tard venue dans
l'âge du sucre, elle n'en avait que 29 en 1671. À cette date,
du Robert au Marin, on ne rencontrait pas une seule sucrerie, il y en avait 53 en 1713. La progression des ateliers
serviles avait suivi cette extension : l'île comptait plus de

26 000 esclaves en 1713, trois ans plus tôt, ils n'étaient que 22 000, et, en 1685, moins de 10 500.

Cette nouvelle faveur de l'économie sucrière en Martinique contraste avec la stagnation relative qu'elle connaissait en Guadeloupe pendant la même période. Cette colonie comptait en 1710 quelque 117 habitations sucreries alors qu'en 1671 on pouvait en dénombrer 103. La population esclave n'atteignait pas les 11 000 individus. Les destructions subies par l'île pendant la guerre de la ligue d'Augsbourg, le départ de nombreux colons vers la flibuste à Saint-Domingue, et bien plus encore une relative mise à l'écart des grands circuits marchands atlantiques par l'effacement du port de Basse-Terre devant l'essor soudain de Saint-Pierre en Martinique qui se taillait une place majeure dans la Caraïbe, ces divers éléments peuvent expliquer ce « repli » de la Guadeloupe.

Pour comprendre la réussite martiniquaise, il faut faire appel en premier lieu à un retournement de la conjoncture. À des prix du sucre qui s'étaient tassés sur les marchés européens entre 1660 et 1680 succédèrent des prix soutenus dans les années 1690 et 1700, sous l'effet de la réduction des importations due aux conflits. Au contraire, après 1713, avec la paix, il y eut surabondance et engorgement des marchés, et une phase de prix déprimés commença. Les habitants disposèrent de capitaux plus abondants à la fin du XVIIe siècle car, à cette situation favorable du marché, s'ajouta l'influence d'une reprise très active de la flibuste et des trafics interlopes. On ne peut négliger aussi l'impact provoqué par l'arrivée de colons de Saint-Christophe après la prise de l'île par les Anglais en 1691 ; des fondateurs de « dynasties » s'établirent, à cette occasion, pratiquant des alliances opportunes avec des familles d'habitants déjà bien établis ; les Laguarigue, les Littée, les Hérard, les Verger de Sanois, venus de Saint-Christophe, surent s'insérer dans les élites de la colonie.

Le rôle de la capitale marchande de l'île est à privilégier. Devenue la principale place des Petites Antilles, son commerce était bien plus important que ne le justifiait la taille de l'île, Saint-Pierre rassembla les marchands commissionnaires, seuls vendeurs et seuls acheteurs pour les îles du Vent. Ces marchands, dont certains appartenaient à des familles d'habitants sucriers très riches, étaient maîtres du crédit indispensable à l'activité des plantations. Les billets de sucre, émis par les sucriers et payables sur leurs récoltes, étaient négociés sur la place. Outre ce rôle marchand, Saint-Pierre assuma une participation quotidienne durant la guerre à la course dans la Caraïbe, en particulier avec la venue de flibustiers de Saint-Domingue, au début des années 1690. La vente des prises s'y déroulait, engendrant de gros profits : pendant la guerre de Succession d'Espagne, entre mai 1703 et juillet 1705, plus de deux millions de livres de prises y furent vendues, soit alors une valeur proche de celle des exportations de sucre. Estimée après l'ouragan de novembre 1694, la valeur des magasins de Saint-Pierre appartenant à des habitants de la colonie et à des marchands dépassait les six millions de livres[60].

Les trafics interlopes avec les colonies espagnoles firent la fortune de nombreux marchands de Saint-Pierre, tel un Michel Banchereau dont le magasin, construit en pierres, en 1694 était estimé cent trente mille livres, et qui possédait à l'Anse-Latouche, proche de la ville, une habitation sucrerie prospère. Comme Banchereau, Louis Levassor de Latouche, Longpré et son père, François-Samuel Levassor de Latouche, étaient « intéressés » au commerce d'Espagne. François-Samuel avait pu sous-affermer le privilège de l'Asiento pour fournir en esclaves les colonies espagnoles, mais « la négrerie est le moindre objet de cette mission », pouvait écrire, en 1711, le gouverneur Phélypeaux, qui ajoutait : « Les barques allant ou revenant sont chargées en toutes sortes de marchandises, avec grand profit[61]. » Ce même François-Samuel Levassor de Latouche était déjà suffisamment aisé pour pouvoir acheter le domaine de l'Acajou, au Lamentin, en 1695, pour six cent soixante mille livres de sucre. Pratiquant comme bien d'autres habitants un large endettement, il n'avait toujours pas complètement réglé cette acquisition dix ans plus tard, en 1705, et s'ingéniait encore à faire traîner de procès en procès le paiement en 1716. Redouté de beaucoup pour son âpreté en affaires, « se croyant tout permis pour acquérir du bien dont il a déjà abondamment », aux dires de Phélypeaux, ce grand habitant sucrier et marchand était à la tête d'une « constellation familiale » regroupant plus de deux cent cinquante membres, répartis dans toute la Martinique, quand, à un âge déjà avancé, plus de soixante-dix ans, il se lança en 1717 dans la révolte du Gaoulé. Levassor de Latouche appartenait à cette élite de « libertins » déjà fortement critiqués par Baas dans les années 1670 pour leur ambition face au pouvoir. À l'origine de la mutation de l'économie antillaise avec la montée des fortunes des grands sucriers, le poids du prestige des grandes familles renforcées par leurs alliances doit être pris en compte. Des débuts souvent modestes, ceux d'un chirurgien, d'un arpenteur, d'un flibustier, d'un petit habitant cultivant le tabac, étaient effacés grâce aux opportunités de la course, du négoce, comme par l'entrée dans des clans traditionnellement fermés pour un partage des richesses avec des alliances familiales donnant aux nouveaux venus considération et crédit.

DE LA FLIBUSTE À L'HABITATION SUCRIÈRE, SAINT-DOMINGUE

Dans la partie française de Saint-Domingue, Bertrand d'Ogeron avait su favoriser la plantation de tabac qui permettait de sédentariser une population de boucaniers et de flibustiers peu portée à accepter l'autorité royale jusqu'aux années 1660, tout en attirant un certain nombre de colons des Petites Antilles chassés par la pression foncière qu'engendrait en Martinique, comme en Guadeloupe, l'extension des habitations sucrières. Mais la flibuste restait au cœur de l'économie du nord de la Caraïbe. Lui-même ancien boucanier, d'Ogeron ne pouvait pas empêcher les flibustiers de Léogane ou de la Tortue de s'associer aux hommes de l'Anglais Morgan ou de mener leurs propres expéditions pour les spectaculaires pillages de Porto Bello, de Maracaïbo et de Panama. D'ailleurs la crise sévère du tabac dans les années 1670-1690, aggravée par la création du monopole de la ferme en 1674, provoqua l'abandon de beaucoup de places cultivées. De nombreux habitants vinrent grossir les rangs de la flibuste des années 1680. Ils vécurent au quotidien de prises ponctuelles et d'attaques contre des plantations isolées de la Terre-Ferme espagnole ou lancèrent d'audacieux pillages comme celui de Vera Cruz en 1683 ou de Campêche en 1686, sans qu'il y eût contrôle de leur activité par le pouvoir, même si Seignelay, le nouveau ministre de la Marine, ordonnait au gouverneur de Saint-Domingue de ramener sous les ordres du roi les bandes d'aventuriers dont les exactions risquaient de provoquer inutilement nos voisins anglais et espagnols.

L'économie de la plantation que, dans le sillage des Petites Antilles, on souhaitait développer désormais à Saint-Domingue avec la culture de l'indigo puis celle de la canne (le premier moulin à sucre fut construit en 1685) ne pouvait souffrir les entreprises désordonnées de « toutes sortes de gens à leur plaisir, de francs bandits parfois, échappés des galères[62] ». Cependant, les guerres de la fin du XVIIe et du début du XVIIIe siècle permirent aux flibustiers écartés progressivement aux marges de la société coloniale de regagner pour quelques années les faveurs du pouvoir. Il y fallut pourtant du temps car l'humeur indépendante des Frères de la Côte s'accommodait encore mal d'une soumission à une quelconque autorité, fût-ce pour la défense d'une terre avec laquelle ils n'avaient que peu d'attaches. À partir de 1689, les Antilles françaises se trouvèrent, en effet, exposées à la triple menace anglaise, hollandaise et espagnole. À deux reprises, Saint-Domingue subit l'invasion étrangère sans que les flibustiers eussent donné le soutien défensif nécessaire. « La canaille... dont la grande partie n'a rien et qui vit de la chasse ne connaît pas l'indignité de son action », ces mots de Jean-Baptiste Ducasse, le nouveau gouverneur, flétrissaient l'attitude des boucaniers et des flibustiers devant l'expédition dévastatrice des Espagnols sur le Cap en 1691 ; la ville fut incendiée, de nombreux esclaves enlevés sur les habitations. En 1695, ce fut la « promenade militaire » des Anglais sur toute la côte nord ; le Cap et Port-de-Paix tombèrent sans combat, là encore sans intervention des aventuriers.

Certes, l'année précédente, Ducasse lui-même avait conduit 1 500 hommes contre la Jamaïque, ramenant un butin considérable, 1 200 esclaves et du précieux matériel de sucrerie utilisés dans les nouvelles habitations. Et, en 1697, dirigée par Ducasse et Pointis, la prise de Carthagène, avec le concours de 1 600 flibustiers, fut l'entreprise victorieuse qui réconcilia la flibuste avec le pouvoir. En effet, comme en Jamaïque après les expéditions de Morgan, de nombreux membres de l'expédition investirent une partie du butin, dont les esclaves, dans des plantations d'indigo et de canne à sucre, Ducasse devenant lui-même un des plus riches propriétaires de l'île. Mais si la course revenait à l'ordre du jour – elle devait d'ailleurs continuer à le faire pendant la guerre de Succession d'Espagne –, la vie libre des flibustiers cessait progressivement. Ducasse s'attachait à protéger la course, considérant qu'elle servait directement la cause royale, mais, en revanche, il s'opposait aux flibustiers menant une vie « libertine », échappant, en dehors des guerres, aux contraintes de la civilisation. Le père Labat a peint cette transformation de la société des Frères de la Côte : « Les Forbans sont pour l'ordinaire des flibustiers ou corsaires qui, s'étant accoutumés à cette vie libertine pendant une guerre où ils avaient commission de leur souverain pour courir les ennemis de l'État, ne peuvent se résoudre à retourner au travail quand la paix est faite et continuent de faire la course. » À la différence du flibustier, le forban s'excluait de la société antillaise.

Mais la course avait joué son rôle pour l'intégration d'une partie des flibustiers dans cette société, et la colonisation agricole de la Grande Antille s'en trouva considérablement accélérée. Vers 1715, Saint-Domingue comptait près de 7 000 colons et plus de 30 000 esclaves qui travaillaient dans 1 200 indigoteries et 138 sucreries. En 1700, il n'y avait pas plus de 18 sucreries et quelque 9 000 esclaves dans toute l'île. L'indigo avait précédé le sucre dans la mise en valeur en procurant les capitaux nécessaires à l'investissement sucrier. En 1689, selon le gouverneur Cussy, l'indigo de Saint-Domingue était aussi estimé que celui du Guatemala, et sa culture déjà gourmande en capitaux et en esclaves contribuait, avant celle de la canne à sucre, à exercer une pression foncière par une forte concentration des terres, au détriment des habitants les plus modestes. « Les riches planteurs seuls peuvent gagner leur vie comme ils ont les moyens de cultiver l'indigo », notait le père Plumier en 1690[63]. Dès 1701, le père Labat voyait le sucre succéder à l'indigo dans le nord de Saint-Domingue : « On commençait à établir beaucoup de sucreries au lieu de l'indigo qu'on y avait cultivé jusqu'alors[64]. »

Ducasse et ses compagnons flibustiers jouèrent un rôle efficace dans cette mutation de l'économie insulaire qui faisait entrer Saint-Domingue, après la Martinique et la Guadeloupe, dans la révolution sucrière. Rassembleur de terres et d'hommes, d'abord propriétaire d'une habitation exploitée en indigo au sud de la plaine de Léogane, Ducasse encouragea un grand nombre de flibustiers à l'imiter pour créer autour de Léogane et du Petit-Goave les habitations sucreries. Cependant, le démarrage de l'industrie sucrière se situa davantage sur la côte nord, dans la plaine du Cap, au Quartier-Morin, sur l'habitation Dupläa, puis dans le Quartier de Limonade. La canne y relégua l'indigo vers les points les plus secs, sa culture prit possession des bords de rivière et des plaines irrigables. En 1724, la plaine du Cap comptait déjà plus de deux cents moulins à sucre et les exportations de sucre brut, avec vingt et un million de livres en 1720, avaient dépassé celles de la Jamaïque. Comme en Martinique, le sucre blanc commença à être fabriqué dès les années 1710 à Saint-Domingue. Pour comprendre cet effort précoce pour une amélioration de la qualité du produit, il faut faire une place à part à des pionniers de l'économie sucrière, tel un Charritte. Nommé gouverneur par intérim en 1705-1707 et en 1711-1712, cet administrateur était, à cinquante-huit ans en 1716, le plus grand propriétaire de la plaine du Nord, y possédant, selon Moreau de Saint-Méry, le tiers du Quartier-Morin. Faisant venir de France un raffineur expérimenté, Charritte établit sur son habitation du Quartier-Morin la première purgerie de Saint-Domingue pour y fabriquer le sucre blanc à la valeur marchande bien supérieure à celle du brut[65].

Comme en Martinique et en Guadeloupe, le commerce interlope lié à la course joua aussi son rôle pour la mise en place de la nouvelle économie. Il s'y ajouta la création par Versailles de compagnies privilégiées, en 1698, la Compagnie de Saint-Domingue et la prise par la Compagnie de Guinée du privilège de l'Asiento trois ans plus tard. Grâce à l'intensification des rapports avec l'Amérique espagnole, la colonie put bénéficier d'un apport de capitaux élevé et trouver dans l'interlope les approvisionnements nécessaires, surtout en esclaves.

La Compagnie de Saint-Domingue avait mission de peupler et « d'établir » les habitants, mais l'arrêt du Conseil d'octobre 1698 qui l'autorisait à commercer « dans tous les pays de la domination du roi d'Espagne situés dans le golfe du Mexique et côtes du nord de l'Amérique méridionale » officialisa une contrebande déjà fort active. En 1701, pour le père Labat, « le but de cette compagnie n'a pas tant été de peupler et faire habiter cette partie de l'île de Saint-Domingue [côte sud] que d'avoir un entrepôt commode et sûr pour les vaisseaux et pour les barques qu'elle envoie en traite aux côtes de la Terre-Ferme ». Quelques années plus tard, Jacques Savary reprenait ce jugement dans son *Dictionnaire du Commerce* : « Il n'est point d'isle plus commode que celle de Saint-Domingue pour entretenir avec les Espagnols du continent ce riche commerce de contrebande dont les Anglais de la Jamaïque et les Hollandais de Curaçao savent si bien profiter[66]. » Par ses frontières communes avec Santo Domingo, sa côte méridionale étant au vent de Carthagène, proche de Cuba et de Porto Rico, la partie française de Saint-Domingue était à même de pratiquer des trafics constants avec les colonies de Madrid. Les esclaves achetés par les Français à Saint-Eustache étaient revendus aux Espagnols, les toiles et produits manufacturés du royaume étaient échangés contre du bétail. Une partie des échanges était réglée en piastres, et Saint-Domingue devenait, de ce fait, un précieux relais sur la route du métal blanc entre les Indes de Castille et la France.

Si la pénétration commerciale de l'Amérique espagnole par la Compagnie de Saint-Domingue ne répondit pas complètement aux espoirs de Pontchartrain, en revanche Saint-Domingue profita certainement du flux de capitaux qui accompagna les opérations de la Compagnie. Sous le couvert de l'Asiento, la Compagnie de Guinée se livra aussi au trafic de contrebande, et Saint-Domingue, sous l'impulsion de ses propres négociants, devint un carrefour de l'interlope. On a cité déjà les relations avec l'île hollandaise de Saint-Eustache pour la fourniture d'esclaves, il faut y ajouter les trafics avec l'entrepôt danois de Saint-Thomas, entre Porto Rico et les îles Vierges. Un certain nombre de négociants nord-américains, de Nouvelle-Angleterre et du Rhode Island, s'y installèrent durant la guerre de Succession d'Espagne et y prirent la nationalité danoise pour commercer librement avec Saint-Domingue. « On fait un commerce très considérable dans cette petite île... son port est ouvert à toutes sortes de nations. Il sert en temps de paix d'entrepôt pour le commerce que les Français, Anglais, Espagnols et Hollandais n'osent faire ouvertement dans leurs îles. Et en temps de guerre il est le refuge des vaisseaux marchands poursuivis par les corsaires... C'est encore de ce port que partent quantité de barques pour aller en traite le long de la côte de terre ferme d'où elles rapportent beaucoup d'argent en espèces et en barres et des marchandises de prix. » Le père Labat a remarquablement dépeint le rôle éminent de l'entrepôt danois dans le commerce interlope[67].

Depuis l'édit de 1698 qui interdisait tout trafic direct entre les Antilles françaises et les colonies étrangères, ce commerce interlope était prohibé, il prit une extension spectaculaire sans laquelle l'essor de Saint-Domingue n'aurait pas eu lieu, faute d'approvisionnements suffisants par le négoce français en vivres et en esclaves. À cet égard, à côté des entrepôts de Saint-Eustache et de Saint-Thomas, la Jamaïque anglaise fut pour Saint-Domingue un grand marché d'interlope. Les colons y achetaient des esclaves, même en mauvais état, et y vendaient, en violation des règles de l'Exclusif, le sucre et l'indigo. Les esclaves étaient offerts à des prix très inférieurs à ceux de la traite légale, et en grand nombre. Déplorant cette situation en 1722, les autorités reconnaissaient qu'elle était devenue incontournable. « Il leur faut des esclaves, tout mauvais que soient ceux qui viennent de la Jamaïque. Ils leur sont d'une utilité indispensable pour faire valoir leurs terres et former leurs établissements[68]. »

À la fin du règne de Louis XIV, les Antilles françaises, définitivement entrées dans l'âge du sucre, étaient encore loin de posséder dans l'économie mondiale la place qui fut la leur à la veille de la Révolution. Les ports du royaume n'avaient pas obtenu la maîtrise des réexportations de denrées coloniales sur les marchés européens, ce qu'ils devaient réaliser au cours du XVIIIᵉ siècle. En dépit des progrès réels en Martinique et à Saint-Domingue, dans une mesure moindre en Guadeloupe, le jeu n'était pas égal avec les îles anglaises. Ces dernières possédaient bien plus d'esclaves (133 000 contre 75 000), bénéficiaient de réseaux marchands plus denses et plus efficients, en particulier pour les facilités de crédit indispensables à la vie des plantations, et, à cet égard, le négoce de Londres, profitant de l'éclipse relative de la place d'Amsterdam, était alors sans rival. Mais, en faveur des colonies françaises, jouait déjà « l'effet Saint-Domingue[69] ». La Grande Antille avait des sols fertiles, sur près du double de la plus vaste Antille anglaise, la Jamaïque, demandait à la course et à l'interlope ses capitaux, recevait de nouveaux habitants venus de Saint-Christophe ou des îles du Vent. Elle pouvait élever sa production de sucre à près de sept mille tonnes en 1714, à plus de dix mille en 1720. Prises par le désir le plus vif de l'enrichissement rapide, ses élites étaient déjà moins portées que celles des Petites Antilles à fonder sur les nouvelles terres de solides dynasties. Comme celles-ci, elles allaient souvent trouver insupportable, surtout en matière commerciale, la tutelle de la métropole. Avec l'essor du sucre, plus tard du café, les masses serviles devaient trouver un développement sans commune mesure avec celui réalisé dans les autres colonies. En dépit du préjugé de race, portés par leur réussite, des libres de couleur pourraient constituer à Saint-Domingue, plus qu'ailleurs, un groupe original peu enclin à accepter une condition étrangère à leur stature économique, surtout face aux petits blancs. Dans toutes les Antilles, l'exubérante prospérité de l'économie coloniale faisait des villes encore plus que des plantations un monde à la fois plein de séduction mais déconcertant, le voyageur de la métropole ou le nouvel immigrant n'y trouvant pas leurs horizons familiers sociaux et culturels.

Deuxième partie

Les Antilles au XVIIIe siècle

3

L'essor antillais, promesses et réalités

En dépit de la perte de l'île de Saint-Christophe, après plus de trois générations de colonisateurs, les Antilles françaises étaient prêtes à connaître un nouvel essor à la fin du règne du Grand Roi. Si prometteur d'enrichissement pour les colons mais exigeant une constante croissance des masses serviles, à terme source de crise pour les sociétés, l'élargissement des horizons de l'économie sucrière était assuré grâce à la mise en valeur de la partie française de Saint-Domingue. La *success-story* du commerce colonial français reflète l'expansion de l'économie antillaise. De la mort de Louis XIV à la Révolution, sa valeur décupla de 1716-1720 à 1784-1786 ; il y eut américanisation des échanges du royaume. Loin derrière l'Angleterre à la fin du XVIIe siècle, en dépit des pertes de territoires (le Canada cédé aux Britanniques en 1763), la France avait rapidement rattrapé son retard. Dans les années 1740, à elle seule, Saint-Domingue exportait autant de sucre que toutes les Antilles anglaises. Les îles françaises maintinrent ensuite cette position dominante sur le marché international du sucre ; la production de café fit de très grands progrès à Saint-Domingue, elle s'y accrut de six fois de la fin des années 1760 aux dernières années 1780.

Au même moment, on pouvait se plaindre très haut de profits en déclin, planteurs, armateurs, négociants, rivalisaient en la matière. Les dettes des planteurs s'accroissaient, en outre, une part notable des trafics coloniaux était perdue pour la France, allant aux États-Unis, mais l'âge d'or du commerce comme de la plantation n'en était pas pour autant interrompu. Il faudrait qu'éclate la révolte des esclaves de Saint-Domingue en août 1791, puis que vingt-trois ans de guerre avec la Grande-Bretagne coupent les colonies de la France pour voir détruite en très grande partie la prospérité.

L'ATTRACTION DES ÎLES D'AMÉRIQUE

La politique de paix pratiquée par le Régent puis par le cardinal Fleury assura une trentaine d'années d'expansion commerciale. Alors se renforça considérablement le mythe de l'Eldorado antillais déjà présent dans la France du XVIIe siècle. Pendant cette période, de plus en plus de sujets du roi vinrent s'embarquer dans les ports pour les Iles. Engagés, ils prolongeaient une tradition née au siècle précédent qui avait permis le premier développement des colonies en leur donnant la main-d'œuvre indispensable à l'âge pionnier du tabac. Pour créer l'économie sucrière, l'emploi des esclaves, effectif aux îles du Vent dès l'époque de Colbert, contribua à donner un caractère nouveau aux engagés. Ils furent de plus en plus nombreux à déclarer à l'embarquement des métiers « utiles pour les colonies ». Du seul port de Bordeaux partirent ainsi, de 1698 à 1774, treize mille engagés[1]. Dès les années 1720, ce port s'affirmait pour les colonies comme un centre d'armement de plus en plus important, pour devenir bientôt le plus grand du royaume, laissant à Nantes le plus gros de la traite. Bordeaux était devenu au XVIIIe siècle le lieu où l'on était sûr de trouver un navire pour se rendre aux Iles. On venait donc de toutes les provinces du royaume pour s'embarquer à Bordeaux. Nombre de navires armés dans d'autres ports pour les Iles venaient y prendre non seulement des vins, des eaux-de-vie ou des farines, mais aussi les engagés nécessaires car, depuis 1698, tous les bâtiments appareillant pour les Antilles devaient y porter un nombre d'engagés proportionnel à leur tonnage, trois pour les bateaux de moins de 60 tonneaux, quatre pour ceux de 60 à 100, six pour ceux de plus de 100 tonneaux. Afin d'obtenir un recrutement de qualité, les engagés sachant un métier étaient comptés pour deux. Rejetée souvent par les planteurs et surtout les armateurs, sous prétexte que les engagés ne servaient plus à rien et qu'ils venaient grossir la foule des marginaux, vagabonds et forbans de la société des Iles, cette colonisation était défendue pour des raisons d'intérêt national. Permettre à des Blancs sans ressources d'aller s'établir aux colonies, c'était renforcer le nombre de ceux qui, en temps de guerre, pouvaient défendre les Antilles, c'était aussi maintenir un certain rapport de forces dans les Iles entre l'élément noir et la population blanche afin d'éviter que des révoltes serviles ne ruinent la colonie. Chaque planteur était d'ailleurs contraint d'avoir un engagé pour chaque vingtaine de Nègres. Il s'agissait en fait d'un vœu pieux, mais il montre la volonté de créer une sorte de classe moyenne blanche.

Il faut toutefois souligner, au bout de quelques années, un échec relatif de cette politique. Les difficultés à recruter des candidats au départ apparurent dès 1717 après un exceptionnel afflux de jeunes engagés au lendemain de la guerre de Succession d'Espagne. Les négociants suggérèrent de remplacer les émigrants volontaires par des faux-sauniers, des vagabonds et des mendiants. En 1719, l'État obligea les capitaines à embarquer, « par ordre du Roi », à la place des engagés volontaires, les vagabonds condamnés aux galères. Christian Huetz de Lemps note ainsi que sur 371 engagés partis de Bordeaux en 1721, 155 s'embarquent « par ordre du Roi », sans contrat[2]. Les scènes pathétiques de départ de Manon sont absentes, pas de convoi de détenus, seulement trois à six prisonniers par bateau.

Difficultés pour approvisionner en prisonniers les ports, plaintes contre le système, insuffisance des engagés disponibles, tout était réuni pour modifier les choses. À partir de 1721, on permit de remplacer les engagés par une taxe de 60 livres par tête manquante. Une flambée de départs se produisit au lendemain de la guerre de Sept Ans, 459 engagés en 1764, 407 en 1765, mais cela ne dura pas et l'impôt décidé auparavant fut régulièrement versé par les armateurs. En 1774, un arrêt du Conseil du roi reconnut la fin des engagements, « l'accroissement de la population dans ses colonies et la multiplication des noirs qui y ont esté importés ont fait cesser depuis longtemps les engagements qui avaient lieu autrefois ».

Plus de trente mille passagers quittèrent le port de Bordeaux de 1713 à 1787. La deuxième moitié du siècle connut un envol des départs, entre la guerre de Sept Ans et la Révolution, les passagers furent près d'un millier en 1788 ; alors en plein boom sucrier, Saint-Domingue recevait huit passagers sur dix. À lui seul, le Cap français accueillait plus de passagers que la Martinique après la guerre de Sept Ans (176 départs en 1773 contre 125), dès 1776, il en prenait le double (184 contre 97) et trois fois plus en 1787 (299 contre 97[3]). Il faut ajouter à ces départs recensés officiellement ceux d'autres émigrants, tels ces marins déserteurs qui, à leur escale aux Iles, ne rejoignaient pas leur bord et soit se fondaient dans la « canaille désordonnée » après avoir vendu leurs hardes, vivant « dans la débauche et l'ivrognerie[4] », soit, ayant la chance de retrouver un ami, parvenaient à se faire une place chez les artisans ou les marchands. Un des plus grands négociants du Port-au-Prince, Jacques Mesplès, mis hors la loi par la désertion alors qu'il arrivait comme pilotin à bord d'un bâtiment bordelais, fut reçu par un « païs », se fit prêter par lui de quoi acheter des marchandises à crédit, une pacotille qu'il put vendre et se procurer ainsi les premiers moyens de son négoce.

Le départ pouvait être « une affaire de famille » devenue tradition car l'appel des Iles se faisait à partir de liens et de réseaux de parenté, « appel de clocher » qui entretenait le rêve antillais au fond des campagnes. Jacques Cauna a montré que reviennent dans les listes de migrants les mêmes noms, on a affaire à « des habitués de l'aventure coloniale[5] ». Il s'agissait souvent de rejoindre un parent déjà installé dans la colonie, capable de bien accueillir le passager. On peut voir alors les Basques préférer la Martinique, les Béarnais ou les Commingeois Saint-Domingue. Le soutien familial est toujours nécessaire au départ, il faut payer six cents livres pour un voyage long et non exempt de risques, et, à l'arrivée, un accueil d'ami ou de parent évite bien des mécomptes.

Le roi sucre

L'essor de la production sucrière à Saint-Domingue, son maintien à la Martinique et, après sa relative stagnation à la Guadeloupe, faute d'un nombre suffisant d'esclaves, sa nette reprise dans les trente dernières années de l'Ancien Régime, expliquent cette prospérité qui attirait les immigrants. Dès les années 1740, Saint-Domingue produisait autant de sucre que toutes les îles anglaises réunies (plus de 43 000 tonnes), trente ans plus tard, en 1767, 63 000 tonnes y étaient fabriquées sur un total de 87 000 tonnes produites par les Antilles françaises et, en 1789, la Grande Antille dépassait les 86 000 tonnes, égalant encore la production des Britanniques.

Quittant la ville du Cap en 1782, le Suisse Girod de Chantrans rendait compte de la fièvre qui s'était emparée des plaines de l'île où l'activité des planteurs se faisait débordante à l'époque de la « roulaison » de la canne dans les moulins à sucre :

> Du matin au soir, et même pendant la nuit, on y
> entend un certain frémissement lugubre, produit par
> le bruit confus des moulins à canne, joint à celui
> des voitures qui charrient les récoltes..., on voit des
> torrents de fumée sortir des étuves des bâtiments à
> chaudières qui se répandent au loin en s'abaissant
> sur les terres ou qui s'élèvent en nuages obscurs[6].

Si le charme de l'exotisme insulaire ne paraissait guère
dans ces plantations qui avaient basculé dans un univers
industriel, tous les voyageurs s'accordaient à reconnaître
leur richesse. À Saint-Domingue, dans la Partie-de-l'Ouest,
entourant Port-au-Prince, la plaine du Cul-de-Sac avait plus
de la moitié de ses plantations valant plus d'un million de
livres ; autour du Cap, la plaine du Nord ne venait qu'au
deuxième rang, malgré sa réputation d'opulence, plus de
40 % des plantations y valaient plus d'un million et, dans
le Sud, la plaine des Cayes, plus tardivement mise en
valeur, sur une côte ne recevant pas assez d'esclaves,
n'avait que 23 % de ses plantations parvenant à cette
valeur.

Par la qualité des productions, la plaine du Nord l'emportait nettement car le « terrage » des sucres bruts y donnait
les sucres semi-raffinés, à la valeur très supérieure, de 50
à 100 %, à celle des bruts, en priorité produits à l'ouest et
au sud de l'île. C'est aussi dans cette plaine du Nord que
l'on produisait le plus de mélasses distillées sur place en
rhum mais bien davantage expédiées aux États-Unis. Les
colons britanniques de l'Amérique du Nord avaient un goût
presque insatiable pour les mélasses antillaises qu'ils transformaient en rhum. Après la guerre de Sept Ans, dans les
cinq ans, de 1768 à 1772, ces colons achetèrent plus de la
moitié des mélasses de Saint-Domingue. Leur exportation
en Amérique du Nord avait l'avantage de permettre l'achat
de vivres fort précieux que la métropole n'expédiait pas en
quantité suffisante, comme aussi de procurer un numéraire

alors rare dans la colonie, *no rhum, no money*, cet adage se vérifiait tous les jours.

Un exemple de la richesse de la Partie-du-Nord est celui des plantations de la plaine du Limbé, à l'ouest du Cap, plaine alluviale aux sols fertiles, très favorisée par les pluies, et bordée de mornes encore boisés en 1788. Moreau de Saint-Méry voyant cette plaine presque tout entière occupée par les sucreries en dénombrait 22 dont 13 équipées de moulins à eau, faisant travailler 5 000 esclaves, soit 227 esclaves par sucrerie[7]. La multiplication des moulins à eau était permise grâce aux importantes réalisations hydrauliques accomplies durant les dernières décennies de l'Ancien Régime dans la colonie, en particulier dans la Partie-de-l'Ouest, mais qu'on retrouvait au nord. Chez le colon Belin de Villeneuve, Moreau de Saint-Méry notait des innovations qui étaient, selon lui, le reflet de l'esprit d'entreprise animant certains planteurs. Le moulin de ce colon était pourvu des trois cylindres verticaux qui assuraient le broyage de la canne, procédant encore de l'ancienne technologie du père Labat ; mais une amélioration notable avait été apportée en augmentant d'un tiers le diamètre des cylindres, ce qui réduisait d'autant la force motrice nécessaire. Belin de Villeneuve avait aussi installé un nouvel équipage de chaudières à cuisson accélérée qui permettait des gains de combustibles fort appréciables dans un pays où déjà les réserves naturelles étaient imprudemment surexploitées. La purgerie pouvait produire en vingt-quatre heures 172 formes de sucre terré, chacune donnant 20 kilos au lieu des 14 obtenus par le procédé ancien. Les nouveautés ont donc touché l'industrie sucrière antillaise dès la fin du XVIIIᵉ siècle, améliorant la fabrication.

L'importance de la main-d'œuvre servile était un des principaux critères de la richesse des planteurs puisque de la dimension de l'atelier d'esclaves dépendait la capacité de production pour la plantation de la canne, sa coupe et son traitement au moulin. Les esclaves représentaient, en général, plus d'un tiers du capital investi, proportion qui tendait à augmenter à la fin de l'Ancien Régime en raison de la hausse du prix des esclaves. Entre le milieu des années 1770 et l'année 1790, la population esclave de Saint-Domingue s'était accrue, passant d'un quart de million à un demi-million. Un tiers environ vivait dans les plantations sucrières, leur nombre avait progressé : sur 170 plantations étudiées, de 1777 à 1791 dans la province du Nord, de 1771 à 1792 dans le reste de la colonie, David Geggus observe un passage dans le Nord de 172 à 215 esclaves par plantation, de 150 à 251 dans l'Ouest et le Sud[8]. La très forte poussée de la traite négrière de la fin des années 1780 a sans nul doute contribué à permettre une telle croissance. En 1790, les négriers français vendirent plus de 39 000 esclaves à Saint-Domingue, les nouveaux captifs représentaient alors près de 8 % de la population servile de l'île. Près de 18 000 étaient achetés au Cap, le plus grand port de la colonie, qui redistribuait une partie de ces esclaves jusque dans la Partie-de-l'Ouest.

Les plantations avaient augmenté le nombre de leurs esclaves, elles avaient aussi étendu leur superficie. Avec des surfaces moyennes de 261 hectares dans le Nord, 369 hectares dans l'Ouest et le Sud, en 1790, dans les trois provinces il y avait progrès ; en 1770, elles étaient respectivement de 235 et 301 hectares. En 1790, la canne à sucre occupait dans le Nord une surface moyenne de 117 hectares, soit 45 % de la surface de la plantation, de 87 hectares dans l'Ouest et le Sud, soit 23,5 % de la même surface. Le progrès était net pour le Nord où, en 1770, la canne occupait en moyenne 96 hectares, bien moins dans l'Ouest et le Sud, la canne y prenant 84 hectares.

Dans la plaine du Nord, la dimension des plantations était plus réduite, l'exploitation plus rationnelle, les colons ayant vendu des terres pour trouver des capitaux leur permettant d'améliorer leur équipement. La plus grande dimension des domaines de l'Ouest et du Sud reflétait leurs plus grandes réserves de forêts et de terres en friche. Dans le Nord on pratiquait une utilisation plus intensive des terres et en supportant un coût moindre, car l'on n'y avait pas besoin des lourds travaux d'irrigation nécessaires dans les plaines de l'Artibonite ou du Cul-de-Sac, à l'ouest, où les précipitations étaient très insuffisantes. L'emploi des moulins à eau dispensait les planteurs de la plaine du Nord, dans les riches districts du Limbé, de l'Acul-du-Nord ou du Quartier-Morin, d'investir dans le bétail nécessaire pour donner sa force motrice au moulin, et les capitaux économisés étaient investis dans la fabrication coûteuse du sucre terré.

Dans la province de l'Ouest, avec des pluies annuelles inférieures à un mètre, à l'exception de la plaine de Léogane à l'ouest de Port-au-Prince, il fallait recourir à ces travaux d'hydraulique vantés par Moreau de Saint-Méry. Pour l'avocat martiniquais, la plaine du Cul-de-Sac, à l'est de Port-au-Prince, aurait eu près de 15 000 hectares « devenus depuis longtemps nuls pour l'agriculture si rien n'y avait combattu une sécheresse reproduite chaque année pendant six mois[9]. » Grâce à l'irrigation, les sucreries y étaient passées de 27 en 1739 à 118 en 1788. Des canaux utilisant les eaux de la Grande Rivière commencèrent à y être creusés en 1730 ; en 1743, sous le gouverneur Larnage, il y eut un projet de distribution générale de l'eau, mais sa réalisation complète n'aboutit qu'un demi-siècle plus tard. En 1789, sur une plaine couvrant près de 35 000 hectares, un peu moins de la moitié se trouvait irriguée. « L'eau a créé tous ces miracles, l'eau seule peut les conserver », pour Moreau de Saint-Méry, l'irrigation de la plaine de l'Arcahaye, entre Port-au-Prince et Saint-Marc, commencée également sous Larnage, lui permettait d'être la région « la plus étonnante » pour son rendement en sucre. C'est cependant l'Artibonite, la plus vaste des plaines de l'Ouest, où régnait la plus forte sécheresse, de novembre à mai, qui connut les travaux d'hydraulique les plus considérables. En faisant progresser les cultures, pas seulement celle de la canne à sucre mais aussi les cultures de l'indigo et surtout du coton en 1789, ils avaient donné aux terres une forte plus-value.

Moreau de Saint-Méry indique qu'un carreau de terre (1,13 hectare) acheté en 1770 un millier de livres en valait 4 000 en 1789.

Le travail dans la province du Nord avec moins d'esclaves en moyenne par plantation était-il plus lourd que dans l'Ouest ? À l'hectare de canne à sucre on y employait près de deux esclaves, alors que, dans l'Ouest, on trouvait un nombre supérieur (2,6 en 1790). Cela pourrait laisser conclure à une plus lourde charge de travail pour chaque esclave. Mais le poids des travaux n'était pas le même, d'abord en raison de techniques de culture différentes. L'abondance des pluies et les sols légers, faciles à drainer, permettaient d'utiliser les rejetons des cannes poussant à partir des racines des cannes récoltées, et l'on replantait donc moins souvent. Surtout, dans l'Ouest et le Sud, s'imposaient des tâches de défrichement et de construction d'ouvrages d'irrigation, canaux, aqueducs, absents du Nord. Les esclaves occupés à ces travaux n'étaient pas disponibles pour la grande culture. En outre, Moreau de Saint-Méry notait que, dans la plaine de l'Artibonite, la roulaison (le broyage des cannes au moulin) ne pouvait se faire que de janvier à mai, alors que dans d'autres lieux de la colonie on pouvait rouler toute l'année : « Pour faire le même revenu à l'Artibonite, il faut plus de bras[10]. » Le Nord bénéficiait d'un autre avantage dans l'utilisation de sa main-d'œuvre, celui d'un régime alimentaire supérieur pour les esclaves. En effet, il recevait facilement des vivres par les bâtiments américains qui touchaient en priorité le port du Cap et ne descendaient pas souvent jusqu'à Port-au-Prince. Gabriel Debien a aussi noté dans le Nord l'abondance des « vivres-pays », manioc, patates, moins chers que partout ailleurs ; des établissements annexes des grandes plantations étaient consacrés à la culture des bananes, des patates, du manioc[11].

La dynamique du sucre a contribué aussi à enrichir la Martinique et la Guadeloupe au XVIIIᵉ siècle, mais on ne peut comparer son développement à celui de Saint-

Domingue. Au début de la Régence, les colons de ces îles voulaient ouvrir davantage de sucreries mais, en réclamant la liberté d'en construire de nouvelles, ils se heurtèrent aux réticences de l'État. Cette résistance de Versailles aux ambitions insulaires fut une des causes de la révolte du Gaoulé en Martinique. L'ordonnance du 21 février 1717 interdit d'établir de nouvelles sucreries sans autorisation, prenant pour prétexte les difficultés d'écoulement à l'étranger des sucres raffinés en France. « Une foule de quémandeurs dont la nouvelle sucrerie est sur le point de fonctionner et que la ruine menace s'ils stoppent les travaux » assiégea le gouverneur La Varenne et l'intendant Ricouart quand, le 13 mai 1717, ils quittèrent Fort-Royal pour une tournée d'inspection qui devait leur être fatale. Au Lamentin et à Ducos, ils constatèrent que la région était riche, les sucreries nombreuses, et donnèrent même deux permissions de « faire rouler » de nouvelles sucreries qui se trouvaient en état de travailler[12].

Il y avait donc en Martinique chez ces colons de l'époque de la Régence un réel désir de développer la production sucrière. Un peu plus de dix ans plus tard, en 1730, selon le commissaire ordonnateur La Chapelle, en Guadeloupe, le rêve des petits habitants vivriers était de devenir sucriers, pour y parvenir, ils étaient obligés « à de très fortes avances en nègres et en bâtiments[13] ». L'île connaissait alors une croissance de sa production, en 1732, la Grande-Terre possédait 119 sucreries, la Guadeloupe proprement dite, 117. Une concentration des domaines accompagnait cet essor, en Grande-Terre, dans les paroisses de Sainte-Anne et des Abymes, en Guadeloupe, à Basse-Terre et Capesterre, alors que la côte sous le vent de la Guadeloupe était le domaine des petites exploitations. Mais, « vrais propriétaires des biens des Iles », les commissionnaires de Saint-Pierre en Martinique et le négoce de la métropole ont contribué à freiner cette prospérité en ne procurant que peu d'esclaves, en n'assurant qu'un faible débouché aux sucres ; seule la contrebande déjà très active permettait l'émergence de cette économie.

Il faut attendre la guerre de Sept Ans pour voir la Guadeloupe connaître un réel essor quand, à partir de 1759, l'occupation anglaise de la colonie lui procure esclaves, équipements et débouchés. En moins de quatre ans, 40 000 esclaves furent importés et un boom sucrier se produisit : la moyenne annuelle des sucres exportés fut de 14 870 tonnes de 1760 à 1763, elle avait été inférieure à 1 300 tonnes de 1749 à 1752, il est vrai qu'à ces dates une très grande part de la production était exportée par le commerce interlope[14]. Les sucres guadeloupéens dont une bonne part était terrée, tandis que les sucres des îles anglaises étaient exportés bruts pour être blanchis à Londres, ce qui les rendait chers sur le marché européen, se révélèrent un excellent produit à la réexportation pour l'Angleterre, de nature à concurrencer le sucre français, ce que les sucres britanniques ne pouvaient faire. Les négociants de Londres réalisèrent de substantiels profits. La Guadeloupe exporta librement aussi pendant cette période ses mélasses en Nouvelle-Angleterre. En 1770, la Guadeloupe possédait 378 sucreries, il y en avait au moins une cinquantaine de plus que vingt ans auparavant. En revanche, dans les vingt années suivantes, la croissance fut lente, en 1790, on comptait 391 sucreries, et l'endettement des habitants sucriers aurait entraîné une crise de la production. Effectivement les exportations tombèrent à une moyenne annuelle de 10 337 tonnes en 1772-1776 et à 10 280 tonnes en 1784-1788. Cependant, pour Lucien-René Abénon, cet endettement « faisait partie du système en place » et n'était pas contradictoire avec une prospérité générale. La grande propriété sucrière paraît solidement établie, et les introductions d'esclaves par la traite française pourraient représenter un bon indice de la prospérité. De 1764 à 1770, elles furent de 551 par an, avec une pointe à 1 003 en 1765 ; elles se tassèrent ensuite pour ne retrouver un niveau appréciable, mais ici avec une traite étrangère, qu'en 1786-1788, avec plus de 1 560 esclaves par an[15].

Bien que souffrant de la primauté prise par Saint-Domingue – « quantité d'ouvriers et de petits habitants quittent les Iles du Vent pour aller à Saint-Domingue », notait le gouverneur Moyencourt en 1720[16] –, en raison de la puissance des commissionnaires de Saint-Pierre, la Martinique ne connaissait pas les problèmes aigus d'approvisionnement et de débouchés auxquels était confrontée la Guadeloupe. Cependant la croissance de l'économie sucrière y paraît lente, rien de comparable avec le boom sucrier fulgurant de Saint-Domingue ni même avec le premier essor du XVIIe siècle. Le nombre de sucreries de l'île, tel qu'on peut le trouver dans les derniers travaux de Mireille Mousnier et Brigitte Caille, n'autorise pas à conclure à des progrès de grande ampleur[17]. L'île aurait encore 274 sucreries en 1720 (son niveau de 1713), 296 en 1769 et 316 en 1783. Les 42 sucreries gagnées en 1783 témoignent sans doute de l'apogée d'une civilisation du sucre, et les parties de l'île privilégiées pour l'économie sucrière à la fin de l'Ancien Régime paraissent être le Nord et le Nord-Est, les baies du Robert et du François, le Marin et la baie de Fort-de-France. La côte caraïbe ne détient plus la suprématie qu'elle obtenait en 1671, de Saint-Pierre au Carbet.

Très en retrait par rapport à l'expansion de Saint-Domingue, la Martinique n'en avait pas moins un avantage sur le plan de la main-d'œuvre servile, mis en lumière par Léo Élisabeth. Les administrateurs métropolitains jugeaient toujours au XVIIIe siècle que le déséquilibre des sexes chez les esclaves était élevé et que, causant une faible natalité, il rendait nécessaire le recours à la traite négrière. Ce qui était, en effet, vrai pour la Grande Antille l'était bien moins pour la Martinique où, à la fin du XVIIIe siècle, les plantations parvenaient à un assez bon équilibre démographique, la majorité des esclaves formant des couples mariés[18]. Alors que la population esclave augmentait, il n'y avait qu'une faible proportion d'Africains, *bossales*, sur la plupart des grandes habitations. Le nombre des *créoles* y était prédominant alors qu'il était minoritaire à Saint-Domingue. Les esclaves de la traite étaient davantage dirigés sur les villes ou les fabriques des bourgs. La traite n'en était pas moins assez importante puisqu'une moyenne annuelle de 3 280 esclaves étaient importés par la traite étrangère en 1786-1788. D'autre part, déjà avancée à la fin du XVIIᵉ siècle en Martinique, la technique du terrage permettait, encore plus qu'à Saint-Domingue, de livrer un produit à la valeur supérieure ; en 1790, sur les 24 000 tonnes exportées par les îles du Vent, plus de 21 700 l'étaient en sucre terré[19], et déjà, en 1732, sur 16 000 tonnes expédiées, 14 500 l'étaient en terré.

Un patrimoine sucrier solide avait été constitué dès la fin du XVIIᵉ siècle, détenu par de grandes familles, les Messieurs de la Martinique, dont certains apparurent dès 1671, d'autres venus de Saint-Christophe dans les années 1680-1690, et une dernière génération, celle des Assier ou des Perrinelle, arrivée dans les années 1710-1720. Comme en Guadeloupe, il y avait tendance à la concentration des terres. En 1763, Fénelon, gouverneur de l'île, distinguait trois catégories de sucriers d'après le nombre d'esclaves des ateliers : plus des trois quarts des esclaves étaient regroupés en ateliers de plus de 45 esclaves, un cinquième en ateliers de 25 à 44 esclaves. En 1787, la moyenne par habitation était de 51, loin des 200 de Saint-Domingue. Une politique d'alliances matrimoniales opportunes, des unions plus fréquentes qu'il n'est dit avec le négoce, assurait aux planteurs une assise sociale plus solide parfois qu'à Saint-Domingue. De nouveaux grands sucriers étaient apparus, tel Jean Assier, arrivé en 1711, « fort entendu dans les affaires et très estimé », aux dires du gouverneur Feuquières, dont le mariage avec Marthe Roblot en 1729 faisait un riche habitant sucrier au Marigot. Arrivé en 1719, Jean Perrinelle Dumay épousait lui aussi la veuve d'un riche sucrier du morne Saint-Martin (Saint-Pierre), et son neveu, arrivé en 1747, épousait la fille d'un des plus anciens habitants devenu riche armateur à Saint-Pierre, venu de Saint-Christophe, Louise-Françoise Littée. Les mariages des filles de planteurs permettaient aussi d'élargir le cercle des unions favorables à la prospérité des habitations : en 1766, Camille Duval de Grenonville épousait Joseph Acquart, un des grands négociants de Saint-Pierre[20].

LES SUCCÈS DU CAFÉ, DE L'INDIGO ET DU COTON

Offert par le bourgmestre d'Amsterdam à Louis XIV en 1714, le premier plant de Moka mis en terre au Jardin royal des Plantes avait prospéré et, en 1716, l'Académie royale des sciences organisa le transfert de la plante aux îles d'Amérique, mais ce fut un échec. La réussite intervint en 1720 avec le chevalier de Clieu à la Martinique[21]. La forte demande commerciale, l'existence de pentes au flanc des mornes propices à la culture furent autant de conditions favorables. Le café représentait une alternative lucrative au sucre, à l'indigo et surtout au cacao dont des milliers de pieds furent déracinés en Martinique à la suite d'un ouragan qui s'abattit sur l'île en 1727. Moins de vingt ans après son introduction en Martinique, le café comptait douze millions de pieds en 1736[22]. Relevant que le café concurrençait le sucre dans la colonie, un négociant de Saint-Pierre écrivait déjà en 1732 : « La vente des pivots et autres ustenciles de moulin se ralentit beaucoup depuis qu'on s'attache à planter du caffé, parce que les plus petits habitants sont obligés de vendre leur équipage [chaudières], ne pouvant vivre avec leur sucrerie, pour s'attacher à cette plante qui vient facilement et qui n'attire pas de sy grands frais à beaucoup près que la fabrique du sucre, nos Français toujours avides et empressés ont fait monter le caffé à 25, 28 et 30 sols en allant le retenir et arrêter sur les lieux avant même pour ainsy dire qu'il fût prêt à livrer..., il en viendra un peu de chaque cotté et même de Grenade et de la Guadeloupe où l'on a commencé à planter, les habitans du Gros Morne et du Lamentin ne seront plus les maîtres du prix. »

Les prix cités par Pierre Larroque, commissionnaire d'un négociant bordelais, devaient retomber rapidement en raison de l'abondance des arrivages dans les années 1740 en France. En 1743, ils n'étaient plus que de 8 sols la livre à Bordeaux et l'on ne devait retrouver le cours de 20 sols qu'au début de la guerre de Sept Ans. En 1733, la Martinique exporta 300 tonnes, en 1740, 3 200 tonnes, la production s'était rapidement développée pour atteindre en 1788 près de 8 000 tonnes, et les 936 caféières de l'île occupaient chacune en moyenne une quinzaine d'esclaves. Le café martiniquais était le plus estimé sur le marché, coté plus cher, d'au moins 1 sol la livre que celui de Saint-Domingue à la production alors en pleine expansion.

Ce fut après la guerre de Sept Ans que se produisit un essor spectaculaire du café dans la Perle des Antilles, à Saint-Domingue, sur des sols neufs, ceux des mornes du nord ou du sud de l'île. Vers 1774, la colonie exportait près de 19 500 tonnes, assurant 65 % des exportations antillaises. Le café entrait alors pour un quart dans la valeur totale des exportations des Antilles françaises, alors qu'il ne représentait que 11 % de la valeur des exportations des îles anglaises.

Loin des plaines, de leurs lourds et coûteux réseaux d'irrigation nécessaires à la canne à sucre, comme des grands ateliers d'esclaves, le caféier se planta par milliers dans les grandes propriétés des mornes. Des colons sucriers éprouvés par les pertes dues aux fortes chutes des cours pendant la guerre vendirent leurs domaines pour acquérir ces terres nouvelles. Fort de ces entreprises riches en capitaux, le front pionnier du café bénéficia aussi de l'activité de petits et moyens propriétaires parmi lesquels les gens de couleur tenaient une place non négligeable.

« On abattit partout et on brûla des forêts immenses, on planta indifféremment dans toutes les terres et à toutes les expositions, sans considérer que le café ne se plaît que dans les lieux frais et exposés au soleil levant. » À la fin de l'Ancien Régime, l'intendant Malouet se faisait sévère pour la spéculation qui avait guidé certains dans l'implantation des caféières. Moreau de Saint-Méry a décrit cette spéculation touchant la progression du café sur les pentes de la montagne de la Hotte dans la partie du Sud, dans le quartier de Jérémie, autour de Plymouth[23] :

> À présent on ne parle plus que de Plymouth, le haut prix du café lui a amené tous les ambitieux, tous les spéculateurs du reste de la colonie, enfin cette espèce de frénésie est allée si loin qu'une portion de Plymouth à peine connue il y a six ans a reçu des colons malgré le manque de chemins, l'éloignement des secours et la sévérité du climat qui, à une si grande élévation, a des vicissitudes de froid et de chaud auxquelles les nègres ne peuvent guère s'accoutumer.

La spéculation faisait grimper les prix des terres, tel domaine de 170 hectares acheté 8 000 livres en 1785 en valait dix fois plus deux ans plus tard.

Cependant les mornes entourant la plaine du Nord demeuraient le centre le plus important de la production, 2 009 des 3 117 caféières recensées par Moreau de Saint-Méry à Saint-Domingue en 1789. Les plantations y étaient beaucoup plus petites que dans le sud et l'ouest de l'île. La taille moyenne était de 104 hectares à Saint-Domingue, mais on pouvait en trouver qui ne dépassaient pas les 15 hectares. Le nombre de plants effectivement cultivés était plus important dans le Nord. Toujours implanté dans des sites montagneux, sur le flanc des mornes, le café demeurait une culture fragile que des gelées aux altitudes de 1 000 à 1 200 mètres, de « grands secs » dans la région

de Fort-Dauphin et du Dondon, proche de la frontière espagnole, pouvaient ruiner. Et comme dans toute culture de
plantation, il lui fallait une main-d'œuvre suffisante pour
faire face aux divers travaux. Moins lourds que dans la
culture de la canne à sucre – on s'accorde à penser que les
conditions de travail des esclaves étaient meilleures dans
les caféières de montagne que dans les sucreries de
plaine –, ils restaient cependant exigeants à la fois en quantité et en qualité de travailleurs. Les défrichements pour la
création des « bois neufs », jeunes caféiers, pouvaient ne
pas être faits par les esclaves de l'atelier mais par des
bûcherons loués pour faire un brûlis par des entrepreneurs,
souvent des gens de couleur[24]. Les tâches quotidiennes
étaient multiples : sarclage des jeunes plants, cueillettes
en plusieurs époques, entretien de glacis, longues terrasses
pratiquées sur les pentes, servant à exposer le café pour le
sécher, de canaux conduisant les eaux de pluie recueillies
à une citerne desservant les bâtiments d'exploitation où se
faisaient les lavages, dépulpages, et le triage du café en
cerises. On procédait ensuite au séchage, après quoi le café
passait au moulin à vanner puis au moulin à piler. L'opération délicate de la taille des caféiers revenait à quelques
spécialistes au savoir-faire reconnu, Gabriel Debien relève
ainsi que dans une caféière établie sur le revers de la chaîne
des Matheux, au-dessus de la plaine de l'Arcahaye, sur plus
de 50 esclaves employés au « jardin », 6 seulement, des
hommes, taillaient les caféiers tous les deux ans[25]. Pour le
dépulpage ou grageage, afin de faire sortir de leur enve-
loppe les deux grains de chaque cerise, les planteurs faisaient construire des moulins mus par des mulets ; cette
opération était pénible et faite, le soir, au retour des cueillettes.

Le café fut une des cultures les plus exigeantes en main-
d'œuvre nouvelle car, en dépit de modes de travaux moins
pénibles que dans les sucreries et d'une discipline moins
sévère, la mortalité y fut toujours forte. Hilliard d'Auberteuil soutenait que les trois cinquièmes des *bossales*, nou-

veaux esclaves, introduits à Saint-Domingue de 1767 à 1777, étaient « employés à la culture du café et l'on a établi depuis 1767 une infinité de caféières qui ont coûté la vie à beaucoup de nègres nouvellement pris en Guinée, qui ont été livrés trop tôt à de rudes travaux dans les montagnes couvertes de brouillards où ils ne pouvaient trouver qu'un climat ennemi, et souvent point de vivres convenables[26] ». Les planteurs étaient donc anxieux du renouvellement nécessaire des ateliers. En 1765, Philippe Pirly, planteur au quartier du Dondon, au nord-est de la province du Nord, relevait que, pour une habitation qui avait produit dix tonnes de café, on pourrait en doubler la production, mais « il faut nécessairement des nègres... d'autant que les anciens nègres d'un atelier déclinent toujours[27] ».

Ayant permis à Saint-Domingue le passage de l'âge du tabac à celui du sucre, l'indigo qui avait aussi précédé aux îles du Vent le sucre, représentait un des éléments majeurs de la richesse de la Grande Antille. Tout comme le café et le sucre, ce produit donnait à Saint-Domingue le premier rang aux exportations des Antilles françaises. Avec près d'un millier de tonnes exportées chaque année à la fin de l'Ancien Régime, l'indigo de Saint-Domingue représentait 93 % de ces exportations. Son concurrent le plus proche, le Guatemala, n'exportait guère plus de cinq cents tonnes.

Dès 1700, la culture de l'indigo et celle de la canne s'étaient développées en parallèle et, en 1713, Saint-Domingue avait 1 182 indigoteries, dont la moitié dans la province de l'Ouest. Après 1713, sa culture recula devant celle du sucre dans la plaine du Nord ; dans celles du Cul-de-Sac et de Léogane, à l'ouest, elle se propagea dans des aires de culture pionnière, enlevées à la forêt, pouvant remplacer le tabac. Au nord, dans des secteurs très secs, à l'est autour de Fort-Dauphin, et au nord-ouest, dans les paroisses de Jean-Rabel, Port-de-Paix, le Gros-Morne et Saint-Louis, elle se développa aussi. En 1739, la colonie possédait un total de

3 445 indigoteries, plus d'un quart dans l'Artibonite. L'indigo connut une grande instabilité au milieu du siècle, il était en expansion dans la haute vallée de l'Artibonite, sur la paroisse du Mirebalais, à la frontière de Santo Domingo, et, du côté de la mer, à l'ouest, dans la plaine de l'Arcahaye. Des prix très chaotiques faisaient avancer ou reculer sa culture. Pendant les guerres, ses prix se relevaient car le faible encombrement de ce produit léger incitait les armateurs à lui faire une grande place dans les cargaisons en bénéficiant de frets toujours très élevés en raison des risques courus. Les prix stagnèrent après la guerre de Sept Ans, et les planteurs de l'Artibonite se tournèrent vers le coton, ceux ayant assez de capitaux vers le sucre, et ceux ayant des terres dans les mornes vers la nouvelle culture à succès, le café. En 1771, il n'y avait plus que 1 027 indigoteries. Une reprise des cours, de gros mécomptes enregistrés par certains dans le boom spéculatif du café, profitèrent à une relance de l'indigo qui vit ses plantations doubler en trois ans, et, vers 1780, elles atteignaient les 3 000, à nouveau favorisées par la guerre. Peut-être en raison des inondations de l'Artibonite en 1784 – la plaine était parfois dévastée par les « avalasses » de la saison des pluies –, le nombre des indigoteries recula à nouveau, mais la seule plaine de l'Artibonite comptait encore plus d'un millier de plantations en 1789. Avec le sucre et le coton, l'indigo assurait la fortune du troisième port de la colonie, Saint-Marc.

L'indigo resta jusqu'à la fin de l'Ancien Régime une production assez spéculative, se développant en fonction de la demande de l'industrie textile européenne. Préféré à l'indigo des Antilles anglaises, l'indigo de Saint-Domingue était l'objet d'une forte contrebande *via* la Jamaïque pour approvisionner en produits de teinture les fabricants du Lancashire anglais dans les années 1780.

La production répondait parfois mal aux à-coups de la demande car l'indigo était une culture aux récoltes très inégales. Une irrigation insuffisante ou des sécheresses prolongées, les attaques d'insectes ou de chenilles détruisant la plante, l'épuisement des sols, sont autant d'éléments pouvant ruiner les espoirs au point de laisser dire à Hilliard d'Aubervil : « On ne peut pas compter sur un revenu certain, c'est une loterie[28]. » En outre, la préparation de la plante, sa transformation en une pâte desséchée fournissant la teinture, réclamaient un équipement assez coûteux – moulin à battre l'indigo, « vaisseaux », grands bassins ou cuves maçonnées où trempait et fermentait l'herbe et où se formait la pâte – et des soins attentifs. Des erreurs dans la préparation, une récolte à la qualité inférieure, pouvaient causer de grandes déceptions à l'arrivée sur le marché européen, incitant les négociants à changer de fournisseurs. Si la teinture bleue aux reflets violets ou rougeâtres si prisés encore à l'époque restait appréciée des Européens, bien des planteurs préféraient se tourner vers le coton qui résistait mieux aux sécheresses et était d'une culture plus facile à l'Artibonite et dans d'autres régions productrices, ou tout au moins associaient le coton à l'indigo.

La culture du coton progressait beaucoup à la fin du siècle, bénéficiant de la demande croissante de l'Europe, et Saint-Domingue prit le meilleur de cette croissance. Favorisées par la brèche faite dans le système mercantiliste britannique par l'ouverture de ports francs à la Dominique et en Jamaïque en 1766, la production de Saint-Domingue et des autres îles trouvait ses meilleurs clients en Angleterre car le marché du coton n'y était pas protégé comme celui du sucre. La brutale augmentation des masses serviles de la Grande Antille dans les années 1780 fut en partie due à cette extension des plantations de coton. Par sa valeur, avec un total de 16,7 millions de livres contre 50,6 millions pour le café et 113 millions pour le sucre, le coton alors devançait l'indigo à Saint-Domingue. Les îles françaises exportaient à peu près autant de coton sur le marché britannique que les îles anglaises, 6 000 tonnes contre 6 600 tonnes.

Comme il l'était pour l'indigotier, le quartier de l'Artibonite était le lieu d'élection du cotonnier. Françoise Thésée a montré comment une maison bordelaise, les Romberg, dépendait de manufacturiers de toiles et d'indiennes des Pays-Bas et avait jeté son dévolu sur ce quartier pour satisfaire les besoins des fabricants en indigo et coton[29]. Ces plantations de l'Artibonite pouvaient associer sur la même exploitation indigo et coton. La maison Romberg avait des « liens d'habitation », contrats d'achat de denrées coloniales, avec 54 plantations de l'Artibonite, 31 étaient des indigoteries-cotonneries ; l'ensemble du quartier de l'Artibonite comptait 420 indigoteries et 114 cotonneries pour seulement 16 sucreries et 143 caféières.

L'essor de l'économie des Antilles françaises était donc indéniable à la veille de la Révolution. Avec les produits clés de son expansion, le sucre et le café, dans une moindre mesure, l'indigo et le coton, Saint-Domingue prenait le meilleur de la richesse des Iles et attirait colons comme esclaves. Dans le sillage de la Grande Antille, la Martinique et la Guadeloupe avaient elles aussi profité de la prospérité du siècle.

Après avoir pris la mesure de cet essor, il faut tenter d'en mieux connaître les acteurs, planteurs et négociants : ambitions, enthousiasmes ou découragements des uns et des autres, craintes du négociant des Iles comme encore plus de celui du royaume de ne jamais voir le planteur rembourser les avances consenties pour équiper la sucrerie ou acheter les esclaves indispensables, refus du planteur d'être mis sous la tutelle d'un commerce « maître des Iles », sont autant d'éléments à réunir et à confronter pour mieux apprécier les réalités antillaises.

LES ACTEURS DE LA PROSPÉRITÉ

Au début du XVIIIe siècle, la réussite de certains grands planteurs, un Jean Roy ou un Claude Pocquet en Martinique, un Classen ou un Bologne en Guadeloupe, un Charritte ou un Nolivos à Saint-Domingue, était éclatante et ne pouvait que susciter chez les autres habitants des Iles le désir d'accéder à ce monde de la prospérité.

> Les grandes fortunes d'un très petit nombre de parti-
> culiers les éblouissent. Ils n'ont en vue que d'avoir
> une sucrerie pour se mettre en état, disent-ils, de
> passer en France après quelques années. Nul enga-
> gement ne leur coûte pour y parvenir. Ils y sont
> autorisés par l'impossibilité où l'on est de les
> contraindre à remplir les engagements et la fin ordi-
> naire de ces vastes projets est qu'ils meurent dans
> ces îles, accablés de dettes et laissant leurs affaires
> dans un dérangement également préjudiciable à
> leurs enfants et à leurs créanciers[30].

Se faisant très sévère à l'égard de nombreux habitants désireux de rapidement faire fortune, le commissaire ordonnateur de la Marine en Guadeloupe, La Chapelle, soulignait, le 15 décembre 1730, des ambitions démesu-rées chez de nouveaux planteurs qui contractaient pour acheter les esclaves et l'équipement d'un moulin de lourdes dettes auprès des négociants alors qu'ils ne maî-trisaient pas la gestion d'une plantation. Quatre ans plus tôt, la chambre de commerce de Bordeaux allait peut-être encore plus loin, critiquant un projet d'introduction de billets de banque dans les îles du Vent. En dépit d'une hausse des prix du sucre dans les années 1716-1726, les planteurs s'étaient « appauvris ». Pourtant, « les habita-tions ont produit des revenus immenses et chacun s'est enrichi », mais des fortunes brillantes et rapides n'ont pas empêché l'accumulation des dettes pour « acheter à gros prix des habitations et des nègres…, porter le luxe, le jeu et la dépense aussi loin qu'on pouvait l'imaginer[31] ».

Mener grande vie pour éblouir et s'endetter pour cela, ce propos si fréquent dans les récriminations des négociants de la métropole à l'égard des « Américains » vivant en

France ou des colons des Antilles serait-il seulement un lieu commun sous la plume du négoce, de l'administrateur, ou constituerait-il une profonde réalité de la vie quotidienne coloniale, permettant de comprendre l'opulence de certains ? Peut-être exagéré, le discours du négociant est bien le fruit d'une expérience vécue dans des expéditions toujours risquées, non pas tant en raison des dangers d'une route atlantique bien maîtrisée au xviiie siècle que par les lourdes créances laissées dans la colonie.

Il convient cependant de remarquer que ces planteurs sucriers ne représentaient pas la majorité de la population des Blancs. Il y avait toujours eu aux Iles ces petits habitants, soit créoles n'étant pas parvenus à s'insérer dans le monde des planteurs, soit « Moutons France » de Saint-Domingue, ces immigrés récents qui végétaient dans les emplois subalternes d'économes de plantation, de petits artisans des villes, ou d'employés des greffes des tribunaux. Mais il faut aussi dire que la fortune brillante n'était pas toujours le fruit de « grands coups » réalisés dans d'heureuses spéculations sur les cours du sucre ou du café, mais pouvait être souvent issue de mariages savamment calculés, procédé déjà utilisé au xviie siècle et perdurant au siècle suivant. La coutume de Paris laissait à la veuve sans enfants la fortune, l'union avec une veuve créole riche fut bien souvent à l'origine du succès ; grâce à elle, on pouvait gravir plus facilement les échelons de la richesse. En même temps le souci de défendre un patrimoine auquel tous les membres d'un clan familial étaient attachés restait présent chez beaucoup, sans doute plus en Martinique ou en Guadeloupe qu'à Saint-Domingue.

De ces petits habitants qui ne participaient guère à la création de la prospérité, tel mémoire anonyme du milieu du siècle en Guadeloupe montre le destin. Certains pouvaient tirer partie de la richesse des sucriers, d'autres y semblaient indifférents :

L'habitant non sucrier qui a 12 ou 15 nègres plante du coton ou quelque café, gingembre et autres denrées. Plusieurs louent leurs esclaves aux sucriers voisins et ne font que fort peu ou point de vivres et le petit habitant qui a peu ou point d'esclaves s'abandonne à l'indolence, fait à peine quelques vivres pour lui et sa famille, moyennant quelques poissons ou coquillages qu'il prend au bord de la mer[32].

Jacques de Cauna a tracé quelques portraits des « laissés-pour-compte » dans la course à la prospérité à Saint-Domingue. Attirés par l'exemple d'un « pays » qui a réussi, restant de longs mois au Cap ou à Port-au-Prince sans trouver de place, ils se montrent souvent désabusés :

> Pour peu que l'on trouve en France, on est toujours mieux qu'ici... mais puisque j'y suis, il faut y crever ou faire fortune car je suis dans la Roue..., ces Messieurs m'ont promis de s'intéresser toujours à moi et de me mettre dans le cas de faire ma fortune toutes fois et quand je le mériterai[33].

Les solidarités régionales des Aquitains de Saint-Domingue pouvaient, en effet, ne pas toujours jouer, et bien des réticences se faisaient jour à l'égard des nouveaux venus ; la course aux lettres de recommandation auprès d'éventuels protecteurs pouvait ne pas réussir. En 1788, tel Landais, Jean-Antoine Massié, protégé du secrétaire de l'intendant, entrait au Bureau des Finances de Port-au-Prince mais s'empressait de quitter les bureaux pour « prendre l'agriculture, l'état le plus lucratif à Saint-Domingue, mais aussi le plus dur et qui donne le plus d'envieux ». Économe sur une sucrerie, Massié était encore plongé dans la médiocrité lorsque éclatèrent les troubles de 1791.

Éviter de laisser traîner les recouvrements des produits d'Europe vendus aux planteurs en échange du sucre et des autres denrées coloniales, tel fut le souci quotidien des capitaines à l'arrivée de leurs navires aux Iles. À la Martinique, en 1739, un capitaine bordelais se voyait donner l'ordre par son armateur d'aller demander au commandant du quartier du Robert, sur la côte au vent, la liste de « tous les bons débiteurs afin de ne pas vous blouzer avec les mauvais ». En pleine guerre de Sept Ans, c'était la même recommandation, le capitaine de l'armateur François Dufons « aura grand soin d'éviter les mauvais débiteurs, vendra le plus au comptant qu'il pourra[34]. » Selon les armateurs, le mieux était de suivre un usage assez commun en Martinique, « fixer tant de livres de café beau et marchand pour chaque article de cargaison ». Acheter directement au planteur évitait de recourir aux coûteux services des commissionnaires de Saint-Pierre. C'était cependant s'exposer aussi à des mécomptes qu'évoquent indirectement les recommandations des armateurs bordelais. Ces commissionnaires avaient pris, dès la fin du XVIIe siècle, une réelle importance. En 1725, leur nombre s'élevait à soixante-douze, ils comptaient dans leurs rangs une quinzaine d'habitants sucriers qui exerçaient aussi le négoce, un Levassor de Longpré, un Pocquet de Janville, un Lussy, étaient autant de noms de sucriers réputé[35]. Une trentaine était qualifiée de commissionnaires et marchands, on y rencontrait aussi quelques noms que l'histoire de l'île devait retenir tels les Acquart, les Feyssal. Pour négocier avec la Guadeloupe, leur rôle était alors presque incontournable, ce dont se plaignaient amèrement les planteurs de cette colonie.

Les négociants de la métropole prenaient soin de trouver à Saint-Pierre un correspondant permanent, et ils firent de même, pour la plupart, au Cap-Français et à Port-au-Prince. Souvent ami ou parent du négociant du royaume, ce correspondant négociait avec les autres commissionnaires et les planteurs. En 1732, les commissionnaires du Mouillage, le quartier marchand de Saint-Pierre, vendaient au correspondant et associé de l'armateur bordelais Jean Pellet plus de 85 % des denrées coloniales achetées pour le compte de ce dernier et lui achetaient plus des trois quarts des marchandises d'Europe. Des liaisons familiales associaient le négociant de la métropole et celui des Iles : les Gradis, Juifs portugais de Bordeaux, installèrent ainsi leurs neveux Mendès, l'un à Saint-Louis sur la côte sud de Saint-Domingue, l'autre à Saint-Pierre de la Martinique. Le correspondant était capable de rassembler les denrées nécessaires à la composition d'une cargaison, de mieux contrôler les comptes passés avec les planteurs qu'un capitaine de navire livré à la fois aux hasards de sa navigation et aux coûts toujours élevés de ses escales. En 1777, le fils aîné de l'armateur bordelais Jacques Laffon de Ladebat allait « conduire » une maison de commerce à Saint-Domingue, en la « conduisant relativement aux ordres » qui lui seraient donnés[36].

Le crédit des commissionnaires martiniquais était d'autant plus solide qu'ils retiraient des profits élevés de leurs échanges interlopes avec la côte espagnole de Terre-Ferme, ils y prolongeaient les trafics nés de la flibuste, y trouvant en particulier les piastres, monnaie forte si précieuse dans des colonies qui manquaient de numéraire. Comme à Saint-Domingue, ils développèrent aussi dans la deuxième moitié du siècle des relations avec les négociants de la Nouvelle-Angleterre pour leur acheter des vivres, des bois et des esclaves, et vendre des mélasses. Les capitaux des commissionnaires leur permettaient de fournir à crédit aux planteurs les produits nécessaires à la vie des habitations. Les sucriers se sentaient soumis au bon vouloir de leurs créanciers et, dans un mémoire de 1719, on relève la trace d'un certain mépris pour ce négoce dominateur : « [il y a] quelques bons négociants mais en petit nombre..., le reste n'étant que des gens équivoques et d'une naissance abjecte chez qui la délicatesse et les sentiments d'honneur ne sont pas en recommandation[37]. »

En Guadeloupe, les habitants se trouvaient encore plus sous la domination des commissionnaires de Saint-Pierre, car très peu de navires de France se rendaient directement dans la colonie. Les cargaisons débarquées à Saint-Pierre étaient réexpédiées, sous le contrôle des négociants pierrotins, par une flotte de deux à trois cents caboteurs qui desservaient à la fois la côte au vent de la Martinique et, en Guadeloupe, le port de Basse-Terre pour livrer les marchandises venues d'Europe et enlever les sucres. D'après la chambre d'agriculture de la Guadeloupe, tout le commerce de l'île se faisait encore, en 1768, à la Martinique par commission. Cependant cette affirmation ne correspondait plus à la réalité, car, depuis l'occupation anglaise pendant la guerre de Sept Ans, les planteurs s'étaient tournés vers d'autres réseaux commerciaux. Après la guerre, de nouveaux négociants affluèrent en Guadeloupe, 73 à Basse-Terre en 1760-1769, 29 dans le nouveau port de Pointe-à-Pitre que des capitaines français « géreurs de cargaison » avaient déjà fréquenté avant la guerre[38]. En 1763, en effet, les exportations par cabotage sur la Martinique avaient été défendues, et le « miracle guadeloupéen » attirait les navires de France : en 1770-1779, 77 nouveaux négociants se fixèrent à Pointe-à-Pitre et 118 à Basse-Terre. Pendant la guerre d'Amérique, la course et les fournitures à l'escadre de Grasse en enrichirent certains, tel Louis-Ambroise Casamajor qui, fixé en 1783 à Bordeaux, accrut ses activités à Pointe-à-Pitre avec ses associés André Artaud et Joseph Albert. De Saint-Eustache dévasté par Rodney en 1781 vinrent d'autres négociants, et la contrebande très active échappa au contrôle des commissionnaires de Saint-Pierre honnis par les planteurs. En 1780-1792, 198 nouveaux négociants arrivèrent à Pointe-à-Pitre, 130 à Basse-Terre. Mais ce négoce se fit lui aussi dominateur face aux habitants qui dépendaient de ses avances et, comme en Martinique, au début de la Révolution, les rancunes accumulées dressèrent les planteurs contre les négociants.

Le processus de la mise en tutelle du planteur par le négoce s'était accéléré dans toutes les Antilles françaises dans la deuxième moitié du XVIIIe siècle et prit à Saint-

Domingue sa plus grande extension en raison du développement de l'absentéisme chez de nombreux colons et, d'une manière plus générale, à cause de la croissance des besoins en esclaves et en vivres des grandes plantations, toujours plus dépendantes des avances des négociants de métropole et des colonies. Le crédit ouvert chez ces derniers amenait les planteurs à ne plus travailler que pour payer leurs dettes à celui qui recevait leurs marchandises et les approvisionnait en retour. Le planteur contestait les comptes du négociant qu'il accusait de le tromper, voire même d'escroquerie. Il faut cependant corriger un tel tableau en raison d'un très fort développement des échanges entre les planteurs de Saint-Domingue, dans une moindre mesure ceux de la Martinique et la Guadeloupe, et les négociants de Boston, Philadelphie, Baltimore, leur fournissant farines, bois, salaisons et morue à moindre coût et prenant les mélasses que l'armateur de la métropole ne chargeait pas puisque le marché français leur était fermé. Les frets américains étant très inférieurs aux français, les colons étaient très avantagés et pouvaient même, en violation d'un Exclusif de plus en plus contesté malgré les allégements d'août 1784, trouver sur le marché américain d'excellentes opportunités pour placer leurs sucres ou leurs cafés. Ces fraudes nombreuses déclenchaient la colère des ports français qui n'avaient pu empêcher l'instauration d'un *Exclusif mitigé* leur paraissant déjà plus que néfaste à leurs intérêts. Le 12 février 1785, un des armateurs les plus actifs de Bordeaux, Jean-Jacques de Bethmann, se faisait l'interprète d'une opinion partagée par ses pairs : « L'arrêt du Conseil du 30 août écrase le commerce de France et l'État..., le commerce de la France ne reprendra jamais le même lustre... car on s'est chaussé à la Cour des idées les plus pernicieuses à sa prospérité[39]. » Ce jugement d'un Bordelais était aussi celui des Nantais ou des Havrais.

Pour mieux comprendre les inquiétudes des uns, les récriminations des autres, il faut rappeler que l'économie antillaise dépendait d'éléments qu'elle ne pouvait nulle-

ment maîtriser. Les réalités du milieu naturel s'imposaient
à tous : en quelques heures, les meilleurs espoirs fondés
sur les récoltes pouvaient être réduits à néant. Souvent précédés de longs mois de « grands secs » oppressants pour les
planteurs et leurs esclaves, faisant baisser l'eau des rivières,
grillant les cannes, des « avalasses » tombaient à l'hivernage avec une rare violence. Dans la plaine de l'Artibonite
où l'on tentait de pallier les effets des sécheresses par une
irrigation coûteuse, c'étaient les inondations : l'Artibonite
débordait de son lit, les cannes étaient couchées, les toits
des habitations et des moulins emportés. En outre, des
ouragans dévastateurs pouvaient survenir : le 12 octobre
1780, la Martinique était frappée par un de ces ouragans
et voyait une grande part de ses habitations ruinées. Quatre
ans auparavant, en Guadeloupe, les armateurs bordelais se
refusèrent à débarquer leurs cargaisons dans une colonie
victime d'un ouragan semblable de crainte de voir les planteurs incapables de leur payer les denrées puisqu'ils avaient
pratiquement perdu toutes leurs récoltes[40]. À Saint-
Domingue, où s'était développée une exploitation inconsidérée des sols, surtout dans les montagnes avec le front
pionnier du café, les voyageurs estimaient les plantations
de plus en plus fragilisées, exposées aux dangereux effets
des catastrophes naturelles.

Cependant il faut se garder d'exagérer en insistant trop
sur la frilosité du négoce porté lui-même à surenchérir sur
« l'ingratitude des affaires de l'Amérique ». Les si nombreux
capitaines empressés d'exposer au Cap les états détaillés de
leurs cargaisons et louant pour cela les magasins les mieux
placés et les plus chers, les 320 navires français reçus par
ce port en 1788 sur un total de 465 expédiés de France à
Saint-Domingue, la première place occupée par la navigation française dans l'Atlantique des années 1780, tous ces
éléments montrent qu'en réalité le négoce juge le trafic
encore rentable.

Mais une réalité s'impose, il y a eu un endettement croissant des planteurs. Esclaves et produits de la métropole

livrés n'étaient payés qu'avec de gros retards. À la veille de la Révolution, les créances de huit grands armateurs de Nantes sur les Antilles dépassaient les huit millions de livres (160 millions de francs) ; en 1792, un des négriers les plus actifs de Bordeaux, Paul Nairac, avait pour plus de deux millions d'impayés sur trois voyages de ses navires datant de 1790[41]. Pour mieux surveiller leurs débiteurs, les négociants tentèrent de conclure des contrats stricts pour contrôler production et expéditions de la plantation. En 1788-1789, l'exemple des Romberg à Bordeaux évoque de manière précise les difficultés auxquelles le négoce était alors exposé. Ayant conclu des contrats avec une cinquantaine d'habitations de la plaine de l'Artibonite en disposant d'une filiale à Saint-Marc, les débours réels de la maison en livraisons et en investissements s'élevaient à plus de trois millions, le 26 août 1788, alors que les « remises d'Amérique » ne dépassaient pas les huit cent mille livres[42]. Ces habitations étaient grevées de dettes ou mal exploitées. Ces Bordelais durent laisser aux créanciers locaux une part des récoltes et investir de plus en plus dans les équipements et les esclaves pour augmenter la production. La situation de Romberg se dégrada de plus en plus jusqu'à la faillite de 1793. Les liaisons d'habitations ne réussissaient pas mieux que le système traditionnel de l'expédition gérée par un capitaine.

Encore faut-il souligner que ces habitations de l'Artibonite appartenaient à des colons résidant à Saint-Domingue. La situation était encore pire avec les planteurs absents. Absentéistes, ceux-ci étaient dans l'obligation de recourir à des procureurs, négociants des ports antillais ou autres planteurs, chargés de l'écoulement des récoltes et des achats de Nègres, et à des économes et gérants présents sur la plantation pour en diriger la vie quotidienne. Même si les procureurs n'étaient pas tous hommes à ne penser qu'à leurs intérêts ou à s'enrichir, s'il y avait aussi des économes fidèles, en particulier quand le colon absent les prenait dans son cercle familial, les résultats obtenus restaient souvent médiocres, et le négociant de la métropole amené à consentir de lourdes avances avait du mal à pénétrer la réalité de la gestion. Ainsi le richissime banquier de cour, Jean-Joseph de Laborde, qui s'était constitué en 1768 dans la plaine des Cayes, au sud de Saint-Domingue, ce qui fut sans doute le plus grand domaine du siècle, composé de trois sucreries, ne pouvait obtenir de revenu net en 1789 supérieur à 7 % avec des résultats d'exploitation décevants. Les aléas climatiques et le caractère aléatoire des cours du sucre en étaient certes en partie responsables, mais rien ne pouvait suppléer à l'absence du propriétaire. Le banquier n'avait pourtant pas lésiné sur les moyens, il avait mis plus de 3,7 millions dans l'achat de ces propriétés, leur équipement (2,3 millions en achats de 2 273 esclaves dont les trois quarts provenaient de la traite), un demi-million en bâtiments destinés à la fabrique du sucre. Les trois habitations couvraient 1 500 hectares et employaient en 1789 1 400 esclaves. On y était passé de la production du sucre brut à celle du blanc en produisant jusqu'à 700 tonnes par an. Le personnel blanc était formé de petites équipes de quatre à cinq personnes, toutes d'origine béarnaise ou basque comme le propriétaire. La famille Lavignolle, parente de Laborde, était chargée de la gestion[43].

Mais, le plus souvent, les gérants et les économes avaient fort mauvaise réputation : sans être qualifiés de « fripons », ce qui pouvait survenir, on se méfiait de leur activité. Les entreprises des colons absentéistes périclitaient ou, au mieux, végétaient entre un gérant incompétent ou malhonnête – il bénéficiait de toutes les « douceurs » qu'il pouvait se procurer, n'hésitait pas à détourner des esclaves pour les faire travailler sur sa propre habitation – et le propriétaire absent.

Les absentéistes les plus connus dans le royaume appartenaient à la noblesse de cour solidement implantée à Saint-Domingue. Les plus anciennes familles recherchaient les alliances avec les richissimes créoles. L'un d'eux, le marquis de Gouy d'Arsy, pouvait dire à Louis XVI en 1788 :

« Sire, toute votre Cour est devenue créole par alliance, les liens du sang ont, pour jamais, uni votre noblesse avec Saint-Domingue. » En fait, éblouie par le somptueux train de vie mené par ces « Américains », l'opinion ne pouvait se contenter que d'estimations, souvent très exagérées, sur les fortunes. Ostentation choquante et vanité ridicule se joignaient pour masquer la réalité. Tant de milliers de rentes l'an à Saint-Domingue étaient attribués à un tel, mais aucun chiffre précis n'était donné par les intéressés eux-même qui en auraient été sans doute incapables, et qui préféraient se plaindre d'être endettés et victimes de négociants toujours plus âpres au gain. Cependant, sans tenir compte de la fraude et surtout des relations « hors Exclusif » avec les Américains, on doit pouvoir estimer que la plupart des plantations de Saint-Domingue avaient des revenus nets de 8 à 10 %, niveau supérieur à celui de la rente du sol en France. Pour la Guadeloupe, il est vrai, Christian Schnakenbourg a trouvé des taux inférieurs, de l'ordre de 3 %[44]. Il est alors difficile de dire qui était gagnant de ces acteurs de la prospérité antillaise, du planteur toujours débiteur qui profitait de ce que ses esclaves et sa terre ne pouvaient pratiquement pas être saisis, du négociant créancier supportant certes de lourdes pertes et pourtant réalisant les fortunes lui donnant dans les grands ports toute sa réputation.

4

Richesse et politique

Lors de la suppression de la Compagnie des Indes occidentales en 1674, les îles d'Amérique étaient devenues des provinces du royaume rattachées au secrétaire d'État à la Marine. Comme en métropole, on y retrouvait gouverneur, intendant et un petit Parlement, le Conseil souverain, et comme au Canada, la législation en vigueur était celle de la coutume de Paris. Mais les lois de la métropole durent être amendées par la jurisprudence pour tenir compte des conditions coloniales. Cette législation pesante et très détaillée qu'un Moreau de Saint-Méry s'efforça de rassembler dans son célèbre *Recueil des lois et constitutions des Iles* n'était pas sans susciter de la part des colons une attitude de résistance, voire d'obstruction, exercée souvent par le Conseil souverain. Représentée au Conseil et dans les grades supérieurs de la milice, l'aristocratie coloniale pouvait alors s'appuyer, surtout à Saint-Domingue, sur une foule de petits blancs et d'aventuriers multiples, souvent récemment débarqués dans la colonie et à l'humeur batailleuse.

Or, tenir en main les colonies était toujours aussi nécessaire du temps de Louis XV ou de Louis XVI que du temps de Louis XIV et de Colbert. La mise en valeur des Antilles avait été entreprise par une métropole au prix de coûteux efforts ; en effet, leur défense avait demandé de lutter

contre une Angleterre aux ambitions maritimes, donc coloniales, croissantes. L'identité antillaise était claire pour le
pouvoir : provinces de l'outre-Mer, les Iles devaient servir
l'économie du royaume, fournir à la métropole, et à elle
seule, du sucre, du café, du coton, de l'indigo, des produits
à consommer ou à « verser » dans l'étranger, et en échange
recevoir d'elle seule également les vivres, les vêtements et
autres marchandises nécessaires à la vie quotidienne. Pour
les créoles, tel un Moreau de Saint-Méry, la législation de
la métropole s'adaptait mal aux situations coloniales, et le
conseiller du Cap-Français en arrivait à montrer que Saint-
Domingue devait bénéficier d'une législation propre. Ce qui
était valable sur ce plan devait aussi l'être sur celui de l'économie afin que la colonie puisse profiter de relations
commerciales libérées de la tutelle pesante du négoce de
France en se tournant vers les meilleurs fournisseurs et
clients.

LES ILES ET L'ÉCONOMIE DU ROYAUME

En raison de la richesse de leur production de denrées
tropicales de plus en plus demandées par les Européens,
les Antilles constituèrent au XVIIIe siècle un pôle majeur du
développement des colonies. À la veille de la Révolution,
le commerce avec les colonies françaises, constituées alors
par les îles de la Caraïbe, où Saint-Domingue jouait un rôle
de loin prédominant, et par les Mascareignes, dans l'océan
Indien, à l'importance bien moindre, occupait le premier
rang dans le commerce extérieur français. Cela représentait
un progrès spectaculaire par rapport à la situation du début
du siècle : en 1716, la France recevait des colonies pour
cinq millions de livres de produits, moins de 14 % de ses
importations, en 1787, elle en recevait pour deux cents
vingt-sept millions, valeur qui représentait plus de 37 %
du total de ses importations[1]. En 1716, elle exportait aux

colonies pour deux millions, moins de 4 % de ses exportations, en 1787, c'était quelque cent vingt millions de marchandises qui y étaient expédiées, soit plus de 22 % de ses exportations. Plus d'un tiers de ces envois était composé de produits manufacturés car les colons achetaient draps, cotonnades, tissus fins de lin et articles de luxe.

Le commerce colonial faisait la prospérité des ports de la façade atlantique. Si l'on prend le seul cas de Bordeaux, devenu grâce aux Antilles et à leur commerce le premier port du continent européen, on était passé d'une cinquantaine de vaisseaux expédiés à la fin du règne de Louis XIV vers les îles d'Amérique à près du double dans les années 1730, et, en 1789, plus de deux cent cinquante bâtiments se dirigeaient en droiture vers la Caraïbe, sans effectuer le circuit de la traite négrière. Plus d'une vingtaine de négriers se livraient au trafic triangulaire, embarquant les esclaves sur les côtes de Guinée, d'Angola et du Mozambique. Au total, les échanges de l'outre-mer contrôlés par les Bordelais étaient alors près de six fois supérieurs à ce qu'ils étaient en 1700. Grâce à la prospérité de son port, la ville avait vu sa population progresser de 45 000 habitants en 1700 à plus de 110 000 à la fin de l'Ancien Régime, et s'était dotée d'un des plus riches patrimoines urbains du XVIIIᵉ siècle, la noblesse de sa façade portuaire faisant l'admiration de tous les voyageurs[2].

Les réexportations des denrées coloniales en Europe où la France dominait largement les marchés étaient à l'origine de l'excédent de la balance commerciale. Les îles d'Amérique représentaient aussi un débouché très important dans le domaine industriel, et certaines fabriques, surtout celles de la France de l'Ouest, Bretagne, Normandie et Maine, pour les toiles de lin en région rurale, prospéraient avec le commerce colonial. Ce dernier permettait aussi la vie d'industries portuaires actives, raffineries de sucre, chantiers navals et fabriques en dépendant.

Après plus d'un siècle et demi de colonisation, la dynamique coloniale affichait donc sa réussite dans le royaume.

Cependant ses succès dépendaient étroitement du maintien des relations privilégiées voulues par la monarchie entre les colonies et leur métropole. « Il faut que les colonies remplissent leur destination qui est de consommer beaucoup de marchandises de la métropole et de lui renvoyer une grande abondance de productions », écrivait Raynal en 1780, faisant mine de critiquer le système des relations commerciales « exclusives » entre les colonies et le royaume et faisant parler, bien sûr, les « censeurs » du commerce étranger aux colonies alors en plein développement[3]. En effet, le négoce français fonda sa richesse sur la législation de l'Exclusif colonial qui devait faire respecter le marché protégé constitué par les Antilles. Mise en place à la fin du XVIIe siècle (1698) et sous la Régence (1717), cette législation donnait aux ports du royaume privilégiés le droit *exclusif* de commercer avec les colonies pour leur procurer les produits d'Europe et écouler leurs productions sur les marchés français et étrangers. Profitant du régime douanier d'entrepôt – les denrées réexportées l'étant en franchise de droits –, les négociants développèrent de fructueuses réexportations en Europe. Pendant les trente années de paix qui suivirent Utrecht, les ports purent développer leur navigation atlantique et bâtir une première croissance mais, faute de pouvoir répondre de manière satisfaisante aux besoins des planteurs en esclaves et en vivres, surtout dans des colonies comme la Guadeloupe ou la côte sud de Saint-Domingue, ils furent obligés de tolérer une fraude quotidienne. Les violations de l'Exclusif ainsi pratiquées étaient à l'origine de fréquents conflits entre les créoles et les administrateurs.

Parfois tolérée par ceux-ci, la popularité à la Martinique d'un Champigny, à Saint-Domingue d'un Larnage, dans les années 1740 ne venait-elle pas d'un esprit singulièrement libéral, ouvert aux activités illégales des colons ? La fraude se renforçait encore plus pendant les guerres. Séparant les Antilles de la métropole, les guerres perturbaient les structures du marché. Vu le peu de navires arrivant des ports de France, la rareté des produits d'Europe faisait monter leur prix et, au contraire, l'abondance des denrées coloniales qui ne pouvaient être chargées en « avilissait » les cours. Au XVIIe siècle, les colonies s'étaient tournées vers les Hollandais, elles maintinrent ces rapports au XVIIIe, mais ce furent de plus en plus les nouveaux Anglais d'Amérique qui surent s'ouvrir le marché antillais en lui procurant à bas prix vivres et esclaves, et leurs navires furent de plus en plus nombreux. La présence envahissante des capitaines de navires « yankees », voire même celle de négociants représentant les maisons mères de Boston, New York, Philadelphie ou Baltimore satisfaisait incontestablement les intérêts des planteurs mais représentait une menace capable de ruiner à terme l'économie coloniale dans ses structures traditionnelles. Aux guerres s'ajoutaient les effets des catastrophes naturelles : quand les ressources locales en manioc, patates douces, bananes nécessaires à l'alimentation des esclaves étaient réduites à néant en quelques heures par les ouragans dévastateurs, les gouverneurs se voyaient obligés de délivrer des permissions aux étrangers toujours prêts depuis les entrepôts de Saint-Eustache ou des Bahamas à venir dans les ports des Antilles françaises.

LA GUERRE ET L'ÉCONOMIE COLONIALE

Le pouvoir avait conscience de la nécessité de devoir défendre le marché protégé des Iles qui donnait sa prospérité à une grande partie du royaume. Sous la Régence puis sous Fleury, la paix assura les conditions de l'enrichissement des colons comme du négoce, les sucreries se multiplièrent, les premières plantations de café apparurent et une première maîtrise des marchés européens fut obtenue, ceci au point d'inquiéter fortement le commerce de Londres et les planteurs des *West Indies* qui voyaient leurs concurrents français les dépasser. Les ressorts de la jalousie et de l'envie allaient pousser les Britanniques à la guerre. De 1744 à 1783, en quarante ans, l'Angleterre et la France se livrèrent trois grandes guerres.

Le total de leur coût pour le trésor royal fut de près de trois milliards, financés de plus en plus par l'emprunt à l'origine de la dette publique qui s'alourdissait, cinq milliards en 1789. Pour les Antilles en particulier, la guerre eut naturellement son coût avec des plantations dévastées lors des « descentes » de l'ennemi sur les côtes des Iles. L'interruption des relations avec la métropole accentua la fraude étrangère. Celle-ci constitua l'exutoire permettant à la colonie sinon de prospérer au moins de pouvoir entretenir ses ateliers d'esclaves, trouver des débouchés pour ses récoltes ainsi que les approvisionnements nécessaires. En 1747, le gouverneur de la Martinique évaluait l'entrée des navires hollandais dans sa colonie pour le seul mois de mai à dix-huit, ils étaient en réalité une quarantaine (cent quinze navires français furent reçus par l'île en 1749).

S'il est vrai que, dans les guerres de Succession d'Autriche et de Sept Ans, il y avait un ennemi sur le continent, l'Autriche dans la première, la Prusse dans la seconde, et qu'en conséquence le coût de la guerre fut ici en grande partie continental, la nécessité de conduire de coûteuses opérations navales alourdit singulièrement les dépenses. Pendant la guerre d'Amérique, seules les opérations navales et coloniales pesèrent sur les budgets, mais, avec la mise en place d'un corps expéditionnaire, les prêts aux Insurgents, et l'armement d'escadres sur les théâtres d'opérations nord-américains et antillais, le coût fut très élevé, engendrant un déficit des finances publiques qui fut, en partie, à l'origine de la Révolution.

Il fallait, en effet, pour mener de telles opérations, une marine puissante préparée par les réformes de Choiseul et de Sartine.

Il n'est pas d'autre moyen de conserver les îles, écrivait Raynal, qu'une marine redoutable... C'est sur les chantiers et dans les ports d'Europe que doivent être construits les bastions et les boulevards des colonies de l'Amérique. Tant que la métropole tiendra pour ainsi dire sous les ailes de ses vaisseaux, tant qu'elle remplira de ses flottes le vaste intervalle qui la sépare de ses îles, filles de son industrie et de sa puissance, sa vigilance maternelle sur leur prospérité lui répondra de leur attachement[4]. »

À la fin du règne de Louis XIV, en dépit des défaites des deux dernières guerres où cependant les succès de la course avaient compensé les faiblesses de la guerre d'escadres, le royaume était encore doté d'une grande flotte. La politique pacifique et anglophile du Régent et de Fleury n'était guère favorable au maintien de la flotte héritée de Louis XIV. En 1726, le nouveau ministre de la Marine, Maurepas, recevait un rapport fort sombre et peut-être exagéré sur l'état de la Marine : « Notre Marine détruite, pas un vaisseau à mettre à la mer... nos colonies d'Amérique n'ayant pas de quoi faire la moindre résistance et pouvant être enlevées d'un coup de main[5]. » En effet, le budget étroit de la Marine atteignait alors à peine les neuf millions de livres, les colonies en absorbaient moins de deux millions et le reste était consommé pour le fonctionnement, soldes et autres dépenses ; on ne pouvait faire face à la construction, à l'entretien et au radoub des vaisseaux qu'avec les pires difficultés, et il ne restait pratiquement rien pour l'armement à la mer. Raynal avait fort bien souligné que l'existence de la Marine se justifiait par les colonies. Or, de 1715 à 1744, avec ces budgets aussi modestes, peu de navires nouveaux furent construits, les campagnes à la mer furent très rares, et, réduits à l'inaction, les états-majors devenaient des espaces mondains.

Concernant les Iles et leur commerce, une double mission s'imposait en temps de guerre : les protéger directement et les ravitailler en armes, hommes, vivres et munitions, escorter et assurer la protection des navires

marchands. Vers 1740, plus de trois cents navires par an
se rendaient aux Antilles. Or, la flotte avait bien moins de
navires de ligne que la Royal Navy, et la mission de l'approvisionnement en vivres et en armes confiée au munition-
naire des vivres à la fin du xvııᵉ siècle ne fut jamais remplie
de manière satisfaisante. En outre, les bâtiments français
ne trouvèrent pas sur place un support logistique suffisant.
Les îles du vent auraient pu jouer le rôle des bases navales
indispensables dans la Caraïbe, comme celles que les
Anglais possédaient avec English Harbour à Antigua et
Port-Royal à la Jamaïque, qui disposaient d'installations de
carénage et d'approvisionnements. Mais, faute de recevoir
un approvisionnement régulier par convois comme l'obtenaient les bases anglaises, les colonies ne purent jamais
fournir aux escadres envoyées aux Antilles les matériels
navals nécessaires. Aux Iles alternaient la chaleur la plus
forte et les pluies diluviennes ; les tarets, s'attaquant aux
bois des coques, proliféraient dans les eaux chaudes, il
aurait fallu pouvoir réparer les dommages subis par les
navires. Les escadres manquaient de mâts et de vergues de
rechange après les combats, le manque de goudron provoquait l'usure prématurée des pièces de bordage et des cordages. Surtout, les coûts étaient de plus en plus lourds :
« Il faut payer généralement toutes choses six fois plus
qu'elles ne coûteraient au Roi si on les envoyait des arse-
naux de France », constatait à Saint-Domingue, en 1758, le
commissaire Lambert[6]. Cette situation empêchait un entretien suffisant des navires et, comme il en était de même
pour les vivres, il était recommandé aux chefs d'escadres
de ne pas prolonger leur séjour dans la Caraïbe, ce qui
empêchait une bonne protection du commerce.

Dans la guerre de Succession d'Autriche, Maurepas,
pressé par un négoce soucieux d'être protégé, commença
par envoyer des divisions navales surveiller les passages
stratégiques, des caps ibériques Saint-Vincent et Finisterre
aux Açores et aux Antilles. Mais, par la suite, on en revint
à la méthode des convois, comme dans les années 1690.

En raison de la pauvreté des budgets de la Marine, le négoce fut chargé de financer les escortes par une taxe perçue sur les produits à l'aller et au retour. Des résultats non négligeables furent obtenus : en 1745, trois gros convois passèrent, celui de septembre rassemblait 123 navires, dont 59 pour la Martinique et 64 pour Saint-Domingue ; le premier convoi d'avril 1746 comprenait 196 navires, le second, en octobre, 80. Certes, il y eut des pertes, les plus élevées furent celles de juillet 1747, 47 des 100 navires du convoi, mais, en octobre, grâce au sacrifice de leur escorte, les 252 navires du convoi purent atteindre les Iles.

Pendant la guerre de Sept Ans, la suprématie britannique s'afficha totalement. Avant la déclaration de guerre, l'acte de piraterie maritime de l'Anglais Boscawen, en novembre 1755, avec la prise de nombreux navires venant des colonies, dont 155 de Bordeaux, eut des conséquences irrémédiables : six mille hommes furent perdus. Étant mise hors service la partie la plus « marine » des équipages, la Marine Royale fut privée pendant la guerre de marins exercés. Les premières défaites entraînèrent la mort ou la captivité de matelots également de valeur. En 1758, Anson empêcha tout renfort de traverser l'Atlantique, le meilleur stratège anglais ayant installé face à Ouessant une puissante escadre qui bloquait Brest, et, aux Antilles, les Britanniques avaient une écrasante supériorité, soutenus par la logistique efficace de leurs stations navales. L'année suivante, les défaites de Lagos et de Quiberon perdirent le Canada, et, après le triomphe anglais de cette année 1759, la situation était complètement changée. Il devenait quasiment impossible de poursuivre toute opération navale en raison de la situation financière catastrophique. Alors qu'au début du conflit les finances étaient relativement saines, que « les frais de la guerre précédente étaient à peu près épongés » et que la Marine disposait dans les années 1750 de moyens trois fois supérieurs à ceux de 1740, on se trouvait maintenant en pleine crise[7]. Il avait fallu suspendre les paiements des rescriptions et lettres de change des trésoriers de la

Marine. La décision très impopulaire du contrôleur général Silhouette d'un édit de subvention générale, impôt physiocratique payé par les propriétaires du sol, ruinait le crédit de l'État.

En 1760, Berryer, secrétaire à la Marine, disposait de 30 millions de livres quand, outre-Manche, le budget de la Navy montait à 150 millions. Les lourds engagements français sur le continent affaiblissaient les finances, et la Marine voyait ses crédits réduits. Pour reconstituer de nouvelles forces, en 1761, Choiseul recourut au financement du « don gratuit » des vaisseaux : les états provinciaux, les chambres de commerce, les villes et les fermiers généraux finançaient la construction de navires de ligne. Mais cet expédient reposant sur le loyalisme monarchique ne pouvait suffire. On n'avait pu empêcher l'occupation anglaise de la Guadeloupe puis de la Martinique en même temps que la prise de La Havane en 1762.

Relevés sous Louis XVI, les budgets de la Marine grimpaient à 169 millions en 1780, 200 en 1781. En 1775, on disposait de 75 vaisseaux de ligne contre 110 anglais. Mais tout cela n'était possible que par un recours croissant à l'emprunt ; il avait couvert 28 % des dépenses pendant la guerre de Succession d'Autriche, 65 % sous la guerre de Sept Ans et 91 % dans la guerre d'Amérique[8]. Si la Grande-Bretagne y recourait encore bien plus, elle le faisait dans des conditions nettement plus avantageuses, les taux d'intérêt y étant de 2 % inférieurs aux français. Cet effort financier sans précédent permit sous Choiseul un relèvement des armements, de 1762 à 1768, 22 vaisseaux neufs furent lancés, et l'année de la victoire de la Chesapeake, en avril 1781, il y avait 70 vaisseaux de ligne français contre 94 anglais. Trente et un convois étaient partis pour les Iles de 1778 à 1782, 29 en revinrent. Les prises ennemies diminuèrent de 110 en 1778 à 20 seulement en 1782. Succès et échecs dans la Caraïbe marquèrent l'acharnement des belligérants à se disputer les Iles : fin 1778, c'était la prise de la Dominique, les Français s'assuraient ainsi une position clé entre la Martinique et la Guadeloupe, et, dans l'été 1779, d'Estaing occupa la Grenade et Saint-Vincent. Mais ce fut par contre l'échec de la tentative française de débarquement en Jamaïque, la plus riche des Antilles anglaises, en 1781, et, le 10 avril 1782, de Grasse subissait la défaite des Saintes alors qu'il tentait de permettre à un très grand convoi de gagner Saint-Domingue.

La guerre, charge insupportable pour le Trésor avec les dépenses des campagnes maritimes, ne l'était pas pour les Iles. Certes, avec sinon l'interruption des échanges avec la métropole, au moins leur ralentissement considérable, la guerre causait des dommages, les cours des denrées coloniales chutaient, ceux des produits d'Europe flambaient, vu la rareté des vaisseaux pour charger les premières et débarquer les seconds. Mais la fraude était fortement augmentée. À Saint-Domingue, l'absence du commerce de France n'empêcha pas la colonie de faire passer le nombre de ses esclaves de 176 000 en 1756 à 206 000 en 1763. La traite étrangère, voire anglaise, approvisionnait largement l'île en captifs. Vivres et bois étaient importés des colonies continentales anglaises, et, en échange, non seulement les mélasses mais aussi les sucres et les cafés étaient exportés[9]. La guerre maritime menée par les Anglais, dans une large mesure pour ruiner les Antilles françaises, fut sur ce plan un échec. À la paix de 1763, Saint-Domingue connut une reprise spectaculaire de ses productions et l'économie de la Guadeloupe avait été relancée par l'occupation britannique de l'île en 1759.

LE POUVOIR ET LES COLONS

Une fiscalité privilégiée

Considérées par Versailles comme des provinces du royaume outre-Atlantique, destinées à approvisionner la France en denrées tropicales et à en recevoir les produits d'Europe, les Iles bénéficiaient d'une tutelle politique relativement légère. Déjà Colbert avait recommandé à ses gouverneurs d'observer une grande souplesse à l'égard de colons pionniers de terres nouvelles. Sous Louis XV comme sous Louis XVI, la métropole conserva à ses colonies un régime sur bien des points très favorisé par rapport à celui appliqué au royaume. Ce fut en particulier le cas dans le domaine fiscal.

Les seuls impôts connus aux îles du Vent, à la fin du règne de Louis XIV, étaient la capitation payée sur les esclaves et la taxe du Domaine d'Occident payée sur les denrées à leur entrée dans le royaume, qui correspondait à l'ancienne redevance acquittée par les négociants privés à la Compagnie des Indes, le négoce rejetant cet impôt sur les planteurs en achetant moins cher les produits. On peut y ajouter les taxes d'entrée et de sortie aux Iles payées comme la première au taux de 3 %. À Saint-Domingue, le régime était encore plus libéral, à l'exception d'un modique droit de sortie sur l'indigo, la colonie ignorait les droits perçus dans les autres îles.

À la fin du règne de Louis XIV, les lourdes dépenses de la guerre ne pouvaient plus être couvertes par un Trésor aux abois. Dès 1713, le régime privilégié de la Grande Antille fut remis en cause.

> Sa Majesté ne trouve pas juste que, pendant qu'elle a été obligée de surcharger son peuple en France pour fournir aux dépenses immenses de la guerre, les habitants de Saint-Domingue, loin de contribuer à des dépenses si pressantes, lui soient au contraire à charge par la dépense qu'elle a faite jusqu'à présent pour leur sûreté et la conservation de leurs biens[10].

En janvier 1713, le gouverneur Blénac exposait ainsi la nécessité pour le pouvoir de faire appel aux colons afin de couvrir les dépenses de la guerre. Les Conseils supérieurs fixeraient la nature et la répartition des droits devant alimenter un octroi créé au printemps de la même année pour couvrir les dépenses militaires de l'île. Ils nommeraient « les syndics ou receveurs pour la perception desdits droits » (on écartait ainsi toute idée de création d'une ferme), et les fonds recueillis ne pourraient être utilisés en dehors de la colonie.

Faire des Conseils les instances appelées à se prononcer sur les taxes à percevoir, c'était là, de la part du pouvoir, une concession de taille : « C'est une apparence de liberté qui flatte les habitants sans porter aucun préjudice aux intérêts de Sa Majesté », écrivit Blénac. En fait, c'était encourager à terme les Conseils à revendiquer une participation active à la vie politique. Les magistrats n'accordèrent d'ailleurs qu'un médiocre fonds pour 1714, constitué par une capitation de six livres sur chaque esclave adulte, en conservant le droit préexistant sur l'indigo. Réunis pour augmenter l'octroi à Léogane, en janvier 1715, les conseillers refusèrent une somme de 5 000 livres pour le radoub des vaisseaux du roi, des crédits pour les soldes d'officiers, et n'accordèrent que 170 000 livres sur les 180 000 demandées. Surtout, les magistrats imposèrent leurs vues sur la nature des taxes composant l'octroi : la capitation sur les esclaves serait supprimée, remplacée par des droits de sortie qui retomberaient sur le négoce, « il est raisonnable que les commerçants portent aussi bien que les habitants partie des charges de la colonie[11] ». En fait, ces concessions faites aux Conseils ne durèrent pas. En août 1718, la capitation sur les esclaves était rétablie, les droits de sortie sur les sucres augmentés, les taxes à l'entrée sur le tonnage des navires qui pesaient sur le négoce de la métropole supprimées. Les conseillers parvinrent cependant à faire ultérieurement rejeter la franchise sur les droits de sortie, accordée en 1722 à la Compagnie des Indes. On se partagerait désormais le poids de la fiscalité : les droits de sortie sur les denrées coloniales seraient à la charge des négociants, les droits de capitation à charge des habitants.

En Martinique, où la charge fiscale à la fin du règne de Louis XIV était plus lourde qu'à Saint-Domingue, les colons se virent aussi demander un octroi pour couvrir le déficit du budget à la paix. L'assemblée de janvier 1715, composée de notables, colonels et lieutenants-colonels de milice, nobles, grands sucriers et marchands, accepta cet octroi auquel les marchands participeraient, la nouvelle charge représentait 125 000 livres sur les 200 000 demandées pour les îles du Vent. Les marchands étaient imposés à hauteur de 30 000 livres[12]. L'île avait acquitté en 1714 138 000 livres de capitation, 43 000 livres de taxes sur les entrées et les sorties, les autres îles du Vent payant 60 000 livres. Le total de l'impôt pour 1715 dépassait les 300 000 livres en Martinique. Satisfaits d'avoir obtenu des colons cet accord, le gouverneur Duquesne et l'intendant Vaucresson ne prirent pas assez garde au fait que la colonie avait eu la possibilité de s'exprimer dans une instance nouvelle dirigée par les élites. Des syndics de paroisses avaient été désignés, grands sucriers ou marchands, un Duval de Grenonville à Rivière-Pilote, un Leyritz à Basse-Pointe, un Roy au Prêcheur. Les abus du Domaine d'Occident furent dénoncés par l'assemblée. Le succès du pouvoir n'était que très temporaire car les petits habitants ne voulaient point de nouvelles taxes. Convoqué par Vaucresson à Fort-Royal pour le 8 juillet 1715, le Conseil supérieur, réuni de sa propre autorité quatre jours plus tôt, se fit leur interprète en demandant que « les peuples soient entendus », et réussit à faire abandonner le projet d'octroi.

En mars 1715, la Guadeloupe avait été à son tour invitée à accepter un octroi semblable. Là aussi le projet fut accepté par une assemblée de notables, mais une vive effervescence se produisit chez les petits habitants comme en Martinique : ils ne voulaient point de l'octroi ; depuis Pointe-Noire, Bouillante, Baillif, sur la côte sous le vent, ils se portèrent sur Basse-Terre. Tout en affirmant très haut leur loyalisme monarchique, au cri de « Vive le Roi sans octroi », leur agitation suffit à obtenir le recul du gouverneur La Malmaison ; le projet fut abandonné.

Aux îles du Vent, le pouvoir avait manifesté une réelle timidité face à ce qui était de la part des colons l'affirmation du privilège fiscal colonial. Seul impôt direct subsistant, la capitation sur les esclaves dépendait pour son rendement finalement médiocre d'une franchise toujours douteuse de la part des planteurs appelés à déclarer le nombre des esclaves de leurs ateliers. Il est vrai qu'il faut lui ajouter la corvée des mêmes esclaves exigée par les autorités. Les planteurs devaient accepter de les voir mobilisés afin d'assurer les fournitures de charrois et de matériaux pour les travaux de fortifications. Cela représentait un prélèvement sur la force de travail disponible détesté des habitants quand les exigences des cultures rendaient indispensable la présence sur la plantation d'un atelier au complet. En 1763, quand Choiseul voulut à Saint-Domingue relever l'octroi pour faire face aux frais du maintien dans la colonie d'une garnison sur pied de guerre avec de nouveaux régiments de métropole, il accepta de « soulager » les habitants des corvées extraordinaires exigées en les dispensant en même temps du service personnel des milices « qui les déplaçait souvent... qui leur occasionnait des dépenses considérables ».

La sécurité des colonies, les milices

Au début du XVIIIe siècle, les compagnies de milice, créées dès le début de la colonisation aux Antilles, gardaient une réelle importance. Leurs officiers encadraient les populations dans chaque quartier d'une colonie. À la Martinique, en 1713, sur une population de quelque 9 000 Blancs, on pouvait dénombrer plus de 2 300 hommes armés, aptes à faire partie des milices. Le gouverneur Blénac n'était pas sans critiquer les miliciens de la côte sous le vent, du Carbet au Prêcheur, parmi lesquels il voyait « quantité de flibustiers, maîtres de barques, matelots, partie établis, partie vagabonds et déserteurs[13] ». Certes, beaucoup de petits habitants « qui n'ont que le faible mérite d'être propres à la flibuste et de savoir tirer un coup de fusil », selon les mots du gouverneur La Varenne, lors de la révolte du Gaoulé, entraient dans les milices. Cependant, celles-ci étaient dominées par les grands notables, un François-Samuel Levassor de La Touche, au Lamentin, un Laguarigue de Survilliers dans la Capesterre, secondé par un Jean Dubuc. Les dynasties savaient placer les leurs dans les rangs des officiers, les plus jeunes débutant comme enseignes, les plus âgés devenant colonels. Un Jean Dubuc s'était, comme d'autres, distingué pendant les guerres de la fin du règne de Louis XIV en allant jusqu'à proposer d'attaquer des îles ennemies comme Antigua et en menant victorieusement ses miliciens contre ces colonies.

Quand, voulant apparemment donner satisfaction à des colons peu portés en pleine prospérité à accepter d'effectuer le service contraignant de la milice mais se méfiant en réalité des habitants « au cœur anglais », enclins à pratiquer de plus en plus les trafics de la contrebande, Choiseul décida en mars 1763 la suppression des milices, il fut très vite contesté :

> Les milices sont nécessaires pour maintenir la police intérieure des îles, pour prévenir la révolte des esclaves, pour arrêter les courses des nègres fugitifs, pour empêcher l'attroupement des voleurs, pour protéger le cabotage, pour garantir les côtes contre les corsaires[14].

Raynal, en 1780, a défini la tâche quotidienne des milices. Il est vrai que leur valeur militaire, très grande à l'époque de Louis XIV, avait décliné. Les capitulations de la Guadeloupe et de la Martinique en 1759 et 1762, consenties sous la pression des principaux habitants, n'avaient pas vu les milices soutenir une quelconque résistance. Et pourtant leur connaissance des lieux, leur expérience, leur accoutumance au climat, tout concourait à leur donner une valeur réelle supérieure dans bien des cas à celle des troupes « réglées », venues de la métropole. Celles-ci éprouvaient de grosses pertes, soit dues à la maladie, soit à la désertion. Selon Raynal, qui critiquait la mesure de Choiseul, alors que les « aventuriers » qui firent la conquête des îles regardaient comme un privilège le droit de se défendre eux-mêmes, les colons « calculateurs politiques » avaient donné de l'argent en 1763 pour être déchargés du soin de la défense, l'écrivain faisant ici allusion aux quatre millions d'octroi demandés par Choiseul en échange de la suppression de la milice. Il fallut la rétablir deux ans plus tard pour mettre fin à l'état d'anarchie dans lequel sa suppression mettait Saint-Domingue. Le maintien de la sécurité dans l'île, la prévention des révoltes d'esclaves, la poursuite des esclaves fugitifs, les « marrons », tous ces objectifs ne pouvaient être atteints que par ce rétablissement.

Mais ce dernier intervenait dans un climat de « détachement » de la métropole chez les riches planteurs de la Grande Antille. En octobre 1765, le conseiller Galbaud du Fort au Port-au-Prince voyait « quelques parcelles » de la « fermentation... générale dans le royaume refluer dans la colonie[15] ». On était en France en pleine agitation parlementaire, l'état d'esprit anglophile de beaucoup de colons attachés par les liens de la contrebande aux colonies d'Amérique du Nord et admirant les modèles britanniques de self-government était connu des administrateurs. Le gouverneur de la Martinique ne disait-il pas des grands planteurs en 1764 : « Ils sont anglais dans l'âme » ? Galbaud du Fort estimait que le rétablissement de la milice causait « une rumeur si générale qu'il est à craindre la première étincelle ». Effectivement, Saint-Domingue fut le théâtre de troubles sévères, les notables se sentant soutenus par les petits Blancs dans leur nouvelle volonté de résistance au « despotisme » du pouvoir.

L'échec de la réforme de Choiseul ne pouvait cependant faire de doute. Pour remplacer les milices on avait dû créer d'éphémères maréchaussées. Bernadette et Philippe Rossignol ont décrit celle de la Guadeloupe[16]. Les troupes réglées étaient chargées de la défense de l'île, la police était confiée à une maréchaussée composée de seize cavaliers « toujours pris parmi les nègres et les mulâtres libres », d'un prévôt général, d'un lieutenant, d'un exempt et d'un brigadier. L'essentiel de sa mission était la police des esclaves, la lutte contre le marronnage ; on pouvait y ajouter des tâches quotidiennes de maintien de l'ordre, « réprimer les tapages, dissiper les attroupements, empêcher les jeux défendus ». Le corps était placé sous l'autorité directe du gouverneur mais le recrutement se révéla difficile, les soldes étant trop faibles. Le nombre de 16 archers était jugé insuffisant, la Martinique en avait plus de 30. Le prévôt se heurtait au mépris de l'intendant Peynier pour ce corps car « c'était des nègres », comme à l'opinion, « il était honteux que des nègres missent la main sur des Blancs... cette maréchaussée était apparemment pour des nègres seulement ».

Malgré ces critiques, le gouverneur Nolivos ne goûtait pas en avril 1765 le rétablissement envisagé de la milice composée « de colons cultivateurs, négociants ou de profession » ; elle n'était prévue que pour la défense de l'île ; les mulâtres et Nègres libres qui en faisaient partie étaient tous habitants ou gens de métier qu'on ne pouvait priver de travaux qui les faisaient vivre par « les marches et veilles continuelles ». En Martinique, était publiée en août 1765 une ordonnance supprimant la maréchaussée remplacée par une troupe d'archers. Selon le ministre, en janvier 1766, les compagnies de mulâtres libres de la milice martiniquaise « remplissaient avec le plus grand succès les fonctions qui avaient été attribuées à la maréchaussée ». En mai 1766, la Guadeloupe imita la Martinique, mais son gouverneur estimait que le faible nombre des gens de couleur du quartier de la Basse-Terre, seulement soixante, rendait la constitution de ces compagnies de milice très difficile. À

Fort-Royal, les mêmes hommes de couleur étaient au nombre de près de deux cents en trois compagnies.

Les gouverneurs se créolisent

Représentant du roi dans la colonie, le gouverneur devait rester indépendant du milieu créole. L'arracher à l'influence de ce milieu, tel était l'objectif d'une ordonnance rendue en décembre 1759, lors d'une guerre qui nécessitait une action énergique du gouverneur autant à Saint-Domingue qu'à la Martinique pour diriger la résistance face aux Anglais. Tout en augmentant les traitements des gouverneurs et des intendants, on leur interdisait de se marier à la colonie avec des femmes créoles. Bien auparavant, Colbert avait désiré empêcher cette influence du milieu des colons. Il ne fallait pas de gouverneur-planteur, lié à l'aristocratie coloniale. Aux débuts de la colonisation, les gouverneurs des Iles étaient seigneurs propriétaires, les Houel, les Du Parquet, le commandeur de Poincy. Colbert fit nommer gouverneurs des hommes qui ne possédaient rien aux colonies, des métropolitains dont le seul privilège était de servir le roi.

Mais, après 1715, gouverneurs et intendants se montrèrent de plus en plus séduits par l'attraction de la propriété coloniale. Posséder des habitations, des Nègres, obtenir des exemptions de capitation pour leur main-d'œuvre servile devint un privilège rémunérateur. Les gouverneurs en imposèrent par leur luxe, l'étalage de meubles précieux, de riches vaisselles, de belles bibliothèques. Intéressés à l'essor du commerce, ils n'hésitèrent pas à donner les permissions demandées pour l'étranger qui livrait les vivres ou les esclaves et enlevait les sirops et tafias, voire les sucres. « Vrai propriétaire des Iles », un Moyencourt, gouverneur de la Guadeloupe, fut convaincu en 1726 d'avoir pratiqué le trafic prohibé[17]. Les fraudeurs savaient « fasciner » les autorités par la corruption, les cadeaux de Nègres ; Dudoyer, le directeur du Domaine en Guadeloupe, bâtit sa fortune en participant à la contrebande dans les années 1720. Veuf d'une riche créole, héritière des Houel, Champigny, gouverneur de la Martinique pendant un quart de siècle, de 1720 à 1745, sut collaborer efficacement avec le Conseil supérieur et les grands habitants sucriers tout en gérant au mieux ses domaines de Guadeloupe et de Marie-Galante. Le 1er octobre 1744, Maurepas reconnaissait qu'il était « assez aimé des habitants », mais il avait « laissé avilir l'autorité du gouvernement au point qu'on ne peut jamais s'assurer de l'exécution des ordres qui y sont donnés[18] ».

Le pouvoir tenta donc de réagir. La décision de 1759 s'inspirait de cette volonté de dégager les autorités coloniales d'une dangereuse influence des milieux créoles. En fait, il semble bien qu'elle resta sans portée véritable. Solliciter un poste aux colonies pouvait permettre une promotion financière pour beaucoup de ces officiers de la Marine ou de commis du même corps, aux soldes médiocres en métropole, candidats aux fonctions de gouverneur ou d'intendant. Un Rohan-Montbazon, successeur de d'Estaing à Saint-Domingue, se voyait reprocher en 1771 par la chambre d'agriculture de Port-au-Prince ses plantations et ses maîtresses noires. Il s'en défendait, écrivant à Choiseul-Praslin : « Je n'imagine pas que cette acquisition [les plantations] puisse déplaire à Sa Majesté ; votre exemple et celui de plusieurs personnes de la Cour qui possèdent des biens dans cette colonie m'a fait croire qu'il m'était également permis d'en acquérir un[19]. »

Un inévitable relâchement de l'autorité se produisait. Parents ou amis créoles pouvaient compter sur une semi-complicité du pouvoir local favorable à leurs projets. Mais d'autres difficultés attendaient le gouverneur et l'intendant. Il y avait les rivalités fréquentes opposant le pouvoir civil représenté par ce dernier au pouvoir militaire détenu par le gouverneur ; elles commencèrent très tôt, les conflits dressant l'un contre l'autre, à la fin du règne de Louis XIV, un Phélypeaux gouverneur à la Martinique à son intendant

Vaucresson, chacun s'appuyant sur ses protégés dans la colonie, contribuèrent à affaiblir leur autorité.

La brièveté des séjours de beaucoup à la colonie constitua un autre obstacle à un exercice efficace du pouvoir.

> Les chefs ne faisaient qu'y paraître, pour ainsi dire, et en étaient rappelés avant d'avoir rien vu par eux-mêmes..., les administrateurs étaient remplacés par d'autres qui n'avaient pas le temps de former des liens avec les peuples qu'ils devaient conduire[20].

Raynal a bien observé ce défaut propre à l'administration coloniale qui perdura bien au-delà du xvIIIe siècle. Le manque d'expérience de la vie créole et de ses contraintes conduisaient bien souvent à des erreurs de jugement fatales à une saine politique. Exceptionnels furent les exemples d'un Larnage et d'un Maillart à Saint-Domingue, gouverneur et intendant, le premier pendant neuf ans, le second pendant onze ans. Champigny en Martinique fit encore mieux avec vingt-cinq ans de présence. Mais la majorité ne tenait pas trois ans, voire encore moins. Souvent hostiles à un administrateur « despote », les créoles les plus influents s'entendaient à faire pression sur la Cour pour obtenir son rappel. Et il y avait les nombreux intérims : si l'on prend l'exemple de Saint-Domingue, en 1732, Chastenoye fut gouverneur à ce titre pendant moins de neuf mois, avant que n'arrivât d'Estaing en avril 1764 ; Montreuil ne le fut que pendant à peine huit mois. De 1772 à 1789, on compta pas moins de huit gouverneurs intérimaires.

L'ARISTOCRATIE DE LA COLONIE, LES CONSEILS SUPÉRIEURS

Affaiblis par des séjours trop courts ou par un usage abusif de la richesse coloniale et par une familiarité exagérée avec des élites auxquelles les liaient les alliances de famille, voire les engagements souscrits auprès de tel clan, les gouverneurs ou les intendants devaient faire face aux assemblées extraordinaires peu portées à donner leur aval aux réformes projetées. D'une manière quasi quotidienne, ils s'affrontaient aux Conseils supérieurs désirant faire prévaloir leur autorité, sinon directement, au moins dans les arrêts régissant tous les domaines de la vie antillaise et dans les remontrances faites sur les décisions du pouvoir.

En 1713 et 1715, les assemblées de notables, réunissant des membres des Conseils, des commandants de quartiers, des nobles, se tinrent à Saint-Domingue, à la Martinique et en Guadeloupe quand les autorités voulurent réformer un appareil fiscal singulièrement indigent et demander un effort extraordinaire aux colons. Toujours pour intervenir dans cette fiscalité coloniale donnant si peu de moyens aux administrateurs, il y eut une assemblée dite « nationale » à Saint-Domingue en 1763. Ces assemblées furent des échecs pour le pouvoir, et il ne fut jamais question d'en faire des instances officielles capables de tenir le dialogue nécessaire entre les colons et les autorités.

La chose est bien différente pour les Conseils. Créés dès le début de la colonisation à Saint-Christophe et aux îles du Vent, ces conseils alors dits souverains étaient destinés à juger en dernier ressort ; officiers de milice et notables habitants y siégeaient. En 1675, quand fut composé le Conseil souverain de la Martinique, on appela à y siéger encore les capitaines de milice et les principaux habitants, le gouverneur présidant les séances. Les Conseils de Saint-Domingue furent fondés, le premier en 1685, siégeant au Petit-Goave, à l'ouest de la colonie, l'autre en 1701, il siégeait au Cap. À la Martinique, au début du XVIIIe siècle, les nouveaux colons qui avaient une certaine connaissance du droit furent appelés pour remplacer les premiers conseillers. Peu à peu, le choix se porta sur de jeunes créoles. En effet, l'habitude fut prise par les grandes familles de planteurs d'envoyer un de leurs fils étudier le droit en France.

Revenu gradué, il était placé par le gouverneur et l'intendant comme conseiller assesseur ou substitut du procureur général. À la première vacance d'un siège, il recevait le brevet de conseiller titulaire.

Au cours de la première moitié du XVIIIe siècle à la Martinique, selon Émile Hayot, les créoles furent à égalité avec les métropolitains dans le Conseil : 19 créoles, 19 métropolitains ; dans la seconde moitié du siècle, les créoles l'emportèrent nettement, 23 créoles pour seulement 3 métropolitains. Au total, de 1675 à la fin de l'Ancien Régime, le Conseil supérieur de la Martinique compta 47 conseillers créoles pour 33 métropolitains. Ce renforcement de l'élément créole atteste de la vigueur d'une tendance à l'enracinement des grandes familles à la Martinique. On ne la voit pas se produire à Saint-Domingue. Au XIXe siècle, il n'y eut que des conseillers créoles pour occuper 23 sièges en Martinique[21].

Dans la vie quotidienne martiniquaise, les séances du Conseil étaient remarquées :

> Je ne crois pas qu'on puisse avoir jamais vu une assemblée plus brillante que le premier jour de cette année [1753] à la séance du Conseil. Depuis le Doyen jusqu'au greffier, procureur et même quelques huissiers, tous étaient couverts d'or. Il n'y avait qu'un conseiller qui se trouva pauvrement vêtu d'un habit de velours noir à la Reine. Ne touchons point encore à l'article du faste, mais disons que l'état d'un conseiller en ce pais est le plus beau et le plus honnête[22].

L'état de conseiller était recherché. En 1708, l'intendant Vaucresson qui, il est vrai, n'aimait guère les magistrats, soulignait combien « la plupart, pour ne pas dire tous, ont fait tout au monde pour avoir leur commission et même auraient donné de l'argent pour l'obtenir ». Pour l'intendant, le rang « qu'elle leur donne dans le pays » et « l'agrément qu'ils en retirent » étaient les objectifs recherchés par les candidats à la magistrature souveraine. Les privilèges étaient ceux des nobles et des capitaines de milice, avec exemption de la capitation pour douze Nègres, exemption de la milice. Dans toute cérémonie, les conseillers allaient en corps, ayant le pas sur tous les officiers d'épée et n'étant précédés que du gouverneur et de l'intendant. En 1768, la noblesse personnelle fut accordée à tous les conseillers et procureurs généraux ayant vingt ans d'exercice de la charge. Peu cependant acquirent la noblesse héréditaire, portant le titre d'écuyer. Avant 1789, trois grands noms de l'aristocratie martiniquaise le firent, Jean Assier en 1768, Jean-Antoine Perrinelle Dumay en 1774 et Pierre-François-Régis Dessalles en 1781.

Des dynasties s'édifièrent. De 1675 à 1830, une vingtaine de familles comptèrent plusieurs générations de conseillers.

Nombre de conseillers par famille :

Le Quoy : 3. – Pocquet : 3. – Duval de Grenonville : 3. – Faure : 3. – Dessalles : 3. – Bence de Sainte-Catherine : 3. – Perrinelle Dumay : 3. – Assier : 2. – Cacqueray : 2. – Carreau : 2. – Touzan : 2. – Rahault : 2. – De la Hante : 2. – Erard : 2. – Le Pelletier : 2. – Menant : 2. – Monnel : 2. – Girardin : 2. – Febvrier : 2.

Mais par les alliances rattachant les unes aux autres les familles, le poids de chacun était bien plus grand. Ainsi, Adrien Dessalles, l'historien de la Martinique, comptait par son père quatre ancêtres conseillers, et par sa mère trois conseillers. Beaucoup de conseillers bénéficiaient de protections, soit en métropole, soit dans la colonie. Ainsi, en 1756, le gouverneur Bompar se plaignait du conseiller Jean-Lambert Duval de Grenonville qui, à ses dires, « ne l'aurait jamais été sans les services rendus par feu son père qui était de son vivant conseiller du conseil supérieur et sans une lettre de M. Rouillé à M. Hurson et à moi-même que ce jeune homme nous a remise, il y a environ deux ans, en revenant de France ». Profitant de l'utile protection du commis principal à la Marine, Rouillé, Jean-Lambert Duval de Grenonville avait été nommé assesseur en 1754, à vingt-trois ans seulement.

Après avoir siégé à Saint-Pierre, les conseillers avaient gagné Fort-Royal. Ils s'y réunissaient dans une maison en location assez modeste. Après le tremblement de terre de 1757, ils siégèrent dans un immeuble plus vaste, pourvu de trois grandes salles. Il fallut attendre 1775 pour voir le roi acheter une maison « considérable ». Sans être mêlés à toutes sortes de personnes, les conseillers pouvaient boire et manger dans la buvette, « chambre de réserve », qu'un aubergiste de Fort-Royal fournissait en domestiques, linge, verres, vivres et boissons.

Déjà prévenu contre Duval de Grenonville, Bompar jugeait en 1756 détestable l'esprit de Jean Assier : « Vous connaissez l'espèce d'esprit de ces créoles... » En fait, ces créoles connaissaient bien la France où ils faisaient leur éducation, obtenaient les protections nécessaires avant de revenir dans la colonie. Partis très jeunes, entre sept et neuf ans pour la plupart, ils restaient dans la métropole de dix à douze ans. On ne saurait donc dépeindre leur mentalité comme celle de colons enfermés dans leur île, les cercles familiaux se retrouvaient des deux côtés de l'Atlantique.

Jean-Lambert Duval de Grenonville écrivit plus tard, sous la Restauration, que le Conseil supérieur servait de « barrière aux entreprises illégales ». Ce fut pour ces grands colons une mission noble que d'assumer un dialogue régulier entre les habitants et les administrateurs du roi. Le droit de remontrances sur les ordonnances du pouvoir leur permettait d'assumer cette fonction. Ce qui se révélait être un « esprit d'indépendance » était difficilement supporté par les gouverneurs. Un Beauharnais, prédécesseur de Bompar en Martinique, sous la guerre de Sept Ans, stigmatisait cet esprit : « La Cour ne souffrira jamais qu'une très petite partie des colons se soustraient à la subordination et veuillent se rendre absolument indépendants. » Il reste cependant que, au quotidien, tribunal jugeant en dernier ressort dans une colonie où la chicane était active, le Conseil intervenait par ses très nombreux arrêts dans la vie coloniale : règlements pour la sécurité intérieure, police des esclaves, des jeux, des cabarets, des diverses professions, du notaire à l'orfèvre[23].

LES CONFLITS ENTRE LES COLONIES ET LE POUVOIR

On se tromperait en faisant des conseillers une caste isolée car, par leurs alliances nombreuses, par leurs liens d'intérêt, ils étaient en rapport quotidien avec les négociants de Saint-Pierre, les grands commis du Domaine, et même les administrateurs. C'est ce qui rendit les conflits survenant entre ces élites et le pouvoir d'autant plus durs. Souvent la métropole recula devant les réformes à mettre en train devant les résistances des créoles.

Le premier conflit du XVIIIe siècle fut martiniquais, ce fut le Gaoulé en 1717[24]. Cette révolte ne vit pas paraître ouvertement le Conseil supérieur. L'impôt extraordinaire de l'octroi avait été accepté en janvier 1715 par une assemblée de notables, officiers de milice, nobles, grands sucriers, marchands. L'assemblée entendant se perpétuer, on avait désigné des syndics de paroisse, Jean Assier à Duclos, Duval de Grenonville à Rivière-Pilote, Michel de Leyritz à Basse-Pointe. De nouveaux administrateurs furent désignés en décembre 1715. Ricouart, un « bouillant intendant », entendait « tailler dans le vif » et, sur les instructions du Conseil de marine, empêcher tout commerce étranger. Il fit rapidement publier par le nouveau gouverneur La Varenne les ordonnances le défendant. À cette attaque contre les marchands de Saint-Pierre, tous se livrant au trafic interlope, succéda une décision qui signifiait la rupture entre le pouvoir et les grands sucriers. Le 21 février 1717, une ordonnance interdisait d'établir de nouvelles sucreries sans autorisation, prenant pour prétexte les difficultés d'écoulement des sucres raffinés en France et à l'étranger.

La première mesure répressive décidée contre le négoce de Saint-Pierre fut l'arrestation de Michel Banchereau, gendre du conseiller Pain, suspect de fraudes sur le commerce étranger. Elle suscita une grande émotion à Saint-Pierre ; mais ce fut la saisie d'un navire espagnol chargé de piastres, en représailles de l'arrestation par les Espagnols de bâtiments français, qui fit réagir avec violence le milieu marchand. Le commissionnaire du *Saint François Xavier*, le navire saisi, Louis-Alexandre Levassor de La Touche Longpré, appartenait à un clan puissant. Son père, âgé de plus de quatre-vingts ans, François-Samuel Levassor de La Touche, très riche sucrier au Lamentin et colonel de milice du quartier, gardait des liens avec le commerce interlope. Plus de trente mille piastres saisies avaient été chargées pour le compte des Levassor, le clan en rendit responsable les nouveaux administrateurs dont la volonté de réprimer le commerce interlope était claire.

Quelques semaines plus tard, une tournée d'inspection de La Varenne et Ricouart dans le sud de la colonie fut le prétexte du soulèvement. Bien accueilli par le patriarche des Levassor au Lamentin, sur son habitation de l'Acajou, le gouverneur passa en revue le régiment de milice du quartier sans incident. Il gagna ensuite au Trou-au-Chat l'habitation Cornette ; La Varenne traversait une région riche, aux nombreuses sucreries, et délivra même une autorisation d'ouverture pour une nouvelle sucrerie. Tout se gâta le 17 mai, au Diamant, sur l'habitation Bourgeot. « Traités comme les derniers des malheureux, par des canailles dont la plupart ainsi qu'un très grand nombre des habitants du reste de l'île sont arrivés pieds nus à la Martinique », La Varenne et Ricouart virent dans leurs adversaires des séditieux appartenant à la « lie du peuple ». En fait, il n'en était rien : le « Flot de la Capesterre » qui descendit rejoindre les rebelles du Diamant était bien encadré par les notables, les conseillers Pocquet, de Jaham, Laguarrigue de Survilliers ; les petits habitants, armés sous prétexte d'aller poursuivre les Nègres marrons, suivaient les grands sucriers, depuis Basse-Pointe, la Trinité.

Le gouverneur et l'intendant furent amenés au Lamentin où s'étaient réunis les révoltés, plus de deux mille hommes, un nombre qui approchait celui des hommes en armes recensés dans la colonie en 1713. « La colonie ne pouvait plus souffrir les violences et injustices de MM. de La Varenne et Ricouart », mais elle ne prétendait pas se soustraire à la fidélité monarchique. Geste cependant bien de rébellion, ce fut le choix de Jean Dubuc L'Étang pour « commandant » des habitants, « comme ayant leur confiance et propre à les maintenir dans l'obéissance et avec le Conseil Souverain et MM. les colonels, Vive le Roi ». Cette déclaration de l'assemblée du Lamentin, signée par sept conseillers et tous les colonels de milice était l'amorce de la constitution d'un nouveau pouvoir.

La traversée de la Martinique de l'Ouest, du Lamentin à Saint-Pierre, par le cortège des révoltés entourant les prisonniers pouvait être prétexte à voir resurgir le passé trouble de la flibuste. Certains auraient voulu que les rebelles s'emparent du fort Saint-Louis à Fort-Royal et gagnent à leur cause la garnison. Il n'en fut rien, Dubuc et les autres notables les en empêchèrent. Dans l'assemblée des notables, tenue au couvent des Jacobins, dans le faubourg du Mouillage à Saint-Pierre, le 21 mai, l'homme du roi, le procureur général Bertrand d'Hauterive, fut désigné pour recevoir les plaintes du peuple. L'assemblée rédigea une déclaration affirmant la fidélité au roi mais remettant en cause les décisions de ses représentants, toutes celles concernant le commerce étranger, l'achat d'esclaves ou de vivres aux étrangers, et l'on exigeait la restitution du navire espagnol confisqué. Le 23 mai, au son de la « marche des Flibustiers » et « d'autres airs de nègres sur lesquels on avait fait plusieurs mauvaises chansons », devant toutes les milices campées sur le bord de mer, ce fut l'embarquement pour la métropole de La Varenne et de Ricouart[25].

La griserie de la rébellion devait se dissiper assez vite. Un « grouillement de rivalités et d'intrigues » éclata à l'heure de la répression. Les Levassor furent défendus avec vigueur par Louis de Cacqueray de Valmenier qui avait épousé la petite-fille de François-Samuel Levassor de La Touche, soucieux de voir blanchi le clan. Il dut cependant accepter de reconnaître que Levassor de La Touche Longpré « s'était évaporé en discours irrespectueux contre ces MM. [La Varenne et Ricouart] tout en chargeant le plus possible Jean Dubuc L'Étang ». En fait, le gouverneur Feuquières, arrivé le 18 septembre 1717, et chargé de l'enquête, soutint que « les scélérats » qui avaient arrêté le gouverneur et l'intendant était tous « neveux de M. de Latouche, colonel ». Le pouvoir se garda d'ailleurs d'accabler les révoltés ; la répression resta légère. Le négoce de la métropole entendait « ne pas tuer la poule aux œufs d'or » et il fallait aussi faire un effort immédiat pour approvisionner l'île. En août 1718, une amnistie générale était accordée par le Régent. N'en étaient exceptés que Dubuc et quatre neveux de Levassor de La Touche. Or Feuquières avait soupçonné à peu près tous les conseillers d'avoir trempé dans la révolte, en particulier le procureur général d'Hauterive qui inspirait, à ses yeux, la fronde des notables acharnés à se débarrasser d'administrateurs heurtant leurs intérêts. À ses yeux c'était de leur part « faire un coup de flibuste ».

Ces notables avaient cependant soigneusement voulu distinguer leur cause de celle des petits habitants. « Je dis hautement à ces mutins que ce n'était plus leur temps de parler si haut, se trouvant dans l'assemblée avec des gens d'honneur et de distinction ». En prononçant ces mots, le 18 mai, au Lamentin, Claude de Laguarigue de Survilliers tenait à séparer la cause des notables de celle d'une « canaille mutinée », propre à retrouver les beaux jours de la flibuste ignorant la loi[26]. L'Exclusif, le commerce colonial réservé aux seuls ports du royaume par les lettres patentes publiées la même année 1717, était rétabli, au moins offi-

ciellement. On pourrait conclure à l'échec de la révolte du
Gaoulé. En réalité, le recours au commerce étranger continua dans une très large mesure. Peut-on aller plus loin et
prêter aux rebelles martiniquais la volonté de réclamer une
certaine autonomie pour la colonie ? Cela paraît très
excessif.

La révolte du Gaoulé reposait essentiellement, d'une
part, sur la contestation de l'Exclusif qui écartait des Iles le
commerce étranger, et, d'autre part, sur la volonté des
colons de pouvoir développer, à leur guise, l'essor de leurs
plantations sucrières. Dans la première sédition de Saint-
Domingue au XVIIIe siècle qui éclata le 26 décembre 1722,
les colons de la Grande Antille repoussèrent le monopole
de la traite négrière confié à la nouvelle Compagnie des
Indes. « Ni compagnie ni gouverneur », tel avait été le mot
d'ordre du soulèvement des quartiers du nord de l'île en
1670. Les mesures restrictives à l'égard du commerce
étranger indispensable à l'exportation du tabac, alors principale production de Saint-Domingue, étaient à l'origine
d'une révolte étendue à toute la colonie. Ce fut l'habileté
du gouverneur d'Ogeron qui réussit à stopper la rébellion
en reconnaissant les franchises de l'île. « Vive le Roi sans la
compagnie », tel fut le cri des révoltés de 1722. Ils contestaient à nouveau un monopole les empêchant d'acheter
leurs esclaves aux traitants étrangers, les seuls à pouvoir
en délivrer suffisamment pour faire face à la demande provoquée par le premier essor sucrier de la colonie. Le nord
de Saint-Domingue fut rapidement rejoint par l'ouest dans
sa rébellion contre l'installation des comptoirs de la
Compagnie. Il faut souligner le rôle du Conseil supérieur de
Léogane qui fut l'instigateur de la réunion d'une assemblée
« illégale » tenue par les habitants, de janvier à mars 1723.
Ses prétentions allaient bien plus loin que celles des
rebelles martiniquais de 1717, elles se plaçaient aux
franges du pouvoir politique en réclamant le contrôle des
finances de la colonie et même de sa défense ; n'allait-on
pas jusqu'à demander la suspension des travaux de fortifi-

cation du Petit-Goave ? Peut-être en raison de l'humiliation récente imposée aux administrateurs de la Martinique et insuffisamment châtiée, la répression fut sévère à Saint-Domingue, il n'y eut pas d'amnistie, deux rebelles furent pendus en mars 1724.

L'âge d'or vécu par Saint-Domingue, selon Moreau de Saint-Méry, sous l'autorité du gouverneur Larnage et de l'intendant Maillart, connut un certain calme politique. Les nouvelles crises surgirent après la guerre de Sept Ans. Pour Charles Frostin, « l'agitation s'installe à demeure, sévissant pendant sept années consécutives (à partir de 1763) et atteignant son paroxysme en 1769[27] ». Il y aurait eu alors un net effort des Blancs créoles pour arracher le pouvoir politique aux fonctionnaires du roi et le pouvoir économique au négoce de la métropole, les Conseils supérieurs s'installant dans un rôle de censeurs de l'Administration, sur le modèle des parlements du royaume.

Puisant sa source dans l'affaire des milices, dissoutes en 1763 puis rétablies en 1765, la sédition de Saint-Domingue fut liée avant tout à la relance, après la paix, des trafics interlopes avec la Jamaïque et les colonies anglaises de l'Amérique du Nord. Les mesures prises par Londres après 1763 pour résorber la contrebande américaine vers les Antilles provoquèrent les tensions les plus vives alors que la métropole voulait maintenir les contraintes d'un Exclusif fortement malmené pendant la guerre. Le rétablissement des milices en 1765 parut l'occasion favorable, les notables profitant de la nomination d'un gouverneur, le comte d'Estaing, très impopulaire, jalousé pour son luxe et méprisé pour ses débauches. « Le comte d'Estaing est un jean-foutre et mérite d'être chassé de la colonie comme un gueux et un concussionnaire », un pamphlet répandu à l'arrivée de son successeur Rohan-Montbazon en juin 1765 flétrissait le comportement du gouverneur en termes où l'insolence débridée se mêlait sans doute à la calomnie[28]. La chambre d'agriculture du Port-au-Prince nouvellement créée pour faire pièce à l'influence des Conseils supérieurs, reprochait en fait à d'Estaing son autoritarisme, son désintérêt de métropolitain pour les colons. Elle faisait cause commune avec le Conseil de la capitale où « l'esprit d'insubordination et d'indépendance éclatait avec plus d'indécence que partout ailleurs ». Il y eut aussi un certain rôle des assemblées d'habitants, tenues dans les quartiers, pour la préparation de la rébellion.

Mais, pour l'intendant Bongars chargé du procès des rebelles, l'action des grands notables resta majeure, « arcs-boutants » de la première et de la seconde révolte (décembre 1768-mars 1769), « qu'il faudrait... punir d'après les lois, fussent-ils des premières familles de la colonie[29] ». Ces notables purent profiter d'une certaine démoralisation des petits blancs, les nouveaux immigrés des années 1760, qui avaient du mal à se tailler une place honorable dans la société coloniale et y redoutaient la concurrence des Libres dans les emplois subalternes. Dans la nouvelle milice de d'Estaing, ces « Nègres blancs » ne voulaient pas côtoyer les Libres, le gouverneur avait commis la faute de s'attaquer au préjugé de couleur en admettant des mulâtres dans les compagnies blanches de la milice.

Rohan-Montbazon reprit les mesures de rénovation de la milice en 1768, et l'agitation toucha aussi les libres de couleur, gagnés par le « parti colon » et portés à craindre pour leur statut avec l'intégration dans la milice. Ce fut l'insurrection de décembre 1768 dans l'ouest de la colonie, l'Artibonite, le Mirebalais et surtout la plaine de l'Arcahaye autour de Port-au-Prince. petits blancs, déserteurs, mulâtres fournirent leurs troupes aux grands planteurs. Le 7 mars 1769, le gouverneur prit une mesure de force, capable de répondre au défi des grands notables en faisant arrêter les conseillers de Port-au-Prince, suspects de complicité avec la rébellion, et les faisant embarquer pour la France. Ses troupes purent bousculer les bandes rebelles désemparées par cette décision. Alors que le Sud avait aussi été gagné, la province du Cap ne bougea pas et, fin avril, l'exécution de plusieurs mutins parvint à ramener le calme.

En juillet 1769, l'arrivée d'une escadre de France qui donnait de nouveaux moyens aux administrateurs achevait la soumission de l'île. Mais, en dépit de la volonté de l'intendant Bongars d'atteindre les responsables, les notables, la répression resta légère. On conseilla seulement aux habitants « bien établis » d'être « plus circonspects à l'avenir », et il n'y eut que deux sentences de mort effectivement exécutées, atteignant un petit blanc et un mulâtre. La mansuétude royale restait presque aussi grande que sous la Régence. Dans les Conseils, des gradués de métropole furent introduits mais ils se montrèrent aussi « colons » que les magistrats précédents. Le Conseil du Cap intervint à son tour, s'employant à « croiser » les décisions des administrateurs[30]. Les ordonnances de 1784 et 1785 qui s'efforçaient d'alléger le sort des esclaves sur les plantations parurent « despotiques », et le conseil du Cap refusa de les enregistrer. Versailles réagit en fondant les Conseils du Cap et du Port-au-Prince en un seul, appelé Conseil de Saint-Domingue, en janvier 1787.

Alors que cette mesure n'entraînait pas de conséquences fâcheuses pour les justiciables puisqu'on étendait en même temps les compétences des tribunaux de sénéchaussée et d'amirauté, saisis d'une « violente amertume » contre le pouvoir, les conseillers du Cap, « la vermine judiciaire », renforcèrent leur campagne contre les projets de réformes coloniales des ministres, soutenus par les loges maçonniques très puissantes dans la colonie. Un Moreau de Saint-Méry, déçu, il est vrai, dans ses espoirs d'être nommé procureur général du Conseil du Cap, se fit le champion de la cause des magistrats en parcourant la colonie. Comme ses pairs il n'hésitait pas à tomber dans l'excès en fustigeant les coups de despotisme des administrateurs, mais aussi très clairement il montrait dans l'œuvre majeure, alors rédigée par lui, les *Lois et Constitutions des Iles*, combien la législation de la métropole s'adaptait mal aux situations coloniales. Il allait jusqu'à estimer que Saint-Domingue devait bénéficier d'une législation propre. On n'allait pas tarder à voir qu'au Cap comme à Port-au-Prince ils seraient très nombreux à réclamer la réunion d'une assemblée coloniale apte à soutenir l'envoi d'une délégation des députés de la colonie aux États généraux.

5

La société et la couleur

En 1789, les Antilles françaises étaient les colonies les plus peuplées de la Caraïbe, avec un total de 759 245 habitants. Leur population avait progressé de manière sensible, elle n'était encore, en 1779, que de 475 000 habitants. Elles le devaient à la très forte augmentation de la main-d'œuvre servile de la Grande Antille, Saint-Domingue, où les esclaves étaient passés de moins de 250 000 à plus de 470 000 de 1780 à 1789. En Martinique et en Guadeloupe, au contraire, on ne notait pas une tendance similaire : les esclaves y étaient respectivement au nombre de 71 268, en 1776, pour la Martinique, et de 85 327 pour la Guadeloupe en 1779 ; ces deux colonies comptaient, en 1789, 73 416 esclaves pour la première, 86 100 pour la seconde. À Saint-Domingue, l'impressionnante expansion de la traite française dans les années 1780 fournit l'explication de cette hausse du nombre des esclaves : dans les seules années 1785-89, plus de 137 000 Africains furent débarqués dans ses ports avec un sommet atteint en 1790, année où 40 000 captifs furent introduits à Saint-Domingue, dont 19 000 pour le seul port du Cap[1]. Entre la fin des années 1760 et la fin des années 1780, le nombre annuel des esclaves débarqués dans l'île a doublé, passant de 13 600 à 27 500. Aux îles du Vent, en dépit des apports de la traite étrangère, les entrées d'esclaves restaient relativement faibles ; ainsi, en 1787 et 1788, on peut dénombrer 5 400 et 6 300 captifs débarqués en Martinique et en Guadeloupe où la majeure partie des ateliers était faite d'esclaves créoles, nés dans ces colonies[2].

Les majorités noires dominaient, par conséquent, la population coloniale. À Saint-Domingue, en 1779, on comptait plus de 7 esclaves pour 1 Blanc (249 098 esclaves pour 32 650 Blancs), en 1789, en retenant l'estimation haute de Moreau de Saint-Méry qui estimait alors le nombre des Blancs à 40 000, c'était un peu moins de 12 esclaves pour 1 Blanc. Aux îles du Vent, les rapports étaient moins déséquilibrés puisqu'on trouvait un peu moins de 8 esclaves pour 1 Blanc en Guadeloupe en 1790 (11 100 Blancs pour 86 100 esclaves) et près de 7 esclaves pour 1 Blanc en Martinique, en 1788 (10 634 Blancs et 73 416 esclaves[3]). Il convient de souligner que ces moyennes étaient très largement dépassées dans le monde de la plantation où les Blancs étaient loin d'être légion, les ateliers de la plantation sucrière de Saint-Domingue dépassaient le plus souvent les 200 esclaves et les Blancs étaient représentés par le planteur (quand ce dernier n'était pas un absentéiste), le gérant, l'économe, parfois un raffineur, un chirurgien, des artisans maçons ou de moulin. Mais ces derniers étaient le plus souvent en charge de plusieurs plantations, se déplaçant entre elles.

Les gens de couleur libres étaient aussi en forte progression. À Saint-Domingue, en moins de quinze ans, de 1775 à 1789, leur nombre passa de moins de 7 000 à plus de 28 000. En raison de la présence dans cette colonie comme aux îles du Vent d'un certain nombre « d'affranchis sans l'être », vivant comme libres sans avoir été officiellement émancipés, il faudrait augmenter ce nombre d'au moins 10 à 12 000 personnes, et les Libres se trouveraient en nombre supérieur aux Blancs. En Guadeloupe, les gens de couleur libres étaient au nombre de 1 175 en 1772, ils étaient 3 000 en 1789 alors qu'en Martinique leur nombre était, à cette date, supérieur, montant à 5 236 ; en 1767, les libres martiniquais n'étaient que 1 814. Par le rapport entre libres de couleur et Blancs, la Martinique venait, en 1789, après Saint-Domingue, les 5 236 Libres de cette colonie représentaient à cette date un peu moins de la moitié des Blancs alors que dans la Grande Antille ils en représentaient les deux tiers.

Anne Pérotin-Dumon a montré que les libres de couleur étaient plus nombreux en Guadeloupe dans les villes, Basse-Terre et Pointe-à-Pitre, que dans les campagnes, et l'on peut admettre pour la Martinique une même situation. En revanche, à Saint-Domingue, les libres de couleur constituaient un groupe en majorité rural. S'ils dépassaient sans doute les Blancs dans la plupart des « bourgs » de l'intérieur et dans de petits ports, le libre de couleur vivait le plus souvent en petit propriétaire ou planteur plutôt qu'en artisan ou marchand urbain. Sans pour autant négliger la place des libres de couleur dans des villes comme Le Cap ou Port-au-Prince, il convient de souligner cette situation due à la présence de terres neuves à conquérir dans le Sud comme à l'absence de restrictions légales à la propriété des esclaves et à l'héritage pour les non-Blancs. Dans la Grande Antille, liés par les solidarités de l'aisance sinon de la richesse, souvent enviés par les Blancs les plus modestes, les gens de couleur libres occupaient une position qu'ils n'avaient pas aux îles du Vent face aux Blancs.

Ces derniers connaissaient la régression de leur nombre en Guadeloupe comme en Martinique, ils étaient passés dans la première colonie de 14 100 en 1772 à 11 400 en 1790, et dans la seconde, de 11 732 en 1772 à 10 634 en 1789[4]. Ce n'était absolument pas le cas à Saint-Domingue où leur nombre avait pratiquement doublé entre 1775 et 1789, passant de 20 360 à 40 000[5] : il n'était que de 13 700 en 1750. Cet essor spectaculaire était dû à un très fort mouvement d'immigration après la guerre de Sept Ans. « Une nuée de jeunes gens, de tous les milieux, pauvres le plus souvent, ambitieux et âpres, est arrivée à Saint-Domingue », Gabriel Debien a remarquablement dépeint cette accélération de l'immigration, provoquée bien sûr par le développement de l'économie sucrière et surtout caféière. Elle a changé le climat des rapports entre Blancs et libres de couleur car ces nouveaux venus recherchant la terre et les emplois se heurtaient partout à la concurrence des Libres qui occupaient ou leur disputaient les places ou les terres « bonnes à prendre[6] ». Le déclin du nombre des Blancs aux îles du Vent peut s'expliquer aussi par l'attraction qu'exerçait Saint-Domingue dans la deuxième moitié du xviiie siècle.

Après avoir présenté la trame de la répartition des « classes » aux Antilles, il faut tenter une approche des caractères de chacune. Chez les Blancs, héritiers de plus de cent cinquante ans de colonisation, se mêlaient le souci des uns de se conduire comme des légataires profitant d'une masse de richesses et d'expérience, c'était le cas des aristocraties coloniales de Martinique et de Guadeloupe, le désir des autres, à Saint-Domingue, pionniers du front caféier ou riches sucriers, de puiser dans une main-d'œuvre toujours plus nombreuse pour développer une fortune permettant à beaucoup de revenir en France jouir de leurs revenus frais, en « Amériquains ». Les libres de couleur faisaient eux aussi figure de pionniers dans la Grande Antille, sur les quartiers neufs, voire s'enrichissaient dans les plaines du sucre où, enfants de couleur des grands planteurs, élevés en France, ils se voyaient confier l'administration des biens des colons rentrés dans le royaume. Ils pouvaient aussi être présents dans les villes portuaires de Saint-Domingue et encore plus aux îles du Vent. Les plus fortunés, un Raimond ou un Ogé, entendaient qu'on leur reconnût en droit la place occupée en fait et donc « mettre des bornes et une fin à la tache qui semble se perpétuer trop longtemps et trop loin[7] ». Les esclaves, Africains arrivés par milliers, acclimatés au prix d'un dur effort et dominant les ateliers de Saint-Domingue, en particulier dans les récentes plantations caféières des mornes, créoles plus nombreux aux îles du Vent mais majoritaires aussi dans la plaine du Nord à Saint-Domingue, souffraient d'une condition toujours très dure en dépit des allègements apportés par les ordonnances royales des années 1780.

LES BLANCS, DES ARISTOCRATIES COLONIALES AUX PETITS BLANCS

Une aristocratie coloniale, le cas martiniquais

Les grands blancs de Saint-Domingue étaient les plus admirés en France pour leur richesse. Ils contractaient dans le monde de la banque, du grand commerce, des parlements, voire de la Cour, les alliances les plus enviables. Leurs plantations étaient parmi les plus anciennes et les plus étendues dans les riches plaines sucrières mais se confondaient le plus souvent avec les propriétés d'absents. La plus grande partie, en effet, de cette élite ne résidait pas dans la colonie, était plus métropolitaine qu'antillaise, ayant presque toujours une grande part de sa fortune dans le royaume. Ses membres n'avaient de contact avec les plantations de l'outre-mer que par la correspondance entretenue avec les gérants de leurs domaines, traitant avec des négociants des ports, les procureurs, pour les achats d'esclaves et de vivres comme pour les ventes de denrées, et les revenus se transformaient en pensions qui étaient la base de la rente coloniale la plus prestigieuse. Il n'y avait pas chez ces grands blancs la tradition de racines antillaises entretenues par une résidence séculaire.

Au contraire, aux îles du Vent, dans des colonies plus anciennes et qui pouvaient s'enorgueillir d'avoir été les berceaux de la colonisation, il y avait place pour une aristocratie coloniale aux origines les plus lointaines pour certains de ses membres, renouvelée pour d'autres, mais toujours présente à la fin de l'Ancien Régime. Les fortunes étaient certes plus modestes, les plantations et les ateliers d'esclaves de bien moindre dimension, mais l'*aura* qui cernait les naissances assurait à leurs détenteurs un prestige exceptionnel. Il ne semblait pas, en 1789, que les temps eussent changé, la présence de plusieurs des leurs au Conseil supérieur, les alliances familiales les plus opportunes, tout assurait à ces dynasties la permanence d'un rang qui nourrissait encore les ambitions de chacun. Quand le célèbre créole martiniquais Jean-Baptiste Dubuc Duferret, chef du Bureau des Colonies sous Choiseul, appartenant à une des familles les plus considérées, écrivait, le 9 juillet 1789, à Moreau de Saint-Méry alors membre du Conseil supérieur de Saint-Domingue mais héritier lui-même d'une tradition familiale martiniquaise – son grand-père Médéric avait été un des premiers greffiers en chef du Conseil de la Martinique sous la Régence –, « Vous n'en êtes pas moins, Monsieur, notre compatriote, et le parent de presque toute la colonie de la Martinique[8] », il lui reconnaissait une qualité qu'il pouvait voir possédée par les grands blancs martiniquais, tous unis par les alliances.

On peut distinguer dans l'aristocratie coloniale martiniquaise deux groupes principaux, d'une part, celui des familles les plus anciennes, installées depuis les débuts de la colonisation, d'autre part, celui de familles fixées au début du XVIIIe siècle. Les ancêtres des premières avaient pour certains accompagné les Du Parquet et Thoisy, quelques-uns avaient connu l'étape de Saint-Christophe avant de se fixer en Martinique. Plusieurs avaient pris part à la révolte du Gaoulé, cas des Levassor et des Dubuc, ou s'étaient efforcés d'y diminuer le rôle joué par leurs parents, un Cacqueray de Valmenier se distingua en faisant tout pour persuader le gouverneur Feuquières de la culpabilité de Jean Dubuc l'Étang pour innocenter les Levassor.

Les origines de plusieurs étaient des plus modestes. Le Poitevin Jean Jaham débarqua dès 1635 en qualité d'engagé à Saint-Christophe mais sut assez rapidement entrer dans le cercle des fidèles de Du Parquet. Venu quelque quinze ans plus tard, en 1651, avec de nombreux engagés, Louis de Cacqueray de Valmenier sut lui aussi obtenir la confiance de Jacques Du Parquet qui « le reçut avec joie et lui donna toute la terre qu'il voulut[9] » et l'envoya comme gouverneur à la Grenade en 1654. Claude Gaigneron, créole, était encore domestique en 1680 chez un riche sucrier, Pierre Péjot du Joncheray, possédant un atelier de trente-deux esclaves. La même année, âgé de vingt-quatre ans, il épousait Françoise Le Danois, elle aussi créole, la famille ne devait émerger, grâce aux alliances pour les enfants, qu'au XVIIIe siècle. Durement critiqué par l'intendant Vaucresson, Simon Thibaut, « maçon et commandeur sur les habitations », avait son fils, Jean-Baptiste, créole, qui entrait en 1698 au Conseil souverain et devenait riche habitant sucrier au Marin. Là aussi les alliances relevèrent le nom, dès 1691, Jean-Baptiste Thibaut avait épousé aux Trois-Ilets la fille d'un des défenseurs du Fort-Royal en juillet 1674, le Normand Guillaume Le Roux, habitant sucrier qui possédait trente-cinq Nègres en 1677. Le petit-fils de Simon Thibaut, lui aussi conseiller, entra dans la parenté des Dorange, une des toutes premières familles de l'île, en épousant à Rivière-Pilote, en 1722, Luce Prunes, alliée aussi aux Laguarigue de Savigny et aux Cornette.

Les alliances consacraient, en effet, le rang. Lui aussi lié aux Dorange dès 1658, Jean Papin dit l'Épine devait fonder une famille aux parentés les mieux reconnues. Les Papin l'Epine renforcèrent leur position en s'alliant aux Gaigneron, aux Febvrier, aux Hericher. Cependant, en épousant en 1725 un des plus gros négociants de Saint-Pierre, Alexis Pitault, la petite-fille de Jean Papin l'Épine donnait aussi une nouvelle assise à sa famille qui devint dans la deuxième moitié du siècle une des mieux possessionnées de la colonie avec les habitations Le Durocher et le Petit-Morne au Lamentin. Chez les Cacqueray de Valmenier, ce fut en 1700 le mariage à Fort-Royal du créole Louis Gaston Cacqueray de Valmenier avec Françoise Rose Levassor de La Touche qui fit entrer la famille dans un des clans les plus honorés et les plus fermés. Le marié devenait le neveu du colonel de milice tout-puissant lors du Gaoulé, Samuel-François Levassor de La Touche, et serait dix-sept ans plus tard son meilleur fidèle. Venu de Rouen avant 1684, Pierre Bence put marier son fils en 1719 à Marie-Françoise Cornet, fille d'un grand sucrier du Marin. Son petit-fils, Nicolas-François, en épousant une Gaigneron-Jolimont en 1753, entrait dans le cercle des parentés des Leyritz et des Laguarigue de Survilliers.

Ce fut donc au xviiie siècle que ces constellations familiales s'agrandirent jusqu'à pratiquement unir entre elles toutes les familles de l'île. Il est possible de relever la part qu'y prirent alors de nouveaux venus, tels les Assier, les Duval de Grenonville, les Perrinelle Dumay et les Dessalles. Des familles venues seulement à la fin du règne de Louis XIV et sous la Régence surent s'intégrer parfaitement à l'élite de la colonie en nouant les alliances nécessaires.

Anobli en 1768 à quatre-vingts ans, Jean Assier, alors doyen du Conseil supérieur, pouvait se targuer d'avoir donné le plus grand lustre à son nom. Fils d'un marchand tapissier de Montpellier, venu en 1710, à vingt-deux ans, vendre une pacotille à Saint-Pierre, il profita amplement de la protection du gouverneur Phélypeaux qui le jugeait « jeune homme bien fait, spirituel, sage et de bonne conduite » et lui fit obtenir à vingt-six ans une commission de substitut du procureur royal au Fort-Royal. Entré plus tardivement, à trente-six ans, en 1724, au Conseil supérieur, Jean Assier put donner à sa famille une nouvelle assise en épousant en 1729 Marthe Roblot. Une étonnante constellation familiale se dessina alors : dès la deuxième génération, dans les années 1750-1760, ses enfants entraient dans les cercles des Le Quoy, Laguarigue de Survilliers, Leyritz, Carreau de Gaschereau ; à la troisième génération, dans les années 1770-1790, de nouvelles alliances se nouaient avec les Marraud des Grottes, les Marraud de Sigalony, les Reynal de Saint-Michel, les de Gentile.

En deux mariages, le Normand Jean-Antoine Duval de Grenonville, arrivé en Martinique avec un grade d'avocat, allait parvenir au statut d'habitant sucrier. En 1710, il épousait à Rivière-Pilote Anne Byon, la veuve du Danois Jean Lars dont le père avait vingt-deux esclaves en 1677, puis en 1727, au Vauclin, la fille d'un sucrier, Marie-Anne Doens. Le premier mariage était qualifié par son petit-fils, le comte Jean-Marie Duval de Grenonville, dans ses Mémoires, d'« assez bon ». Il entra au Conseil supérieur en 1724, lui aussi protégé par un gouverneur, Feuquières, après le Gaoulé, peut-être pour s'être pris de querelle avec un Levassor de La Touche, alors très mal vu de l'administrateur. Entré au Conseil, son fils Jean-Lambert s'assurait par son mariage avec Jeanne Huyghues appartenant à une riche famille de sucriers le contrôle d'une grande habitation au Vauclin. La sœur de Jean-Lambert, Camille, en épousant Joseph Acquart, un des grands négociants de Saint-Pierre, donnait à la famille un lien avec le négoce toujours apprécié des sucriers.

L'ancienne famille des Littée qui avait possédé à Saint-Christophe une habitation prospère et avait quitté cette île pour la Martinique après la débâcle des Français en 1690, en se fixant à Saint-Pierre dans le négoce pour trouver ensuite son assise sur la côte atlantique à Sainte-Marie, allait permettre aux Perrinelle et aux Dessalles de s'intégrer dans les élites de la colonie. Le Parisien Jean Perrinelle Dumay obtint en 1719 du Conseil de marine une des places vacantes au Conseil supérieur de la Martinique. Lui aussi né à Paris, son neveu Louis-Antoine-Jean Perrinelle devait donner à la famille la plus grande notoriété. Arrivé à vingt-quatre ans dans l'île, en 1747, il épousa, la même année, Louise-Françoise Littée, fille du négociant et armateur de Saint-Pierre, Joseph-François Littée, trois ans avant d'être nommé conseiller assesseur. Il présente un des cas de promotion les plus rapides du milieu du siècle, dû probablement au soutien de son oncle, présent au Conseil depuis plus d'un quart de siècle, comme à celui des Littée. Le nou-

veau conseiller trouva aussi la considération dans une
solide position d'habitant sucrier : après la guerre de Sept
Ans, il put faire l'acquisition de la grande habitation des
Jésuites à Saint-Pierre dont il fit un des sites le plus réputés
de la colonie. En 1772, l'anoblissement consacrait sa réussite. Son fils, créole, put, à dix-sept ans, épouser le
1er novembre 1789 Césarine Pitault de La Rifaudière, une
richissime héritière dont le père était un armateur de Saint-
Pierre, enrichi par les avances faites au gouverneur Bouillé
pendant la campagne contre les Antilles anglaises et « rem-
boursé » par des lettres de noblesse.

Louis-Antoine-Jean Perrinelle était avec Jean-Baptiste
Thibaut de Chanvallon un des témoins de Pierre Dessalles
au mariage de ce dernier avec sa cousine Marie-Catherine
Littée en 1753. Son père, négociant à Saint-Pierre, avait lui
aussi épousé une Littée. « Je suis donc sorti d'une des plus
anciennes et des plus honnêtes familles du pays, dans
laquelle l'honneur, la probité et la vertu ont toujours été
une recommandation[10]. » Quand, le 2 novembre 1774,
Pierre Dessalles justifiait en ces termes sa demande de
lettres de noblesse personnelle, il rappelait la tradition
familiale reçue des Littée en même temps que celle de sa
propre famille. Entré au Conseil un an avant son mariage,
à trente-trois ans, il sut rechercher pour ses enfants les
meilleures alliances, celles des Levassor de Bonneterre et
des Carreau-Gachereau ; son fils aîné, Pierre-François-
Régis, épousa en 1784 Manon d'Albis de Gissac dont la
famille de noblesse militaire était installée depuis une vingtaine d'années en Guadeloupe. « C'était une habitation
immense, jouissant de la réputation d'être l'une des meilleures de la Martinique..., c'était dans le principe un moulin
à sucre, tourné par des bêtes, mais tout mesquin qu'il fût,
il a entraîné la fortune. » Au XIXe siècle, Adrien Dessalles,
son arrière-petit-fils, soulignait la richesse apportée à
Pierre Dessalles par la possession de l'*Union*, à Sainte-
Marie, une habitation sucrière prospère, acquise des Littée
en 1763 et évaluée à cette date 647 000 livres ; vingt-deux

ans plus tard, après la mort de Dessalles en 1781, sa fortune totale était estimée à trois millions de livres.

Les fortunes étaient cependant soumises aux aléas d'un climat antillais capricieux, aux sécheresses de Carême et aux « avalasses » d'hivernage redoutables : en 1766, découragé après un violent ouragan qui avait ravagé sa plantation, Pierre Dessalles voulait l'abandonner. Surtout, le train de vie des grands planteurs était coûteux, moins par la résidence sur l'habitation que par celle de Saint-Pierre ou de Fort-Royal, souvent pratiquée, et surtout par les séjours assez fréquents en France. Il s'y ajoutait les frais élevés assumés pour l'éducation des enfants le plus souvent conduite dans le royaume. Partis très jeunes, entre six et dix ans, les futurs planteurs restaient en France pour des études classiques et de droit menées jusqu'à l'âge de vingt ans ou plus, leur permettant d'obtenir « facilement » des diplômes de bachelier et de licencié en droit, avec finalement le grade d'avocat. Comme les fils de négociants des grands ports, ils pouvaient, ce fut le cas de Jean-Marie Duval de Grenonville en 1784, visiter la province et l'étranger. Au retour, ils retrouvaient leur île pour se préparer par une alliance remarquée à la transmission du nom. La longue échappée en métropole ne leur avait pas fait complètement oublier l'atmosphère de l'île, ils rentraient dans la familiarité du monde de la plantation, fêtés par leurs parents et... par les esclaves. Jean-Marie Duval de Grenonville, revenu en 1785 à vingt et un ans, garda toujours le souvenir de cette fête : « On donna aux nègres de l'habitation une journée pour fêter mon arrivée, elle le fut par leurs danses et par leurs chants d'une manière si étrange que j'en ai gardé le souvenir[11]. »

Les dimensions relativement réduites des habitations et des ateliers – ces derniers ne dépassaient pas la centaine d'esclaves – ne donnaient pas à la vie des grands planteurs le caractère inhumain pris à Saint-Domingue par les extraordinaires concentrations serviles et la recherche d'une production toujours croissante. L'aristocratie coloniale martiniquaise avait su préserver son patrimoine, soutenue bien plus qu'il n'a été dit par un grand négoce, celui de Saint-Pierre, entré dans ses alliances.

Les nouveaux colons de la Grande Antille

Un certain nombre de Martiniquais avaient voulu quitter leur île pour Saint-Domingue au milieu du XVIIIe siècle. Tout comme les immigrants de la métropole, ils étaient attirés par le spectaculaire essor de la colonie, cela dès les années 1730-1740, et plus encore après la guerre de Sept Ans. Mais c'est bien de France que vinrent la majorité de ces nouveaux pionniers, avides de rapidement faire fortune, peu désireux pour la plupart de donner à leurs familles un véritable enracinement colonial. La majorité venaient en célibataires, et le mariage créole était devenu bien plus difficile.

Alors que les grands blancs avaient la main sur les biens de plaine, tournés essentiellement vers la production sucrière où, riches de terres et d'esclaves, ils obtenaient des revenus élevés, ces nouveaux venus s'étaient tournés vers le café à planter dans les mornes. Les sucreries de plaine étaient signe de richesse et d'honorabilité, elles étaient parfois complétées par une caféière ouverte dans les mornes proches ; les fortunes y avaient été édifiées par plusieurs générations créoles. Jacques de Cauna a donné un bon exemple d'une telle fortune avec celle des Brossard-Laguehaye dont la sucrerie proche du Cap dans le quartier de la Petite Anse comptait 188 esclaves et représentait un investissement supérieur au million[12]. Depuis plus d'un demi-siècle propriété de la famille, en 1782, à la mort du dernier créole de celle-ci qui y résidait, la plantation fut laissée aux mains d'un gérant. Le cadre de vie reflétait l'aisance : une grand case neuve et bien meublée, table et bureau en acajou, miroirs, vaisselle en porcelaine et faïence anglaise, et même une bibliothèque avec les vingt-huit volumes du *Dictionnaire universel* de Trévoux. Tout y rappelait l'art des réceptions conviviales, le goût du propriétaire pour une vie partagée entre les lourds soucis de la gestion de la sucrerie et la détente de la lecture ou de la chasse (quatre fusils étaient recensés dans l'inventaire de 1782), le corps reposé après la chevauchée solitaire par le bain – chevaux de selle et baignoire en cuivre étaient également recensés. Moreau de Saint-Méry a lui aussi tracé le cadre élégant de ces habitations sucreries des grands blancs, telle celle des Charrier, au Haut-du-Cap[13]. Il souligne l'élégance des meubles « sans somptuosité », l'immensité du salon décoré de peintures fraîches sans recherche, la qualité de la galerie ombragée, « tout promet dans cet asile le frais et le repos ».

Rien de tel chez les colons pionniers du café. Entreprenants et aventureux, le planteur caféier de la nouvelle génération ne possédait pas sur son habitation cette assise d'une ancienne vie créole[14]. Arrivés après la paix de 1763, aux premiers succès des cafés de Saint-Domingue, ils apportaient en général peu de capitaux mais les solidarités assurées par les réseaux de parenté. « L'appel de clocher » en regroupait certains, autour de leurs « pays », dans des quartiers comme celui du Dondon, à la Marmelade, au sud du Cap, ou dans ceux du Sud, autour d'Acquin et de Saint-Louis. Souvent, après le débarquement, une première étape avait été la vie d'un cadre de la plantation sucrière, comme raffineur ou économe, ou encore les années passées dans les villes portuaires, dans les professions du commerce ou du palais.

Tel Bigourdan, cité par Moreau de Saint-Méry, en offre un bon exemple. Destiné par sa famille à l'Église, il se décida à passer aux Iles, « ayant entendu dire qu'on y avait bonne opinion des beaux habits, il en acheta autant qu'il put, prit quelques livres, et s'embarqua en 1748 pour Saint-Domingue sur un vaisseau qui passa à la Martinique et qui le transporta ensuite dans la Partie-du-Sud où il débarqua avec un seul louis d'or[15] ». Davezac de Castera y trouva un oncle dont l'aveu joint aux lettres d'avocat (celles de son frère aîné) fit, en 1749, du nouvel arrivé un procureur de la sénéchaussée de Saint-Louis. Au bout de quelques mois, Davezac démissionna et acquit une indigoterie puis une caféière.

Pour ces nouveaux colons les capitaux et les appuis nécessaires venaient souvent des villes, du commerce, le Cap, Saint-Marc, Port-au-Prince, Saint-Louis. Par l'exercice de charges de procureur, d'arpenteur, de greffier, ils parvenaient à réunir quelques fonds, se mettaient au courant des arcanes de la vie coloniale et réussissaient à satisfaire leur ambition de porter le titre d'habitant, propriétaire d'une plantation. Ainsi ils échappaient à la dure condition du petit blanc qui guettait un grand nombre des nouveaux arrivants obligés de chercher un emploi subalterne sur une grande plantation, ou de petit artisan, et qui pouvait y stagner de longues années.

Au nombre de ces nouveaux planteurs des mornes caféières, on peut aussi ranger ces colons sucriers qui, en raison de la chute des cours du sucre pendant la guerre, de 1756 à 1763, vendirent leurs habitations pour acquérir des terres neuves et se faire caféier afin de saisir la chance d'une nouvelle prospérité avec une culture d'avenir. De ces colons, un exemple est fourni par Charles Guiton de Maulévrier[16]. Débarquant au Port-au-Prince au début de 1775, Maulévrier retrouva un milieu de gentilshommes et d'officiers originaires de sa province, l'Angoumois. À l'Artibonite, il fut reçu chez des Angoumoisins et réussit à épouser la fille d'un compatriote d'Angoulême, une Lecomte de Montroche. Sa famille demeurait depuis quinze ans dans le quartier de l'Artibonite, ayant acheté des terrains neufs dans les mornes des Matheux qui dominent la plaine. Dès son mariage, Maulévrier se porta acquéreur de quelque cent treize hectares de ces terres, et, en dix-huit mois, il avait planté une dizaine de milliers de caféiers. Pour lui, comme pour bien d'autres colons pionniers, le problème majeur était la recherche d'esclaves à bon compte, suffisamment nombreux. Leur paiement se faisait à crédit et, pour trouver les fonds nécessaires, il fallait vendre certaines terres disponibles. Dans le cas de Maulévrier, ce fut une indigoterie possédée par les Lecomte à l'Artibonite. Non créole, Maulévrier ne s'embarrassait pas de scrupules : la terre ne comptait que pour donner du revenu, vendre ou l'acquérir se faisait selon les opportunités. Avec le produit de la vente de l'indigoterie, il pouvait « se mettre au café en grand ».

Le front pionnier du café s'accompagna donc d'un mouvement de propriétés très actif auquel prirent part certains libres de couleur. Les concessions étaient souvent mal arpentées, il y avait matière à de nombreux procès entre colons. En 1779, la plantation de Maulévrier était définitivement installée, son maître résidait sur son bien, acceptant une vie rude dans la solitude des mornes où s'imposait la monotonie de la surveillance journalière des travaux. Comme beaucoup d'autres nouveaux colons, après dix ans de colonie, Maulévrier rêvait de revenir en France, rêve qu'il put réaliser en 1786, en s'accordant avec la maison Gareshé de La Rochelle qui avait sa filiale au Port-au-Prince. Ce négociant devenait le « procureur » de l'habitation, devait rechercher à ce titre les crédits, procurer les esclaves, l'outillage, les animaux. La récolte vendue par lui servait de garantie, on entrait dans la « liaison » d'habitation avec le négoce, si souvent pratiquée à Saint-Domingue.

L'habitation était une réussite, de soixante-dix-sept esclaves en 1779, l'atelier était passé à cent seize au départ du colon, cela grâce à des achats de « lots » d'Africains. Aussi, comme dans beaucoup d'ateliers de ces nouvelles plantations, les *bossales* (nouveaux), Africains, étaient plus nombreux que les créoles. Le logis du planteur n'était pas, comme dans la plaine sucrière, l'expression de la dignité d'habitant. Après dix ans de colonie et de mariage, l'installation ne faisait que commencer. Devenue bien lointaine pour le colon qui toucherait les revenus à son retour en France, l'habitation ne verrait pas la grande case devenir

résidence avenante, propre à faire l'orgueil d'une famille
créole.

À côté de ces immigrants qui, comme Maulévrier, étaient
parvenus à la réussite, il y avait aussi place dans la classe
moyenne constituée au-dessous de l'aristocratie coloniale
pour des gérants de grande plantation sucrière qui, réunissant des capitaux, fruits de leurs économies ou souvent de
leurs pillages au détriment du colon absent, mettaient eux
aussi la main sur les nouvelles plantations caféières.

Le Rochelais Jean-Baptiste Arnaudeau avait commencé à
se former sur le tas, comme économe en 1775, sur l'habitation sucrerie d'un grand négociant de Port-au-Prince, Aimé-
Benjamin Fleuriau. Bellevue, dans la riche plaine du Cul-
de-Sac, couvrait 320 hectares et employait plus de
250 esclaves dans les années 1780. En 1785, Arnaudeau
accéda au poste de gérant, sous le contrôle du négociant
Michel-Joseph Leremboure, procureur de Bellevue. Quatre
ans plus tard, l'ancien économe réalisait l'ambition de tout
cadre de plantation, devenir à son tour propriétaire, ou du
moins exploiter pour son compte une habitation[17]. Une
caféière des mornes proches fit l'affaire. Comme bien
d'autres il y parvenait en investissant ses gains : Arnaudeau
touchait 7 % du revenu brut, en bonne année comme en
1791, jusqu'à 15 000 livres et un salaire d'au moins
6 000 livres. On notera la différence des revenus entre un
procureur et un gérant, en procurations pour cinq habitations, Leremboure faisait jusqu'à plus de 100 000 livres[18].

Arnaudeau était-il allé jusqu'à imiter le comportement
de certains gérants n'hésitant pas à « arranger » à leur
avantage les comptes ? Il s'employait à dénoncer la « fri-
ponnerie » de certains qui n'hésitaient pas à mettre le beau
sucre sur le dessus de la barrique et entendait donner
l'image d'un gérant compétent et honnête. Le procureur
Duliepvre, successeur de Leremboure, jugeait qu'il conduisait l'atelier en « bon père de famille ». Il semblait, en effet,
remplir correctement la lourde charge de diriger la marche
quotidienne de l'habitation, roulaison du sucre, réparation

des bâtiments, travail et état sanitaire des Nègres. Il prêtait attention à la « population », aux Négresses enceintes, aux enfants – « tout cela vient bien et nous fera une jolie jeunesse », écrivait-il aux Fleuriau. Mais il ne craignait pas pour autant de pratiquer le détournement des Nègres de l'atelier qu'il faisait travailler sur sa caféière. Interrogés par le gérant d'une habitation voisine, les Nègres Fleuriau fournirent des indications sur ce trafic :

> Toutes les semaines li envoyé en habitation li 30 à
> 40 nègres Fleuriau : ça pas coquin blanc ci la là ?
> Nous connais, nous doit pas travail sur habitation
> procureur nous.
> (Toutes les semaines, il envoie sur son habitation 30
> à 40 Nègres de Fleuriau : est-ce que ce n'est pas un
> coquin que ce Blanc-là ? Nous savons bien que nous
> ne devons pas travailler sur l'habitation de notre
> procureur[19].)

Mais pour le gérant sans attache avec le monde créole, lié à des réseaux d'immigrants récents où la concurrence pour les places était impitoyable, l'essentiel était de sortir de l'instabilité qui caractérisait ce milieu. Quand il pouvait acquérir une petite place à café, à indigo, ou à coton, et la garnir d'une douzaine d'esclaves, le gérant devenait un autre homme. Il entrait dans la classe des « cultivateurs » et des maîtres, il s'insérait dans la communauté coloniale[20].

Les petits blancs

Mais les succès n'étaient pas toujours au rendez-vous. Prétendre devenir habitant, beaucoup le voulaient, peu y parvenaient. Se placer dans ces années 1760-1770 où les immigrants se firent de plus en plus nombreux devint fort aléatoire. « La colonie regorge de monde..., il y a tant de jeunes dans ce pays-ci que les rues en fourmillent et la plupart meurent de misère », le Bigourdan Charles de Lepinaist, pourtant fortement recommandé aux héritiers Bréda, riches planteurs de la Partie-du-Nord, resta un an au Cap en 1774 sans trouver une place. Grandes, en effet, étaient les difficultés : choc d'un climat auquel il était souvent difficile de s'adapter, « il y a beaucoup de morts sur les arrivants de France..., – ce pays-ci tombeau des jeunes gens où il en meurt au moins huit sur dix » –, rudesse des conditions de travail dans la fièvre de la roulaison, quand la sucrerie était en pleine activité, où l'on travaillait de jour comme de nuit, comme dans la solitude des mornes caféiers.

La vie quotidienne du petit blanc sur une sucrerie durant les sept ou huit mois que durait la roulaison était soumise aux impératifs très contraignants de la fabrication du sucre. Le travail de nuit au moulin a été dépeint par un jeune immigrant. À peine âgé de dix-huit ans, arrivé en 1790, Joinville-Gauban supportait mal le rythme fébrile de cette activité :

> Je surveillais donc jusqu'à minuit l'entretien des cannes, le travail du moulin à sucre, l'écumage de l'équipage, le chauffage du vesou... Les nègres, remplacés par d'autres dans divers postes me permettaient de me coucher sur un mauvais matelas. Et comment encore ! Fumigué par les vapeurs des chaudières, par la chaleur infernale des fourneaux, et aux bruits tumultueux de la machine, des chansons et des hélements des nègres de quart, dans un faible état d'assoupissement provoqué par une fatigue excessive, je reposais jusqu'à cinq heures, temps ou la cloche réveillait l'atelier pour lui signifier le travail de jour[21].

Mais surtout bien des petits blancs ne parvenaient pas à trouver la place désirée. Ils faisaient partie de ces mille deux cents économes sans place et gens errants dans les campagnes pour y chercher du travail dénombrés par Hilliard d'Auberteuil, méprisés par les planteurs et l'Administration. Le 25 février 1781, le gouverneur Reynaud de Villeverd exposait avec netteté la doctrine du pouvoir : « Économes, ouvriers et autres gens à gages doivent être contenus dans les égards qu'ils doivent aux propriétaires[22]. » Chacun à sa place, c'était ici l'ensemble des petits blancs qui se voyait condamné par les différences de classe et de richesse à accepter l'ordre colonial. On en vint à assimiler les petits blancs aux mulâtres libres, et chez les premiers s'accumulèrent des motifs de vif ressentiment contre un tel mépris ; leur réaction dans les troubles des années 1789-90 devait s'en inspirer largement.

En effet, souvent la vie du petit blanc ne paraissait pas plus brillante que celle de bien des gens de couleur, leurs voisins, voire était plus difficile. Ils vivaient chichement dans un ajoupa, case sommaire en pisé ; ils avaient la société d'un ou deux esclaves, de leur ménagère noire ou de couleur, pratiquaient quelques déboisements dans les mornes, des plantations de vivres, manioc, patates, de quelques centaines de caféiers. Toujours à court de capitaux ou avec la malchance contre eux, ils ne pouvaient se maintenir, vendaient leur concession, souvent à des gens de couleur, et se repliaient sur les bourgs et les villes. Ils y vivaient d'expédients, y formant une pègre turbulente, prêts à fournir les troupes de choc des émeutes comme en 1767-1769, tenanciers de cabarets, pacotilleurs, souteneurs louant des chambres au Cap ou à Port-au-Prince pour y placer des prostituées de couleur. Quelques-uns se faisaient cependant « un revenu considérable du seul loyer de leurs nègres et de leurs négresses[23] », imités par des libres de couleur. Le baron de Wimpffen auteur de cette déclaration, touche ici à une pratique importante dans les ports de Saint-Domingue qui pouvait, dans certains cas, procurer jusqu'à une certaine aisance à ces propriétaires d'esclaves loués à la journée ou au mois, souvent fort cher car il s'agissait d'esclaves « à talents », employés dans l'artisanat.

« Combien y voit-on de gens que des égarements, des vices et même des forfaits ont expatriés ?... Quelle nombreuse liste on ferait des matelots déserteurs, des pacotilleurs, des gens des bourgs, des "petits blancs" en un mot, que la dissolution crapuleuse de leurs mœurs avec des femmes noires ou de sang mêlé rend inadmissibles partout[24] ». Ce très sombre tableau dressé en 1791 par Ch. de Chabanon ne faisait que traduire une inquiétude croissante chez les colons alors que déjà les petits blancs avaient joué leur rôle dans la révolution de Saint-Domingue. Plus serein mais en même temps plus lucide sur l'importance de la classe des Blancs ainsi rejetée se faisait Moreau de Saint-Méry quand il estimait qu'au moins un sixième des Blancs était sans propriété, instable, « spéculant sur des événements[25] ».

Les violences qui donnèrent le signal des émeutes de 1790 au Port-au-Prince provenaient d'une évolution des mentalités déjà ancienne chez les petits blancs qui avaient, vis-à-vis des libres de couleur, une attitude bien différente de celle des colons. Créoles depuis plusieurs générations, ces derniers étaient exempts de violentes jalousies sociales, et les libres de couleur s'entendaient assez bien avec eux. Au contraire, ambitieux, âpres dans leurs projets, amers quand leurs illusions tombaient, les nouveaux venus se faisaient des adversaires envieux. Ils n'avaient pas l'autorité de la richesse, d'un nom, pour maintenir leur suprématie de Blancs, se faisaient rogues et brutaux, péremptoires dans leurs propos racistes. Le préjugé était chez eux, encore plus que chez d'autres, un réflexe de défense politique.

LES LIBRES DE COULEUR

Dès le début de la colonisation, dans une société insulaire où la majorité des colons étaient célibataires, la coha-

bitation des Blancs et des esclaves produisit une classe
intermédiaire de métis, issue des relations entre les maîtres
blancs et leurs esclaves noires, très rarement l'inverse. Le
fils d'un Blanc et d'une négresse fut appelé mulâtre, celui
d'un Blanc et d'une mulâtresse quarteron. Mulâtres et quarterons étaient dits gens de couleur, expression qu'il ne faut
pas confondre avec celle de libres de couleur.

En effet, très tôt la pratique se développa de les voir
rachetés et libérés par leur père, dans le cas où la mère
était esclave, car les enfants devaient toujours, selon la loi,
suivre la condition de leur mère. Ils étaient affranchis. Mais
cette qualité pouvait aussi s'acquérir chez l'esclave par
rachat propre ou par bons et loyaux services, ce qui
explique l'existence de « Nègres libres ». En outre, dans la
deuxième moitié du XVIIIe siècle, on vit se développer l'affranchissement de leurs esclaves par des libres de couleur.
On voit donc que le « libertinage des blancs avec les négresses » qui donna un alibi moral au préjugé de couleur – les
hommes de couleur étant considérés comme « fruit du vice
et du péché » – ne couvrait pas toute la réalité. On distingua aussi de plus en plus le Libre qui devait sa liberté à la
bonté de son maître, l'affranchi, et le libre de naissance,
dont le père, voire l'aïeul, étaient déjà libres. Ce dernier
avait une nuance de peau très proche du Blanc mais qui ne
pouvait jamais, selon le préjugé, y atteindre. Moreau de
Saint-Méry a, de manière remarquable, dépeint le préjugé
imprégnant toute la société antillaise en rappelant combien
était effective la séparation des couleurs au théâtre du Cap
à Saint-Domingue[26].

> Les négresses libres ont obtenu l'entrée du spectacle
> depuis 1775 mais les mulâtresses en sont séparées...
> Elles [les négresses libres] me choisirent pour rédi-
> ger leur demande et je ne dis qu'un mot, ce fut pour
> demander qu'elles pussent s'asseoir auprès de leurs
> filles. Mais ces filles menacèrent de leur céder toute
> la place si cette confusion avait lieu et il fallut les

mettre dans des loges séparées. Ainsi quand une négresse et sa fille mulâtresse viennent à la comédie, elles se séparent, l'ébène est pour la gauche, le cuivre pour la droite.

Les Libres avaient reçu par l'article 59 de l'édit de 1685, improprement appelé Code noir, les mêmes « droits, privilèges et immunités » que les Blancs. Mais, dès la fin du XVIIe et le début du XVIIIe siècle, sans abolir l'édit, la législation locale suivit les usages et les préjugés. Elle mit une barrière infranchissable entre la condition des Libres et celle des Blancs. « Ces gens de couleur libres sont toujours des affranchis ou des descendants d'affranchis ; à quelque distance de leur origine, ils conservent toujours la tache de l'esclavage » – les instructions du ministre au gouverneur de Saint-Domingue en 1776 rappelaient la force d'un préjugé renforcé au fil des ans.

Pourtant, au même moment, les affranchissements se multipliaient. Moreau de Saint-Méry prit soin de souligner cette accélération qui n'était pas sans renforcer chez certains la résistance à tout affaiblissement du préjugé. Selon lui, de 500 affranchis en 1703, la Grande Antille était passée en 1745 à 3 000, à 6 000 en 1770 et à 28 000 en 1789. En 1785, on avait enregistré à Saint-Domingue 845 affranchissements. Depuis le début du siècle, le pouvoir s'était efforcé de contrôler ces affranchissements en les soumettant à son autorisation. Alors que le Code noir reconnaissait aux maîtres majeurs le pouvoir d'affranchir les esclaves sans condition, une ordonnance des administrateurs de la Guadeloupe en 1711 assujettit l'affranchissement à l'autorisation du gouverneur[27]. Pour freiner les affranchissements, le 8 juin 1745, le ministre proposa au gouverneur de la Martinique d'imposer un droit de 1 000 livres pour l'affranchissement des hommes, de 600 pour celui des femmes. Cette taxe fut ensuite réduite à 600 livres pour les hommes et même supprimée en 1766. Rétablie en 1775, à 1 000 livres pour les hommes, 2 000 pour les femmes âgées de moins de quarante ans, elle était, en fait, à la discrétion de l'intendant qui pouvait la réduire ou même accorder une dispense.

Outre ce paiement d'une taxe à l'Administration, les maîtres, et dans le cas le plus fréquent des affranchissements par testament les exécuteurs testamentaires, se voyaient imposer des enquêtes préalables. En 1713, dans la permission des autorités, on précisait les motifs de la liberté demandée, et l'on ne pourrait récompenser que de longs services ou des actes de dévouement. En 1767, les administrateurs de la Martinique obligèrent les exécuteurs testamentaires à accepter une enquête qui pouvait aboutir à des refus.

Beaucoup de maîtres pensaient que l'intervention de l'Administration qui exigeait le paiement d'une taxe pour la liberté était injustifiée puisque leurs esclaves étaient leur pleine propriété : l'Administration était sans droit sur eux. Aussi les colons accordèrent des libertés de fait, dans le cadre de la plantation ; elles se multiplièrent, au moins à Saint-Domingue, après 1776. Sur un total de 1 630 actes de liberté trouvés par Dominique Rogers dans les notaires de cette colonie pour les années 1776-1789, au Cap et au Port-au-Prince, 151 ne donnaient pas la liberté officielle[28]. Ce n'était que des consentements à la liberté, proches de la liberté de fait, dite « de savane », dont jouissaient certains esclaves. L'expression « libre de savane » se généralisa aux Antilles françaises à la fin du XVIIIe siècle. Des distributions de rations, l'utilisation d'un jardin, rattachaient ce Libre à la plantation dont il ne pouvait s'éloigner, et il pouvait avoir une case près de ce jardin et non pas dans la « rue case-nègres » de la plantation, aux cases groupées et alignées. Son travail était rémunéré, soit à la tâche, soit au mois. Ces Libres étaient tous des esclaves spécialisés dans un service, artisans, domestiques, nourrices, commandeurs et raffineurs, tel Toussaint-Louverture, cocher sur la plantation Bréda au Haut-du-Cap. Pour eux il pouvait y avoir rachat de leur liberté et passage à la liberté officielle. Pour la plantation Galbaud du Fort, Gabriel Debien cite un tel rachat : « Il me reste en garde une somme de 150 livres, écrivait son gérant le 1er juin 1767, cet argent appartient à la vieille Thérèse... Elle vous prie, Mesdames, de vouloir bien lui permettre de s'acheter quoiqu'elle soit comme libre depuis vingt ans, qu'elle ne vous est d'aucune utilité que pour accoucher vos négresses[29]. » En ville, ces rachats étaient plus fréquents, car beaucoup d'esclaves à talent se louaient et pouvaient amasser le pécule nécessaire. Ainsi, en Martinique, à Saint-Pierre, de nombreux « Nègres de journée » bénéficiaient de testaments de maîtres prévoyant qu'ils auraient le droit de travailler pour gagner leur liberté.

Très net à Saint-Domingue dans les années 1770 et 1780, l'accroissement des affranchissements ne fut cependant pas d'un rythme constant. Dominique Rogers a pu distinguer deux phases d'activité élevée, une première en 1778-1779, sous d'Argout et de Vaivre, avec 420 actes pour Port-au-Prince et le Cap, une seconde en 1783-1785, sous Bellecombe et Bongars, avec 600 actes pour les mêmes villes[30]. En effet, les administrateurs eurent des attitudes diverses. Pour expliquer la montée des libertés, Moreau de Saint-Méry mit en cause une politique d'urbanisme : « Les dépenses d'embellissement faites en 1780 et depuis au Cap et au Port-au-Prince ont rendu nombreux les affranchissements car on avait besoin du produit de leur taxe. » Sous l'intendant Le Brasseur, en 1780-1782, il y eut moins de libertés accordées mais augmentation de la taxe jusqu'à 3 000, voire 6 000 livres pour les hommes. L'intendant se défendait d'avoir affranchi de manière inconsidérée :

> Quoique les taxes sur les libertés aient procuré pendant deux ans une somme assez considérable pour entreprendre et terminer beaucoup d'ouvrages publics infiniment utiles, nous ne pouvons cependant être accusés d'avoir affranchi un seul esclave sans des motifs légitimes. Non seulement nous

avons mis des prix excessifs aux libertés pour en
dégoûter les maîtres parce que nous avons senti le
danger politique de ces actes de bienfaisance qui ne
sont souvent que la récompense du libertinage, mais
nous avons rendu plus difficiles les formes qu'on
emploie pour obtenir ces affranchissements[31].

Le Brasseur eut même des projets plus restrictifs comme
celui de demander au maître non apparenté au futur
affranchi de lui constituer une rente viagère de 500 livres
jusqu'à vingt ans : « Le don de liberté devient un fardeau
s'il n'est accompagné des moyens de subsistance », écrivait
l'intendant. Quand le futur affranchi était apparenté au
maître, étant fils de Blanc ou de Libre, le père devait lui
faire apprendre un métier. Le Brasseur projetait aussi de
faire donner un lot de terre au futur affranchi.

Les maîtres savaient par divers subterfuges tourner les
exigences fiscales. Un Blanc, pour échapper à la taxe, vendait par acte simulé son esclave et ses enfants à un autre
Blanc qui épousait alors sa prétendue esclave et l'affran-
chissait avec ses enfants – le mariage élève l'esclave à la
dignité de son maître. Mais le mari disparaissait le jour des
noces, laissant la femme et ses enfants au véritable père,
souvent un homme de couleur. Au lendemain de la guerre
de Sept Ans, toujours pour éviter le paiement de la taxe,
des maîtres imaginèrent de faire passer furtivement leurs
esclaves dans une île étrangère proche pour l'y faire affranchir sous forme d'une vente simulée à quelque colon. Ils
les faisaient ensuite revenir pour qu'ils jouissent paisiblement de cette liberté dans leur île, c'était la pratique des
« libertés étrangères ». Il existait aussi des libertés qui ne
coûtaient pas d'argent au maître parce que l'esclave se
rachetait. Le 7 mai 1785, Jean-Baptiste Clavier déclarait,
au Cap, « qu'il lui est impossible de faire le sacrifice de la
valeur de la négresse Jeannette, malgré toute sa reconnaissance et le désir qu'il a de lui en témoigner », l'esclave tra-
vaillera à son compte pour rembourser les 3 300 livres

qu'elle vaut[32]. Parfois un « patron » ou un « bienveillant »
se faisait maître intérimaire, choisi par l'esclave ; il procédait à un achat fictif de l'esclave qui lui avait remis son
pécule, pour une part de la taxe, et avançait le solde.

Une autre source de liberté fut le service dans les milices
employées pour la défense des Iles et surtout pour la police
intérieure, en particulier la chasse aux esclaves en fuite,
dits « marrons ». En Martinique en 1765, en Guadeloupe
en 1768, les esclaves purent accomplir plusieurs années de
service et obtenir à leur terme la liberté en franchise de
la taxe. Les maîtres aux moyens financiers modestes s'en
servaient car, outre la dispense de taxe, ils n'avaient plus à
payer de capitation pour ces esclaves libérés. En 1780, forte
de 3 400 hommes, la milice guadeloupéenne comptait
1 200 hommes de couleur[33]. Les milices de couleur de
Saint-Domingue reçurent des responsabilités croissantes
pendant la guerre d'Amérique.

Cette montée des nouveaux Libres par les affranchissements des années 1770-1780 contribua à inquiéter les
colons et à renforcer le préjugé de couleur, cela alors même
que des voix se faisaient entendre, soit au sein de la classe
de couleur – on y voit le rôle éminent du quarteron Julien
Raimond –, soit chez certains administrateurs tel le gouverneur Bellecombe et dans les bureaux de la Marine en
métropole, pour réclamer une amélioration du sort des
Libres.

Un thème récurrent était le luxe auquel les Libres pouvaient prétendre. Le 13 juillet 1787, la chambre d'agriculture de la Martinique entendit débattre des « maux que
prépare à la génération qui nous suit ce trop grand nombre
d'affranchis dont la couleur annonçant l'origine encourage
le dépravement des mœurs et montre aux esclaves la route
pour arriver à la liberté... ; ces idées de liberté fermentent
dans toutes les têtes des esclaves ; à la vue de tant de libres,
ils ne supporteront plus de se trouver encore esclaves[34] ».
En Martinique une nouvelle génération avait retenu les
pages les plus ségrégationnistes d'Hilliard d'Auberteuil, cri-

tiquant les affranchissements trop faciles, « toute liberté doit être méritée, aucune payée ». Portant toujours la tache de leur origine, les Libres devaient être contenus. La tendance au renforcement de la barrière entre la condition de Libre et celle de Blanc avait commencé au cours du siècle à se développer. En 1758, à Saint-Domingue, sans nul doute dans une île en proie aux vives inquiétudes provoquées par la révolte de Macandal, le Conseil supérieur du Cap interdit aux Libres le port des armes, à l'exception des miliciens en service. Le pouvoir fit passer de plus en plus de mesures discriminatoires. Il fallut aux Libres obtenir une permission spéciale de l'Administration pour venir en France – beaucoup de leurs enfants y étaient éduqués. Les charges judiciaires, les professions libérales leur furent fermées. Ces incapacités s'étendaient aux Blancs « mésalliés », époux de femmes de couleur. On découragea les mariages entre Blancs et Libres : « Si par le moyen de ces alliances, les blancs finissaient par s'entendre avec les libres, la colonie pourrait se soustraire facilement à l'autorité du Roi. » Depuis 1778, ces mariages étaient interdits en France.

On peut cependant observer, d'une part, des différences de statut entre les Iles, d'autre part, une tendance à l'atténuation du préjugé de couleur. Le statut était différent entre Saint-Domingue et les îles du Vent, il était moins discriminatoire dans la première colonie. En 1768, dans la Grande Antille, les Libres furent fiscalement associés aux autres contribuables, ne payant la capitation que sur leurs esclaves et non sur eux-mêmes comme aux îles du Vent. Ils pouvaient acquérir et posséder sans restriction. À la différence de la Martinique et de la Guadeloupe, les donations entre vifs n'étaient pas interdites entre les Blancs et les Libres.

Si le préjugé restait solidement ancré dans les mentalités, certains esprits tendaient à en atténuer la portée. Ainsi, devant la chambre d'agriculture du Cap, le 3 octobre 1776, le colon Barré de Saint-Venant pouvait-il déclarer : « Le préjugé est nécessaire pour conserver la dignité des maîtres mais imposez-lui des bornes, que la loi fixe un terme où la marque de la chaîne et le mélange des races soient effacés. » En 1777, Bellecombe, le futur gouverneur de Saint-Domingue, écrivant l'article « Mulâtre » de l'Encyclopédie, voyait dans les Libres de précieux auxiliaires des Blancs contre les esclaves et excusait le mélange des races :

> Il eût sans doute été à souhaiter pour les bonnes mœurs et pour la population des blancs dans les colonies que les Européens n'eussent jamais senti que de l'indifférence pour les négresses, mais il était moralement impossible que le contraire n'arrivât pas car les yeux se font rapidement à une différence des couleurs qui se présente sans cesse et les jeunes négresses sont presque toutes bien faites, faciles et peu intéressées. On ne peut cependant s'empêcher de convenir que de ce désordre ne soit résulté quelque avantage réel pour nos colonies... Cette classe de libres est sans contredit le plus sûr appui des blancs contre la rébellion des esclaves[35].

Ce fut le même Bellecombe qui appuya, à la fin de 1785, les démarches du riche planteur quarteron Julien Raimond auprès du ministre Castries. Il le présenta comme chargé de réclamer pour ses « concitoyens » une amélioration du sort des Libres. Dans ses instructions au nouveau gouverneur de Saint-Domingue, La Luzerne, en 1786, Castries demandait de consulter les Conseils supérieurs, la Chambre d'agriculture, les principaux colons, pour étudier « s'il n'était pas possible d'apporter quelque tempérament au principe qui excluait à jamais les gens de couleur et leurs descendants de la condition des blancs[36] ». En 1787, conseiller de Castries, Saint-Lambert allait plus loin :

> Il faut, dans la vue de préparer l'affranchissement général, rapprocher dès à présent les mulâtres des blancs, pour rapprocher un jour les noirs des

mulâtres. Il est temps de commencer à ne voir... que deux races d'hommes, celle des libres et celle des esclaves, en attendant le jour où l'on n'y verra que des hommes libres, également sujets du Roi, et jouissant également de tous les droits du citoyen[37].

Plus révélateur de la réalité antillaise, il y avait aux Iles une distance non négligeable entre la norme juridique rigoureuse et la pratique bien plus fluctuante à l'endroit du statut des libres de couleur.

Le Conseil supérieur de Port-au-Prince se déclara ainsi hostile aux ordonnances restrictives du gouverneur Reynaud de Villeverd de janvier 1781 sur certains métiers comme celui d'orfèvre qu'il refusa d'enregistrer : « La police laisse les gens de couleur libres jouir de la faculté de travailler, certainement conquise dans l'article 59 de l'édit de 1685 par lequel le Roi accorde aux affranchis les mêmes droits, privilèges et immunités dont jouissent les personnes nées libres. » Et l'on rencontrait bien des orfèvres de couleur au Cap comme à Port-au-Prince. Ce fut un même refus de ce Conseil d'enregistrer l'ordonnance restrictive sur le métier de sage-femme.

L'attitude des notaires du Cap se montre éloignée des contraintes juridiques[38]. Tel notaire pouvait accepter, sans le justificatif de liberté prévu par la loi pour la signature d'un contrat de mariage, la présence de témoins, amis ou parents, libres blancs ou de couleur. La possession de l'état de liberté était reconnue dans l'appartenance à la communauté. On pouvait mentionner dans les actes la couleur et le statut, mais on ne justifiait pas ce dernier. Si les notaires respectaient l'usage de ne pas utiliser le terme de *sieur* pour les Libres, cet usage était transgressé dans les documents privés, blancs-seings, procurations, lettres, joints aux actes. Tel quarteron libre, Pierre L'Allemand, était dans un acte de vente de 1784 appelé « *le nommé* », comme l'exigeait la législation, mais dans la promesse de vente c'était à *Monsieur* Pierre L'Allemand que la veuve Stender cédait ses droits sur un terrain[39]. Le praticien était en décalage avec le réel du vécu quotidien dans la rédaction de son acte. Certains notaires franchissaient cependant le pas : ainsi Simon Labuxière, quarteron libre de la Croix-des-Bouquets, riche sucrier, était bien qualifié de sieur par son notaire comme le fut toujours Julien Raimond dans les actes notariés. On peut reconnaître un certain caractère obsolète aux règlements discriminatoires. Le modèle général de l'avilissement des libres de couleur n'était plus respecté.

Cette tendance pouvait s'expliquer dans la mesure où les libres de couleur constituaient une classe remarquable par son éducation et son aisance, sinon sa fortune. Ils possédaient des habitations qu'ils faisaient cultiver par des ateliers d'esclaves, leur conduite dans le monde les faisait considérer honorablement par les planteurs blancs. Cela correspondait au monde de la plantation, mais on peut aussi l'appliquer aux villes où de riches entrepreneurs du bâtiment, des artisans comme les menuisiers, des négociants aisés, possédaient leurs esclaves, des immeubles de rapport, des capitaux. Les libres de couleur avaient adhéré aux valeurs de la société coloniale, la couleur et la richesse, acceptant l'ordre de l'esclavagisme : « Ils en ont eux-mêmes et pour peu qu'ils soient aisés, ils affectent avec les nègres la supériorité des blancs, à quoi il leur faudrait renoncer si les esclaves secouaient leur joug. »

LES ESCLAVES

La traite et les marchés antillais

Au XVIIIe siècle, les Antilles françaises reçurent plus d'un million de captifs, dont plus de quatre cent mille entre la guerre de Sept Ans et la Révolution. Les interlopes anglais, américains, danois, portugais, approvisionnèrent les îles du Vent et la côte sud de Saint-Domingue mal ravitaillées par la traite française. Le trafic négrier français progressa nettement au cours du siècle, passant de plus de trente-trois expéditions par an entre 1712 et 1755 à plus de cinquante entre 1763 et 1778 et à plus de cent entre 1783 et 1792[40]. Saint-Domingue fut la destination préférée du négoce français. Son exemple montre l'adaptation de la traite sur les marchés principaux du Cap et de Port-au-Prince aux besoins des plantations. La colonie absorbait davantage d'hommes et moins d'enfants que les autres îles pour répondre à la demande de plantations en pleine croissance. Ses ports privilégiaient les esclaves de l'Afrique centrale, les Congos, et ceux de la baie du Bénin. La Guadeloupe, l'île la plus négligée par les négriers français, recevait la plus forte proportion de femmes et d'enfants, ce qui facilita la créolisation de sa population. Cette colonie achetait les esclaves des régions les moins prisées d'Afrique, le Biafra et le Sierra Leone. La Martinique vit sa croissance se ralentir après le milieu du siècle et fit moins appel à la traite ; il n'y avait sur la plupart des grandes plantations qu'un faible pourcentage d'Africains, et les nouveaux venus étaient davantage dirigés sur les villes[41].

Il existait à Saint-Domingue des contrastes assez accusés : le marché le plus actif était celui du Cap qui s'approvisionnait le plus en hommes et en Congos, l'Ouest achetait moins d'hommes et autant de captifs du Bénin que de l'Afrique centrale, le Sud prenait le plus d'esclaves du Sierra Leone et du Biafra[42]. La taille inférieure des Congos, leur mauvaise santé dans les plaines et le fait que dans leur pays d'origine les femmes se chargeaient des tâches agricoles les faisaient peu apprécier des habitants sucriers. En revanche, dans les montagnes, zones de culture caféière, ils faisaient mieux et étaient de 50 % plus nombreux sur ces plantations que sur les sucreries. Également moins bien établis, achetant en plus petite quantité mais dans une plus grande urgence parce qu'ils devaient mettre en culture des terres neuves, les planteurs de café se montraient moins sélectifs dans leurs achats.

Les négociants du Cap étaient toujours anxieux de voir leurs cargaisons s'écouler rapidement, et les esclaves faisant les meilleures ventes, donc les plus prisés, étaient les Aradas de la Côte-de-l'Or. Dans ce commerce hautement capitaliste où la rotation rapide des capitaux était la condition des gains, ne pas laisser s'entasser de longs mois les captifs dans les entrepôts était indispensable. Tel négociant exprimait son impatience devant la lenteur d'une vente : associé de la maison havraise Foache, Pierre-Paul Morange s'exclamait en 1785 : « Ces nègres, Bon Dieu, ne se vendent point, je ne sais que faire, à vrai dire ! » Quand la qualité se faisait médiocre, c'était les mêmes récriminations, « cargaison point propre pour le Cap, du vieux, trop de jeunesse », protestait Morange devant la cargaison d'un négrier de 1789, en déplorant les mauvaises qualités physiques, « mauvaises dents, mauvaise tournure, des nègres brefs de Loango ». Le négociant attachait une grande importance aux origines et à l'adaptation des esclaves aux plantations : « Ceux de Sierra Leone ne valent point les vrais Côte d'Or pour les sucreries ou les Congos pour les cafetiers. » Ces esclaves se révélaient difficiles à nourrir car mangeurs de riz dans leur pays natal : ces nations « prennent du chagrin quand elles maigrissent, elles traînent et meurent d'ennui ». Aussi le Cap rejetait-il ces ethnies les moins favorisées, celles du Sierra Leone et du Biafra.

Si l'on compare les Iles dans les ventes d'esclaves, les taux de masculinité les plus élevés étaient ceux de Saint-Domingue ; ceux de la Martinique et de la Guadeloupe, abaissés au cours du siècle, étaient inférieurs. À Saint-Domingue, les taux les plus forts étaient ceux des captifs de l'Afrique centrale, les Congos – jusqu'à deux hommes pour une femme, situation liée aux besoins pressants des caféiers pour la mise en place de leurs plantations après 1763. Il était moins élevé chez les esclaves de la Côte-de-l'Or et de la Sénégambie, seize hommes pour dix femmes. Dans le cas d'une caféière de l'Ouest, la plantation Maulévrier aux Matheux, Gabriel Debien explique le déséquilibre des sexes aux achats : achetant plus d'hommes, le planteur pouvait leur demander plus de travail et des tâches plus diverses[43]. Avec un plus grand nombre de jeunes femmes et d'enfants, il aurait eu des dépenses supplémentaires, et les années d'enfance d'un esclave élevé sur la plantation lui revenaient plus cher que l'achat d'un Africain de vingt ans. Le raisonnement était inverse dans d'autres plantations. Ainsi, à Jean-Rabel, chez les Foache, dans la Partie-du-Nord, sur une sucrerie, le colon pouvait compenser ses pertes dans son atelier par des naissances et des soins attentifs aux enfants. Mais, pour maintenir les forces de l'atelier, il fallait souvent acheter des esclaves, cela en raison de la mortalité et du gaspillage de la main-d'œuvre qui fut une constante : sur deux cents esclaves d'une sucrerie, Moreau de Saint-Méry estimait que la moitié seulement travaillait à la culture. À Léogane, chez les Fevret de Saint-Mesmin, sur les cent quarante-trois esclaves qui vécurent sur la plantation de 1774 à 1790, quarante-sept moururent, soit le tiers ; le planteur dut acheter quarante-deux hommes et vingt-cinq femmes, l'insignifiance des naissances expliquant cette difficulté à maintenir les forces de l'atelier[44].

Les plantations se caractérisaient par une surabondance de la domesticité qui permettait au planteur d'afficher son rang. À Léogane, sur l'habitation Durant de Beauval, on comptait jusqu'à quinze domestiques pour cent quarante esclaves, le service de la table et du linge retenant le plus de domestiques. Dans l'atelier de cette plantation les ouvriers étaient assez nombreux : huit sucriers, trois tonneliers, deux maçons, un charpentier et, chez les femmes, une accoucheuse, une hospitalière. Comme il y avait plus de vingt esclaves « en mauvais état, maladifs » ou infirmes, le nombre d'esclaves disponibles pour la coupe et la plantation de la canne était, en définitive, assez réduit.

• La condition servile

Il importe de distinguer soigneusement entre l'esclave de ville et l'esclave de plantation. La condition du premier était bien plus favorable que celle du second. La plupart des esclaves de ville étaient loués par leur maître à un employeur, commerçant, artisan, particulier ayant besoin de domestiques. Ils exerçaient des métiers spécialisés, boulanger, forgeron, cuisinier, couturière, blanchisseuse. Soit le maître mettait lui-même en location son esclave, soit ce dernier se plaçait et remettait au maître le produit de la location, celle-ci faite à la journée, au mois ou à la tâche. Une fois cette redevance payée, ils étaient libres de leur temps pour se distraire ou prendre un autre travail, économiser de quoi acheter leur liberté. Les propriétaires possédaient en ville bien moins d'esclaves : en 1785, à Basse-Terre, cent cinquante-deux propriétaires possédaient six cent vingt esclaves, quatre pour un maître[45]. Le degré d'autorité directe exercée par le maître sur son esclave était relativement faible car, très souvent, le maître n'était pas l'employeur. La ville dessinait un horizon nouveau pour l'esclave, le pouvoir absolu du maître et le travail forcé n'existaient plus comme sur la plantation.

Le bien que constituait l'esclave devait être judicieusement investi par son maître, et les profits pouvaient être élevés. En effet, le vivre et le couvert étaient à la charge du locataire, les gains étaient presque nets : par exemple, le bail d'un domestique au mois, à raison de 24 à 36 livres, une fois la capitation payée, soit 25 livres, rapportait à Basse-Terre de 263 à 407 livres à l'année. En ce domaine, la hiérarchie des couleurs prenait un caractère flexible, un mulâtre pouvait être loué à un Nègre libre. La demande était toujours forte, marchands de passage, officiers civils et militaires, tous trouvaient plus commode de louer l'esclave que de l'acheter. En raison de cette rentabilité élevée, la valeur de ces esclaves était généralement supérieure à celle des esclaves de plantation, elle se tenait le plus souvent entre 3 000 et 4 000 livres mais pouvait dépasser ces valeurs.

Sur la plantation il faut séparer la condition de l'esclave « de jardin », employé aux travaux de la canne à sucre et des autres cultures, de celle de l'esclave domestique ou ouvrier spécialisé. Il y a eu « incessante montée hors des rangs du jardin vers des tâches sans doute moins rudes et mieux qualifiées déjà[46] ». Les domestiques de la grand case logeaient à côté de la cuisine sur la caféière de Maulévrier à Saint-Domingue. Disposant d'une case particulière, à proximité de la grand case, d'une nourriture et d'un habillement en rapport, sous la dépendance directe du maître, ces esclaves étaient relativement privilégiés. Posséder « un talent » permettait de sortir du rang, et là aussi il y avait un régime de faveur : chez les Fleuriau, dans la plaine du Cul-de-Sac près de Port-au-Prince, logement à part, avantages matériels, distribution de vêtements appropriés et de gratifications spéciales, tout concourait à les placer au sommet de la hiérarchie de l'atelier[47]. Sur cette plantation de Bellevue, on comptait, en 1777, jusqu'à dix-huit sucriers sous la conduite de deux chefs expérimentés. Leur travail était dur mais ils étaient « les rois de l'atelier », relativement bien nourris, avec du bœuf, de la morue et de la guildive tous les jours. Une quinzaine de jeunes Nègres de vingt à trente ans, souvent *bossales*, travaillaient à la coupe des cannes, accompagnés de nombreuses femmes pour sarcler, arroser, les ramasser. Ces Nègres de jardin étaient encadrés par des commandeurs, quatre en 1777, responsables de la bonne marche de l'atelier, toujours armés d'un fouet symbole de l'autorité.

Le jour durant une douzaine d'heures, le travail au jardin (champs de canne) était de cette durée, moins les pauses des déjeuners. Au jardin, les esclaves travaillaient en ligne, le commandeur derrière eux pour la régularité de la progression et la surveillance. Un des hommes ou le commandeur chantait un air d'Afrique, connu de tous, qui animait

le travail. Tout l'atelier reprenait. Une certaine routine gui-
dait ces travaux, le planteur calculant la part exacte des
jours de travail nécessaires au sarclage, à la coupe, de telle
ou telle partie de la plantation. Mais les calculs étaient
faussés par les sécheresses, les pluies diluviennes souvent
imprévues, les maladies et les décès. Il y avait alors moins
de bras disponibles d'où un surmenage « quasi permanent[48] », le resserrement de la discipline, le travail même
une partie du dimanche et des fêtes, les colons voulant
faire le même gros revenu chaque année, on faisait tout
pour y parvenir. Dans les caféières, le travail était moins
intensif, la surveillance pas aussi stricte car les tâches de la
préparation des cafés étaient fragmentées, l'entretien des
plants plus facile, moins répété que celui des cannes. Les
planteurs tentèrent d'alléger le travail à la houe en intro-
duisant le labour à la charrue, possible sur les plaines
sucrières. Les Nègres y étaient hostiles, et ce labour fit peu
de progrès. Cependant, d'après Moreau de Saint-Méry, aux
Cayes, les ateliers furent soulagés par cette nouvelle pratique qui diminuait de moitié le temps de travail.

Outre les très lourdes contraintes des travaux, surtout
dans les sucreries, la condition servile souffrit aux Iles pendant tout le siècle d'une insuffisance de vivres. Le Code
noir prescrivait aux maîtres de subvenir à l'alimentation
des esclaves et interdisait la pratique du samedi après-midi
réservé à la culture du jardin-nègre. En fait, très vite, les
colons tendirent à le développer, y voyant un moyen d'alléger la contrainte des approvisionnements. Cependant, à la
fin du XVIIIe siècle, nourrir convenablement les esclaves était
le souci quotidien de beaucoup de gérants et de planteurs
puisque en dépendait la bonne marche de la plantation.
Tel contrat passé entre la maison Romberg de Saint-Marc
en 1786 et un habitant sucrier prévoyait que la nourriture
des Nègres serait assurée chaque année par une superficie
suffisante du domaine plantée en patates et en maïs afin
que « lesdits nègres ayent toujours des vivres et ne soient
pas réduits à la cruelle nécessité d'aller marauder[49] ». En

effet, à l'Artibonite, Moreau notait que les Nègres n'avaient pas de « places », ils étaient nourris par leur maître de maïs, patates, petit mil.

Sur ce déficit constant des vivres, le cas des îles du Vent est exemplaire. En Martinique, les ordonnances des administrateurs se firent répétitives à son sujet, faisant obligation aux habitants de planter, outre le manioc, les bananes et les patates, afin de respecter les prescriptions du Code noir. En 1772, en Guadeloupe, on pouvait dénombrer plus de 400 fosses à manioc par esclave sur les habitations, les jardins à nègre et la petite propriété vivrière[50]. La farine de manioc se conservait longtemps, et il s'y ajoutait les « racines », patates et ignames ; les bananiers furent en progrès, en 1753, on comptait 46 bananiers par esclave, plus de 60 en 1772. Les ouragans faisaient des ravages dans les cultures vivrières, et c'était l'origine des disettes les plus graves. À Saint-Domingue, régnait la pratique du travail aux vivres sur les jardins de l'habitation, le samedi, mais aussi sur un jardin-case, espace entre les cases où les esclaves disposaient de « douceurs » (légumes frais, concombres, « verdures »).

Sur les mornes caféières où l'on ne trouvait pas le jeu régulier des assolements de plaine – les vivres remplaçaient en plaine les pieds de canne épuisés –, les vivres se casaient comme ils pouvaient dans l'intervalle des pieds ou dans les passages ou dans les fonds où sévissaient les brouillards et les gelées néfastes aux caféiers. En 1779, sur l'habitation Maulévrier, aux Matheux, une part non négligeable, plus de neuf hectares contre trente hectares et demi en café, était consacrée aux vivres, petit mil, patates, ignames.

Les décès et plusieurs des maladies paraissent moins venir d'un travail excessif, selon Gabriel Debien, ou d'une alimentation insuffisante que d'une alimentation mal adaptée au climat et aux Nègres nouveaux, les *bossales*. Mais il pouvait y avoir diverses attitudes : ainsi le gérant Marsillac chez Maulévrier nourrissait mieux que le planteur, ce qui n'était sans doute pas le cas général. Avec lui, tous les Noirs faits au pays cessèrent de recevoir des rations, ils eurent leur jardin, pouvant y mettre les rafraîchissements, légumes, avec la superposition de petites récoltes, manioc, maïs, patates. C'était pour le gérant un « coin d'Afrique » que ces jardins, éloignés des cases. Les nouveaux avaient une alimentation plus surveillée, ils étaient nourris à « la main », recevant des rations à la grand case un jour sur deux, car leur accoutumance aux vivres d'Amérique était lente.

• Échapper à la condition servile, le marronage

> Si nous voulons animer nos nègres au travail, don-
> nons leur des douceurs et traitons-les avec modéra-
> tion et humanité. C'est ainsi que sont conduits les
> nègres dans toutes les habitations qui font la fortune
> des propriétaires. Qu'on ne pense pas qu'en leur
> ôtant habituellement midis et dimanches, comme a
> fait le sieur F., le travail avance plus. Qu'on ne les
> châtie qu'à propos et que les châtiments soient pro-
> portionnés aux faits[51].

Les prudents conseils de ce planteur d'indigo de l'Artibonite étaient loin d'être suivis par tous, propriétaires et encore plus économes. En 1776, ce planteur voyait la cause du marronnage[52], cette fuite des esclaves hors de la plantation, dans le comportement d'un économe punissant sans motif sérieux : « On a renouvelé les mauvais traitements sur ce nègre, avec une barbarie révoltante jusqu'à avoir aspergé et frotté de piment les sanglantes, profondes et nombreuses cicatrices de son derrière fustigé à outrance. »

Il y eut certes des réactions contre les excès, de la part des administrateurs et des juges. En 1743, en Guadeloupe, tel Blanc, coupable d'avoir exercé des châtiments excessifs, était banni pour cinq ans avec défense de posséder des esclaves, « pour excès et traitement inhumain de ses esclaves ». En 1784-1785, les réformes de Castries qui visaient avant tout les comportements des économes et des gérants sur les plantations des absentéistes de Saint-Domingue revinrent aux prescriptions non respectées du Code noir, en ce qui concernait l'alimentation comme le traitement des Nègres. Des allégements de travaux étaient prévus pour les négresses enceintes et les mères de nombreux enfants. Ce qui inquiéta le plus les colons, ce furent les garanties données aux esclaves, droit de plainte auprès de l'Administration pour châtiments excessifs. Les planteurs avaient toujours détesté les interventions de l'Administration dans leurs rapports avec des esclaves qui étaient leur pleine propriété.

Les sévices étaient d'ailleurs loin d'être universels alors qu'à la fin du xviiie siècle, en dépit des critiques des voyageurs philanthropes parcourant les îles, tel un Wimpffen ou un Girod de Chantrans, il y avait tendance à un adoucissement dans la vie des esclaves. Moreau de Saint-Méry cite des exemples d'ateliers bien conduits, mieux nourris, travaillant régulièrement. Si l'on peut suspecter son témoignage qui est celui d'un planteur, on récusera plus difficilement celui de l'administrateur Barbé de Marbois, intendant de Saint-Domingue en 1785 : « Beaucoup d'habitants suivent aujourd'hui un régime modéré... et généralement parlant les rigueurs de l'esclavage sont moins grandes qu'elles ne l'étaient il y a une vingtaine d'années[53]. » Pour Gabriel Debien, cette tendance était soutenue par les fortes tensions que connaissait le marché de la main-d'œuvre. « Le nombre des nouveaux ne correspond pas aux besoins des caféiers qui se multiplient et des sucreries qui s'agrandissent. » Et cependant l'offre croissante d'esclaves présentait des captifs de moindre qualité et très chers. Il fallait conserver avec prudence ces esclaves, mieux les loger, mieux les nourrir, mieux encadrer les *bossales* pour une meilleure adaptation. Lutter contre la dénatalité, diminuer le travail des femmes enceintes et des nourrices, était bien aux yeux de certains planteurs un moyen

d'échapper aux contraintes du marché de la traite. Point
essentiel, il semble cependant qu'il n'y eut pas de sensible
amélioration dans la nourriture des esclaves, et le manque
de vivres poussait les esclaves au vol, cause de châtiment
et de marronage.

Provoquée par les mauvais traitements ou l'insuffisance
de la nourriture, la fuite des esclaves « marrons » prit deux
formes. Il y eut, d'une part, le marronage ordinaire, ou
petit marronage, non compliqué de vol ou de coups et blessures, qui était du ressort de la justice privée, celle de l'habitation, et, d'autre part, le grand marronage où la fuite
suivait un vol et qui relevait de la justice royale. En fait, le
colon ne s'adressait à la justice de la colonie, avec l'intervention de la maréchaussée, que lorsqu'il ne pouvait faire
autrement. Il fallait payer les frais d'intervention de la
maréchaussée et, par son arrêt du 12 septembre 1740, le
Conseil supérieur du Cap avait ordonné aux planteurs de
faire enregistrer la fuite de leurs esclaves, en fixant la taxe
à payer pour le temps passé à la geôle par les marrons. À
partir de 1763, les listes de marrons furent publiées dans
les gazettes de la colonie, à Saint-Domingue comme aux
îles du Vent. Aspect familier de la vie de la plantation, le
marronage pouvait, s'il y avait intervention du pouvoir,
avec emprisonnement des fugitifs dans les geôles de sa justice, prélever une part importante des ateliers et priver le
planteur d'esclaves solides.

À Saint-Domingue, il paraît avoir été plus florissant sur
les caféières des mornes – d'où les fugitifs pouvaient gagner
des halliers sauvages, voire franchir la frontière espagnole
toujours proche et trouver refuge à Santo Domingo – que
dans les sucreries des plaines. Dans le cadre de la justice
de l'habitant, le marron pouvait être puni de la chaîne
– entrave de trois pieds de long munie de deux anneaux
mis au bas de la jambe –, du collier, signe d'humiliation,
cercle de fer d'où sortaient quatre pointes, peine infligée
aux femmes comme aux hommes. Dès que les femmes
avaient un collier, plus de *gombaults* (galants), plus de

danses, elles étaient isolées. Enfin, c'était la peine du nabot, gros anneau de fer de dix livres rivé à un pied. Les prescriptions du Code noir, pour la fuite d'un mois, oreille coupée et marque de la fleur de lis sur l'épaule, si récidive, jarret coupé et fleur de lis sur l'autre épaule, et, à la troisième fuite, mise à mort, n'étaient plus strictement suivies à partir du début du XVIIIe siècle. Cependant on lisait l'article 38 qui les contenait deux fois par semaine à l'atelier au moment de la prière du matin.

Les conditions générales de vie imposées, les punitions inhumaines ou leur simple menace furent les causes les plus fréquentes et, à Saint-Domingue, en raison de l'absentéisme des propriétaires, ce furent les comportements des gérants et des économes qui furent le plus souvent à l'origine de ce qui était alors refus de travail et d'obéissance. L'organisation des plantations favorisait le marronage dans la mesure où l'habitation, outre son établissement principal, comportait les places à vivres aux esclaves, des « hattes » pour le bétail, des places sur les mornes, terres de réserve et de bois non encore défrichées, qui servaient de relais pour les marrons voulant fuir ou pour ceux qui, après négociation avec le maître, revenaient. Au marronage léger qui n'était qu'une absence de quelques jours auquel les gérants et les maîtres ne prêtaient qu'une attention relativement faible pouvait succéder un grand marronage, les fugitifs ne reparaissant plus pendant de longs mois, pour lesquels il fallait compter avec des frais de reprise et de geôle toujours élevés.

Les nouveaux étaient les plus nombreux, ne parvenant pas à s'habituer à la servitude et les plus faciles à reprendre car ils ne connaissaient ni le pays ni la langue créole. Ils s'enfuyaient peu de temps après leur achat au négrier. Certaines ethnies, telle celle des Mozambiques, étaient réputées pour fuir très rapidement – « on ne peut se flatter de les plier à la servitude », notait Moreau de Saint-Méry. Familiers des quartiers, les créoles marrons vivaient en Libres, se présentaient dans les bourgs et villes comme libres de savane, allaient comme « ouvriers volants » se louer dans les ports. Le travail et la connivence des nouveaux maîtres les cachaient mieux que tous les halliers des mornes.

Le plus redouté par les colons était la constitution de bandes de marrons dont ils avaient tendance à exagérer l'importance. En Guadeloupe, le gouverneur par intérim Crapado rapportait, en 1726, que plus de six cents nègres marrons se répandaient en quatre bandes, pillant les habitations, volant les Négresses et les vivres. Ce nombre paraît très exagéré. En 1737, une bande d'une cinquantaine de marrons pillait la côte ouest de l'île. C'est le manque de vivres qui les poussait à fuir les habitations. Les causes du marronage restaient locales, il n'y avait pas de grand dessein chez ces esclaves. À Saint-Domingue, les bandes les plus nombreuses se groupaient au sud et à l'est du Cap, près de la frontière espagnole ; c'était la même chose dans la zone frontière de l'Ouest où la bande de Bahoruco sévit des années 1730 aux années 1770. En 1776-1777, le gouverneur d'Ennery envoyait quarante soldats et cent quarante miliciens contre cette bande, sans obtenir de résultats décisifs.

On put croire à la fin de l'époque coloniale à la multiplication des marrons. À la Martinique, François-Régis Dessalles voyait dans les bandes de soldats déserteurs après la guerre d'Amérique des auxiliaires efficaces des marrons dont le nombre aurait alors augmenté. Dans les gazettes des colonies, les listes de fugitifs et de repris s'allongeaient, et il y avait un service de maréchaussée mieux assuré, une plus grande vigilance. On a pu croire qu'il y avait alors lutte systématique contre la servitude dans le marronage qui se serait fortement accru. Jean Fouchard le voyait ainsi se développer dans les trente dernières années de l'esclavage à Saint-Domingue, et ceci surtout après 1784[54]. L'observation reste difficile. Il faudrait, souligne Gabriel Debien, distinguer dans les listes de fugitifs la mention des fugitifs absents de ceux qui étaient repris ou vendus. Il y avait aussi des annonces paraissant à la fois dans divers journaux sur les fugitifs, et l'on peut compter deux fois le même marron. Pour 1790, la surestimation a pu monter au tiers du total réel, au huitième en 1788.

Il est surtout très difficile de dire si l'activité des bandes s'accrut réellement dans les années 1780. Dans la décennie 1770, et même auparavant, les incidents entre colons et bandes de marrons étaient plus nombreux, tels ceux de la bande d'Isaac Canda et de Pyrrhys Candide en 1775. La bande de Maniel, la plus longue à durer, vivait en 1785 à Santo Domingo, forte de cent trente-trois personnes, non de plusieurs milliers comme il a été soutenu. Les correspondances des colons se faisaient alors l'écho des craintes qui suivirent les décisions de Castries. « Comment contenir les nègres, s'ils peuvent accuser les blancs ? Tout le lien de l'obéissance est rompu..., croire aux accusations des nègres, c'est ouvrir la porte à la révolte », écrivait Stanislas Foache à son associé du Cap[55]. Mais pour le gouverneur La Luzerne, en septembre 1785, le marronage déclinait depuis deux ans. En 1789, Milescent de Musset put disperser plusieurs bandes en trois mois, soixante-dix nègres furent tués ou pris alors que l'opinion avait cru à deux, voire dix mille fugitifs. Les zones de marronage ne furent pas celles où la révolte des esclaves d'août 1791 éclata et, durant la Révolution, les colons distinguèrent toujours entre marrons et rebelles.

Le marronage urbain a sévi également et a servi souvent d'exutoire au marronage des plantations. « Se faisant passer pour libre », « se disant libre », les marrons urbains trouvaient refuge dans la société cosmopolite des villes portuaires, à Pointe-à-Pitre ou Saint-Pierre, aux îles du Vent, comme au Cap et à Port-au-Prince, à Saint-Domingue. La mise souvent soignée de ces esclaves, leur aisance, tout les opposait aux marrons de plantation. Ils profitaient de la facilité des déplacements, des allées et venues sur les marchés les dimanches et fêtes, car le contrôle de leurs mouvements échappait le plus souvent aux autorités. L'exi-

gence d'un billet du maître lors de toute sortie des plantations prévue par le Code noir restait illusoire, il y avait
d'ailleurs des trafics de faux billets. Comme Gabriel Debien
l'a noté, les fêtes étaient souvent l'occasion d'entrer dans le
marronage urbain, les absences se faisaient les plus nombreuses entre la Noël et le Premier de l'an[56]. Ces marrons
urbains ont joué un rôle non négligeable pour l'éclosion
dans les villes coloniales de mouvements de rue où se
déployait une pègre mêlant esclaves, marrons, soldats
déserteurs et petits blancs. Inquiétants pour le pouvoir, ces
mouvements ne connaissaient pas cependant l'affrontement sévère dressant parfois sur les plantations les maîtres
et les esclaves dans la répression du marronnage. Il faut
d'ailleurs souligner que pour celle-ci, dans les chasses faites
aux marrons, les libres de couleur appelés à servir dans la
milice donnaient un appui précieux aux autorités.

Religion, magie et vaudou

Arracher les Africains à la barbarie et à l'idolâtrie, telle
était la justification de l'esclavage pour les Occidentaux. Au
XVIᵉ siècle, les Portugais avaient pour principe de n'introduire en Amérique que des esclaves qu'ils avaient déjà bap-
tisés en Afrique. Au temps de Richelieu comme au temps
de Colbert, les compagnies de colonisation créées pour la
mise en valeur des Antilles se virent enjoindre de recruter
des religieux pour instruire et baptiser leurs esclaves. En
1685, le Code noir imposait le baptême des esclaves et, à
la fin du XVIIᵉ siècle, le père Labat se disait frappé par la
piété des Nègres : « Les nègres sont bien plus susceptibles
de notre religion et de nos mystères que les indiens et les
caraïbes, leur naturel est tout différent. »

En Guadeloupe comme en Martinique, baptêmes
d'adultes, confessions, communions pascales, catéchisme,
étaient assurés par ce religieux comme par ses confrères,
capucins, carmes et jésuites. Au XVIIIᵉ siècle, ces derniers se
firent les plus ardents prosélytes de l'action missionnaire

auprès des Nègres. Leur apostolat se développa dans la Partie-du-Nord à Saint-Domingue. En 1725, curé de Notre-Dame de la Petite-Anse, le père Margat montrait dix-huit missionnaires s'occupant « continuellement » de quelque cinquante mille esclaves. Au Cap, le père Boutin établit, en 1719, l'usage d'un baptême des adultes aux samedis de Pâques et de Pentecôte[57]. Dès la fin du XVIIe siècle, en Martinique, au Carbet, le père Mongin pratiquait ce baptême en visant la conversion des *bossales*. Partageant l'opinion de bien des colons sceptiques sur le degré de christianisation de ces néophytes, Moreau de Saint-Méry estimait que les baptêmes manquaient de préparation. Le seul souci des nouveaux chrétiens était de s'assurer d'un parrain et d'une marraine : « Les nègres les respectent davantage que leurs père et mère. » En 1732, toujours au Cap, un autre jésuite, le père Bréban, soulignait aussi le rôle des parrains et marraines qui « leur tiennent lieu de papa et de maman, c'est le nom qu'ils leur donnent, ils les honorent comme tels et réciproquement ils en sont chéris avec la dernière tendresse[58] ». À cause du baptême qu'ils avaient reçu enfant, les Nègres nés aux Iles prétendaient à une grande supériorité sur tous les Nègres arrivant d'Afrique. Le baptême de ces *bossales* adultes serait une forme d'intégration à la communauté noire.

Les jésuites prenaient un soin particulier des esclaves en créant les « curés des nègres » qui, au Cap, surent adapter le culte aux besoins de ces fidèles. Le père Boutin établit une messe spéciale pour eux, décrite par Moreau de Saint-Méry :

> Le dimanche, immédiatement après la messe paroissiale, les nègres se réunissent dans l'église, y font la prière et chantent des cantiques. Quelques vieillards des deux sexes se font les chefs de ces exercices à la suite desquels se dit une messe basse, appelée la messe des nègres[59].

Le jésuite qui parlait le créole et même les langues africaines pouvait se faire comprendre des nouveaux esclaves. Il terminait cette messe par un catéchisme et, à l'issue des vêpres, faisait aussi une instruction aux esclaves.

À Saint-Pierre, en Martinique, il y avait deux paroisses et deux curés pour les Nègres, l'un jésuite, l'autre jacobin. Au milieu du siècle, en 1753, le gouverneur Bompar note « qu'ils se sont piqués chaque année à l'envie l'un de l'autre de répandre plus d'apparat et de singularité dans la procession de leurs nègres qui se fait immédiatement après celle des blancs[60] ». Il s'agissait de la procession de la Fête-Dieu qui attirait de très nombreux Nègres. En 1740, le procureur du roi dénonçait déjà à Saint-Pierre les attroupements provoqués par cette procession, « si fréquents à présent que les rues sont pleines de nègres assemblés qui dansent, jour et nuit, au son de leurs instruments » ; mais le gouverneur lui avait rétorqué : « Il faut bien que les esclaves se divertissent[61]. » Bompar jugeait que la procession des Nègres de la Fête-Dieu était « bizarrerie ridicule, en usage depuis des années..., les vêtements y sont riches, on y élit des Rois et des Reines ».

Le culte catholique que les jésuites tout particulièrement mais aussi les missionnaires des autres ordres réussissaient à rendre populaire était pénétré de coutumes africaines, au nombre desquelles la danse et la musique tenaient une place de choix. Moreau de Saint-Méry voyait ainsi les obsèques à Saint-Domingue, dans la Partie-du-Sud, des Cayes à Jérémie, célébrées par les esclaves qui « conduisent leur camarade jusqu'au cimetière en formant une foule considérable ; les femmes chantent et battent des mains en avant du corps que les nègres suivent ; un nègre est auprès du cercueil avec un bamboula qu'il frappe de temps en temps d'une manière lugubre[62] ».

Outre le fait que leur évangélisation pouvait paraître superficielle, surtout auprès des esclaves des campagnes, les colons et parmi eux les plus « éclairés », tel un Hilliard d'Aubenteuil, reprochaient aux jésuites d'avoir toléré ces coutumes africaines. À leurs yeux, elles permettaient aux Nègres de faire corps, de se rassembler, et d'y retrouver des éléments des cultes africains pénétrés de magie et d'idolâtrie. Comme les jésuites étaient parmi les rares personnes de la colonie à ne pas avoir subi les craintes paniques d'une révolte possible des Nègres à l'occasion des méfaits attribués aux empoisonneurs nègres dont François Macandal, de 1758 à 1791, fut l'archétype à Saint-Domingue, ils se virent l'objet d'une campagne de dénigrement systématique à la veille de la suppression de leur ordre. Les jésuites se voyaient en particulier reprocher la création de confréries noires telle cette confrérie dénommé « l'Esclavage de la Sainte Vierge » qui animait la procession de la Fête-Dieu en Guadeloupe et en Martinique. Le 29 décembre 1752, le secrétaire d'État de la Marine Rouillé réprouvait leur établissement, et, un an plus tard, on allait plus loin en défendant aux religieux d'organiser des processions d'esclaves. Après le supplice de Macandal en 1758 et la sanglante répression menée contre les Noirs empoisonneurs ou prétendus tels, dont les jésuites mettaient en doute la culpabilité, le Conseil supérieur du Cap accusait les religieux de former un catholicisme noir, séparé de celui des Blancs, où une hiérarchie nègre introduisait les cultes païens d'Afrique[63].

En 1772, une ordonnance des administrateurs de Saint-Domingue interdit « toute espèce d'assemblée et d'attroupements d'esclaves » ainsi que « les danses de nuit ou Kalendas » ; on ne faisait pas allusion au caractère vaudou de ces manifestations car on redoutait la magie et la sorcellerie d'Afrique. Après l'exécution de Macandal, la confusion des rites africains et catholiques était crainte. En 1711, bien plus tôt dans le siècle, la peur de la magie n'avait-elle pas déjà poussé en Martinique à faire brûler plusieurs esclaves marrons qui, « lorsque la lune devait mourir et puis se lever, devaient se réunir à ceux de Saint-Pierre qui dansent le gaoulé chez les nègres des religieuses » ? La danse consistait à « se laisser tomber, se relever, se cogner le ventre l'un contre l'autre, après quoi ils font la débauche[64] ». Des esclaves appartenant à une vingtaine de propriétaires se réunissaient ainsi, le tafia était largement distribué. « Un collier de corail attaché au col des nouveaux venus était signe de reconnaissance. » Le « sorcier » vendait des « cordons » qui permettaient de rentrer chez son maître sans être puni lorsqu'on était parti en marronnage ou de se battre avec un autre esclave sans être blessé.

À Saint-Domingue, Macandal et ses comparses se protégeaient avec de l'eau bénite, de petits crucifix, du pain bénit et les « macandales », petits paquets ficelés prétendument magiques, dont le Conseil supérieur du Cap interdit la distribution le 7 avril 1758. Macandal avait été condamné à être brûlé vif trois mois auparavant pour « avoir corrompu et séduit par des prestiges... en mêlant les choses saintes dans la composition et l'usage de paquets prétendus magiques et tendant à maléfices, qu'il faisait et vendait aux nègres[65] ». « Syncrétisme de différents cultes africains et de catholicisme... le Vaudou fait avec l'affaire Macandale une entrée bruyante sur la scène coloniale » mais Pierre Pluchon souligne comment les Blancs, à l'exception de Moreau de Saint-Méry, ont voulu taire son nom. À Saint-Domingue, magie assimilée aux empoisonnements et vaudou prouvent que l'action du clergé n'avait pas anéanti les cultes africains. Les assemblées d'esclaves, présidées, note Moreau de Saint-Méry, par « le Roi et la Reine Vaudoux », adoraient la couleuvre, pratiquant le culte du serpent originaire du royaume d'Ardra, en dansant « jusqu'à la perte du sentiment ». Chants, danses, transes, extase, tout concourait à faire de la solidarité raciale et culturelle que dissimulait le vaudou les bases d'une société originale, forte des coalitions de confréries, entretenant les croyances de l'Afrique.

6

La ville antillaise

À la vue du Paris des Antilles, le Cap-Français à Saint-Domingue, le juriste Moreau de Saint-Méry ne cache pas sa surprise. Pour lui, le voyageur venant d'Europe est d'abord déçu. Il est frappé par l'aspect stérile du morne qui domine la ville, ce ne sont pas les lieux riants qu'il attendait, « à la porte d'une ville considérable où le luxe fait chaque jour de rapides progrès ». Voici cependant qu'apparaissent les premières maisons qui bordent le rivage :

> On commence à soupçonner que le Cap existe. Les maisons se multiplient, il s'en présente de nouvelles. Enfin une longue bande offre une ville que du mouillage on trouve peu étendue ; on a sauté dans un canot, on y vogue, on débarque et d'un pied encore mal assuré l'on foule la terre d'Amérique... Quel spectacle ! Comme il diffère des lieux qu'on a quittés ! On voit quatre ou cinq figures noires pour une blanche. Les vêtements, les maisons et presque tous les objets physiques dont on est environné ont un caractère nouveau... On avance et la ville semble s'étendre. Décrivons cette ville à laquelle ce nom ne saurait être refusé dans aucun lieu du monde[1].

Les historiens des Antilles se sont longtemps refusés à faire une place digne de leur importance aux villes coloniales. Ils étaient subjugués par l'économie de la plantation et par sa société, réduite d'ailleurs trop souvent aux seuls maîtres et esclaves. Moreau de Saint-Méry qui, dans sa *Description* de Saint-Domingue, accorde de longues pages non seulement au Cap mais aussi à Port-au-Prince, la capitale administrative, où siègent le gouverneur et l'intendant, à Saint-Marc, aux Cayes, se comporte tout autrement. En contemporain, il sait que la vision des Iles ne saurait se réduire au tableau des seules plantations pour lesquelles les ports ne seraient que « de simples places de commerce dépourvues de consistance urbaine », dignes seulement de produire quelques éléments du « spectacle colonial[2] ». Anne Pérotin-Dumon a su remarquablement plaidé la cause de l'histoire des villes antillaises en prenant l'exemple des villes de la Guadeloupe[3].

Du seul point de vue quantitatif, le tissu urbain colonial peut paraître extrêmement fragile. Alors que le taux d'urbanisation du royaume, dans les années 1780, pouvait être de l'ordre de 20 %, il était à Saint-Domingue de moins de 6 % en 1789. Dans la Grande Antille, seules trois villes dépassaient le seuil des 2 000 habitants, le Cap, Port-au-Prince et les Cayes, et rassemblaient à peine 30 000 citadins pour une population insulaire de quelque 550 000 habitants. En Martinique, pour une population de 100 000 habitants en 1789, le taux d'urbanisation était supérieur, atteignant les 20 % puisque Saint-Pierre possédait à elle seule 20 000 habitants. À la même date, avec une population de 102 000 habitants, la Guadeloupe n'arrivait pas à 8 % d'urbanisation, Basse-Terre et Pointe-à-Pitre ayant respectivement 5 600 et 3 200 habitants.

Mais qualitativement, la part du fait urbain était essentielle. Les villes étaient au cœur de l'économie et de la société antillaise. Villes portuaires, elles n'étaient pas seulement le débouché des plantations mais elles en dirigeaient la vie quotidienne, leur fournissant leurs esclaves et leurs capitaux. Gabriel Debien, l'historien de la plantation, en a lui-même fait la remarque à propos de Saint-Domingue :

« Leurs capitaux venaient du dehors, du commerce le plus souvent, des villes littorales, lieux des échanges, le Cap, Saint-Marc, Port-au-Prince, les Cayes..., les capitaux ont été accumulés par l'exercice des charges (procureur, arpenteur, notaire) ou d'un métier heureux (chirurgien) ou attirés de France[4]. » Nés dans les villes, aussi bien dans la société des Blancs que dans celle des libres de couleur, les réseaux de clientèles et de capitaux soutenaient l'économie de la plantation. La ville était aussi un centre de décision, siège des pouvoirs administratif et judiciaire qui détenaient une emprise quotidienne sur la vie du planteur. Un personnel relativement nombreux y servait ces pouvoirs dans les greffes, les tribunaux de sénéchaussée et d'amirauté, dans l'intendance. En 1788, au Cap, on comptait au moins une cinquantaine d'officiers de l'Administration, un nombre aussi important qu'à Philadelphie en 1774[5].

Sous l'impulsion de ses administrateurs comme à l'initiative de certains de ses habitants, la ville antillaise sut aussi se donner un nouveau visage, hôtels de l'Administration, théâtres, fontaines, marchés. Tandis que les « groupes intermédiaires », qui échappaient en partie au modèle social de la plantation, petits blancs, libres de couleur, esclaves même, parvenaient à y acquérir l'aisance pour certains ou à en approcher, les colons venaient y goûter des loisirs, s'y retrouver dans des sociétés « de pensée », comme le Cercle des Philadelphes du Cap, et dans les loges maçonniques. Ils y côtoyaient les négociants auxquels ils s'opposaient bien moins qu'il n'a été écrit pour former des élites fortes de leurs alliances.

CHAQUE VILLE EST UN PORT

Il y a longtemps que j'aurais pris la route du Cap ou de Port-au-Prince où je me flatte que cela irait assez rondement, surtout si je pouvais tourner les spécula-

tions des divers amis que j'ai en Hollande de ce côté,
dont plusieurs me paraissent disposés de vouloir
faire des affaires de conséquence (...) j'aurai d'un
autre côté la ressource d'avoir des affaires de ce
continent et quelques affaires avec la France[6] (lettre
d'Étienne Dutilh, Philadelphie, 16 juillet 1787).

Originaire de Clairac en Agenais, ce négociant protestant
émigré en Hollande à Rotterdam, puis séjournant aux
États-Unis, montre l'attraction exercée sur le négoce atlantique par les villes portuaires de Saint-Domingue. La vision
est celle de l'outre-Atlantique, non celle de l'Hexagone, les
marchés américain, hollandais dans la Caraïbe, Curaçao,
sont associés au marché français.

À cette date, la rade du Cap était encombrée quotidien-
nement de plus de cent cinquante navires ; leurs capitaines,
après un voyage d'au moins une quarantaine de jours – les
vents contraires ralentissaient la marche de leur bâtiment
dans le golfe de Gascogne et aux parages des Açores avant
de gagner les latitudes tropicales où les alizés étaient favorables – n'avaient qu'une hâte, raccourcir le plus possible
la durée de l'escale. Pour ce faire, il fallait accélérer les
ventes de marchandises d'Europe et les achats de denrées
coloniales. Ayant parfois annoncé la vente de la cargaison
dans les gazettes de la ville, ils l'exposaient dans l'un de
ces magasins ou entrepôts bâtis par les négociants du Cap
et dont Moreau de Saint-Méry a laissé le tableau :

> C'est un coup d'œil vraiment étonnant de voir dans
> ces deux rues [rue du Gouvernement et rue Pen-
> thièvre parallèles au front de mer] cette longue suite
> de magasins où les vaisseaux de chaque port étalent
> les marchandises fabriquées dans ces ports, dans
> leur voisinage ou dans les lieux de l'intérieur du
> royaume auquel ils servent de débouché. On y
> expose aussi ce qui est tiré des pays étrangers, et
> dans ce court espace de terrain on trouve tout ce

que les besoins de la vie et les fantaisies du luxe ont conseillé et transporté à plusieurs mille lieues... Au-devant de chaque magasin est un tableau d'environ trois pieds de long qui contient l'état détaillé de la cargaison qu'on y vend, le nom du capitaine et celui du navire... On croit parcourir en peu d'instants la France entière, quand, à l'accent gascon on entend succéder le normand et le provençal au dunker-quois. Les cabrouets ne cessent de transporter du rivage au magasin et du magasin au rivage ; des nègres vigoureux, armés de morceaux de bois ronds et pesants, frappent en cadence les douves de bou-cauds où le café s'entasse, le tonnelier du navire les fonce et les rabat. Les négociants de la ville qui sont dans cette étendue ajoutent aussi par leurs charrois, leurs encaissements et l'enfutaillement au vacarme assourdissant de ce canton où tout annonce la richesse de Saint-Domingue[7].

Les capitaines pouvaient compter sur « les négociants de la ville », commissionnaires et correspondants des maisons de France ou de l'étranger. Les négociants de chaque port de la métropole avaient, pour la plupart, des filiales diri-gées par des parents ou des amis. Ces négociants ne se contentaient pas de posséder les « magasins à nègres » où se vendaient les cargaisons de traite, des entrepôts où l'on constituait des stocks de sucre, de café, de coton, ou d'in-digo de même que de marchandises d'Europe, mais souvent prenaient la gérance de plusieurs plantations. Fournisseurs des planteurs et souvent leurs banquiers, ils exerçaient une tutelle permanente sur les colons.

Si toute la richesse de Saint-Domingue n'était évidem-ment pas concentrée au Cap, ce port n'en détenait pas moins une nette prédominance que montre l'indice des tra-fics : en 1790, avec 31 000 tonneaux de navires entrés, le Cap occupait la première place devant Port-au-Prince (13 000), Saint-Louis (6 000) et Saint-Marc (4 000). Au-delà de cette vision globale de son rang, il faut souligner que la ville portuaire du Cap commandait la vie quotidienne des autres marchés de la colonie, au moins de ceux de la Partie-de-l'Ouest, par une redistribution partielle des produits qu'elle recevait. Située à près de trois cents kilomètres de Port-au-Prince, la ville pouvait aisément par la voie maritime et un cabotage très dense approvisionner aussi bien le port de cette cité que ceux de Saint-Marc ou de Léogane en Nègres et en marchandises d'Europe. À ces trafics couverts par le régime de l'Exclusif pour les rapports avec la France s'ajoutaient les échanges croissants avec l'étranger depuis l'ouverture d'un entrepôt en 1784. En 1789, le Cap recevait de l'étranger pour plus de 9,5 millions de livres dont près de 9 millions venaient des États-Unis. À la même date, Port-au-Prince importait pour 5,2 millions de l'étranger, dont près de 5 millions des États-Unis[8]. C'est dire combien le partenaire nord-américain avait pris une place essentielle dans la vie portuaire de ces villes, et l'on comprend que le négociant Étienne Dutilh, établi à Philadelphie, ait voulu créer sa propre maison au Cap. À ce commerce autorisé il faudrait ajouter les échanges de l'interlope, des navettes de goélettes américaines qui venaient charger les sucres blancs et les cafés dont l'exportation à l'étranger restait interdite.

Des exemples de maisons de négoce peuvent donner une image plus précise de la prospérité des villes portuaires de Saint-Domingue. Répartis dans plusieurs autres îles de la Caraïbe comme Curaçao, Saint-Eustache, la Jamaïque, Sainte-Lucie, la Grenade, les négociants juifs portugais constituèrent au Cap comme au Port-au-Prince des réseaux spécialisés dans les rapports avec l'Amérique espagnole et dans le commerce de luxe, comme ils l'avaient déjà fait, un siècle et demi plus tôt, en Martinique. Ils dépendaient pour la plupart de maisons mères situées à Londres, Amsterdam, Hambourg, Bordeaux et Bayonne, aux moyens financiers substantiels, et s'associaient dans leurs spéculations avec leurs coreligionnaires des autres Antilles.

Le cas des Raba, maison venue s'installer au Cap après la guerre de Sept Ans, fait bien percevoir combien la dynamique du négoce était active à Saint-Domingue. Venue du Portugal à Bordeaux avec ses fils en 1763, Sara Henriques Raba donna, moins de deux ans plus tard, à trois de ses enfants la mission d'établir pour dix ans un commerce au Cap, en conférant dans ce négoce 80 000 livres tournois en commandite. Avant même la fondation de ce comptoir, deux fils Raba avaient débarqué au Cap en 1764, pour y vendre leurs pacotilles et faire des achats avec les fonds que leur mère leur envoyait[9]. Quelques mois après la fondation du comptoir du Cap, un des frères gagna Port-au-Prince pour y créer une succursale. Avantagés par leur connaissance de la langue espagnole, les Raba avaient comme clients les colons de La Havane, Porto Rico, la Terre-Ferme, qui leur achetaient des marchandises fines telles que « soieries, batistes, dentelles, velours, bas de soie, le tout au comptant ». On pourrait supposer qu'ils étaient les fournisseurs de cette marchande liqueuriste de Port-au-Prince qui laissait à sa mort, en 1784, un magasin bien pourvu en « liqueurs eau de canelle, eau de café, eau de Barbade, eau divine, eau de lavande, liqueur d'anis, eau de girofle, eau de Franc-maçonne, crème d'absinthe, confitures de France[10] ».

Assez différent et plus caractéristique de la rapide promotion d'un immigrant aquitain est le cas de Jacques Mesplès devenu en quelques années, également après la guerre de Sept Ans, négociant et armateur au Port-au-Prince. Arrivé en mars 1763, Mesplès déserta de son bord et prit chez un « pays » 1 400 livres de marchandises à crédit pour six semaines. Après une heureuse vente sur le marché du dimanche, il s'installa une boutique, fit venir son frère de Bordeaux, et put, avec l'argent acquis, faire de bons retours en indigos et cotons. Après plusieurs voyages en Europe, son frère revenu à Bordeaux comme associé, et lui au Port-au-Prince, l'horizon s'élargit, et débuta une carrière d'armateur. En dépit du tremblement de terre de

1770 qui ruina la ville, Mesplès trouva son compte en bâtissant des magasins pour capitaines de navire : « Au fur et à mesure que je pouvais poser un logement, je le faisais et il était d'abord occupé. » En moins de sept ans, quelque 45 000 livres de loyers étaient perçus ainsi. Disposant de « deux grands bateaux et goélettes » employés au cabotage sur les côtes de Saint-Domingue, de deux navires sur l'Atlantique, notre négociant voyait sa fortune dépasser les cinq millions en 1786.

Le Rochelais Aimé-Benjamin Fleuriau se montra lui aussi doué pour la spéculation locative, dès le milieu du siècle, toujours au Port-au-Prince. Magasins de capitaines, d'entrepôts, boutiques, leur construction accompagnait l'activité quotidienne d'un négociant occupé à réapprovisionner les navires qui lui étaient consignés en cordages, goudrons, vivres, à leur procurer les frets de retour les plus avantageux. À sa mort, le 31 juillet 1787, Fleuriau laissait une fortune de quatre millions de livres tournois[11].

Aimé-Benjamin Fleuriau était devenu planteur en achetant l'habitation de Bellevue, proche de Port-au-Prince, dans la plaine du Cul-de-Sac. Les Reynaud, négociants à Saint-Marc, plus au nord, offrent l'exemple d'une filiale de maison de la métropole, les Romberg, qui entendait profiter de la fièvre commerciale spéculative dominant Saint-Domingue au lendemain de la guerre d'Amérique. Assurer les fournitures d'esclaves et de vivres, comme les débouchés des denrées coloniales, en signant avec de nombreux planteurs des contrats leur assurant l'exclusivité des échanges, tel était l'objectif ambitieux que se donnèrent nos négociants. En 1788, avec 400 000 livres tournois investies dans l'armement de six navires, ils contrôlaient la vie de seize sucreries, trente et une indigoteries et seize caféières[12]. Ces « liaisons d'habitations » conduisirent, en fait, à une accumulation de créances sans précédent, et, ne parvenant pas à obtenir les « retours » promis par les planteurs, les Romberg étaient déjà, à la veille de la guerre maritime, en 1793, dans une situation sans issue, avouant en 1794 quelque neuf millions de passif et causant par leur faillite de lourdes pertes à d'autres maisons de Bordeaux[13].

Les villes portuaires de Saint-Domingue fondaient leur prospérité sur un négoce qui n'était pas sans connaître des difficultés, sanction de projets trop aventureux. « De jeunes pousses » venaient, certes, mais trop souvent le vent de la spéculation ruinait les espoirs exagérés, cela à une heure où la concurrence étrangère se faisait de plus en plus vive. On peut retrouver un tel climat dans la nouvelle ville de Pointe-à-Pitre en Guadeloupe, sans doute bien moins à Saint-Pierre en Martinique, vieille cité marchande.

À la fin du xviie siècle, Saint-Pierre avait profité fortement du repli des colons de Saint-Christophe sur les îles du Vent. Le gouvernement général des Petites Antilles avait été transféré, dès 1667, de Saint-Christophe à la Martinique, et cette île était devenue le centre administratif des Antilles françaises. Son principal port, Saint-Pierre, devenait le pôle majeur du commerce français dans la Caraïbe. Sa position sur les routes de navigation, en droiture depuis l'Europe, fit sa fortune, d'autant que son mouillage était particulière-ment propice, eaux calmes, fonds importants et sableux, eau douce en abondance, bois pour les vaisseaux, et l'on était à proximité des plus riches habitations sucrières de l'île à la fin du xviie siècle. Les travaux permettant de créer une ville à Fort-Royal ne démarrèrent qu'en 1680, et, pen-dant plus de deux siècles, son port devait rester secondaire derrière Saint-Pierre.

Le rôle de la flibuste dans le décollage de Saint-Pierre ne saurait être surestimé. Comme au Port-Royal en Jamaïque, le port a pu, à la faveur des guerres, développer les rela-tions interlopes avec la « Côte d'Espagne », la Terre-Ferme, de la Guyane à la Colombie. Les flibustiers y étaient tantôt corsaires, tantôt trafiquants de contrebande. Ces trafics introduisaient esclaves et vivres nécessaires au démarrage des plantations. En 1690, plus d'un millier de flibustiers vinrent s'établir à Saint-Pierre avec leurs familles[14], venant pour certains de Saint-Christophe ou de la Guadeloupe alors dépourvue d'une amirauté permettant l'adjudication des prises. En 1706, pour l'intendant Mithon, Saint-Pierre « était le quartier de la flibuste, le nombre de cabarets et de maisons rend le lieu plus commode qu'aucun pour rassembler les flibustiers »[15]. L'administrateur faisait le lien avec le négoce : « Les négociants y sont plus puissants qu'ailleurs ; ce sont chez eux que se rendent les armateurs des bateaux qui vont en course. » Une estimation des magasins de Saint-Pierre fut faite après le cyclone de novembre 1694 qui ravagea la ville : 74 magasins étaient estimés 5 530 000 livres, soit une moyenne de 74 729 livres par magasin. Il y avait cependant des écarts importants :

Valeur (en livres)	Nombre
+ de 200 000	5
de 100 000 à 200 000	13
de 50 000 à 100 000	19
de 20 000 à 50 000	33
– de 20 000	4

Près d'un demi-siècle plus tard, en 1754, le directeur du Domaine en Guadeloupe présentait un tableau complet des trafics de Saint-Pierre :

> Le bourg de Saint-Pierre est le centre de presque tout le commerce qui se fait aux îles françaises du Vent de l'Amérique. C'est à la rade de ce bourg qu'abordent tous les vaisseaux venant d'Europe, du Canada, du Mississipi et autres lieux. C'est de là que, par le moyen de deux cents à trois cents barques de toutes grandeurs, l'on envoie dans les différents quartiers de cette île et des îles voisines les marchandises que les navires apportent. Ces barques en retour rapportent les différentes denrées telles que sucre, coton, café, cacao, gingembre et autre, de la fabrication des habitants. Ces denrées sont remises

à une sorte de négociants que l'on nomme commissionnaires qui les reçoit, les vend, en fait les retours
à chacun des habitants en l'espèce de marchandises
qu'il demande et en argent[16].

Que n'a-t-on pas dit du joug que ces commissionnaires
faisaient peser sur les colons de la Martinique comme de
la Guadeloupe ! Cependant, les négociants des ports de la
métropole n'entendaient pas toujours passer par leur intermédiaire, au moins dans la première moitié du siècle. En
1739, tel Bordelais, expédiant son navire à la Martinique,
demandait à son capitaine de tout faire pour traiter avec
des négociants de la côte atlantique de la colonie, à la Trinité et au Robert, pour y faire le recouvrement de ses
créances auprès des habitants sucriers et vendre sa cargaison d'Europe[17]. À ses yeux, ces marchés devraient suffire,
et le capitaine n'aurait pas « à perdre son temps à faire
courir et afficher aux portes des églises et à tous les
endroits... les imprimés qu'il aurait de [sa] cargaison ».
L'achat direct aux colons évitait de recourir aux coûteux
services des commissionnaires de Saint-Pierre. Cependant
le même négociant reconnaissait la supériorité du grand
entrepôt martiniquais puisqu'il conseillait à son capitaine
d'envoyer revendre à Saint-Pierre des cafés achetés sur ses
ventes de produits d'Europe car « ils y valent d'ordinaire
deux ou trois sols de plus qu'au vent de l'île ».

Si la confiance d'un armateur dans le savoir-faire
commercial de son capitaine était bien réelle, il demeure
cependant que bien des négociants du premier port français de l'Atlantique avaient eux-même pénétré le milieu des
commissionnaires de Saint-Pierre, comme ils le faisaient au
Cap ou au Port-au-Prince. Les Pellet, les Testard ou les Gradis avaient su faire des liaisons familiales avec Saint-Pierre
l'origine de leur fortune aux Antilles. Fille d'un des plus
riches commissionnaires pierrotins, Élisabeth Lussy épousait, en 1744, François Testard, déjà bien considéré dans le
milieu négociant de Bordeaux. Son frère, Abraham Testard,

était lui-même commissionnaire à Saint-Pierre et avait par son mariage avec Marguerite Leyritz reçu le soutien d'une des plus grandes familles martiniquaises. François Testard renforça ultérieurement sa position sur la place de Saint-Pierre en s'associant avec les Gaschet, eux aussi très anciens commissionnaires, fixés à Saint-Pierre dès les années 1690[18].

En dépit d'une certaine stagnation des trafics à la Martinique entre la guerre de Sept Ans et la Révolution, la colonie avec sa place de Saint-Pierre demeurait encore dans les années 1780 la base des échanges aux îles du Vent. Plus sans doute qu'aux relations avec la France dans le cadre de l'Exclusif, elle devait ce rang à l'importance de son commerce d'entrepôt avec l'étranger : « La supériorité de l'entrepôt de Saint-Pierre est particulièrement écrasante en ce qui concerne les importations de l'étranger », note Anne Pérotin[19]. Le port, avec une valeur de onze millions de livres importés, dont plus de six des États-Unis, prend en 1789 plus d'un tiers des importations par les entrepôts français aux Antilles, et sa position était encore meilleure, l'année précédente, approchant les 39 % de ces importations. Mais, au même moment, Pointe-à-Pitre, en Guadeloupe, avait su profiter d'une ère de prospérité promise à la colonie depuis l'occupation anglaise de la guerre de Sept Ans et devenir un grand entrepôt.

Pointe-à-Pitre représente le cas exceptionnel aux Antilles françaises de l'émergence d'une ville portuaire en moins d'une génération, de la guerre de Sept Ans à la Révolution. De 1720 à 1763, Basse-Terre, dans l'île de la Guadeloupe, était resté un port secondaire « au commerce précaire[20]. Saint-Pierre s'était alors imposé aux îles du Vent comme principal marché, disposant, grâce à son importante flotte de cabotage, d'une aire marchande qui couvrait toutes les Petites Antilles, dont la Guadeloupe. Celle-ci ne pouvait expédier directement son sucre en France, sa production passait par l'étape de Saint-Pierre. Cela était valable, il est vrai, seulement pour les échanges officiels, car d'importants trafics interlopes passaient par Basse-Terre, soit en cas de disette survenue après un cyclone ou une sécheresse imposant le recours à l'étranger pour obtenir des vivres, soit à l'occasion des guerres.

Attirés par le « miracle guadeloupéen » permis par l'occupation anglaise de la guerre de Sept Ans, les négociants de la métropole ont d'abord fondé des comptoirs à Basse-Terre dans les années 1760-1770. La guerre d'Amérique a ouvert à Pointe-à-Pitre de nouveaux horizons car les ports guadeloupéens ont alors bénéficié de la liberté du commerce presque totale avec les neutres devenus alliés de la France. Ouvert officiellement comme entrepôt avec l'étranger le 30 août 1784, Pointe-à-Pitre parvint à assumer une part non négligeable des échanges, prenant en 1786 près de 17 % des importations et 19 % des exportations par les entrepôts français aux Antilles[21]. Au lieu de commercer par Saint-Eustache, les capitaines nord-américains se rendaient maintenant en Guadeloupe, et des bâtiments français partaient de la colonie pour les États-Unis vendre les mélasses, si appréciées des Nord-Américains, et charger du riz. En 1785, un armateur bordelais envoya ainsi à Charleston un de ses navires depuis Pointe-à-Pitre pour un tel commerce[22]. Au premier semestre de 1792, les bâtiments étrangers étaient au nombre de 342 à entrer à Pointe-à-Pitre sur un total de 371, dont 201 nord-américains ; ils étaient 308 à quitter son port sur un total de 339, dont 130 nord-américains[23]. Les maisons de Pointe-à-Pitre n'hésitaient pas à laisser les créances du négoce français s'accumuler pour trouver de meilleurs débouchés auprès de partenaires étrangers. Anne Pérotin donne l'exemple du nouveau négociant de Pointe-à-Pitre, Paul Mey, qui excellait dans le commerce d'entrepôt, traitant à Saint-Thomas et Curaçao pour des cargaisons d'esclaves. En 1788, Pointe-à-Pitre l'emportait sur Basse-Terre dont l'activité était limitée dans le commerce avec la métropole, ne recevant qu'un tiers des bâtiments venant à la colonie, et ne dépassait pas un sixième des navires étrangers reçus. Substitué au petit port du Morne-Renfermé après 1763, Pointe-à-Pitre a réalisé une percée dans les années 1780 qui lui donne la prépondérance dans les échanges.

Pourtant son port n'était pas sans souffrir de handicaps : si la qualité du mouillage dans la baie le rendait très supérieur à la rade foraine de Basse-Terre exposée à de dangereux coups de vent pendant l'hivernage, ses équipements restaient bien sommaires à la fin des années 1780. Aux premières cabanes qui servaient de magasins, au fond du port, bâties sur le Morne-Renfermé, en 1759, l'année de l'occupation anglaise, avait succédé un « complexe marchand ». En bord de mer, trois cales de débarquement le desservaient ; devant les maisons et magasins des plus riches négociants, des rangées de pieux retenaient mal le sable ; les magasins, loués souvent comme au Cap ou à Saint-Pierre à des capitaines de navires, l'emportaient sur les pièces d'habitation. Le principal atout du port, c'était sa flotte de caboteurs, souvent commandés par des gens de couleur. Elle s'était développée pour communiquer avec les îles neutres, pour relier les magasins du port aux habitations des autres quartiers de l'île comme pour transporter encore des sucres ou des cafés à Saint-Pierre. En 1788, le Comité de l'Assemblée coloniale suggérait de hâter les améliorations à apporter au port de manière à attirer davantage le commerce des Américains, « indispensable à la Guadeloupe... en leur présentant l'appât d'un ancrage solide et d'une expédition facile et prompte[24] ».

En trente ans à peine Pointe-à-Pitre était parvenue à drainer les trois quarts des trafics de la Guadeloupe, une classe de négociants et de maîtres de barque de cabotage s'y était formée, capable de fonder une élite urbaine née du commerce maritime, favorisant un essor urbain incontestable.

Un remarquable essor urbain

À la prospérité créée dans les ports coloniaux par une vie maritime de plus en plus active a correspondu un essor spectaculaire de la ville antillaise. Certes, les handicaps existaient et ils étaient avant tout de nature physique. Il y avait un environnement montagneux défavorable avec souvent la présence au cœur de la ville de mornes qu'il fallait araser. Ce furent aussi des tremblements de terre comme au Port-au-Prince en 1751 et surtout en 1770. Il s'y ajoutait parfois le manque d'eau saine : les sites marécageux et malsains de Fort-Royal en Martinique ou de Pointe-à-Pitre en Guadeloupe pouvaient paraître, à cet égard, détestables. Les cyclones étaient capables de détruire, en quelques heures, des constructions souvent fragiles : à Saint-Pierre, en novembre 1694, quelque trente magasins furent ainsi perdus pour une valeur supérieure aux deux millions de livres. Des incendies comme celui de 1734 au Cap qui détruisit en la nuit du 20 au 21 septembre la moitié de la ville, et tout particulièrement le quartier du commerce, étaient toujours redoutés. On ne peut enfin négliger l'incidence sur les villes de la Caraïbe d'un facteur sanitaire défavorable avec des épidémies qui freinaient la croissance de la population ; à cet égard, Port-au-Prince avait la plus mauvaise réputation.

Cependant les témoignages des contemporains, du père Labat au naturaliste Michel Descourtilz, en passant par Justin Girod de Chantrans et le baron de Wimpffen se sont accordés pour signaler cet essor urbain, non sans en critiquer parfois le caractère désordonné.

C'est l'essor du Cap-Français à Saint-Domingue qui frappa le plus au XVIIIe siècle. En 1743, le jésuite Margrat se faisait déjà enthousiaste :

> Le Cap qui, dans ses commencements, n'était qu'un
> amas fortuit de quelques cabanes de pêcheurs et de

quelques magasins pour les embarquements est présentement considérable. Les maisons n'en sont pas belles mais elles sont assez riantes et bâties pour la fraîcheur et pour la commodité du commerce[25].

À la fin de l'Ancien Régime, le Cap est pour Moreau de Saint-Méry « la plus grande ville de l'Amérique française ». Le juriste martiniquais a laissé un témoignage suffisamment précis, rendant compte et de la progression de la population de la ville et de celle de son tissu urbain, avec le nombre des maisons. Il est basé sur des recensements certes sujets à caution en ce qui concerne le nombre des esclaves qui était minoré par leurs propriétaires, mais donnant avec clarté la tendance majeure.

Population de la paroisse du Cap-Français[26]				
Année	Blancs	Libres de couleur	Esclaves	Total
1692	223	0	34	257
1710	541	52	605	1 198
1730	1 075	62	1749	2 886
1749	1 415	143	–	–
1771	1 737	280	3 636	5 653
1780	1 664	1 392	4 665	7 720
1785	–	–	–	7 501 (5 412)
1 786	–	–	–	10 500 (8 296)
1787	2 740	1 264	8 147	12 151
1788	2 862	1 221	11 613	15 696
1789	3 013	–	11 828	–
1791	–	–	12 613	–

On se méfiera des premières données, en revanche les derniers recensements des années 1788-1791 méritent une certaine confiance. Le bond en avant de la population entre les années 1785 et 1786 ne peut s'expliquer que par une prise en compte plus exacte de la population esclave : il ressort que, en à peine quinze ans, de 1771 à 1786, la ville a plus que doublé ses habitants.

La croissance du tissu urbain se dégage de la lecture des plans conservés et des données retenues par Moreau. En 1744, les « îles » ou îlots de maisons isolés par quatre rues, déterminés par le plan orthogonal de la ville coloniale « en damier », étaient occupés de manière discontinue et inégale. Moins de quarante ans plus tard, en 1781, tous les îlets sont construits, et le Cap, au témoignage de Moreau, comptait alors 1 260 maisons alors qu'au milieu du siècle, en 1751, la ville n'en comptait que 587. À l'apogée de sa période coloniale, en 1788, le Cap en possédait 1 361, dont 1 221 dans la ville même et 140 dans le faubourg du Petit-Carénage, sans compter quelque 79 édifices publics. La densité d'occupation des maisons s'était accrue : le taux de cinq personnes par habitation au milieu des années 1770 (106 maisons pour 4 736 habitants) a doublé à la veille de la Révolution (1 361 maisons pour 15 000 habitants).

Entre l'incendie de 1734, époque à laquelle le Cap ne dépassait pas 400 maisons, et la fin de l'Ancien Régime, la ville avait triplé. En fait, selon Moreau, « cette manière de considérer son accroissement n'est pas celle qu'il faut prendre, puisque de belles maisons à étage ont remplacé des barraques et des espèces de chaumières, telles qu'on en voyait dans la Petite-Guinée et dans le canton de Marécage »[27].

La croissance des immeubles a été la plus forte en deux étapes, la première, de 1750 à la veille de la guerre de Sept Ans, la seconde, de la guerre d'Amérique à la Révolution. Au Port-au-Prince qui s'est rebâti après le tremblement de terre de 1751, la ville a quadruplé sa taille dans la décennie 1750, passant de 100 maisons à 392, et l'a fortement accrue encore de 1764 à 1776, progressant de 683 à 787 maisons. Mais l'essor s'y est fait de manière plus désordonnée qu'au Cap, il subsistait en 1789 de larges espaces non construits, au point que Moreau de Saint-Méry pouvait juger les Cayes, la capitale de la Partie-du-Sud, qui n'avait

pas 5 000 habitants à la veille de la Révolution, avoir « plus
l'air ville que la capitale de la colonie, les maisons étant
plus réunies qu'au Port-au-Prince ». Alors qu'au Cap un
quart des maisons avait deux étages, la majorité étant
construites en dur, « en maçonnerie », et étaient couvertes
d'ardoises ou de tuiles pour la moitié – dans un souci de
paraître, on sacrifiait à l'ardoise côté rue, côté cour on se
contentait de banales tuiles –, au Port-au-Prince, où après
le cataclysme de 1770 l'Administration avait défendu « de
reconstruire autrement qu'en bois », on voyait juxtaposées
des maisons « menuisées », en bois, à des habitations
maçonnées entre poteaux (pisé sur armature de char-
pente), pour la plupart recouvertes d'essentes (en bar-
deaux).

Faite de maisons basses, la capitale administrative, aux
larges avenues, « continue de flotter dans son cadre spa-
tial[28] ». Ce fut seulement dans les dernières années de la
décennie 1780 que quelques immeubles à deux étages abri-
tèrent les plus riches, au nord-est de la ville, dans le quartier de Bel-Air. Mais cela justifiait-il le jugement sévère du
baron de Wimpffen en 1789, quand il découvrait Port-au-
Prince ?

> Enfin j'arrive entre deux rangs de cabanes, roulant
> sur une aire poudreuse que l'on nomme rue..., cher-
> chant en vain Persépolis dans un amas de baraques
> et de planches...

concluant :

> À quelques différences, aux mœurs, au costume
> près, la comparaison qui se présente le plus naturel-
> lement à la vue de cette ville est celle d'un camp
> tartare, tel que les voyageurs le décrivent[29].

Ce jugement lapidaire ne correspond nullement à la réalité. En quarante ans, Port-au-Prince, comme le Cap, s'était

embelli, sous l'action des administrateurs, et avait vu son habitat s'améliorer.

Au vu des actes notariés, les pièces des maisons ne paraissent pas recevoir une affectation spécifique[30], tout au plus dans quelques demeures de qualité ou prétendues telles distingue-t-on la salle où l'on se tient communément ou le salon de compagnie du reste des chambres. Le comble de l'élégance est bien sûr d'avoir un « salon à manger », création du règne de Louis XVI ; la colonie suit la métropole en adoptant cette pièce au mobilier adéquat. Dans le mobilier domine l'acajou local, tel ancien président au Conseil supérieur, Pierre Bourdon, quitte ce monde en laissant un abondant mobilier : lit à moustiquaire avec des canapés, fauteuils, bergère, armoires, commode en acajou, tables à tric-trac révélant le démon du jeu. Une négresse libre, Jeanne dite Reine, loue un appartement avec « grande armoire marquetée d'acajou fermant à clé, trois grandes glaces, cinq tables d'acajou ». Il est vrai que Moreau jugeait que le luxe des mulâtresses « poussé au dernier terme » touchait plus l'habillement que le logement. Chez Reine, celui-ci était fait de deux chambres, l'une servait de salon, dans l'autre, un lit était couvert d'une belle perse. Le morcellement des maisons en plusieurs appartements, tous loués, voire sous-loués, était caractéristique de l'habitat antillais.

Au Port-au-Prince, les galeries, côté cour et côté rue, jouaient un grand rôle, elles apportaient une fraîcheur appréciable. Au Cap, on ne retrouve pas une telle présence des galeries, seules, côté rue, quelques belles maisons à étage arborent des balcons dits « saillants » ; côté cour, les galeries se déploient. Comme les portes et les fenêtres des chambres, ces galeries étaient équipées de jalousies peintes en vert ou en gris, apportant la fraîcheur et préservant l'intimité.

Souvent exiguë, mais toujours carrelée, la cour était espace de sociabilité, abritant des appentis, des cabinets destinés à loger des esclaves et ayant souvent au Cap un puits. À Port-au-Prince où il n'y avait pas de nappe phréatique, il n'y avait pas de puits, l'eau était amenée à la ville par un savant système d'adduction. Les esclaves, notait Moreau, « sont les grands préconiseurs de l'eau de puits parce que le besoin d'en procurer d'autre serait une peine pour eux ». Le puits était parfois adossé à la cuisine, toujours dans la cour. Les locataires d'une maison y convergeaient plusieurs fois par jour. Isolée au milieu de la cour pour limiter la propagation des incendies, souci quotidien dans les villes antillaises, la cuisine est de moins en moins construite en planches et en essentes ; les mieux conçues ont une cheminée, un four et des fourneaux potagers. Basse-cour et colombier étaient généralement écartés par manque de place, on y suppléait par de petites volières accueillant des oiseaux exotiques venant du Sénégal, de Guyane, du Mississipi ou de la partie espagnole de Saint-Domingue.

Des amateurs des modes du royaume pouvaient se trouver chez des citadins riches voulant paraître : « Elles sont toujours de tapisseries de damas et de baguettes dorées », notait le baron de Wimpffen à propos de quelques maisons, « ces tapisseries de damas me paraissent ici ce que seraient en Norvège des habits de gaze au mois de janvier ; le goût est encore bien créole à Saint-Domingue et le goût créole n'est pas le bon goût, il sent encore un peu le boucan[31] ». Une fois de plus, Wimpffen se montre hypercritique à l'égard des colons. Mais nos créoles savaient adapter les modes françaises aux impératifs du climat tropical. D'ailleurs, s'ils sacrifiaient sans compter aux plaisirs de la table, aux pléthoriques domesticités et aux équipages, ils se montraient d'une rare parcimonie dans leur maison et leur ameublement.

Il y avait aussi rapprochement dans l'habitat entre Blancs et gens de couleur, on ne voit pas de quartier particulièrement réservé aux derniers qui possédaient, en 1776, quelque 150 maisons des 916 recensées au Cap. On trouvait certes en périphérie du Cap des gens de couleur qui s'y regroupaient, mais ce n'étaient pas les plus pauvres. Il n'y avait là rien de comparable à ce qui se produirait au XIXe siècle dans le faubourg des Terres-de-Sainville à Fort-de-France.

Un effort assez remarquable fut fait par les administrateurs pour donner aux habitants un cadre de vie digne de la richesse coloniale et améliorer l'habitat. Combler les marais, niveler les mornes, amener l'eau par un aqueduc, construire des places où se tenaient les marchés, constituaient ces améliorations en même temps que de beaux ouvrages. Les villes n'étaient plus seulement des entrepôts et des magasins pour le commerce et les habitants mais témoignaient dans leur vie quotidienne de la grandeur monarchique comme de leur richesse. Les représentants du roi se trouvaient dans le contexte urbain au cœur du processus de décision et de financement des réalisations de quelque importance. Et comme il n'y avait pas de pouvoir municipal constitué, ils détenaient une grande autorité en dépit de critiques de corps comme les Conseils supérieurs et les Chambres d'agriculture.

Les lieux symboliques du pouvoir urbain étaient au Port-au-Prince l'hôtel du gouvernement et l'intendance. De toutes les capitales antillaises, ce fut celle qui se donna des bâtiments les plus dignes de la fonction. En Guadeloupe, à Basse-Terre, le gouvernement, en dépit des projets tardifs des années 1770, resta dans une maison en bois bien médiocre ; l'intendance était logée dans une maison en location avec le contrôle des classes, les magasins de la Marine ; c'était aussi le cas de l'Amirauté et du Conseil supérieur. Au Port-au-Prince, construit sur une terrasse dominant la ville, le gouvernement dégageait une impression de faste et de puissance au milieu des modestes et fragiles « cabanes » évoquées par Wimpffen. L'essentiel des bâtiments était en bois mais les vastes salons, la salle à manger, étaient imposants. Il s'y ajoutait l'agrément des jardins où l'eau abondait, offerte par le canal construit en 1776. L'intendance était « placée tout à la fois et à la ville et à la campagne » : le bâtiment s'ouvrait par une belle terrasse terminée en 1786, plantée d'orangers, de plates-bandes fleuries, et agrémentée d'un jet d'eau sur laquelle venaient flâner les citadins.

Au Cap, qui n'était pas capitale administrative, l'effort des autorités a davantage porté sur l'aménagement de places qui donnaient aux habitants la commodité des marchés. Telle fut la réalisation de la place Clugny, dans la ville nouvelle, commencée dans les années 1760 mais terminée seulement en 1782 par le jeune intendant Le Brasseur, car elle nécessita d'importants travaux de remblaiement financés par la Caisse des Libertés et par les propriétaires riverains. Ces derniers ne pouvaient s'en plaindre puisque la rénovation de la place donna une plus-value considérable ; selon Moreau, les loyers y triplèrent. Le marché aux Nègres y avait été placé par l'intendant Clugny en 1763 ; il était quotidien depuis 1768, destiné aux viandes, légumes, poissons et grains ; le dimanche, les esclaves des habitations voisines du Cap et même de plus loin y affluaient pour vendre leurs produits de basse-cour et de jardin.

« Chercher à préserver les sujets des vapeurs mortelles qui s'élèvent des marais infectés », ce fut le grand projet réalisé par Le Brasseur qui fit drainer les terrains marécageux de la Fossette, au sud de la ville, là où sortait la route de Port-au-Prince. Il imitait, ce faisant, les efforts remarquables accomplis à Fort-Royal, en Martinique, pour assécher le site de la ville avec des travaux achevés en 1766 par le creusement d'un canal dit de la Levée qui collectait les eaux de ruissellement des mornes[32]. L'intendant de Saint-Domingue traça à la Fossette un nouveau cours, baptisé du nom du gouverneur, Reynaud de Villeverd. Une promenade agréable était ainsi offerte aux habitants[33]. Les recettes de la Caisse des Libertés, accrues avec les progrès des affranchissements, financèrent ces travaux.

Les autres grandes réalisations des années 1780 au Cap furent, d'une part, le grand hôpital de la Providence rénové car il avait été commencé au milieu du siècle, sous Larnage. Quelque cent vingt-deux donateurs se groupèrent pour financer la construction du nouveau bâtiment terminé en 1782. D'autre part, et ce fut là encore un projet de Le Brasseur, on termina sur le bord de mer les Magasins du roi pour les vivres et les objets de marine : « Son ensemble frappe ceux qui débarquent... », notait Moreau de Saint-Méry.

Un des éléments les plus originaux de la politique urbanistique des administrateurs fut leur politique de l'eau. Moreau de Saint-Méry fait débuter les premiers progrès en la matière avec le gouvernement de Larnage, au milieu du siècle : il sut « déterminer les habitants à employer l'eau qui coulait sans utilité dans des plaines immenses à en augmenter la fertilité, alors on vit s'ouvrir de toutes parts des canaux qui roulèrent en quelque sorte des flots d'or[34] ». Mais il s'agissait là d'une mise en valeur nouvelle des plaines sucrières de l'Ouest, en particulier à l'Artibonite. Dans les villes, c'est après la guerre de Sept Ans, avec un effort sans précédent dans la décennie 1780, qu'on vit se développer les réseaux d'adduction nécessaires à un approvisionnement régulier en eau potable. En 1773, le gouverneur de Vallières ouvrit le chantier des grands canaux de Port-au-Prince, apportant l'eau de source jusqu'au gouvernement et aux casernes. L'eau put couler dans les fontaines de la ville chargées d'inscriptions à la gloire du gouverneur. Toutes les grandes places de Port-au-Prince en étaient pourvues en 1789. Même chose au Cap qui possédait neuf fontaines publiques à la veille de la Révolution ; en 1788, un captage par aqueduc coûtant près de neuf cent mille livres avait permis de donner l'eau à ces diverses places ; la réalisation la moins importante n'était pas cette aiguade des vaisseaux, la Fontaine-d'Estaing, à l'extrémité nord du quai Saint-Louis, indispensable à la fois au commerce et à la marine du roi (en 1745, l'escadre de l'Etenduère et son convoi avaient été retenus six jours de plus au Cap pour attendre l'eau qui leur était nécessaire). Il n'était pas jusqu'à la réalisation de bains publics au Port-au-Prince et au Cap qui ne fût permise par cette politique. De ceux du Cap, pourvus en eau chaude et froide, Moreau se faisait admiratif : « On n'y a pas la police sévère de ceux de Paris, où les sexes sont partagés, le mari et la femme ou ceux qui se considèrent comme tels peuvent aller aux mêmes bains et à la même baignoire, circonstance qui attire peut-être des amateurs[35]. »

Cet essor urbain eut des résultats inégaux. La volonté, voire l'enthousiasme de certains administrateurs, dans leur désir de voir les villes coloniales répondre dans leur décor à la prospérité de l'économie antillaise était indéniable. Certains ont jugé bien médiocre la réalité urbaine aux Iles. Michel-Étienne Descourtilz critiquait vivement l'état sanitaire du Cap et jugeait que les bâtiments étaient construits sans goût, les rues étroites et « horriblement pavées »[36]. Il n'admirait pas, comme l'avaient fait les officiers de l'escadre de De Grasse, le quai, « la grande quantité de rues bien alignées et bordées de superbes maisons, régulièrement bâties..., les places publiques ornées de fontaines et de promenades ». Mais, au-delà d'un regard toujours subjectif, demeurent les réalisations, et force est bien d'admettre que les dernières années de l'Ancien Régime furent pour ces villes antillaises à la fois une période de grande prospérité et de progrès significatifs dans les villes. Heureux de quitter quelques jours leur plantation, les créoles se retrouvaient dans la vie quotidienne de celles-ci pour partager les loisirs des citadins et une certaine forme de culture. Accrochés parfois aux fantasmes de l'autonomie coloniale, les notables des villes se faisaient un devoir de rendre sa part au culte monarchique dans certaines des fêtes urbaines (« Te Deum » en l'honneur de la famille royale, réceptions des gouverneurs).

LOISIRS ET CULTURE DE LA VILLE ANTILLAISE

Dresser un tableau de la ville antillaise au XVIIIᵉ siècle ne serait pas exact si l'on ne sortait pas du seul domaine des affaires pour pénétrer une vie qui faisait une large place non seulement aux plaisirs retenus le plus souvent par l'historiographie, ceux de la gloutonnerie sexuelle des Blancs subjugués par le charme des mulâtresses, mais aussi aux jeux de l'esprit. Créole matérialiste et débauché, indifférent à toute culture, mulâtre aimant le plaisir, « c'est son unique maître..., danser, monter à cheval, sacrifier à la volupté, voilà ses trois passions[37] », autant de traits retenus de manière abusive qui ne sauraient représenter toute la réalité.

Il y avait incontestablement une part de loisirs qui ne devait rien à la vie de l'esprit mais qui n'en permettait pas moins aux différents habitants des Iles de se rapprocher et de partager le plaisir de la fête. Les esclaves y étaient appelés dans les bourgs comme dans les villes en fréquentant les « guildiveries lucratives », telles celles du Quartier Morin où Moreau de Saint-Méry note qu'il se « réunit un nombre considérable de nègres les dimanches et fêtes ». Depuis le XVIIᵉ siècle, c'était l'usage à Saint-Pierre de voir nombre de cabarets fréquentés par les flibustiers mais aussi par les esclaves. Loués en ville, ceux-ci touchaient des salaires qui leur permettaient d'accumuler des pécules en partie dépensés dans le tafia et les jeux de hasard au cabaret, pratiques partagées avec les petits blancs. Ces réunions furent parfois à l'origine de rassemblements tumultueux contribuant à inquiéter fortement les autorités, comme à Saint-Domingue lors de l'agitation des années 1768-1769. Moreau voyait au Petit-Carénage, ce faubourg du Cap, nombre de guinguettes fréquentées par les esclaves. Comme sur les habitations des campagnes, le tafia versé à flot accompagnait des danses, chica ou calenda du vaudou clandestin. Le père Labat avait pu condamner la seconde par ses mouvements « des plus déshonnêtes », la pratique s'en était maintenue, voire développée. Comme les petits blancs, les esclaves se passionnaient aussi pour les jeux de hasard, jeux de dés, ou pour les combats de coqs dans les *pitts*.

Pour de nombreux Blancs et libres de couleur « l'amusement public » au Cap comme dans Port-au-Prince et les autres villes coloniales se rapprochait en partie des formes précédentes. Les cabarets et cafés où l'on pouvait jouer au billard étaient, aux dires de Moreau, en « nombre illimité » sur le quai de Port-au-Prince. À Basse-Terre, en Guadeloupe, l'Académie Gilet donnait sur la plus ancienne cale du port. Le soir, les marchands s'y réunissaient pour jouer au billard et faire des parties de trictrac. De l'Académie, ils pouvaient surveiller les mouvements du port à l'aide d'une longue-vue depuis la galerie « qui regarde la mer » au-dessus des salles de billard[38]. Propices à la conversation de compagnie mais ouverts aussi au plaisir de la danse furent les Vauxhalls, avec la pénétration des modes anglaises dans la deuxième moitié du siècle. On les trouvait dans les années 1770 et 1780 à peu près dans toutes les villes de Saint-Domingue, mais de manière épisodique. Celui du Cap fut ouvert en 1776, il comprenait un café, un salon de compagnie, une salle de danse, et il fut particulièrement fréquenté, l'année de sa fondation, à l'époque du Carnaval. On l'aurait ensuite déserté : Moreau souligne qu'il fut fréquenté par les gens de couleur qui venaient y danser le dimanche. Au Port-au-Prince, un Vauxhall fut créé en 1782 par les commerçants ; on en retrouvait à Saint-Marc où « l'on jouait et l'on causait », on y pratiquant les jeux de hasard comme dans la petite ville du Sud, Jérémie, où un Vauxhall fut ouvert en 1787, offrant des rafraîchissements et des jeux de société.

Les bals publics furent au Cap ceux des célèbres « redoutes » qui suscitaient les critiques de censeurs comme Wimpffen. Deux fois par semaine, des bals parés et masqués, de décembre au vendredi gras, attirait un large public de Blancs ; les gens de couleur n'y étaient pas admis. C'était, pour Moreau, « le plus délicieux spectacle » ; notre magistrat montre les créoles allant à la redoute « pour danser, voir danser, y causer, y parler affaires, faire une partie de cartes ». Au Port-au-Prince, les mêmes redoutes commençaient après les Rois, comptant le plus de monde pour les trois jours gras. C'était déjà la pratique de la danse et de la fête pour les journées du Carnaval qui devait devenir si populaire dans les Iles.

Mais les bals les plus courus étaient ceux que les créoles pouvaient fréquenter, à la faveur d'une invitation, chez le gouverneur général ou l'intendant pour de somptueuses réceptions où le nombre des convives pouvait s'élever à plus de deux cents personnes, avec bal jusqu'à l'aube, feu d'artifice, illuminations des hôtels de leurs hôtes. « Toutes les modes de Paris y avaient été importées et les toilettes étaient brillantes » ; convié à la réception donnée par La Luzerne en 1786, Laujon conservait un souvenir ébloui de sa soirée[39].

Ce qui pourrait, dans tous ces divertissements, amplement prêter matière à développer le mythe antillais de la débauche et de l'insouciance complaisamment développé par beaucoup ne relève-t-il pas plus simplement de l'attraction exercée par des villes qui sortaient les planteurs de leur isolement ? « Cette cité n'a de mouvement et de la gaité que le dimanche parce que les habitants de la Plaine y affluent, que leurs voitures y produisent de l'agitation et que les nègres qui viennent au marché animent cette enceinte[40]. » Ce que disait Moreau de Saint-Méry des Cayes pourrait être appliqué aux autres villes. Les visiteurs de la métropole, ou bien ont été éblouis par la fête urbaine, ou bien l'ont condamnée trop rapidement.

Sans une pratique pouvant paraître ostentatoire des activités mondaines et semi-mondaines, le colon antillais aurait été réduit à ne connaître aucun des plaisirs de la culture, reconnu inapte à la moindre activité intellectuelle qui ne fût pas porteuse d'un profit immédiat. Pourtant d'autres perspectives s'offrent. Certes, un Moreau de Saint-Méry joint apparemment sa voix au concert des censeurs : « Si l'on joue, c'est pour gagner, si l'on cause, c'est d'affaire, si l'on va au spectacle, c'est pour faire assaut de vanité, au bal, c'est pour s'exténuer, si l'on se régale, c'est l'orgueil qui le veut. » Et pourtant notre magistrat est celui qui plaide la cause d'un réel mouvement intellectuel et scientifique, développé par lui et ses amis, dans l'Académie du Cercle des Philadelphes au Cap. C'est le même qui recense minutieusement les théâtres, les librairies de la Grande Antille.

Même le théâtre, voué apparemment à la seule vanité d'un public qui venait faire étalage de son luxe, ne donnant que des pièces jugées médiocres, créées et enterrées à Saint-Domingue, a-t-on pu écrire avec quelque exagération, apporte la preuve d'un certain intérêt pour la vie de l'esprit. Chaque ville coloniale mettait son point d'honneur à se donner un théâtre dans la deuxième moitié du XVIIIe siècle. Le plus réputé était celui de Saint-Pierre en Martinique, reconstruit en 1786 et admiré par tous : pour le Danois Isert, il « surpasse pour la grandeur et le goût des bâtiments en ce genre les plus renommés en Europe[41] » et le voyageur note que Blancs et gens de couleur se pressent aux représentations. À Saint-Domingue, la petite ville des Cayes eut sa première salle de spectacle en 1765 et de nouvelles constructions dans les années 1780. Inutile de nier la recherche du paraître, « les femmes y venaient en déshabillé », comme au Cap ou ou à Port-au-Prince qui disposaient des plus grandes salles et des plus nombreuses troupes de comédiens, une vingtaine au Cap, à peu près autant à Port-au-Prince. Étaient-ils les histrions qu'on a prétendu ? Moreau, qui souligne le caractère « grotesque » des tragédies goûtées du public, se montre indulgent à leur égard : de l'un il loue le ton vrai et naturel, d'un autre, le jeu comique et l'étonnante pureté de langage, « on applaudit avec transport au gosier flexible, au gazouillement de Madame Clerville » ; c'est un triomphe pour celui qui joue

Figaro dans *Le Barbier de Séville*. Des actrices de couleur
jouaient à Port-au-Prince : le 13 février 1781, « le préjugé
fut mis aux prises avec le plaisir, une jeune personne de
14 ans, créole de Port-au-Prince, débuta », la jeune Minette
jouait encore au théâtre de cette ville en 1788 ; Lise, sa
sœur, triomphait aux Cayes, puis à Léogane.

Le théâtre était la chose d'une ville. Au Cap, en 1765,
une cinquantaine de colons, « avec dans le nombre des
habitants à la résidence éloignée du Cap », devinrent
actionnaires du spectacle, chaque action coûtant trois mille
livres. Au théâtre du Cap comme à celui de Port-au-Prince,
les spectateurs se levaient pour applaudir le gouverneur
général et l'intendant quand ils venaient occuper les deux
plus grandes loges de la salle. Il faut rappeler que la vie
culturelle des villes dépendait d'eux, ils attribuaient les
autorisations pour la tenue des bals publics comme pour les
représentations théâtrales. Les Conseils supérieurs avaient
aussi leur loge louée à l'année. On a vu les gens de couleur
présents au théâtre de Saint-Pierre, ils l'étaient aussi dans
ceux de Saint-Domingue. Ici encore Moreau est un précieux
témoin pour montrer comment les habitants de la ville se
rencontrent au spectacle. Ce dernier attire parce qu'il est
un rendez-vous « où l'on va parler affaires, aussi les corri-
dors sont-ils bruyants, l'amphithéâtre l'est presque autant
mais par un autre motif, étant l'asile des jeunes gens de la
ville et de la garnison à cause des filles de couleur dont les
loges sont au-dessus, la conversation y est quelquefois établie de bas en haut et de haut en bas, et elle est d'un genre
qui pourrait offenser des oreilles même difficiles à bles-
ser ».

L'activité théâtrale à Saint-Pierre, au Cap ou au Port-au-
Prince était bien comparable à celle d'une grande ville de
province dans le royaume. Elle donnait l'occasion de briller
ou de plaire tout en ouvrant l'esprit aux secrets de la
langue et du style de quelques auteurs ; un Regnard et un
Beaumarchais ont été joué aux Iles. Elle se situait nettement au-dessus du niveau d'autres divertissements fort

goûtés, tels les jeux de cirque, tours de prestidigitateurs et d'acrobates.

Prendre la mesure de la culture écrite, de la place du livre et de l'existence d'un mouvement scientifique peut paraître ressembler à une gageure tant les jugements lapidaires d'un Hilliard d'Auberteuil ou d'un Wimpffen ont été repris par de nombreux historiens. Le créole ne s'intéressait pas aux sciences et aux lettres, il n'y avait que peu de livres et on leur préférait les activités mondaines. Le baron de Wimpffen va jusqu'à prétendre que les colons « pour se disculper de leur ignorance ont eu la mauvaise foi de débiter en France qu'il était impossible de conserver des livres à Saint-Domingue..., la véritable manière de conserver des livres, c'est de les lire. De quel genre, d'ailleurs pensez-vous que soient ceux que l'on y apporte ? *Margot la Ravaudeuse* est un des plus décents[42] ».

Un des arguments souvent avancés pour expliquer cette faiblesse de la culture chez les Antillais est la nature de l'éducation américaine. Il n'y avait pas de collèges aux Iles. Il est vrai que Louis XIV s'opposa fermement au projet des Jésuites d'ouvrir un collège pour les jeunes Blancs, en 1703 : « Les belles lettres aussi bien que la procédure ne conviennent point dans les colonies où il ne faut ni philosophes ni orateurs mais des habitants uniquement appliqués aux soins et à la culture de leur terre[43]. » Moreau de Saint-Méry enviait les villes de l'Amérique espagnole qui possédaient leurs universités alors que les Antilles françaises se contentaient d'avoir des écoles « qui indiquent les temps d'ignorance ».

Mais on doit relever que l'apprentissage du lire et de l'écrire se faisait aux Iles. L'exemple de l'alphabétisation des libres de couleur en apporte la preuve. Une recherche attentive dans les sources notariales a permis à Dominique Rogers de souligner qu'au Cap plus de 57 % des hommes signent leur contrat de mariage ou leur testament, 166 signatures sur un total de 288 cas, et qu'ils sont à Port-au-Prince plus de 44 % à le faire, 48 sur 109. Les femmes

sont moins présentes dans les signatures, moins de 25 %
à Port-au-Prince, moins de 20 % au Cap, respectivement
42 signatures sur 166 cas et 61 sur 324[44]. Il existait, en
effet, des maîtres d'école de couleur. En 1783, le Conseil
supérieur du Cap enlève sa charge à un mulâtre maître
d'école sur plainte d'un maître d'école blanc, a contrario,
c'est la preuve de l'existence d'un réseau de tels maîtres.
En Martinique, au Fort-Royal, Émile Hayot relève que tel
mulâtre libre, Charles Alexandre, était en 1786-1792
maître de musique et précepteur ; son beau-frère, Gabriel
Dumas-Mondésir, était précepteur en 1793[45]. Les signatures des registres de Fort-Royal sont d'une écriture par-
faite en 1800. Au Cap, les religieuses de Notre-Dame
recevaient dans leur établissement cent « petites filles de
la ville » et leur apprenaient gratuitement à lire, écrire et
l'arithmétique[46].

Il est vrai que les études secondaires font bien figure de
parent pauvre. Le pensionnat des mêmes religieuses au Cap
recevait des jeunes filles « qui ne sont pas toutes des blanches » mais il était critiqué par Moreau de Saint-Méry ; le
prix de la pension n'était pas négligeable, 2 800 livres par
an. Toujours au Cap, un autre pensionnat existait pour les
garçons, il avait vingt-cinq pensionnaires et une centaine
d'externes. Mais l'usage à la Martinique, dans une mesure
moindre sans doute à Saint-Domingue, était que les planteurs tant soit peu aisés envoient leurs fils en France suivre
un cursus complet les menant jusqu'aux grades du droit.
La plupart des membres du Conseil martiniquais, à la fin
de l'Ancien Régime, avaient reçu cette formation. Bien des
planteurs blancs envoyaient aussi leurs enfants mulâtres
suivre des études leur permettant d'accéder à une culture
réelle, ce fut le cas d'un Julien Raimond comme d'un Vincent Ogé.

Mais, dans le procès fait aux colons dans le domaine de
la culture écrite, le mieux n'est-il pas de relever la présence
du livre avec l'implantation de libraires dont certains
étaient aussi imprimeurs ? Dès 1723, Joseph Payen, impri-

meur-libraire, débarquait à Saint-Domingue, mais, le persé-
cutant sous prétexte qu'il publiait des ouvrages interdits,
les administrateurs locaux l'acculèrent à la ruine. Il faut
attendre la deuxième moitié du siècle pour voir une dizaine
de libraires se fixer à Saint-Domingue. Leurs fonds ne se
limitait pas aux seuls ouvrages utilitaires ou galants, et
Margot la Ravaudeuse ne faisait pas le bonheur de tous les
lecteurs. Dès 1765, alors chez l'unique libraire qui tenait
boutique au Cap et à Port-au-Prince, on trouvait l'*Encyclopédie*, des ouvrages couvrant les domaines de l'histoire, la
médecine, la chimie, comme des œuvres choisies de Cor-
neille et Molière. Il y avait bien une clientèle pour des écrits
plus ambitieux que les seuls livres de littérature galante.
Les gazettes antillaises étaient publiées par les imprimeurs-
libraires, au Cap, les *Affiches américaines*, de 1765 à 1793,
en Martinique, de 1766 à 1793, la *Gazette de Martinique*.
Ces journaux ne se contentaient pas de traiter les seuls
thèmes utilitaires, on y trouvait certes les renseignements
sur la vie portuaire et commerciale, mais aussi des notices
scientifiques, mémoires médicaux ou météorologiques ;
leurs colonnes publiaient aussi les annonces des ouvrages
disponibles chez les libraires.

Les lecteurs étaient ceux de clubs comme aux Cayes ou
à Jérémie dans le sud de Saint-Domingue où les papiers
publics étaient à la disposition de leurs membres. C'était
vrai aussi de ce club de quatre-vingts souscripteurs formé
au Cap à la fin des années 1780 qui y trouvaient journaux
et livres. Mais il y avait aussi des bibliothèques privées,
celle de Moreau de Saint-Méry, la plus connue, comptait
quelque trois mille titres. Mais on peut aussi citer celle du
planteur Badier en Guadeloupe et du notaire Mercier de La
Ramée dans la même colonie : il y avait trois cents volumes
chez le premier, cinq cents chez le second[47]. À Saint-
Pierre en Martinique, les jésuites possédaient une bibliothèque réputée. Dans les gazettes de Saint-Domingue, on
relève de nombreuses ventes faisant état de bibliothèques. Le planteur Badier avait une bibliothèque essen-

tiellement scientifique, mais on trouve aussi chez lui l'*Encyclopédie* de Diderot, les œuvres de Buffon, des titres de Racine et Voltaire. Mercier de la Ramée a aussi l'*Encyclopédie* et Buffon, mais il lit Montesquieu et Raynal.

Les élites coloniales n'ignorent donc pas le livre mais elles sont allées plus loin que le seul plaisir de la lecture en formant des corps académiques tournés vers la collecte et la diffusion du savoir scientifique[48]. Créé en août 1784, en partie en réaction contre les expériences des « baquets magnétiques » de Messmer popularisé à Saint-Domingue par l'officier de marine Chastenet de Puységur, le Cercle des Philadelphes du Cap devint cinq ans plus tard la Société royale des sciences et des arts. Moreau de Saint-Méry en fit partie. Véritable académie, le Cercle correspondait avec les académies de Paris, de province, d'Europe, d'Amérique du Nord. Il compta en 1789 jusqu'à une centaine de membres qui se réunissaient en séances publiques, et il publia de nombreux mémoires sur des sujets variés, tels la vie des hommes illustres de la colonie, le climat, les épizooties, l'analyse des eaux thermales. Les Philadelphes fondèrent une bibliothèque publique et un jardin botanique ; ce dernier vint s'ajouter à celui créé par le gouverneur à Port-au-Prince. Des sujets pratiques étaient traités, tel celui de la cochenille ; des prix étaient fondés pour stimuler la curiosité du public.

L'influence des Musées maçonniques de Paris, Bordeaux et Toulouse s'exerça sur le Cercle qui compta parmi ses membres un nombre important de maçons, mais, selon François Regourd, il ne faut pas exagérer la place de la franc-maçonnerie dans une institution forte de ses propres ambitions, à savoir favoriser un développement des sciences aux Iles. La curiosité des colons pour le mouvement scientifique du XVIIIe siècle a d'ailleurs précédé la fondation du Cercle, et l'on peut recenser aux Antilles de nombreux correspondants, ingénieurs, médecins, botanistes, de l'Académie royale des sciences, du Jardin du roi et de l'Observatoire[49]. Mais l'originalité du Cercle des Philadelphes est sans doute d'avoir exercé un rayonnement réel sur les autres îles : le 20 février 1785, l'éditorial des *Follicules caraïbes*, à Basse-Terre, se réjouissait de la formation du Cercle « qui contribuera au développement des sciences appliquées[50] ».

Il y a eu à travers des institutions comme le Cercle des Philadelphes et les loges maçonniques (deux mille maçons étaient regroupés dans une vingtaine de loges en 1789) une influence du courant des Lumières outre-Atlantique sur les élites coloniales. Une image trop réductrice des mentalités l'a fait longtemps méconnaître. L'engagement ou la réaction hostile de certains devant la Révolution ont fait l'objet de nombreux travaux, mais on ne saurait complètement les comprendre sans rappeler que ce furent les mêmes hommes, juristes, savants, planteurs éclairés qui avaient composé les rangs d'une élite urbaine réellement cultivée.

Troisième partie

La fin de l'Ancien Régime colonial, 1789-1848

Sous la poussée d'une expansion atlantique qui, malgré une certaine fragilité des fortunes coloniales, semblait élever constamment leur prospérité, les Antilles paraissaient destinées à connaître, surtout à Saint-Domingue, un avenir encore brillant pour de longues années. Venue de la métropole, la Révolution mit un terme à cet essor. Les élites coloniales se laissèrent d'abord griser par les projets d'autonomie depuis longtemps formulés que les transformations politiques françaises pouvaient favoriser. Les tumultes parisiens offrirent aux libres de couleur une tribune pour réclamer l'égalité politique avec les Blancs. Déjà dressés contre toute atteinte portée au respect d'un préjugé qui compensait la médiocrité de leur sort, les petits blancs se figèrent dans une résistance à toute modification des hiérarchies de couleur qui mena aux guerres civiles. Alors que leur condition venait d'être améliorée, sur le plan juridique, par les réformes de 1785 qui, en fait, étaient un retour aux prescriptions du Code noir, et, dans les réalités quotidiennes, par un souci de traitement plus humanitaire chez de nombreux colons, les esclaves purent profiter des conflits opposant les Blancs entre eux et les Blancs aux libres de couleur pour casser le système de la plantation dans les incendies de la nuit du 21 août 1791 de la plaine du Nord à Saint-Domingue.

Tout aussi grave à terme pour l'avenir des Antilles fut l'asphyxie commerciale à laquelle les condamna la nouvelle guerre maritime en 1793 qui devait, en dépit de la brève trêve de la paix d'Amiens en 1802, se prolonger pendant près de vingt-deux ans. Les occupations anglaises de la Martinique, de 1794 à 1802, puis de 1809 à 1815, celle de la Guadeloupe, de 1810 à 1815, permirent à leurs plantations de replacer leurs productions sur le marché international. Mais le négoce des ports français, fortement créancier des planteurs, y perdit ses marchés, et, en 1815, la restauration commerciale ne put se faire que dans des conditions fort difficiles. Le commerce d'entrepôt qui avait permis à ce négoce de s'enrichir et de soutenir l'économie antillaise était détruit. L'ancien régime économique des Iles avait disparu.

Dans une première étape, les Antilles réagirent « au coup par coup » à la Révolution. Les nouvelles de la métropole, ou plus exactement celles transmises par les groupes de pression qui agissaient autour de la Constituante pour gérer à leur avantage la situation, qu'il s'agisse des Amis des Noirs, des libres de couleur, leurs alliés, des colons regroupés au Club Massiac, provoquaient les remuements dans toutes les classes, libres de couleur et esclaves, petits blancs et colons. Cela mène jusqu'à la grande rébellion servile d'août 1791 qui, conjuguée aux guerres civiles opposant les Blancs entre eux et les Blancs aux libres de couleur, condamna la Grande Antille à se perdre pendant de longues années dans les « catastrophes de Saint-Domingue » jusqu'aux tentatives de la dictature noire de Toussaint-Louverture et de l'échec de la reprise en main de l'île par Bonaparte.

Plongées dans les mêmes conflits entre Blancs et entre Blancs et libres de couleur, les Petites Antilles réagirent différemment. Pour quelques années, l'occupation britannique ramena en Martinique le statu quo d'avant 1789 tandis que, à la Guadeloupe, sous la férule de Victor Hugues et avec une émigration des colons blancs rappelant celle de Saint-Domingue, l'abolition de l'esclavage laissait une certaine liberté aux travailleurs des plantations. Après la paix d'Amiens, se fit dans les deux îles un retour apparent à l'ancien régime, mais les temps avaient changé, les Libres étaient de plus en plus nombreux, les marchés de l'économie de plantation étaient totalement perturbés par la guerre. En 1815, l'ancien régime colonial paraissait intact ; en réalité, dans les institutions et encore plus dans la vie quotidienne, il était ébranlé. À travers de nouvelles turbulences – affaire Bissette, nouvelles révoltes d'esclaves, force croissante des mouvements abolitionnistes –, avec la crainte d'un modèle haïtien marquant profondément les mentalités des colons, les gouvernements de la Restauration et de la monarchie de Juillet se préparaient à une abolition de l'esclavage qui prit cependant dans le plus court terme un caractère hâtif, sinon improvisé, aux conséquences socio-économiques décisives.

7

La Révolution aux Antilles

DES ÉTATS GÉNÉRAUX AU DÉBUT DES GUERRES DE COULEUR

Premières turbulences serviles à la Martinique

À la fin du mois d'août 1789, le soir, des assemblées fréquentes d'esclaves se tenaient à Saint-Pierre dans toutes les cales du bord de mer ; les esclaves s'y regroupaient par corps de métier. Il s'agissait d'esclaves de ville bien plus libres de leurs mouvements que ceux des plantations. Le 31 août, vers le coucher du soleil, « ils effectuèrent enfin le projet du soulèvement qu'ils avaient conçu depuis quelque temps »[1]. Le conseiller Pierre Dessalles affirmait que jusqu'à huit cents personnes s'étaient réunies aux abords de plantations voisines de la ville, attendant encore d'autres ateliers. Mais la garnison de Saint-Pierre et les milices de la cité les dispersèrent rapidement. Le jour suivant, à nouveau trois cents esclaves s'enfuirent, et ceux de plusieurs plantations refusèrent d'aller travailler. Interrogé par l'intendant, le commandeur de l'ancienne habitation des jésuites, celle du conseiller Perrinelle, déclara que les esclaves étaient aussi libres que les Blancs. L'arrivée du gouverneur avec des troupes et la milice mit fin à l'agitation, les ateliers revinrent et le travail reprit.

Cette insurrection contribua à stimuler l'agitation et les rumeurs dans la Caraïbe jusqu'à Saint-Domingue où l'on répétait en septembre 1789 que les esclaves de la Martinique étaient en pleine révolte, et, d'autre part, à peser sur l'opinion en France où se prononça un revirement des esprits contre le mouvement antiesclavagiste. Cette révolte intervenait alors que, aux colonies comme chez les planteurs résidant en France, les craintes d'une agitation des esclaves étaient déjà grandes. Elles remontaient au temps des réformes de Castries en 1785 quand certains avaient redouté une subversion totale du système colonial. Cherchant à limiter les effets du départ de nombreux maîtres – dans le cas de Saint-Domingue car la question ne se posait guère en Martinique et Guadeloupe où la grande majorité était fixée dans la colonie –, l'Administration s'était substituée aux colons et, à leurs yeux, diminuait l'autorité de tous, absents ou présents. Versailles avait voulu garantir un minimum de mieux-être et de loisir tranquilles aux esclaves de jardin : samedi après-midi libre, accès aux marchés du dimanche, réduction et réglementation des punitions, témoignages des esclaves reçu en justice. Les gérants à l'autorité souvent trop répressive étaient les plus visés, les excès de beaucoup étaient notoires. Pour les colons, l'édit de 1785 portait atteinte aux droits sacrés de la propriété. Négociant au Havre et planteur à Jean-Rabel, Stanislas Foache se demandait :

> Comment contenir les nègres s'ils peuvent accuser les blancs ?... La confrontation d'un gérant avec ses nègres est une absurdité. Croire aux accusations des nègres, c'est ouvrir la porte à la révolte, c'est les armer contre les blancs[2].

À cela se joignaient les démarches des Libres, telles celles d'un Julien Raimond, pour faire reconnaître leurs droits à l'égalité politique. Le 20 mai 1789, Raimond avait adressé aux administrateurs locaux une supplique pour défendre l'admission des sang-mêlés aux droits politiques des Blancs. Il agissait en propriétaire aisé du sud de l'île, largement

métissé puisque quarteron, possessionné à Saint-Domingue
et en France. Sans nul doute, il tendait à grossir les faits
car, en matière socio-économique, la situation des Libres
les rapprochait sensiblement des Blancs sucriers ou
caféiers. En février 1788, Raimond s'était inscrit aux Amis
des Noirs et était devenu un orateur écouté à Paris. Fondée
à la même date par Brissot et Condorcet, la société des
Amis des Noirs, plus connue à Saint-Domingue sous le nom
de Philanthropes et appelés parfois négrophiles, défendait
l'abolition de la traite. La suppression de l'esclavage n'était
pas dans leur programme officiel, et ils ne traitaient pas
non plus des droits des Libres, mais ils étaient très craints
des colons. « La société aiguisait en secret les poignards
avec lesquels nos esclaves devaient nous égorger », écrivait
Dessalles qui ajoutait :

> Ses écrits répandus à la Martinique avec profusion
> étaient dans les mains de presque tous les nègres
> de nos villes principales. Ils s'assemblaient pour les
> entendre lire à haute voix[3].

Cette initiation des Nègres à la propagande des Amis des
Noirs peut contribuer à expliquer en partie le soulèvement
d'août 1789, avec l'importance des esclaves des villes rele-
vée justement par Dessalles. Ville la plus peuplée des
Antilles, Saint-Pierre avait au moins la moitié de sa population faite de ces esclaves qui se chargèrent de soulever ceux
des plantations proches de la ville. Au cours de l'enquête
qui suivit la révolte, interrogés, tous les suspects déclarèrent qu'ils voulaient se rendre en force chez le gouverneur
afin d'obtenir leur liberté. Quelque temps avant la révolte,
le gouverneur Vioménil avait pu, en effet, augmenter les
espérances nouvelles des esclaves à l'esprit imprégné par
la propagande des Amis des Noirs. En faisant le tour de
l'île à son arrivée, informé des sévices commis contre les
esclaves il prit une mesure inhabituelle, l'envoi d'une lettre
circulaire aux commandants de paroisse leur demandant

de lui faire connaître de tels faits. En Martinique les réformes de Castries avaient été lancées seulement en 1787, et la démarche de Vioménil put le faire passer auprès des colons pour un envoyé des Amis des Noirs. Dans sa *Lettre aux Bailliages* publiée par la presse, Condorcet avait cherché à mettre l'émancipation des esclaves à l'ordre du jour des États généraux. Au même moment, un capucin, curé des Nègres à Saint-Pierre, très populaire chez les esclaves de la ville, se fit, selon Dessalles, l'apôtre des dogmes de la « secte philanthropique », racontant aux Nègres que le roi d'Angola viendrait les libérer et les ramener en Afrique. L'ambiguïté du discours était réelle et l'on pouvait le rapprocher de certaines prédications des jésuites sur la délivrance divine que les planteurs leur avaient reprochées avant la suppression de l'Ordre. Les autorités accusèrent le prêtre, réfugié à la Dominique, d'avoir sa part de responsabilité dans la révolte.

Ces espérances soulevées par lui purent être renforcées à la Saint-Louis, le 25 août, quand une cérémonie organisée pour décorer le gouverneur fut interprétée comme l'occasion de proclamer une émancipation voulue par Louis XVI. Il y eut foule mais aucune annonce d'une telle mesure, et, comme le rapporta plus tard pour Saint-Domingue un associé de Stanislas Foache, en octobre 1789, les têtes des Nègres purent commencer à « se dilater » avec la rumeur que les propriétaires bloqueraient le décret d'émancipation apporté par le gouverneur. Que les esclaves aient pu en venir à de tels espoirs paraît confirmé par les lettres reçues, les mêmes jours, par le commandant de Saint-Pierre et le gouverneur. Adressée au premier, celle du 28 août se faisait menaçante :

> Nous savons que nous sommes libres, vous souffrez que ces peuples rebelles résistent aux ordres du roi. Eh bien, souvenez vous que nous Nègres tous tant que nous sommes nous voulons périr pour cette liberté ; car nous voulons et prétendons de l'avoir à

quelque prix que ce soit... Est-ce que le Bon Dieu a
créé quelqu'un esclave ?... [A] la faveur des coups
nous l'aurons, car nous voyons que c'est le seul
moyen d'en venir à bout... Des torrents de sang cou-
leront aussi puissants que nos ruisseaux qui coulent
le long des rues, mais le gouvernement et les monas-
tères seront respectés[4].

Datée du 29 août et adressée à Vioménil, une autre lettre
se faisait plus accommodante, le gouverneur était censé
devoir apporter la liberté au nom du roi :

La Nation entière des esclaves noirs supplie hum-
blement votre auguste personne de vouloir bien
agréer ses hommages respectueux et de jeter un
regard d'humanité sur la réflexion qu'elle prend la
liberté de vous faire... Dieu, ne pouvant plus souffrir plus longtemps tant de persécutions, a sans
doute commis à Louis XVI, le grand Monarque, la
charge de délivrer tous ces malheureux chrétiens
opprimés par leurs injustes semblables ; et vous
fûtes élu, vertueux Vioménil, pour nous annoncer
cette heureuse nouvelle. Nous attendons tout de
votre équité[5].

L'auteur de la lettre dénonçait les mulâtres qui, « loin de
s'intéresser à leurs mères, frères, sœurs, esclaves, ont osé
nous montrer indignes de jouir comme eux des douceurs
que procurent la paix, la liberté... Cette Nation orgueilleuse
méprise les esclaves ». Ces mulâtres – était-ce une allusion
aux démarches de Raimond – « ont osé de faire un plan de
liberté pour eux seuls tandis que nous sommes tous d'une
même famille ». Que Vioménil condamne le joug honteux
de l'esclavage : « Qu'il adresse sa réponse aux curés de
paroisses qui nous l'apprendront à la messe et au prône. »
La lettre était attribuée par Dessalles à un « nègre appelé
Casimir qui avait fait un long séjour en France au service

du Prince de Montbarey, qui s'est beaucoup livré au théâtre, à la déclamation ». Léo Élisabeth l'identifie comme Alexis Casimir, un Noir libre récemment revenu de France[6]. La notion de solidarité entre les classes pourrait se voir dans la personnalité de l'auteur, encore que la plainte sur le comportement des mulâtres, « nation orgueilleuse », réduise beaucoup la portée de cette interprétation. Le préjugé reparaît et la distinction de la couleur est souveraine. La source d'information des esclaves de Saint-Pierre était loin de provenir seulement d'un Libre. Des lettres d'esclaves, vivant en France et adressées à des domestiques de la ville, annonçant une prochaine émancipation, furent interceptées[7]. Des libres de couleur participèrent activement à la répression, mais c'était l'usage dans les révoltes d'esclaves. L'assemblée coloniale vota plus tard une déclaration exprimant sa satisfaction du comportement de la population des Libres pendant la crise. Leur concours fut également acquis aux autorités de Saint-Domingue lors des premiers remuements d'ateliers à la fin 1789, et, au contraire, dans la grande révolte d'août 1791, la maréchaussée de la plaine du Nord et du Cap, en grande partie composée de libres de couleur, se montrera absente – la surprise et la panique chez les Blancs en seront d'autant plus grandes.

Quel pouvait être le rapport exact entre cette révolte de Saint-Pierre et la Révolution ? La nouvelle de la prise de la Bastille et de la révolution politique de la nuit du 4 août ne parvint qu'à la mi-septembre aux Antilles et déclencha alors des luttes entre Blancs et libres de couleur pour l'égalité politique et civile. L'appel aux États généraux était certes connu outre-Atlantique, mais l'Église et le roi dominent le discours ; il condamne l'esclavage comme antinaturel, cependant seul le décret du roi est à même de sanctionner l'émancipation, et sa nouvelle déclenche l'insurrection. L'importance du mouvement antiesclavagiste ressort aussi, il précéda la Révolution et lui survécut pendant plus d'un demi-siècle. Le secret de la rébellion se trouvait dans la diffusion de la rumeur de la suppression par les colons d'un prétendu décret d'émancipation signé par le roi que les esclaves célèbrent. On voit un scénario assez proche à Saint-Domingue en 1791.

À l'automne 1789, les craintes de soulèvements des esclaves atteignaient toutes les Antilles, particulièrement Saint-Domingue. Déjà, le 12 août, les députés de cette colonie à la Constituante avaient envoyé une lettre au Cap pour mettre en garde contre un soulèvement d'esclaves préparé par « une société d'enthousiastes qui ont pris le nom d'Amis des Noirs[8]. Ils y développaient un programme d'action : les colons non retenus en France par leurs affaires devaient au plus tôt partir pour leur plantation ; les suspects devaient être arrêtés à leur débarquement et tous les écrits saisis « où le mot même liberté est prononcé » ; on s'efforcera d'user de bons procédés à l'égard des gens de couleur, mais il faut se méfier des mulâtres arrivant d'Europe. En octobre, les inquiétudes et les bruits d'émancipation apparaissaient dans les correspondances. Gérant dans une caféière des Matheux, dominant la plaine de l'Artibonite, Marsillac disait son anxiété :

> Nous avons été grandement instruits de tous les bruits qui circulent en Europe et qui n'ont pas peu contribué à en occasionner ici ; il y a eu beaucoup de bruit au Port-au-Prince et notamment à Saint-Marc... Tout ceci ne serait rien si l'on n'avait pas répandu le bruit qu'il était question en France d'affranchir les nègres, ce dont ils sont tous instruits. Beaucoup de personnes craignent les suites de cette nouvelle et que les nègres ne se portent à quelque soulèvement[9].

Le 31 octobre, Villevaleix, le procureur des plantations Bréda, dans la plaine du Nord, se fit plus confiant :

> Avec les précautions que nous avons prises, nous devons être parfaitement tranquilles sur notre sort

et que les propriétaires ne seront point attaqués.
L'ennemi que nous redoutons n'est point encore
parmi nous et les ports et les embarcadères sont si
bien gardés qu'il est presque impossible que les
évangélistes (envoyés des Amis des Noirs) puissent
exécuter leurs projets. Tous nos Messieurs (gens de
couleur et peut-être esclaves) sont parfaitement
tranquilles quoique n'ignorant rien sur l'État futur
projeté.

Villevaleix se faisait lucide quant au devenir de chacun
dans la Grande Antille jetée dans les troubles :

Ceux qui raisonnent n'y voient aucun avantage,
parce que dans cet état de choses, les blancs obligés
d'abandonner le pays le laisseraient dans la nécessité de l'esclavage des plus affreux. Les plus entreprenants se formeraient des partis. De là naîtraient
des guerres civiles entre eux et les plus heureux
seraient très à plaindre. Voilà le bien que les philanthropes leur préparent, mais nous espérons que
rien de tout cela n'arrivera[10].

La lutte contre les Libres et les crises coloniales

Près d'un an après cette lettre, le mulâtre Vincent Ogé,
fils d'un riche boucher du Cap, qui s'était joint à Raimond
dans la défense des intérêts de leur classe et avait pris part
à toutes les démarches des Libres auprès de la Constituante
et de la Commune de Paris, débarquait en secret à la mi-
octobre 1790 au Cap. La tentative d'Ogé pour soulever les
mulâtres se faisait dans une île rebelle à la France révolutionnaire où les colons de l'Ouest et du Sud réunis dans
l'assemblée de Saint-Marc avaient affiché leur volonté d'interdire aux libres de couleur la reconnaissance de leurs
droits politiques.

Pour saisir les conditions d'une lutte qui se transforma
en 1790 en véritable guerre civile, il faut rappeler les
conditions des comportements des uns et des autres.

En juillet 1788, des colons résidant à Paris furent convoqués pour constituer un Comité des colons de Saint-Domingue dominés par l'ambitieux Gouy d'Arsy, propriétaire dans la colonie par son mariage avec une créole en 1779, lié au duc d'Orléans, lui-même maître de plantations qui entendait profiter des réactions de nombreux colons aux mesures des administrateurs. Saint-Domingue n'avait pas eu en 1787 son assemblée coloniale comme la Martinique, la même année le Conseil du Cap avait été supprimé, mesure qui déclencha l'ire de Moreau de Saint-Méry. En août 1788, alors que le pouvoir fixait la réunion des États généraux pour le 1er mai 1789, le Comité des colons demanda la représentation de la colonie aux États. En fait, de nombreux colons, résidant à Saint-Domingue, craignaient qu'en acceptant une députation on laissât la métropole libre de décider de la vie coloniale, en particulier du sort des libres de couleur. Les réformes seraient imposées depuis la France comme elles l'avaient été précédemment sous l'Ancien Régime. Les vieux rêves d'autonomie reparaissaient. L'origine de la société appelée Club Massiac, du nom de l'hôtel où se tinrent ses réunions, se trouve dans ces réactions au projet de députation.

La première réunion des Massiac n'eut lieu cependant qu'assez tard après que Gouy d'Arsy eut fait accepter, lors de la fraternisation du 20 juin, au serment du Jeu de paume, l'admission provisoire des députés de Saint-Domingue. Après une entrevue avec les colons des Petites Antilles présents à Paris, comprenant que la présence de députés dans l'assemblée ramènerait les questions de la traite, de l'esclavage et des libres de couleur, dans ses débats, le Club Massiac tint sa première séance, le 27 juin. Dans le plus court terme, la plupart entendaient réagir contre les projets d'abolition de la traite formulés par les Amis des Noirs qui venaient de proposer de créer une commission chargée d'étudier les moyens de supprimer la traite et d'établir une meilleure réglementation du travail des esclaves. Mais, à la fin de l'année, l'inquiétude la plus grande se porta sur les réponses que donnerait la Constituante aux demandes des Libres qui pouvaient aider à un affranchissement général. Le Tiers de Paris n'avait-il pas écrit dans son cahier : « Les États Généraux prendront en considération le sort des esclaves noirs et des hommes de couleur, tant dans les colonies qu'en France[11] » ? Dans leur propre cahier, les colons de Saint-Domingue s'étaient opposés à toute assimilation des propriétaires libres de couleur aux Blancs.

Cependant, au sein du Club Massiac, la cause des Libres ne paraissait pas complètement perdue. Au cas où les actes de la Constituante provoqueraient des troubles aux Iles, voire une insurrection d'esclaves, la prudence commandait, en effet, d'avoir les Libres pour alliés. Certains plaidèrent le droit pour les Libres d'assister aux assemblées de paroisse. Foache et Fleuriau, tous deux négociants et planteurs, Laborie, un des députés à la Constituante, se dirent partisans d'un examen de la cause des Libres, et au moins de celle des quarterons. La démarche d'un Raimond venant défendre sa cause devant le Club, le 26 août, n'était donc pas sans fondement puisque les opinions y étaient divisées. Il ne demandait que l'octroi des droits civiques aux quarterons de naissance légitime, libres depuis deux générations, et pensait pouvoir être écouté. Mais les tenants de la prudence ne furent pas suivis. Le 28 août, un colon se fit l'interprète de la nouvelle la plus fausse, la Constituante devait examiner un projet par lequel Raimond demanderait non seulement l'égalité complète de tous les Libres avec les Blancs mais aussi l'abolition de la traite et l'affranchissement de tous les nouveau-nés noirs. Du coup, le Club Massiac demanda aux négociants des ports d'empêcher l'embarquement des Libres pour les Antilles de peur de voir ces idées répandues outre-Atlantique. Quand, à son tour, le quarteron Ogé vint trouver les colons, en insistant d'ailleurs sur les périls d'une insurrection des esclaves et en admettant des étapes dans les libertés à accorder, il accrut la peur. Rejetés par les Massiac, Raimond et Ogé regroupèrent les gens de couleur en Société des colons américains au début septembre.

Comme le souligne Gabriel Debien, la question des Libres « se détache franchement dans les esprits de celle de l'esclavage et de la traite » et agite en septembre 1789 tous les milieux coloniaux[12]. « Je n'ignore pas les inconvénients d'une pareille concession », écrit Fleuriau de La Rochelle, acceptant que les Libres soient représentés et votent dans les assemblées coloniales lorsqu'ils ont des propriétés, « mais la justice et les circonstances ne nous permettent guère, à ce que je pense, de nous y refuser ». Très lucide, il va jusqu'à déclarer : « Il est d'une nécessité absolue d'avoir toute la classe des gens de couleur dans notre parti si nous ne voulons pas les voir les premiers chefs de la rébellion de nos nègres. » Les nouvelles des Iles étaient contradictoires, celle de l'insurrection des esclaves de Saint-Pierre accentua les craintes et l'on relevait une certaine agitation chez les Libres de Saint-Domingue, dans le Sud et dans l'Ouest, à Saint-Marc, mais on apprenait aussi l'existence de tentatives de conciliation : ainsi des paroisses du Sud admettaient les Libres aux assemblées paroissiales. Gérard, le planteur éclairé de la plaine des Cayes, député à la Constituante, défendait avec acharnement l'idée d'une entente avec les affranchis pour lesquels il réclamait l'égalité des droits[13]. Mais les partisans de conserver tel quel l'Ancien Régime colonial allaient l'emporter.

Comme dans le cas de l'insurrection de Saint-Pierre pour les esclaves, ce fut à la Martinique qu'éclatèrent les premiers incidents entre Blancs et libres de couleur. À la mi-septembre 1789, la vue du port de la cocarde tricolore par des Libres, un temps interdite par le gouverneur Vioménil puis acceptée par lui et qu'il laissa porter par les mulâtres, déclencha la fureur de certains Blancs de Fort-Royal. Ils y voyaient un symbole d'égalité qu'ils ne pouvaient accorder aux gens de couleur. Le gouverneur fut accusé de nourrir un préjugé favorable aux Libres. Saint-Pierre s'en prit aussi à Vioménil auquel les petits blancs reprochaient de témoigner autant d'estime aux mulâtres qu'aux Blancs. Sous leur pression, car ils étaient toujours portés à rejeter toute concession sur la hiérarchie des couleurs, Saint-Pierre prit alors des positions extrêmes isolant la ville du reste de l'île. Dès la fin 1789, la colonie s'était, en effet, divisée entre un parti des habitants, planteurs des campagnes, disposés à se rapprocher des libres de couleur, et celui de la population des villes, surtout de Saint-Pierre, décidé à appliquer strictement les règles du préjugé.

À cela s'ajoutait une opposition séculaire entre des planteurs prêts à ouvrir l'île aux étrangers pour acheter esclaves et vivres meilleur marché et vendre leur sucre et leur café à bon compte, et un négoce pierrotin, celui des commissionnaires, lié aux ports de la métropole et fidèle à l'Exclusif.

Les palinodies de la Constituante ne firent rien pour arranger les choses : décret du 8 mars 1790 avec ses instructions d'application du 28 mars où les députés se refusèrent à désigner expressément les Libres parmi les électeurs des assemblées coloniales, se contentant de retenir les qualités ambiguës de citoyen, puis de personne, pour la qualification de ces électeurs ; décret du 12 octobre 1790, condamnant les agissements d'une assemblée coloniale, celle de Saint-Marc à Saint-Domingue, mais laissant aux colonies l'initiative en matière de lois, en particulier sur le plan social ; débats acharnés de mai 1791 pour aboutir au décret du 15 mai admettant aux élections les gens de couleur nés de père et mère libres, comme étant une classe supérieure. La célèbre *Lettre* de l'Abbé Raynal à l'Assemblée nationale, rétractation solennelle de l'ancien pourfendeur de l'esclavage protestant contre l'éventualité de sa suppression, devait répliquer à ce décret. À la veille de la clôture de la Constituante, seul l'envoi de commissaires du roi à Saint-Domingue parut annoncer une volonté de la métropole de contrôler à nouveau les troubles de ses colonies.

En effet, en 1790, la guerre entre petits blancs et Libres avait redoublé d'intensité. Exclus du vote aux assemblées par le décret du 8 mars, car dépourvus de propriétés ou n'étant pas contribuables, les petits blancs n'acceptèrent pas que les mulâtres, dotés de ces qualités, puissent voter. Avant même de connaître le décret qui ne fut reçu à Saint-Domingue que fin avril, une assemblée générale se tint à Saint-Marc, le 16 avril et y furent réclamés l'autonomie et l'exclusion des demandes des Libres. Le 28 mai, elle vota une Constitution de la partie française de Saint-Domingue qui faisait fi des décrets de la Constituante et revendiquait en particulier le droit de passer avec l'étranger tout accord commercial. Déjà, par ailleurs, la question de couleur semait la désolation dans les campagnes de la colonie. Après des querelles entre Blancs et gens de couleur en juillet, dans la plaine du Cul-de-Sac, l'assemblée interdit le port d'armes aux mulâtres, et, aux élections du même mois, les Libres ne votèrent pas. Beaucoup d'entre eux réalisaient qu'ils avaient passé un marché de dupes. En l'été 1790, alors que Raimond voulait encore négocier, Ogé s'employa à acheter des armes et à préparer son départ pour l'automne.

En Martinique se déroulèrent en juin 1790 les incidents les plus sérieux. Saint-Pierre s'était donné une municipalité dominée par les petits blancs et les hommes de loi (l'avocat Crassous de Médeuil en fut la personnalité la plus marquante) et ne craignit pas de défier l'autorité du gouverneur et de l'assemblée coloniale avec l'aide de soldats de la garnison, voire après juin de ceux de Fort-Royal. La fondation, le 25 avril, de la Société des Jeunes Citoyens de Saint-Pierre marqua une radicalisation des comportements hostiles aux Libres. Certes, opposés aux planteurs auxquels ils reprochaient de vouloir se libérer de l'Exclusif, les négociants auraient désiré temporiser. S'ils rejoignaient le camp des petits blancs, c'était pour obliger l'assemblée coloniale dominée par les planteurs à abandonner des projets de politique commerciale nuisible à leurs intérêts et à supprimer les très lourds impôts dont elle avait frappé les commerçants de Saint-Pierre. Aussi laissèrent-ils se dérouler les incidents sanglants de la Fête-Dieu, le 3 juin.

Correspondant avec Raimond et ses amis à Paris, les mulâtres de l'île étaient décidés à revendiquer leur droit à l'égalité. La procession de cette fête leur donna l'occasion de présenter cette revendication en obtenant l'honneur pour les mulâtres miliciens de défiler comme les Blancs derrière le drapeau tricolore. Leur refusant ce droit, les patriotes répandirent le bruit d'une révolte des Libres : « On bat la générale, on sonne le tocsin, chacun s'arme. » La foule massacra quatorze notables de couleur, et un grand nombre de mulâtres, une soixantaine, furent emprisonnés. Organe d'exception, imaginé par Crassous de Médeuil, une cour prévôtale fut mise en place afin de juger un prétendu complot des Libres. Les propos les plus fous s'étaient répandus et peuvent expliquer la crise d'hystérie collective qui s'était emparée de la foule. On tonnait contre les prétendues provocations des Libres, contre la faiblesse des autorités accusées de les favoriser. Cependant les flibustiers surent aussi faire passer des mots d'ordre ayant un impact sur leur vie quotidienne. Ainsi, eux qui craignaient la concurrence des Libres dans la navigation au cabotage firent décider par la municipalité d'interdire aux mulâtres de dorénavant commander des bateaux caboteurs.

En moins de huit jours, la ville rebelle fut réduite à capituler sans combattre à l'arrivée de quelque 2 800 hommes, dont 1 400 miliciens de couleur et 800 miliciens blancs dirigés depuis Fort-Royal. De nombreux suspects furent ramenés dans cette ville et internés au Fort-Bourbon. Dans les rangs des miliciens de couleur, il y avait de nombreux libres de fait. Le gouverneur Damas et son successeur Béhague devaient leur accorder, en reconnaissance de leur appui contre Saint-Pierre, une liberté officielle. Une adresse des citoyens de Saint-Pierre, remise à l'assemblée coloniale le 12 juin, montre que les notables cherchaient à se démarquer des petits blancs. On y voit un négociant comme Pécoul, Joseph Littée, parent du conseiller Dessalles, le capitaine du port, Sinson de Préclerc, réclamer l'indulgence pour les élites de la ville prises en otage par les flibustiers. À Saint-Pierre, les comportements furent loin d'être unanimes devant la révolte.

En septembre, la crise rebondit car les troupes en partie mutinées au Fort-Royal se joignirent aux rebelles de Saint-Pierre. On vit alors s'opposer nettement un parti des planteurs dominant l'assemblée coloniale et forts de l'appui du gouverneur et les villes rebelles, car Fort-Royal avait rejoint Saint-Pierre. Les planteurs se regroupèrent dans l'intérieur de l'île, au camp du Gros-Morne, ralliant à leur cause de nombreux gens de couleur et des esclaves. Ces milices qui contrôlaient les campagnes mirent en déroute, le 25 septembre, à la bataille de l'Acajou près du Lamentin, les patriotes de Saint-Pierre. Par la suite, la situation se figea : de force à peu près égale, les deux partis campaient sur leurs positions. Pour se soumettre, les Pierrotins exigeaient la suspension des décrets de l'assemblée coloniale ; le gouverneur Damas, pour lever le blocus de Saint-Pierre et de Fort-Royal, demandait la soumission des troupes et des populations.

La situation n'était pas cependant sans danger pour l'équilibre de l'économie de la colonie dont Saint-Pierre commandait toutes les relations avec les marchés français et étrangers. Alors que les troubles de 1790 n'eurent à Saint-Domingue qu'une incidence assez faible sur une prospérité toujours très grande, avec en particulier des chiffres record et pour les achats d'esclaves et pour les exportations de sucre et de café, en Martinique, il en allait différemment. L'île souffrait déjà d'une stagnation de ses échanges, et les blocus de Saint-Pierre et de Fort-Royal créaient de grosses difficultés aux commissionnaires, géreurs de cargaisons, comme aux capitaines de navires. En décembre 1790, les premiers affirmaient détenir pour trente millions de créances sur les planteurs dont l'interruption des échanges rendait impossible le recouvrement. Quelque soixante-quatre commissionnaires demandaient l'abrogation de l'arrêt du 8 décembre pris par l'Assemblée coloniale qui interdisait le cabotage ; les marchandises déposées par entrepôt dans les magasins de Saint-Pierre ne pouvaient être transportées dans les divers quartiers de l'île, on empêchait toute importation de denrées coloniales par bateaux, goélettes, canots passagers dans le port de Saint-Pierre.

Par ailleurs, autour de Saint-Pierre et même à l'intérieur de la colonie, les désordres étaient nombreux, des esclaves marrons rejoignaient les milices de couleur et « des pelotons de nègres » parcouraient les campagnes ; à Rivière-Pilote, les Blancs durent se cacher dans les halliers avec leurs femmes et leurs enfants pour échapper à ces bandes. Pierre Dessalles notait que « le grand dérangement » parmi les esclaves avait commencé dès la fin de septembre 1790 quand plusieurs colons furent assassinés au Fond-Capot alors que le doyen du Conseil supérieur, Charles Clarke, avait sa sucrerie pillée. C'est bien une crise longue de plusieurs mois qui frappa la Martinique, et l'on comprend le soulagement de nombreux habitants quand, le 12 mars 1791, débarquèrent quatre commissaires de la Constituante envoyés pour rétablir l'ordre avec le nouveau gouverneur Béhague. Dès lors s'instaura un équilibre apparent. Les décrets de mars 1790 furent enregistrés par l'Assemblée coloniale. Près d'une année s'écoula avant qu'une nouvelle agitation ne s'emparât de l'île. Tout comme la Guadeloupe voisine, face au devenir de la Révolution, la Martinique connut alors les affrontements entre patriotes et royalistes, d'abord favorables aux premiers, puis, avec l'occupation anglaise, conduisant à un retour à l'Ancien Régime.

Relativement calme en 1789 et au début de 1790, Saint-Domingue connut une grave crise intérieure sous la pression des tendances sécessionnistes de l'assemblée de Saint-Marc qui s'accentuèrent au début de l'été 1790. Plusieurs paroisses, en particulier dans le Nord, avaient dénoncé les *Bases constitutionnelles* votées le 28 mai, et l'assemblée provinciale du Cap qui n'aspirait qu'à l'autonomie interne les condamna aussi. Saint-Marc prit alors l'offensive, prononça la dissolution de l'assemblée du Nord, ouvrit aux étrangers tous les ports de la colonie. Devant tous ces abus, le gouverneur de Peinier se décida à intervenir en confiant au commandant de la place de Port-au-Prince, le colonel de Mauduit, la mission de disperser les petits blancs du Comité de l'Ouest qui était le principal foyer de l'agitation. Ce fut fait dans la nuit du 29 au 30 juillet et, après quelques essais de résistance, les députés de l'assemblée de Saint-Marc se dispersèrent, une minorité, 85 sur 212, s'embarqua pour la France sur le *Léopard* afin de plaider sa cause auprès de la Constituante.

Cette victoire des autorités royales n'était que bien provisoire et autant les petits blancs que les libres de couleur n'étaient guère décidés à reculer devant l'épreuve de force. Ces derniers ne pouvaient admettre que la colonie différât l'application du décret du 8 mars leur donnant l'égalité politique. Dans la nuit du 28 octobre 1790, trois cents mulâtres en armes descendirent des mornes, au sud du Cap, dans les quartiers du Dondon et de Grande-Rivière du Nord, pour libérer les esclaves mulâtres de plusieurs habitations de la plaine, injuriant et menaçant les Blancs. Vincent Ogé, le compagnon de Raimond à Paris, venait de mettre à exécution ses menaces. Ayant débarqué le 21 octobre, il avait réclamé vainement à l'assemblée coloniale l'application du décret de la Constituante donnant aux Libres l'égalité politique. Chez lui, au Dondon, où les mulâtres étaient plus nombreux que les Blancs, il avait trouvé des appuis. Mais, avec une grande fermeté, l'assemblée du Nord réagit : troupes de ligne et gardes nationaux dispersèrent les mulâtres, les survivants s'enfuirent dans la partie espagnole de l'île avec Ogé et son ami Chavannes.

La répression fut impitoyable, elle était une vengeance, et l'on chercha à prévenir tous les mouvements futurs par l'écrasement théâtral des insurgés. Deux cents quarante-quatre des trois cent cinquante complices d'Ogé furent capturés et jugés au Cap. Le 25 février 1791, les deux meneurs,

Ogé et Chavannes, livrés à la justice française par les autorités espagnoles, furent roués vifs en place publique après
un procès au secret, sans avocats et avec l'application de
la question préalable. Le 8 mars, vingt-trois autres furent
pendus, treize condamnés aux galères ; quatre Blancs qui
n'avaient pas dénoncé le complot furent bannis à perpétuité, deux autres avaient été condamnés, l'un à la pendaison, l'autre aux galères pour avoir été dans les rangs des
mulâtres.

La réalité de Saint-Domingue se montrait fort éloignée
du discours égalitaire de la métropole. Les sang-mêlés
étaient châtiés pour avoir revendiqué l'assimilation au
monde blanc, avec ses conséquences politiques, mais, dans
leur grande majorité, ils adhéraient toujours sans réserve
au système de la plantation esclavagiste.

À la nouvelle de l'insurrection, des rassemblements de
mulâtres se tinrent dans le sud et l'ouest de l'île. Ils furent
dispersés, le commandant de la place de Port-au-Prince se
contenta d'incarcérer leur chefs, Rigaud et Pinchinat. Le
calme n'en revint pas pour autant, on avait écrasé les
mulâtres mais la guerre civile reprit au printemps avec le
débarquement de l'escadre venant de France à Port-au-
Prince. Les soldats furent gagnés à la cause des « Pompons
rouges », les partisans de l'assemblée de Saint-Marc, et, le
5 mars 1791, Mauduit, le commandant de la place, fut massacré. Port-au-Prince était « le foyer qui doit incendier
toute cette colonie », écrivait le procureur des plantations
Bréda, Villevaleix, le 31 mars, constatant que les esprits
étaient plus que jamais divisés dans la colonie. On
comprend que la nouvelle du décret du 15 mai donnant la
qualité de citoyen aux gens de couleur nés de parents
libres, reçue à Port-au-Prince par un navire de Nantes le
30 juin, ait pu déclencher la plus forte crise. Les voix des
modérés encore écoutés jusque-là furent réduites au silence
sous les cris de la pègre des petits blancs. Dans les rues
commerçantes de Port-au-Prince, surtout la rue des Capitaines où des capitaines bordelais avaient leurs magasins,

ce fut le pillage, car de nombreux négociants de Bordeaux qui achetaient les denrées coloniales des propriétaires libres de couleur avaient bien accueilli un décret ouvrant une politique de conciliation favorable à leur commerce. Il avait pourtant existé à Bordeaux un Club de colons, filiale du Club Massiac, comptant, il est vrai, une majorité de colons martiniquais ; cent trente-neuf noms figuraient au bas d'une lettre adressée aux Massiac, le 1er février 1790[14]. Le négociant David Gradis, propriétaire à la Martinique et à Saint-Domingue, en était le président. Mais ce club, comme celui de Nantes, disparut à la fin de 1790, il ne pouvait être question que les ports soutiennent une politique radicale nuisible aux intérêts des échanges.

Le plus stupéfiant était l'attitude des autorités qui pratiquaient la politique de l'attentisme. Le 31 août 1791, il est vrai à peine dix jours après l'insurrection des esclaves de la plaine du Nord, le gouverneur Blanchelande écrivait à la Constituante qu'il se sentait incapable de faire appliquer le décret du 15 mai quand il en aurait reçu le texte officiel. Or les gens de couleur, exclus du vote à la deuxième assemblée coloniale de juillet, s'armaient à nouveau et se soulevèrent, le 17 août, dans l'ouest, au Mirebalais, ils ne craignaient pas d'enrôler des esclaves contre les troupes de Saint-Marc.

Et pourtant une grande partie des colons acceptaient de voir l'égalité politique accordée aux libres de couleur comme un mal inévitable. Des lettres du Cap à la Constituante le disaient ouvertement. « Généralement les habitants sont comme les Bordelais, ils consentent à tout », écrivait un négociant du Cap[15]. Des concordats furent signés entre Blancs et mulâtres, le 7 septembre, à la Croix-des-Bouquets, près de Port-au-Prince, le 23 octobre entre les notables de cette ville, Leremboure et Caradeux, et les chefs des gens de couleur, Pinchinat et Beauvais. La mémoire d'Ogé était réhabilitée, l'admission aux assemblées accordée aux mulâtres.

Entre-temps s'étaient multipliées à Paris les pressions sur la Constituante pour faire révoquer le décret du 15 mai. Ce fut chose faite le 24 septembre :

> Les lois concernant l'état des personnes non libres et l'état politique des hommes de couleur et nègres libres... seront faites par les assemblées coloniales, sans qu'aucun décret antérieur puisse porter atteinte au plein exercice du droit conféré... aux assemblées coloniales.

Les décisions du 24 septembre redonnèrent pleine confiance aux petits blancs de Port-au-Prince. Près de deux mois plus tard, à la nouvelle de l'annulation du premier décret, ils reprirent les armes, et des combats violents s'engagèrent dans la ville entre Blancs et mulâtres. Le 21 novembre, tout le centre était dévasté. « C'est du milieu des flammes, des pillages et des assassins les plus atroces que je vous écris, le feu a été mis dans cinq ou six endroits de la ville du Port-au-Prince dont la majeure partie est réduite en cendres », le gérant de la caféière Maulévrier aux Matheux insistait, le 26 novembre, sur les ruines que la guerre de couleur causait à la capitale de la colonie[16].

Le drame de la colonie commençait. Avec l'affaiblissement des Blancs dans leurs luttes intestines, qui les rendaient incapables d'avoir la cohésion nécessaire pour l'emporter, les tergiversations de l'assemblée à Paris et l'incapacité des administrateurs locaux à saisir l'ampleur de la crise, les réactions désordonnées et imprévisibles des Libres et des esclaves, Saint-Domingue entrait dans l'ère des guerres civiles qui détruiraient toute sa prospérité.

Les catastrophes de Saint-Domingue

L'insurrection des esclaves

Alors que Port-au-Prince était mis à feu et à sang par une première guerre de couleur, la province du Cap venait d'être déchirée par l'insurrection des esclaves de la plaine du Nord.

Les désordres avaient continué à l'ouest, en dépit du débarquement, le 28 novembre, de commissaires civils venant enquêter sur le sort des libres de couleur et des esclaves. Les petits blancs de Port-au-Prince recrutèrent des auxiliaires noirs, pillèrent au printemps des plantations de mulâtres, et, en retour, ceux-ci purent s'emparer de la Croix-des-Bouquets où ils installèrent leur camp et d'où ils lançaient des raids dévastateurs. Mais des conseils de paix et d'union s'établirent à l'Artibonite, la voie de la conciliation parut s'ouvrir, les Blancs modérés et les gens de couleur s'entendant pour réduire les factieux de la capitale. Les esclaves rentraient sur les plantations. Avant que fût connu le décret du 24 septembre – il ne le fut que vers le 20 novembre –, la restauration de l'ordre semblait possible. Le 15 octobre, le gérant de la plantation Maulévrier, aux Matheux, notait le retour au calme :

> Jusqu'au moment où je vous écris nous ne nous sommes encore aperçus d'aucuns changements [*sic*] dans nos ateliers. La plaine de l'Artibonite est jusqu'à ce jour assez tranquille, de même que la partie du sud[17].

Mais, le 24 octobre, le même gérant s'inquiétait devant les ruines accumulées déjà par l'insurrection des esclaves du nord :

> Quoique nos transes et soucis soient un peu calmés par la tranquillité apparente et momentanée des

gens de couleur de l'Ouest nous avons toujours sous les yeux le tableau effrayant de la partie du Nord... Voilà deux mois que cela dure...

Avec la catastrophe de l'insurrection des esclaves du 23 août 1791, le pire était, en effet, venu pour la plaine du Nord qui ne connaîtrait désormais jamais plus le retour au calme. En quelques jours, elle ruina la région la plus prospère de la colonie ; au quatrième jour de l'insurrection, les six paroisses du Limbé, de la plaine du Nord, de la Petite-Anse, du Quartier-Morin et de Limonade, les plus riches, avaient vu la plupart des plantations disparaître dans les flammes. Mais les prolongements de la révolte s'étalèrent sur tout l'automne et le début de l'hiver, elle atteignit à l'ouest Port-de-Paix, à l'est Fort-Dauphin, dans des mornes où la solitude des Blancs accroissait leur peur : « Dans le quartier où je suis, paroisse de Port-de-Paix, on compte quarante nègres mâles pour un blanc ou homme de couleur, mulâtres libres et blancs, nous ne sommes que huit cent cinquante[18]. » Un colon fixé tout récemment avouait ses craintes.

Peut-on voir aux origines de l'insurrection la concentration de bandes de marrons qui auraient voulu donner la liberté aux autres esclaves ? Les correspondances étudiées par Gabriel Debien et d'autres historiens ne mènent pas à cette interprétation. Le marronage a pu paraître représenter une forme de substitution à la révolte, mais l'expansion énorme du café dans les montagnes de l'Est le rendit plus difficile dans les années 1780. Surtout, autour du Cap, le marronage n'avait pas pris une forme armée avant le soulèvement. Les fugitifs vivaient sans chefs, les fuites restaient temporaires et, le plus souvent, ne conduisaient pas à la constitution de bandes.

Alors que, dans la panique qui régna dès les premières heures, on chercha des responsables, mulâtres de préférence, influence de la propagande des Amis des Noirs ou des contre-révolutionnaires, les révoltés se qualifiaient de gens du roi, persuadés que le bon roi Louis les délivrerait de la servitude, il faut retenir davantage la confusion générale entretenue par les luttes intestines qui utilisaient les esclaves en leur donnant des armes et l'affaiblissement du pouvoir. La révolte fut préparée dans deux assemblées, l'une du 12 août, sur la plantation Le Normand, au Morne-Rouge, qui réunit les esclaves d'une centaine de plantations et où dominaient les commandeurs d'ateliers. On y discuta de l'évolution politique de la colonie[19]. Au Bois-Caïman, sur la plantation Choiseul, dans la plaine du Nord, apparut le premier meneur, Boukman, décrit comme un adepte du vaudou, dans la nuit du 14 août. Il y dirigea une cérémonie du culte vaudou, et on prêta serment de le suivre. Deux jours plus tard, le feu était mis sur une habitation du Limbé dont le commandeur, interrogé, déclara que les commandeurs, cochers, domestiques des plantations proches formaient un complot pour incendier d'autres habitations. La cérémonie du Bois-Caïman avait sacralisé un développement politique arrivé déjà à maturité, à la faveur des troubles.

Peut-on expliquer la facilité avec laquelle la révolte se propagea et remporta ses premiers succès ? En premier, on peut retenir l'incapacité des autorités et la désorganisation des corps de police habituels. Le gouverneur Blanchelande tarda à réagir et ne sut pas profiter des opportunités offertes pour balayer les bandes d'insurgés souvent mal organisées. Lorsque les troupes du Cap encerclèrent le gros des révoltés à l'Acul, le 23 août, il ne fit que proclamer un pardon si les insurgés rentraient « paisiblement » sur leurs habitations pour y « reprendre le travail[20] ». Blanchelande y manifestait sa faiblesse et son manque de lucidité sur le comportement de l'adversaire. Un peu plus tard, à la Petite-Anse, dix à douze mille Nègres étaient concentrés dans le camp Gallifet, aux portes du Cap. Le gouverneur les laissa s'échapper et se réfugier dans un camp voisin. « Il est inconcevable que nous ne les ayons pas poursuivis dans ce poste..., avec les forces que nous avions et notre train d'artillerie, le camp Gallifet devait être détruit entièrement[21]. » La maréchaussée, principale force de police qui assurait l'ordre et comprenait en priorité des miliciens de couleur, avait été désorganisée très tôt en raison du conflit entre Libres et Blancs. Enfin les troupes et les milices blanches étaient décimées par la maladie et les embuscades ; les Blancs furent le plus souvent réduits à se terrer dans les villes.

L'unanimité dans la révolte ne régna pas chez les esclaves, et l'on vit la fidélité de certains que les insurgés tentaient de gagner. Le 6 décembre 1791, le comte de Butler, propriétaire des plantations Bréda, écrivait que sur trois cent dix-huit nègres de la plantation du Haut-du-Cap seulement vingt-deux avaient rejoint les révoltés[22].

Au début de l'insurrection, le projet des révoltés était de chasser les Blancs et d'en finir avec l'esclavage, mais les ambitions se réduisirent ensuite. Ce furent les gérants et économes, tant détestés, qui surchargeaient de travail leurs esclaves, qu'il fallait renvoyer en France, et l'on reprenait la demande déjà apparue avant la révolte, celle de voir accorder trois jours de liberté par semaine. Encore faut-il souligner que ce recul des revendications apparaissait davantage chez les chefs des révoltés que dans une masse servile refusant toujours la plantation esclavagiste. Elle condamna les initiatives des commissaires civils et de ses chefs prises en décembre 1791 pour parvenir à la paix. On trouve la même tendance chez les Blancs du Cap où l'assemblée coloniale était dominée à la fin de l'année par les *Crochus*, jusqu'au-boutistes qui refusaient toute concession.

La guerre maritime et l'invasion étrangère

Jusqu'à l'insurrection des esclaves de la plaine du Nord, les événements révolutionnaires qui perturbaient les villes de la colonie avaient une portée réduite sur les campagnes et n'interrompaient pas la production ni le commerce. Un temps atteint par la crise de Saint-Marc, un port comme

Bordeaux réalisa une reprise de ses échanges avec les plantations de l'Artibonite et de l'Arcahaye à la fin de 1790 et consolida cette activité en 1791[23]. Les navires abrégeaient le temps des voyages pour profiter d'une hausse des prix des denrées coloniales très prononcée depuis la fin de l'année 1789. Avec la révolte des esclaves, c'était la Partie-du-Nord qui était atteinte, l'Ouest et le Sud conservèrent des secteurs abrités. La guerre girondine de 1792 n'était pas maritime ; en revanche, avec la guerre contre la Grande-Bretagne en 1793, on revenait aux journées difficiles des blocus des ports. Au début de l'été 1793, en France, l'embargo sur les navires neutres entama le processus de paralysie du trafic car les neutres avaient joué, depuis février 1793 et le début du blocus, un rôle de transports de substitution qu'ils retrouvèrent sous le Directoire et pendant toute la période consulaire et impériale. En effet, les Anglais ne pratiquèrent pas un blocus total. Par l'Ordre en Conseil du 6 novembre 1793, Londres avait prescrit à la Navy de capturer tous les navires neutres commerçant avec les colonies françaises, mais, deux mois plus tard, le gouvernement britannique céda aux protestations des neutres et n'interdit que le commerce en droiture entre la France et ses colonies.

Cela explique que la percée commerciale américaine, déjà nette aux Antilles avant la Révolution, s'accentua à partir de 1793. Les cargaisons coloniales transitaient par les ports américains, et les Antilles devinrent un de leurs meilleurs marchés. Établis à Cuba, accessible à la traite comme aux trafics coloniaux de l'ensemble de la Caraïbe, les négociants yankees y avaient constitué une « tête de pont » d'où ils pouvaient commercer.

Il est vrai que les catastrophes de Saint-Domingue offraient aux Antilles anglaises une opportunité sans précédent pour reprendre le contrôle des marchés européens du sucre. Les prix s'élevèrent sur ces marchés dès 1790 et s'envolèrent avec la guerre : en janvier 1792, ceux du café étaient 50 % au-dessus de ceux du printemps 1791[24]. À

Paris, à la même date, on connut la pénurie du sucre, et certaines maisons d'importation eurent leurs dépôts pillés par la foule. Dès 1792, les réexportations anglaises s'accrurent, elles représentaient cette année-là le tiers des importations anglaises – elles n'en faisaient pas 14 % en 1788.

Mais les Anglais allaient tirer un autre parti de la révolution à Saint-Domingue. Répondant aux demandes de nombreux colons blancs et mulâtres de l'Ouest et du Sud, ils débarquèrent des troupes depuis la Jamaïque, de septembre 1793 à juin 1794. À cette date, ils tenaient Port-au-Prince et tout le littoral occidental de la colonie. Depuis Port-au-Prince, ils nouèrent des contacts fructueux avec les planteurs en rétablissant l'esclavage et l'économie de plantation. Depuis Santo-Domingo, l'Espagne, après avoir prêté main forte aux insurgés, profita de la désagrégation des pouvoirs dans la Partie-du-Nord pour occuper les régions de l'Est et une partie de la plaine jusqu'au Limbé.

Devant cette invasion étrangère, la situation paraissait désespérée pour les autorités révolutionnaires qui, au début de l'été 1794, ne contrôlaient plus que les secteurs du Cap et de Port-de-Paix au nord où l'économie de plantation était paralysée par les raids des insurgés. Au sud, une république de gens de couleur s'était constituée sous l'autorité de Rigaud. Depuis la chute de la royauté en août 1792, les efforts de la République pour rétablir la situation avaient été vains. Chargés d'appliquer la loi du 4 avril 1792 sur l'égalité politique des gens de couleur et Nègres libres, les nouveaux commissaires civils arrivés le 21 septembre de cette année avaient trouvé la colonie dans un état d'anarchie. De nombreux officiers de la garnison du Cap, des colons et des fonctionnaires affichaient leurs sentiments royalistes. À l'arrivée d'un nouveau gouverneur, Galbaud, populaire car il était créole, en juin 1793, ils tentèrent de se soulever contre Sonthonax, le commissaire chargé de la Partie-du-Nord. Ce fut un échec car, avec le concours d'esclaves révoltés, Sonthonax laissa piller le Cap, et la ville fut incendiée. Ce fut après l'insurrection d'août 1791 la seconde catastrophe ruinant la colonie.

Pour échapper au massacre ou à la déportation, de nombreux planteurs et négociants, Blancs et mulâtres, emmenant avec eux des esclaves, quittèrent en convoi le Cap, le 22 juin, sur trois cents bâtiments. Ils allèrent se réfugier à Norfolk en Virginie où la loi de l'État permettait l'entrée des esclaves. Tout comme Charleston, Baltimore, Philadelphie et New York, ce port fournissait la colonie en vivres, bois, farines. Les liens commerciaux facilitèrent les choses aux réfugiés. Le total des réfugiés venant des Antilles françaises fut au moins de vingt mille personnes des années 1790 au début des années 1800. La vague de départs la plus importante fut celle de cet été 1793[25]. Des « chaînes de migration » jouèrent leur rôle, certaines familles partant en plusieurs étapes, les premiers réfugiés accueillant les autres. De grandes familles de planteurs, tels les de Bauduy, les Bretton des Chapelles, les Gareschè du Rocher, figuraient dans ces départs. En assez grand nombre, des mulâtres et des Nègres libres quittèrent aussi le Cap en l'été 1793 ; comme certains États, tel celui de la Caroline du Sud, interdisaient l'entrée aux Nègres libres, certains furent internés, voire renvoyés à Saint-Domingue. Ce fut une élite de gens de couleur qui partit et qui reconstitua aux États-Unis les réseaux de sociabilité entretenus dans la colonie. Avec eux comme avec les Blancs partirent pour les États-Unis un grand nombre d'esclaves que l'historien américain David Geggus chiffre à au moins douze mille.

Pour redresser une situation quasi désespérée, les commissaires civils se décidèrent en l'été 1793 à accorder des émancipations, mais les chefs les plus importants des insurgés, Jean-François, Biassou, Toussaint-Louverture, repoussèrent leurs propositions car ils étaient hostiles aux républicains. Le 29 avril 1793, Sonthonax promulgua une liberté générale dans le Nord ; son collègue Polverel fit de même un mois plus tard dans le Sud. Cette décision était contraire aux instructions qui leur avaient été données, car

le décret du 5 mars 1793 les autorisait « à faire provisoire-
ment, dans les règlements de police des ateliers, tous les
changements qu'ils jugeraient nécessaires au maintien de
la paix intérieure et des cultures[26] ». Ils espéraient rallier la
totalité des Noirs mais ce fut un échec. Le seul ralliement,
mais tardif, et sans lien avec cette mesure, fut celui de
Toussaint-Louverture qui abandonna la cause espagnole
pour se rapprocher des Français et qui contrôlait le Nord-
Ouest, en combattant avec succès ses anciens alliés. C'était
le début de l'étonnant destin du dictateur noir.

Toussaint-Louverture contrôle Saint-Domingue

Né esclave, affranchi à trente-trois ans dès 1776, Toussaint-Louverture était avant la Révolution l'homme de
confiance du gérant de l'habitation Bréda du Haut-du-Cap,
Bayon de Libertat, dont il sauva la famille en avril 1792
pour les laisser s'embarquer à destination de Bordeaux.
Propriétaire d'une plantation et de quelques esclaves dans
les années 1780, il n'était pas au premier rang des chefs de
l'insurrection d'août 1791. On le voit émerger au printemps
1793, passant aux Espagnols avec Biassou et Jean-François.
Début mai 1794, il rallia le général Laveaux dans le Nord
et fit la conquête de plusieurs villes occupées par les Espagnols, parvenant à refouler l'ennemi à la frontière. Il dirigeait déjà d'importantes troupes et inquiétait ses nouveaux
alliés, les républicains français. Mais ces derniers, sous la
direction de Sonthonax, firent à la fin de 1794 un choix
très important, celui de soutenir les Noirs contre les
mulâtres. Ces derniers avaient alors au Cap un chef brillant, le colonel Villate, Rigaud étant maître du Sud.

Toussaint s'érigea en protecteur des autorités de la
métropole contre les mulâtres de Villate accusés d'intriguer
pour obtenir l'autonomie. En restaurateur de l'ordre
menacé au Cap par ceux-ci, en mars 1796, à la tête de ses
soldats noirs, il délivrait Laveaux, leur prisonnier. Déjà il
apparaissait comme le général le plus puissant, sauveur en

apparence des révolutionnaires blancs contre les mulâtres, et pour beaucoup de propriétaires, il était le seul capable de rétablir l'ordre et la culture sur les plantations.

Les nouveaux commissaires civils arrivés avec notamment Sonthonax, le 11 mai 1796, accompagnés de nouvelles troupes, auraient pu constituer un obstacle à ses projets. Habilement, le futur dictateur fit élire, par ses fidèles de l'assemblée électorale du Cap, Sonthonax et Laveaux, députés de Saint-Domingue en France. Ainsi Toussaint-Louverture éloignait ses adversaires potentiels, même si Sonthonax ne quitta Saint-Domingue qu'en août 1797.

En même temps, il remportait d'importants succès à l'extérieur contre les Anglais : en avril 1798, Port-au-Prince et Saint-Marc tombèrent, et en août de la même année, les Britanniques évacuèrent les dernières places qu'ils contrôlaient. Toussaint-Louverture obtenait sa reconnaissance internationale en signant en mai 1799 un accord commercial avec les États-Unis auquel se joignit l'Angleterre.

Le Directoire n'avait pas cependant totalement perdu l'espoir de rétablir l'autorité des Blancs, et, en fin 1797, arriva son nouveau représentant, Hédouville. Comme il l'avait fait avec Laveaux, Toussaint sut le perdre dans des intrigues face aux planteurs. Hédouville voulait punir les planteurs blancs qui avaient été les collaborateurs des Britanniques, ils étaient des « émigrés », Toussaint entendait les rassurer et les maintenir dans leurs propriétés. Avec les mulâtres, Hédouville voulut aussi pratiquer une politique agressive qui fut un échec. Le représentant du Directoire dut finalement se rembarquer en octobre 1798 ; avec lui, des soldats et des administrateurs blancs quittèrent aussi la colonie.

La guerre des Noirs contre les mulâtres de Rigaud dans le Sud allait encore démontrer l'habileté de Toussaint. Après quelques premiers succès des mulâtres, les Noirs de Dessalines prirent Jacmel en mars 1800, avec même l'assistance américaine, un navire de guerre à la bannière étoilée bombardant la place. En août 1800, Toussaint-Louverture entrait aux Cayes, la capitale du Sud, Rigaud dut quitter Saint-Domingue. Cette guerre était impitoyable, se terminant par le massacre de plus de quinze mille mulâtres. Gabriel Debien a bien montré comment la négrification de l'Ouest et du Sud avait progressé, même en dehors des combats. Dans les mornes caféières des Matheux, au-dessus de la plaine de l'Artibonite, dans l'Ouest, les artisans de couleur « paraissent tous disparus du quartier », en 1798. Les « nègres à talent » prirent les tâches techniques, maçons, selliers, cardeurs, tuiliers ; tous ces artisans étaient maintenant des Nègres remplaçant les gens de couleur[27]. Beaucoup, pendant l'occupation anglaise, avaient bénéficié d'affranchissements de fait avec en particulier les levées d'hommes auxiliaires des troupes blanches, qui correspondaient à des semi-libertés. Le dictateur noir, dans sa lutte contre les mulâtres, avait bénéficié des progrès de ses congénères.

La conquête de Santo-Domingo en janvier 1801 acheva de démontrer la maîtrise de Toussaint-Louverture, et, cinq mois plus tard, en mai, il pouvait faire voter une Constitution autonomiste de Saint-Domingue qui lui assurait les pleins pouvoirs, le nommant gouverneur général à vie, avec droit de désigner son successeur.

Loin de suivre toutes les conséquences de l'émancipation décidée par la France, Toussaint-Louverture imposa un règlement de culture, en fait de travail forcé, qui transformait les esclaves en cultivateurs et les obligeait à demeurer sur place, à leur tâche, leur travail étant contrôlé par l'armée. Les récoltes étaient partagées par tiers entre les cultivateurs, le propriétaire et l'État. Beaucoup d'habitations mises sous séquestre après le départ de leurs maîtres blancs ou mulâtres furent affermées par les officiers noirs qui les confièrent parfois à des gérants blancs. Sous la poigne de ces militaires, les caféières, dans une mesure bien moindre, les sucreries purent maintenir un certain rendement avec ce régime de travail forcé. Le dictateur noir ne ménagea pas ses efforts pour rétablir, au moins partiellement, le potentiel de production de la Grande Antille dévastée. Les résultats étaient cependant assez décevants. Saint-Domingue exportait en 1789 plus de 93,5 millions de livres de sucre brut ; en septembre 1800-septembre 1801, elle n'en exportait que 18,5 millions ; le café maintint mieux ses exportations : elles étaient de 76,8 millions de livres en 1789 et s'élevaient à plus de 43,2 millions en 1800-01[28]. La destruction de la plupart des équipements « en blanc », des purgeries, des habitations entraîna une chute catastrophique des exportations du sucre blanc, le produit le plus valorisé ; elles étaient tombées à moins de 17 000 livres en 1800-1801, alors qu'elles montaient à plus de 47,5 millions en 1789 et avaient été même de 70,2 millions en 1788. La disparition des ouvriers les plus compétents dans les sucreries, les raffineurs, explique en partie une telle chute de la production.

Cependant, en France, bien des colons réfugiés ne pensaient qu'à une chose, retourner dans l'Antille la plus prospère encore moins de dix ans auparavant. Ils continueront d'ailleurs à former ce projet jusqu'à la Restauration. Aussi ne purent-ils qu'être très favorables à la tentative de Bonaparte de réoccuper Saint-Domingue. À Bordeaux, au lendemain de la paix d'Amiens, en quelques mois, plus de cent cinquante navires partirent, chargés de produits d'Europe et de colons. En fait, il était déjà trop tard car l'expédition Leclerc décidée par le Premier Consul tournait au désastre sous le coup des épidémies de fièvre jaune et les difficultés de la reconquête.

D'abord sensible aux talents militaires de Toussaint-Louverture, Bonaparte l'avait nommé capitaine général de la partie française de Saint-Domingue. Mais sa décision de sortir une Constitution d'État autonome était inacceptable pour Bonaparte qui, en novembre 1801, confiait à son beau-frère le général Leclerc le commandement de plus de vingt mille hommes portés par quatre-vingt-six vaisseaux. Après les premiers succès de l'expédition, réalisés néan-

moins dans un pays volontairement ravagé, avec en particulier l'incendie des villes, Toussaint-Louverture se soumit
le 6 mai 1802, et fut déporté en France. Mais décimés par
les fièvres, les soldats de Leclerc durent faire face à une
reprise de la rébellion dès octobre 1802. Port-au-Prince
tomba aux mains des généraux noirs en octobre 1803 et en
novembre, et Rochambeau, le successeur de Leclerc mort
de la fièvre jaune, capitula au Cap. Il y eut alors une nouvelle vague de départs des colons français, surtout vers
Cuba. Quelques Français résistèrent dans Santo Domingo
bloqué par les escadres anglaises jusqu'en 1809. Le 1er janvier 1804, Dessalines avait proclamé l'indépendance de l'île
sous le nom indien de Haïti. Il faudrait attendre 1825 pour
que la France de la Restauration reconnût l'indépendance
contre le versement d'une indemnité de cent cinquante millions, la reconnaissance complète n'intervenant que sous la
monarchie de Juillet en 1838.

LES VOIES DE LA RÉVOLUTION AUX ÎLES DU VENT

L'immuable Martinique

La Martinique avait connu la première insurrection d'esclaves de la Révolution aux Antilles et, en 1790, le climat
d'agitation y fut assez comparable à celui régnant alors à
Saint-Domingue. En juin, les petits blancs de Saint-Pierre
avaient massacré des gens de couleur de la ville. Joints aux
planteurs, les gens de couleur s'étaient alors insurgés
contre la capitale commerciale de l'île tandis que les garni-
sons de Saint-Pierre et de Fort-Royal soutenaient les
patriotes pierrotins. À la différence de Saint-Domingue,
l'année 1791 fut pour la Martinique une période de retour
au calme, dans une certaine prospérité : les prix du sucre
s'étaient fortement relevés et le commerce de Saint-Pierre
retrouvait son dynamisme.

Sous l'autorité de Béhague, gouverneur peu enclin à voir
se renouveler les troubles de 1790 et qui subissait l'in-

fluence d'un entourage hostile aux révolutionnaires de Saint-Pierre, la colonie s'acheminait vers un retour en force des royalistes que la majorité des planteurs soutenait. Ce fut chose faite en 1792, année de retournements assez stupéfiants. En juin, l'assemblée coloniale décidait d'appliquer le décret du 4 avril 1792 sur l'égalité politique des gens de couleur, c'était une mesure de conciliation favorable à une entente entre planteurs et mulâtres. À l'automne, en septembre, de fausses nouvelles reçues de France trouvèrent un très large écho : Louis XVI aurait été rétabli par les troupes prussiennes et autrichiennes entrées à Paris. On hissa le drapeau blanc à Fort-Royal et sur les bâtiments de la station navale dont les officiers étaient très attachés à la monarchie.

En même temps, les colons recherchaient l'appui de l'Angleterre ; Dubuc, fils du premier commis à la Marine de Choiseul, avait été envoyé à Londres où il rencontrait les représentants de Saint-Domingue et de la Guadeloupe. Toujours dans la perspective de voir les gens de couleur adopter des attitudes favorables à la cause des colons, certains d'entre eux furent admis à siéger à l'assemblée coloniale.

Sous la pression de la Marine, encore que les équipages aient été en partie gagnés par la propagande révolutionnaire, on vit alors un Béhague, encore hésitant à prendre un engagement ferme dans le camp royaliste, amené à repousser Rochambeau venu reprendre le contrôle républicain de l'île avec une escadre de sept navires. Écarté de la Martinique, Rochambeau gagna Saint-Domingue ; les colons avaient forcé Béhague à affirmer son loyalisme monarchique.

L'année 1793 parut stopper complètement ce retour à l'Ancien Régime. Après l'intervention de Lacrosse, arrivé de France au début de décembre 1792 pour réaliser avec stupeur que l'île était acquise aux royalistes mais qui sut avec habileté développer depuis Sainte-Lucie toute proche une propagande des idées révolutionnaires bien accueillie à

Saint-Pierre, ce fut le retour de Rochambeau appelé, le 9 janvier 1793, par les libres de couleur qui se ralliaient à la République et reçu le lendemain par l'assemblée coloniale. Décidé à la modération, Rochambeau tenta de se rapprocher de certains grands planteurs. Ainsi offrit-il à Percin, chef militaire des planteurs, retiré à Case-Pilote sur son habitation, le commandement du quartier. Sur le refus de celui-ci, il laissa un Nègre libre prendre ce poste. Infatué de son autorité, ce dernier entra en conflit avec Percin auquel il intima l'ordre de servir dans la milice.

Il y eut là l'origine d'une première insurrection des planteurs, amis et parents de Percin se joignirent à lui pour lutter contre les soldats de Rochambeau soutenus par des libres de couleur et des esclaves auxquels Rochambeau promettait la liberté en échange de leur engagement dans ses troupes. Percin remporta quelques succès et parvint même à couper la route de Saint-Pierre à Fort-Royal, mais, faute d'un soutien réel des Anglais, les planteurs durent finalement s'incliner en l'été 1793 devant les troupes de couleur dirigées par Rochambeau. Déjà certains, tel le magistrat Jean-Marie Duval de Grenonville, avaient choisi l'émigration : dès le printemps 1793, Grenonville, avec une soixantaine d'esclaves fidèles, avait gagné Saint-Eustache où il retrouvait ses amis de La Hante et d'autres colons. Mais, revenu depuis, il trouva l'île en proie à la terreur révolutionnaire à la suite des succès des républicains. Rochambeau multiplia les mesures favorables à leur cause, création de clubs patriotes, mises sous séquestre des biens des planteurs, tandis que certaines habitations étaient dévastées : « On a brûlé la majeure partie des habitations royalistes », s'exclamait Lacrosse en juin.

Magistrats du Conseil supérieur, royalistes notoires, planteurs et gens de couleur compromis dans la révolte partirent en l'été 1793. Cette fois, Grenonville se rendit à Saint-Vincent puis à Tobago ; la grand-case de son habitation du Vauclin avait été brûlée. Comme d'autres colons, il tira à Tobago quelques ressources de la location de ses esclaves aux planteurs anglais. Lors de son premier départ, il avait réussi à emporter pour soixante mille livres d'espèces et des denrées coloniales à commercialiser. Ses amis de La Hante avaient pu emporter jusqu'à deux cent mille livres[29].

Mais ces planteurs émigrés dans les îles neutres ou anglaises savaient quelle était la puissance navale des Anglais et attendaient une nouvelle intervention britannique. Celle-ci, liée à un vaste plan d'offensive anglaise dans la Caraïbe, dirigée à la fois sur les Petites Antilles et sur Saint-Domingue, débuta dès la fin 1793. En janvier 1794, la Navy débarqua ses troupes en Martinique, quelque six mille hommes, à Case-Navire (tout près de Fort-Royal), la Trinité et le Marin, sur la côte au vent. Rochambeau n'avait que deux mille hommes à leur opposer et les mulâtres l'abandonnèrent. Peut-on penser qu'ils craignaient une totale émancipation des esclaves semblable à celle que Sonthonax venait de décider à Saint-Domingue et que les révolutionnaires de l'été 1793 pouvaient bien prononcer ?

Les retours d'émigration se firent au printemps 1794. Ces planteurs et parfois gens de couleur qui avaient choisi de quitter leur île sous la pression des républicains ne ressemblaient guère aux émigrés de Saint-Domingue, voire de la Guadeloupe ; ces derniers attendraient près de huit ans avant de rentrer dans la colonie, les autres purent croire possible ce retour lors de l'expédition Leclerc pour abandonner finalement tout espoir et s'établir, pour quelques-uns, à Cuba ou à la Jamaïque.

Il y eut quelques tentatives de rébellions : en février 1794, il y eut une insurrection dans les ateliers du François dont les meneurs étaient des Libres qui égorgèrent trois propriétaires ; la répression des Britanniques fut immédiate, quinze Nègres ou mulâtres furent pendus. Souvent les habitations des émigrés avaient été mises sous séquestre et leur administration confiée à un libre de couleur, cela avait été le cas de Sans-Souci, au Vauclin, appartenant à

Grenonville, et dont le séquestre avait été donné à un mulâtre. De tels faits ne pouvaient qu'accroître les tensions existant déjà entre gens de couleur et Blancs. Mais, selon notre magistrat, les désastres survenus lors de l'expulsion des planteurs en 1793 furent promptement réparés. Il est vrai que les colons pouvaient compter sur une bonne conjoncture, les denrées coloniales étaient à nouveau à un haut prix et pouvaient se vendre sur le marché anglais, les vivres abondaient.

Surtout, la Martinique « immuable »[30], selon l'expression de Grenonville, retrouvait son administration d'Ancien Régime : « Notre religion, nos lois étaient conservées », car les Anglais acceptèrent d'adopter le régime d'avant 1789. Une première mesure fut essentielle, ce fut la réintégration de la Cour souveraine dans ses fonctions, c'était « le présage flatteur et même le gage assuré du retour de l'ordre dans toutes les parties ». Le Conseil exercerait son droit de représentation sur les arrêtés de l'administration anglaise et prendrait ses propres arrêts. Le gouverneur britannique appuyait son autorité sur un conseil privé dont fit partie Dubuc, de retour de Londres. Un partage des dépenses de la colonie se faisait entre la nouvelle métropole qui assumerait la charge des dépenses de protection et la colonie qui supporterait les dépenses des services administratifs.

Les colons, en majorité royalistes, étaient satisfaits de reprendre possession de leurs propriétés, mais il subsista une certaine méfiance, relevant d'une sorte de mentalité obsidionale : la Guadeloupe proche était soumise aux républicains victorieux des Anglais, sous la main ferme de Victor Hugues, et l'on pouvait craindre des tentatives de sa part pour arracher la colonie aux Britanniques, ce qu'il essaya d'ailleurs mais vainement. Cela explique des décisions prises telle celle imposant aux procureurs des habitations dont les propriétaires étaient absents de devoir prouver dans les six mois que « les individus dont ils ont la procuration ne résident point en pays ennemi ». On édifiait un cordon sanitaire : il était interdit aux personnes venant de France de pénétrer à la Martinique, celles qui pourraient survenir seraient renvoyées sur l'île neutre danoise de Saint-Thomas.

Mais les plus grandes méfiances des colons allaient encore sur les Libres jugés trop nombreux ; leur vieux réflexe du préjugé allait donc encore s'accentuer. En 1802, effectivement, les Libres étaient au nombre de 6 578 alors qu'en 1790 ils n'étaient que 5 773 contre respectivement 9 826 et 11 171 Blancs en 1802 et 1790. Des Libres étaient venus se réfugier depuis la Guadeloupe sous la Terreur de Hugues, il y avait des affranchis venus d'îles étrangères et surtout la masse des affranchis « sans l'être », libres de fait qui seront 4 000 en 1811. Enfin la liberté avait été concédée en échange de services dans les troupes de Damas et de Béhague. On n'exclut de la liberté pour service militaire que les Libres ayant servi sous Rochambeau. Les Britanniques devaient eux-mêmes augmenter cette catégorie en fondant un Corps noir des îles du Vent dont les soldats de couleur reçurent la liberté. Les colons réagirent par la voix du Conseil privé : le 3 novembre 1800, les magistrats firent passer un décret durcissant les affranchissements.

> Beaucoup d'esclaves existent livrés à eux-mêmes contre la disparition d'un patronage illusoire, de là des êtres amphibies, libres en apparence, mais esclaves dans la réalité, seul le gouvernement peut autoriser le maître à libérer ses esclaves[31].

Faute de conformité aux règlements officiels sur la liberté, les affranchis pouvaient être saisis et vendus au profit du gouvernement. Mais le gouverneur anglais devait alors se faire plus libéral que les magistrats martiniquais et suspendit l'application du décret du Conseil. Les autorités britanniques se montrèrent aussi, peu de temps après ce débat, relativement très modérées à l'égard des Libres. Ce fut, en décembre, la révolte dirigée par Jean Kina, Nègre libre, de Saint-Domingue, qui avait servi dans cette colonie dans les troupes anglaises. Il avait débarqué en septembre 1800 à la Martinique, venant de Surinam occupé par les Anglais. Le 28 octobre, il entrait dans l'élite de couleur de Fort-Royal en épousant la fille d'un maître maçon, Nègre libre. En novembre, il aurait prêté attention aux plaintes que suscitait chez les Libres le décret du Conseil[32]. S'entourant de gens de couleur qui avaient servi dans la milice, une vingtaine de Nègres et de mulâtres – nombre bien réduit puisqu'en 1802 il pouvait y avoir plus de 270 miliciens de couleur –, Kina, au matin du 5 décembre, se porta sur plusieurs habitations de Case-Navires pour y tenir des propos critiques sur l'esclavage, mais sans faire usage des armes que lui et ses compagnons portaient. Sa troupe avait grossi quand un détachement britannique accompagné de colons la dispersa. Révolte avortée, la tentative de ce Nègre libre reçut à l'époque diverses explications. Pour le gouverneur Keppel, il s'agissait d'une révolte d'esclaves ; pour le commandant des troupes, le général Trigge, le décret sur l'affranchissement en était la cause, et ce fut Trigge qui, après avoir amnistié Kina et les siens, suspendit l'application du décret, l'agitation se calmant d'ailleurs rapidement parmi les gens de couleur. En France, *Le Moniteur* soutint que Kina avait agi pour le compte des Anglais, qui désiraient ruiner la colonie avant de la rendre à la France, car déjà les pourparlers de paix étaient avancés.

Cette révolte est à comprendre dans un climat de tensions existant en Martinique avant la fin de l'année 1800. Les planteurs n'étaient pas sans s'inquiéter d'un retour à la France républicaine. Les libres de couleur pouvaient, au contraire, en tirer un certain optimisme dans la mesure où l'Ancien Régime restauré avec les Anglais pourrait être remis en question. En outre, la conjoncture s'était retournée, on assistait en 1800 à une chute du marché du sucre à Londres, venant après la crise des denrées coloniales à Hambourg en 1799 ; il y avait là pour les planteurs d'autres motifs d'inquiétude.

Le 14 septembre 1802, l'entrée à Fort-Royal du capitaine général Villaret-Joyeuse assurait le transfert des pouvoirs des Britanniques aux Français, la Martinique comme Tobago et Sainte-Lucie revenant à la France consulaire en application de la paix d'Amiens. Quelques mois plus tôt, le 17 mai, Bonaparte avait rétabli officiellement l'esclavage aux colonies. Sa décision ne provoqua aucune secousse dans une colonie que l'occupation anglaise avait maintenue en dehors des lois révolutionnaires antiesclavagistes. Elle satisfaisait créoles et Libres, et ces derniers, rassurés quant à leur fortune, supportèrent sans révolte les humiliantes ordonnances de Villaret.

En effet, le capitaine général ressentait le danger créé par la montée du nombre des Libres :

> Je vous ai déjà entretenu de l'extrême multiplication des gens de couleur à la Martinique et de la fermentation sourde qui règne parmi ces hommes, également avides de fortune, de considération et de liberté. La sagesse du gouvernement m'a commandé des précautions les plus sévères et la vigilance la plus attentive à l'égard de cette classe dangereuse qui semble regarder les colonies comme un patrimoine que les blancs ont usurpé[33].

Sans doute excessifs et s'inscrivant dans la politique de maintien de l'Ancien Régime colonial voulu par le Premier Consul, les propos de Villaret dans cette lettre au ministre de la Marine trouvèrent leur application quand, en promulguant le code civil en 1805, l'administrateur prit des arrêtés d'application, car « il était sage et nécessaire de les [les lois] approprier aux habitants, au genre de propriété et aux diverses classes d'hommes qui composent la colonie[34] ». Les curés auraient à porter sur les registres d'état civil les Libres en faisant mention « de ce qui peut être relatif à leurs titres de liberté ». Tous auraient à faire vérifier leurs titres dont on ferait référence. C'était imposer une humiliation inad-

missible à des notables de couleur, libres depuis plusieurs
générations. Plus tard, Villaret se fit plus libéral et, en particulier, accueillit favorablement des demandes d'affranchissement, ayant aussi recours aux libérations pour service
militaire car on craignait une nouvelle attaque des Anglais
en 1807.

La singularité coloniale fut aussi reconnue dans le
domaine du droit de propriété. Le Conseil supérieur, trans-
formé en cour d'appel, le 9 novembre 1805, vint aider « des
lumières et de l'expérience de la Cour » le capitaine général
pour établir « les modifications que commandent les localités et les principes conservateurs des colonies ». Il s'agissait de l'application de la loi concernant le régime
hypothécaire prévu pour garantir les dettes (lourdes) des
colons et de la loi relative à l'expropriation forcée qui fut
suspendue pour la Martinique. En rapportant les conclusions, Grenonville regrettait que cette question n'ait pas été
réglée, elle devait susciter d'âpres débats sous la Restauration.

Dans une île à nouveau coupée en 1803 par la guerre de
sa métropole et réoccupée en 1809 par les Anglais, privée
de sa prospérité en raison d'un blocus britannique certes
tourné en partie par les neutres jusqu'en 1807, puis de la
fermeture du marché de Londres en crise en 1810-1811,
les planteurs pouvaient se targuer d'avoir préservé la colonie de toute réforme révolutionnaire. En dépit de l'esprit
libéral de quelques-uns, ils étaient restés fidèles au préjugé
écartant les Libres de toute égalité politique. Dans la dernière insurrection d'esclaves, celle de 1811, un Grenonville,
membre alors de la cour d'appel, voyait la main d'un
homme de couleur libre de Saint-Domingue : « Il paraît
qu'il y en a plusieurs de cette classe disposés à se joindre à
lui s'il avait obtenu quelques succès », notait-il, après
l'échec des insurgés de Saint-Pierre à soulever les ateliers
des plantations. Et cependant, comme en 1789, les libres
de couleur de Fort-Royal se joignirent à la répression.

La Martinique « immuable » sous la Révolution et l'Empire avait bien conservé les structures et les mentalités de la société coloniale d'Ancien Régime. Cependant la métropole pourrait difficilement faire l'économie, après le retour à la paix, de réformes politiques et sociales resserrant davantage les liens avec ses colonies alors que son opinion serait de plus en plus sensible au statut inégal imposé aux Libres.

Les faux-semblants de la Révolution en Guadeloupe

Au début de la Révolution, la Guadeloupe n'avait pas vécu la crise connue par la Martinique avec la guerre civile opposant les planteurs rejoints par les libres de couleur aux patriotes de Saint-Pierre, petits blancs soutenus, non sans réserves, par les négociants. L'enthousiasme y avait accueilli les événements révolutionnaires, la cocarde tricolore avait été arborée, et surtout avait resurgi la rivalité entre Basse-Terre et Pointe-à-Pitre. Au printemps 1790, des turbulences serviles, une tentative avortée de la municipalité patriote de Basse-Terre pour prendre le contrôle d'une assemblée coloniale acquise aux royalistes n'empêchèrent pas la colonie de connaître un calme relatif, prolongé en 1791 par une tendance favorable aux royalistes. En l'été 1792, les autorités appliquèrent dans le calme le décret sur l'égalité politique des libres de couleur. En septembre, les mêmes fausses nouvelles qu'en Martinique sur la victoire des alliés et le retour au pouvoir de Louis XVI provoquèrent un sursaut encore plus favorable à la monarchie, le drapeau blanc fut arboré. L'économie de plantation était sauvée ; les négociants de Basse-Terre comme de Pointe-à-Pitre ne pouvaient qu'être satisfaits de l'ouverture de leurs ports aux étrangers qui se voyait confirmée.

L'année 1793 vit le début véritable de la Révolution en Guadeloupe. En janvier, répondant aux appels de l'audacieux Lacrosse, les villes se prononcèrent en faveur du mouvement patriote, sous l'impulsion des marins des bâtiments marchands. Elles réussirent à imposer un pouvoir révolutionnaire à une assemblée coloniale où dominaient les planteurs : clubs installés dans les villes et les bourgs, arbres de la Liberté plantés. Une commission extraordinaire remplaça l'assemblée, et une première chasse aux planteurs royalistes s'organisa dès le printemps pour s'amplifier durant l'été. À Trois-Rivières, le 20 avril, ce fut le massacre d'une vingtaine de colons par deux cent cinquante esclaves ; ils étaient accusés par la commission de collusion avec les Anglais. Un comité de sûreté générale ordonna des arrestations suivies de massacres dans les prisons de Pointe-à-Pitre. En même temps les biens des planteurs poursuivis faisaient l'objet de séquestres. À cette première terreur répondit la première grande vague d'émigration des planteurs en direction des îles anglaises et espagnoles ; ils étaient parfois accompagnés de leurs esclaves.

En décembre 1793, une première expédition quittait l'Angleterre décidée à frapper l'empire maritime et colonial français aux Antilles tout en préservant de la contagion révolutionnaire ses propres colonies. Les Anglais voulaient commencer par la réduction de la Martinique et de la Guadeloupe d'où ils achèveraient la conquête de Saint-Domingue. Dans les premiers mois de 1794, ils parvinrent à s'emparer des Petites Antilles, et, en Guadeloupe, les villes patriotes capitulèrent sans opposer de véritable résistance, en particulier à Basse-Terre où les Britanniques furent bien accueillis par les planteurs et les libres de couleur.

Mais la convention montagnarde qui venait, le 6 février 1794, de prendre la décision la plus révolutionnaire, celle de l'abolition de l'esclavage aux colonies, ne renonçait pas à faire respecter son autorité par les colons et à combattre une Angleterre avec laquelle la guerre maritime avait repris depuis le début de 1793. Au départ de l'expédition de huit bâtiments, on ignorait en France que les îles du Vent étaient tombées aux mains des Anglais. Les commissaires de la Convention, Chrétien et Hugues, devaient soit rejoindre les autorités révolutionnaires demeurées aux Iles, soit gagner les États-Unis, soit engager le combat. Jouant de l'effet de surprise, l'ancien petit blanc de Saint-Domingue, Victor Hugues, débarquait le 3 juin avec mille hommes au Gosier. Quatre jours plus tard, soutenues par un grand nombre de Noirs, ses troupes entraient dans Pointe-à-Pitre. Les Anglais s'étaient repliés dans la Basse-Terre où Hugues tarda à intervenir, laissant le temps à la Navy de faire une tentative d'ailleurs infructueuse pour réoccuper la Grande-Terre et renforcer les troupes de Basse-Terre. Hugues montra alors une capacité remarquable à réagir en recrutant des troupes noires, des esclaves auxquels il appliquait le décret du 16 pluviôse abolissant l'esclavage. Les succès allaient récompenser ses efforts : les dernières troupes anglaises de Basse-Terre capitulèrent en décembre 1794.

Déjà le proconsul Hugues appliquait une politique de terreur révolutionnaire en s'appuyant sur une armée forte alors d'une dizaine de milliers d'hommes, en majorité des Noirs. Avec ses soldats et les corsaires de la République, il tenterait de reconquérir la Martinique et même de lancer des raids sur les îles anglaises, comptant sur une grande course victorieuse pour approvisionner la colonie. Ayant vaincu les Anglais, Hugues put, sans pitié, organiser une répression sans précédent contre les traîtres royalistes. Lors de la capitulation britannique, beaucoup de colons du camp de Berville qui luttaient aux côtés des Anglais furent jugés comme traîtres et fusillés ou guillotinés. Plus de sept cents périrent ainsi et, parmi eux, un assez grand nombre de libres de couleur qui avaient rallié les Anglais et les colons blancs, car, planteurs, ils ne pouvaient accepter l'abolition de l'esclavage.

Victor Hugues abolit l'esclavage mais instaura un régime de servitude pour soutenir l'ordre révolutionnaire. Dès juin 1794, il en avait posé les principes :

Il faut qu'une administration générale et particulière garantisse les propriétés et le produit du travail et de l'industrie des autres. Il faut que les citoyens blancs offrent cordialement, fraternellement et à salaire compétent un travail à leurs frères noirs et de couleur et n'oublient jamais que ceux qui n'ont pas de propriétés sont obligés de pourvoir par leur travail à leur subsistance celle de leur famille, et concourir en outre par ce moyen au soutien de la patrie[35].

Du dédommagement pour les anciens propriétaires d'esclaves, rien n'est dit, rien sur les liens entre ceux qui fournissent leur force de travail et ceux qui l'utilisent. Personne ne se souciait de résoudre les problèmes posés par l'abolition de l'esclavage. Mais, dans les faits, beaucoup de Noirs, dans des campagnes dévastées, se refusaient à réintégrer les anciennes habitations et se rendaient dans les villes. Après la capitulation anglaise, des esclaves quittèrent l'armée, ils se refusèrent à reprendre place dans l'économie de plantation. Pour Hugues, rien ne justifiait l'oisiveté, il y avait obligation de travail :

La République, en reconnaissant les droits que vous teniez de la nature n'a pas entendu vous soustraire à l'obligation de vous procurer de quoi vivre par le travail. Celui qui ne travaille pas ne mérite que du mépris et ne doit pas jouir des bienfaits de notre régénération... Tous les citoyens ne pouvant être employés à la défense de la colonie, il est indispensable que ceux qui ne sont pas incorporés dans la force armée s'occupent à cultiver la terre et à planter des vivres le plus promptement possible[36].

Dans la réalité quotidienne, les cultivateurs qui n'étaient plus juridiquement esclaves entendaient échapper à la contrainte de la nouvelle servitude du travail. Le marronage reprit. Beaucoup d'habitations restaient en friches, leurs propriétaires ayant été exécutés ou ayant émigré. La seule différence avec l'esclavage pour le cultivateur était qu'il ne pouvait être vendu et qu'on ne pouvait acheter la main-d'œuvre. Hugues ordonna la répression du vagabondage, les « divaguants » seraient punis : le 15 juin 1795, il prit un arrêté pour faire rentrer les Nègres sur les habitations : sans un congé officiel, il était interdit de sortir de la commune. Quand, rappelé par le Directoire, Hugues quitta l'île en 1798, rien n'était vraiment réglé pour alléger la condition servile. Le successeur de Hugues, Desfourneaux, améliora en partie les choses en s'efforçant d'organiser les relations propriétaire-travailleur ; le quart de la production de la plantation était laissé à l'atelier ; mais on maintenait les châtiments corporels pour les insoumis.

Pour les soldats des troupes noires, l'affranchissement fut, en revanche, réel. Hugues les mettait à part car ils étaient la garde prétorienne du régime, assez semblable à ce qu'étaient à Saint-Domingue les mêmes troupes pour Toussaint-Louverture. Par contre, ses effets restaient quasi nuls pour l'ensemble des populations rurales alors que, dans les villes, les libertés pouvaient s'exercer ; on se rapprochait ici du temps des libertés de fait de l'Ancien Régime. Quand le Premier Consul rétablit l'esclavage, il y eut peu de cas de résistance de la part des nouveaux Libres de la Révolution, mais pouvaient-ils regretter un affranchissement dont ils n'avaient guère bénéficié ?

Dans la guerre maritime, les succès initiaux remportés par Victor Hugues furent indéniables, non seulement il avait expulsé les Anglais de la colonie mais il sut aussi mener une intense guerre de course, envoyant les « barques flibustières » redoutées des Anglais sur les côtes des colonies ennemies, et surtout leur faisant faire des prises profitables. Les ports corsaires de Guadeloupe remplaçaient, en effet, Saint-Pierre occupé par les Britanniques de 1794 à 1802. Basse-Terre fut le principal centre de la course dont les années d'activité la plus forte furent 1796-97 (an V) et

1797-98 (an VI), avec 72 et 121 corsaires armés qui firent 228 et 343 prises[37]. Sur le total de ces prises, les pertes anglaises furent respectivement de 133 et 101 bâtiments. Une grande partie des prises était donc faite au détriment des neutres, en particulier des Nord-Américains. Les attaques répétées des corsaires de Hugues en 1797-98 contre les navires yankees furent une des causes de la « quasi-guerre » opposant la France et les États-Unis.

Victor Hugues avait fondé une agence nationale du commerce pour contrôler l'activité des corsaires, et les ventes des prises se faisaient soit dans les ports guadeloupéens, mais peu dans celui de Basse-Terre bloqué le plus souvent par les Anglais, soit dans les ports neutres de Saint-Martin, Saint-Thomas, Saint-Barthélemy. La course permit aux négociants, surtout en 1796-1797, de compenser les difficultés du commerce avec la métropole. Sur cent quarante et un négociants recensés par Anne Pérotin-Dumon à Pointe-à-Pitre et Basse-Terre, cinquante-quatre étaient armateurs de corsaires en 1795-1800. Les capitaines flibustiers étaient en assez grand nombre des hommes de couleur, anciens patrons de caboteurs. Les résultats économiques, avec la vente des denrées coloniales saisies, furent assez substantiels jusqu'à l'an V, décevants par la suite. Asphyxiée par les blocus anglais et la baisse de production de ses habitations, l'île eut recours à partir de 1798 à une course « de subsistance » lui procurant quelques vivres mais aux gains réduits. Le dynamisme de la course avait permis de maintenir des courants d'échanges entre le négoce de la colonie et les autres îles de la Caraïbe, le principal partenaire étant le Nord américain. Le commerce neutre dont la croissance fut le fait principal de la vie maritime aux Antilles sous la Révolution et l'Empire, et, au premier chef, celui des Américains qui purent concurrencer efficacement les Anglais sur les marchés européens, fut stimulé. Des réseaux marchands se créèrent, prolongeant en partie ceux existant à la fin de l'Ancien Régime. Les neutres permirent de maintenir quelques échanges avec la métropole. Mais, à partir de 1797 et encore plus en 1798, les résultats furent médiocres : les Anglais renforcèrent les blocus, s'emparèrent des îles neutres, et pratiquèrent une course active depuis la Jamaïque. Les corsaires guadeloupéens tendirent à se transformer en prédateurs, faisant de plus en plus de prises sur les neutres : entre décembre 1799 et mars 1800, 80 % des 393 prises neutres jugées à Basse-Terre étaient américaines. Des fortunes de libres de couleur et de Blancs se constituèrent dans la course – pour 1796-1797, les ventes de prises montèrent à quarante millions – mais l'opulence des ports s'opposait à la misère des campagnes[38].

La reprise de l'île par Bonaparte se fit donc dans un climat économique difficile. Les villes, avec leurs hommes de couleur et certains négociants, les soldats de l'armée noire, étaient acquis au régime de Hugues et de ses successeurs, les campagnes ne l'étaient pas. Le Premier Consul, décidé à pleinement rétablir l'autorité de la métropole dans un cadre de structures sociales d'Ancien Régime jugées seules capables de relancer la production des denrées coloniales, envoya une expédition en Guadeloupe, sous le commandement de Richepanse, comme il le faisait au même moment pour Saint-Domingue avec Leclerc. L'homme choisi par Bonaparte pour reprendre en main les institutions et la société fut Lacrosse, cet officier de marine qui, au début de 1793, avait fait basculer l'île dans le camp républicain. Décidé à appliquer la mission à lui confiée, il pouvait compter sur un certain nombre de planteurs de retour d'émigration depuis 1799 quand Desfourneaux avait mis fin au régime de séquestres pour un certain nombre d'habitations sucreries, des fermiers, souvent amis des planteurs, remplaçant les gérants des séquestres. Mais il se montra très maladroit avec les hommes de couleur dont le nombre et la position sociale s'étaient renforcés. En 1803, après un contrôle restrictif des affranchissements effectué en Guadeloupe comme en Martinique, on avait 6 707 Libres reconnus, ils n'étaient pas 3 200 en 1790, leur nombre avait relativement progressé plus qu'en Martinique. La venue de réfugiés de Saint-Domingue et des autres îles, des affranchissements pour service militaire dans les premières années 1790-1793, peuvent expliquer cette progression. Forts dans les villes et les bourgs, ils composaient souvent les cadres des troupes de couleur de Victor Hugues. Ces officiers mulâtres craignaient une remise en cause de leur statut avec l'arrivée des troupes consulaires. Lacrosse n'hésita pas à se débarrasser de certains. Alors que les nantis du régime de Hugues, les bénéficiaires des séquestres, étaient déjà mécontents pour certains d'avoir perdu une source de profits importants, le retour de plus en plus prononcé des émigrés était une source nouvelle d'inquiétude.

En octobre 1801, le mulâtre Pélage sut rassembler sur son nom le mécontentement des militaires et des villes et il créa un gouvernement où siégeaient hommes de couleur et Blancs tout en s'efforçant de négocier avec Lacrosse, obligé de quitter l'île, et Bonaparte. Autoritaire, ce dernier ne pouvait concevoir une telle négociation, reprenant avec Pélage l'attitude qu'il avait avec Toussaint-Louverture. Quelques mois plus tard, en mai 1802, ce fut le rétablissement de l'Ancien Régime colonial. Richepanse débarqua ses 3 500 hommes à Pointe-à-Pitre, Pélage fut mis à l'écart et les troupes noires désarmées. Décidés à s'opposer au rétablissement de l'esclavage, deux officiers mulâtres, Ignace et Delgrès, tentèrent une ultime résistance. Le 25 mai, après avoir vainement essayé de soulever les ateliers noirs, Ignace était encerclé près de Pointe-à-Pitre à la redoute de Baimbridge : 675 de ses hommes moururent avec lui, 250 prisonniers furent exécutés. Delgrès se retira au-dessus de Basse-Terre et, sur le point d'être pris, se fit sauter avec 400 hommes sur la poudrière du Matouba.

La répression de la rébellion des « brigands » se prolongea sur au moins deux ans, mais, dès l'été 1802, en juillet, Richepanse déclarait solennellement que les races de sang mêlé étaient toujours distinctes des Blancs et que ceux-ci seuls « sont les indigènes de la Nation française et doivent en exercer les prérogatives[39] ». C'était bien le retour à l'Ancien Régime colonial.

8

Les Antilles françaises de 1815 à 1848

LA FIN DE L'ANCIEN RÉGIME ÉCONOMIQUE

Traditions et renouvellements des courants commerciaux

En 1815, quand les Petites Antilles furent rendues définitivement à la France de Louis XVIII, négociants et planteurs entendaient reprendre les anciennes relations dans le cadre d'un Exclusif rétabli et restaurer la prospérité de Saint-Domingue. Sur ce dernier point un large mouvement d'opinion soutenait leurs vues, en particulier dans les villes portuaires. On peut dire que Saint-Domingue restait encore une Antille française pour beaucoup de négociants. Les publications sur le thème de la Grande Antille à reconquérir connurent un grand succès dans les années 1800-1810. Toutes exposaient les moyens de rentrer en possession de la colonie et d'y rétablir la tranquillité. Les colons réfugiés à Cuba ou à la Jamaïque transmettaient leurs plaintes aux chambres de commerce de la métropole pour décrire les ruines accumulées dans les plantations par la révolte et le succès probable d'un retour au passé.

Cependant, assez vite, dès le début de la Restauration, il fallut abandonner de tels projets, et, d'ailleurs, bien des colons réfugiés dans les colonies espagnoles ou anglaises avaient pu s'insérer avec bonheur dans les économies locales. C'est sur les Petites Antilles que se concentra finalement l'attention des négoces portuaires sur lesquels reposait, comme avant 1789, la prospérité de l'économie de plantation.

Sous le Consulat et l'Empire, l'asphyxie des trafics coloniaux avait pu être évitée grâce à la présence dans la Caraïbe du négoce américain. En 1803, un Ordre en Conseil anglais avait interdit aux navires neutres (en majorité américains) de commercer directement entre les pays ennemis et leurs colonies ; mais ces mêmes navires, reliant leur propre pays et le pays ou les colonies ennemis ne pouvaient faire l'objet d'une capture si leur cargaison était neutre et ne comprenait pas de contrebande de guerre. On n'y évoquait pas les réexportations depuis les ports neutres des produits des colonies ennemies, ce qui impliquait qu'elles étaient autorisées. Ces dispositions furent à l'origine d'un grand progrès des trafics américains déjà très élevés sous le Directoire, cela jusqu'au blocus de 1807[1]. En Martinique et en Guadeloupe, à Cuba et à l'île de France, les cargaisons coloniales chargées par les Américains, reçues dans leurs ports, en étaient réexpédiées vers l'Europe, surtout sur Hambourg et même sur les ports français. Envoyées à Hambourg, les denrées coloniales y atteignirent des records d'importation, en 1799 et 1801, plus de 104 millions de livres de sucre pour chacune de ces deux dates[2]. En 1803-1806, elles montaient encore à plus de 55 millions de livres de sucre en moyenne annuelle.

À Bordeaux, de 1803 à 1807, plus de 182 navires arrivaient chaque année en provenance des États-Unis. Bien entendu, les négociants attachaient le plus grand soin à ce que la « neutralisation » de la cargaison fût assurée : le Bordelais Honorat Laîné en ordonnant, le 21 décembre 1804, à une maison de Philadelphie l'expédition de 24 barriques de sucre « par le premier navire qui partira pour Bordeaux », demandait « de prendre toutes les précautions possibles pour l'assurance et la neutralisation[3] ». En effet, l'interruption du voyage par l'escale américaine suffisait à légitimer la qualité neutre de la cargaison aux yeux des

Britanniques. Les réexportations depuis les États-Unis s'accrurent fortement ; en 1804 et 1805, elles s'élevaient à une valeur de 60 millions de dollars contre 36 millions en 1800[4]. Les Américains offraient le sucre sur les marchés européens à des prix plus bas que les Anglais, et les planteurs des îles anglaises se plaignaient de la mévente de leurs sucres. Ces conditions expliquent les records d'exportation atteints en 1806-1807, en Guadeloupe, pour le sucre avec plus de 40 millions de livres alors que le blocus strict en 1808-1810 les fit retomber à moins de 14 et 8,5 millions de livres[5]. Grâce aux trafics neutres, la période de l'Empire fut loin d'être pour les îles françaises un temps de blocage complet des échanges.

En 1815, il y eut, d'une part, comme dans tous les retours à la paix, engorgement des marchés et crise dans le plus court terme. Mais, d'autre part, et pour les Antilles françaises ce fut la tendance la plus grave dans le long terme, il y eut apparition de nouveaux producteurs, tels Cuba, Porto Rico, le Brésil. Pour Cuba se réalisa la prédiction de Raynal : « La fertilité incroyable de ses terres neuves, si elle était bien gérée, bien administrée, la mettrait en état de supplanter toutes les nations qui l'ont devancée dans cette culture. Elles n'auraient travaillé pendant plus d'un demi-siècle à perfectionner leurs fabriques que pour une rivale qui, en adoptant leurs méthodes, surpasserait, anéantirait même en moins de vingt ans la richesse qu'ils en retirent[6] ». La production cubaine passa, en effet, de 14 000 tonnes de sucre en 1792 à 40 000 en 1815, 105 000 tonnes en 1830 et 267 000 en 1847. Déjà, en 1804-1806, attirant de nombreux négociants américains, Cuba exportait 43 600 tonnes par an quand la Guadeloupe en exportait moins de 17 000. En 1834, 41 000 tonnes étaient expédiées depuis la Guadeloupe et 34 100 tonnes depuis la Martinique en 1836[7]. Il faut ajouter à Cuba d'autres nouveaux producteurs comme Java, 63 500 tonnes en 1840, ou Porto Rico, 21 000 tonnes en 1830. La spectaculaire croissance du nombre de leurs esclaves témoigne aussi de la réussite des planteurs cubains : en 1792, Cuba possédait 84 590 esclaves, elle en avait 138 000 en 1830 et plus de 436 000 en 1841.

Afin d'expliquer l'émergence de la colonie espagnole sur le marché, il faut d'abord faire intervenir l'activité des négociants américains pour approvisionner en vivres et esclaves la plantation comme pour en assurer les débouchés. La traite négrière indispensable continua à Cuba jusqu'au-delà du milieu du siècle alors qu'elle s'arrêtait effectivement aux Antilles françaises au début des années 1830. Il y eut, en second lieu, l'apport financier et technique des colons de Saint-Domingue réfugiés dans l'île au cours de la Révolution. Cuba put pleinement profiter de l'effacement de Saint-Domingue depuis la décennie 1790. En outre, ses sucres, comme ceux des autres nouveaux producteurs, étaient de meilleure qualité et de prix inférieurs à ceux des Antilles françaises.

La défense de l'Exclusif, un combat d'arrière-garde

Comme ceux de l'Ancien Régime, les gouvernements de la Restauration firent tout leur possible pour écarter la concurrence étrangère en rétablissant un Exclusif bien affaibli sous la Révolution et l'Empire. En fait, l'Ancien Régime perdurait aux Iles dans le quotidien du commerce : les colons cherchaient toujours à s'approvisionner au meilleur prix, fût-ce à l'étranger, comme à trouver les meilleurs marchés pour leurs productions. En l'été 1814, des places comme Bordeaux saluaient avec satisfaction le rétablissement des échanges permettant des ventes assez bonnes de sucre et de café : « Nous ne doutons pas que la consommation ne fasse beaucoup pour en rendre le débouché régulier et facile car elle commence à se faire sentir par rapport au bon marché auquel on obtient ces articles relativement aux prix excessifs qu'on était obligé de les payer il y a quelques mois. » La maison Albrecht et Delbruck rendait ici compte de l'euphorie vécue par le marché[8]. Les beaux jours de l'Ancien Régime colonial semblaient revenus mais le marché fut rapidement engorgé. En dépit du blocus temporaire des Cent-Jours, aux colonies, du moins à la Martinique puisque la Guadeloupe ne fut libérée de l'occupation anglaise qu'en 1816, les négociants se trouvèrent avec des stocks difficiles à écouler, les produits d'Europe subissant la concurrence américaine ; plus de cent navires s'entassaient dans la rade de Saint-Pierre à la fin de l'année 1815, leurs cargaisons trouvaient difficilement preneur et les capitaines n'obtenaient que difficilement le fret du retour. Une telle situation reflétait l'impuissance du négoce de la métropole à maîtriser un marché largement pénétré par les concurrents étrangers. Avec la modification des courants commerciaux en faveur de la Grande-Bretagne et surtout des États-Unis, l'Exclusif se trouvait encore plus menacé qu'à la veille de la Révolution.

Certes, le régime s'empressa, dès ses débuts, à remettre en place les cadres réglementaires de l'Exclusif : la loi du 17 décembre 1814 confirma une législation par laquelle les étrangers n'accédaient qu'à une part réduite du marché pour acheter les mélasses et les tafias en échange de quelques vivres, soigneusement choisis, les farines étant exclues. Mais il fut impossible d'appliquer réellement cet Exclusif en raison de l'insuffisance des approvisionnements français. À plusieurs reprises les gouverneurs autorisèrent l'entrée des produits étrangers, à titre provisoire, en particulier des farines, et, en retour, l'exportation de denrées comme le sucre brut. Plus encore, l'ordonnance du 15 décembre 1816 augmenta le nombre des ports admis à servir d'entrepôts au commerce étranger, en Martinique, le Marin et Trinité, en Guadeloupe, le Moule et Grand-Bourg. Il est vrai que cette ordonnance répondait en Guadeloupe à la situation critique d'une île ravagée par un cyclone en septembre 1816 et démunie de vivres, la même situation survenant en Martinique avec un ouragan en 1817. Et, en dépit des véhémentes protestations de la métropole, l'interlope reprit. Mais le négoce français entreprit lui aussi de réorienter ses trafics. Ainsi, à partir de 1818, Cuba attirait les armements bordelais, de 1815 à 1830, 204 navires de Bordeaux furent armés pour Cuba contre 413 pour la Martinique et 582 pour la Guadeloupe[9]. La colonie espagnole attirait aussi les passagers au départ de Bordeaux pendant la même période, ils furent au nombre de 181, dont 95 de 1825 à 1830, contre 154 pour la Guadeloupe et 150 pour la Martinique. Les importateurs de la métropole profitaient aussi de l'interlope pour, après une importation frauduleuse aux Antilles françaises des sucres de la Jamaïque, de Sainte-Lucie et de la Dominique, les faire entrer en France, les faisant passer pour des sucres des colonies françaises. Un raffineur havrais évaluait à un minimum de 7 000 barriques la quantité en parvenant au Havre en 1818-1829[10].

Une protection contre l'entrée du sucre étranger en France avait, en effet, été édifiée à l'aide de surtaxes croissantes, passant de 20 francs les 50 kilos en 1814 à 50 francs en 1822, et un système de primes à la réexportation des sucres raffinés incitait les raffineurs à utiliser le sucre colonial. La part du sucre étranger chuta effectivement dans l'approvisionnement des raffineries, cela dans le court terme, car, pour les importateurs, il devait se révéler ultérieurement intéressant de prendre la production des nouveaux producteurs qui se révélèrent des marchés importants.

Très tôt, des adoucissements au régime de l'Exclusif furent demandés. Le baron Portal, un Bordelais, constitua en 1820 une commission qui proposa d'autoriser les importations des farines étrangères aux Iles, mais leur introduction permanente ne fut autorisée qu'en 1832, moyennant des surtaxes. La logique de l'Exclusif ne pouvait durer à cause des bas prix de la production cubaine, très inférieurs à ceux des Antilles françaises. Aussi le marché européen se ferma à la production de ces dernières ; le rôle d'entrepôt des ports de la métropole qui avait fait leur prospérité au siècle précédent avait pris fin, et seul le marché français consommait les sucres de la Martinique et de la Guadeloupe. Contre la concurrence étrangère en France, les colons demandèrent une protection douanière et fiscale de leur production. L'enquête sur les sucres de 1828-1829 fit ressortir le débat opposant les raffineurs aux planteurs car les premiers voulaient traiter le sucre étranger. Quelques années plus tard, le débat s'élargit car le sucre colonial commençait à de plus en plus ressentir la concurrence du sucre de betterave. Le « Pacte colonial », en vertu duquel les colons s'estimaient en droit d'exiger une protection complète de leurs ventes en échange de l'achat des produits de la métropole, était rompu, à leurs yeux, par cette concurrence. Eux-mêmes, en fait, violaient le « Pacte » en important des quantités croissantes de produits de l'étranger, surtout des farines et des bois en provenance des États-Unis.

Bien des négociants désiraient s'affranchir des contraintes du marché protégé. Ainsi, chez les Bordelais, le journal légitimiste, *La Guyenne*, exprimait, le 9 janvier 1833, l'opinion de certains négociants qui n'hésitaient pas à envisager de se tourner vers d'autres marchés que ceux des colonies :

> La France qui, depuis la perte de Saint-Domingue, que la Révolution lui a ravie, ne possède que des points imperceptibles dans le vaste Océan, dont toute la population coloniale blanche et de couleur, libres et esclaves, n'excède pas 400 mille individus, la France... ne peut supporter un pareil système et renoncer pour elle au commerce d'échanges avec les plus riches contrées du globe, c'est n'avoir pas la moindre idée de l'économie commerciale qui lui convient.

Et les négociants de protester contre les surtaxes imposées aux sucres étrangers :

Avec un tel système de taxes et de surtaxes des sucres... le plus grand bonheur qui peut arriver à la France serait que quelque puissance rivale eût la bonté de prendre nos colonies[11].

À un démantèlement inévitable de l'Exclusif s'opposaient, même dans les ports, bien des résistances, et, la même année, la diminution de la surtaxe sur le sucre étranger rencontra l'hostilité de beaucoup, négociants et même raffineurs, qui en février 1834 envoyèrent à la chambre une pétition pour réclamer le rétablissement total du marché protégé.

Mais, à terme, l'offensive la plus menaçante pour les coloniaux était celle des betteraviers. À Bordeaux, la chambre de commerce décrivait le sucre antillais « traqué sur nos marchés », et le conseil général de la Gironde réclamait l'application de taxes sur les sucres de la métropole qui en étaient jusque-là exempts en même temps que la baisse des droits sur le sucre de canne, colonial et étranger. Ce fut chose faite en 1837-1839. Il faudrait attendre que la France entrât dans une phase de libre-échange, sous le Second Empire, pour voir instauré aux Antilles un régime de « libre-échange colonial » par la loi du 3 juillet 1861 qui mettait fin au système de l'Exclusif.

La belle époque sucrière

La concurrence encore faible du sucre des colonies étrangères dans les années 1820, la part encore très modeste du sucre de betterave pour ces mêmes années sur le marché français, l'efficacité relative des barrages protectionnistes, furent autant de facteurs permettant dans ces années 1820 et le début de la décennie 1830 une progression de la production et des gains des planteurs. Christian Schnakenbourg a pu qualifier la période de « belle époque sucrière ». Encore convient-il de nuancer la notion de progrès. Pour le sucre de canne, si la production du sucre brut connut sa croissance, celle-ci se fit au détriment de la production de sucre blanc, dit terré, produit plus cher et demandant moins de volume au transport. L'importation de sucre brut fut imposée dès 1814 par les raffineurs de la métropole, elle signifiait une baisse des revenus des planteurs et s'expliquait principalement par la perte du marché européen sur lequel les sucres blancs étaient exportés avant la Révolution. La Martinique et la Guadeloupe produisaient alors dix fois plus de sucre blanc que de sucre brut.

Les surfaces cultivées augmentèrent, passant en Guadeloupe de 18 700 hectares en 1817 à 26 200 en 1834, et en Martinique, de 15 700 hectares en 1826 à 23 700 en 1836. Mais cela se fit au détriment de la production du café et du coton : on cultivait 5 820 hectares de café en Martinique en 1788, 3 082 en 1835 ; les surfaces cultivées en café étaient en Guadeloupe de 8 607 hectares en 1790, de 5 687 en 1835. Cela s'accompagnait d'une baisse des productions[12]. L'ouverture du marché français aux produits étrangers concurrents constitue une explication partielle seulement. En fait, les planteurs choisirent la production aux coûts apparemment les plus bas et aux plus grands profits, celle des sucres. La prépondérance de leur production est indéniable dans les économies insulaires, et l'exemple précis de la Martinique le démontre. En 1823, la valeur totale des exportations de la colonie s'élevait à 16 840 615 francs, sur lesquelles la part des sucres était la plus élevée : avec 12 287 872 francs, elle en représentait les deux tiers ; l'île exportait 19 587 tonnes de sucre, 65 632 hectolitres de mélasses, 975 hectolitres de rhum et tafia. Les exportations de café valaient 1 645 121 francs, soit un peu moins de 10 % du total des exportations[13].

L'équipement des 371 sucreries de la Martinique privilégiait encore en 1822 les moulins à bêtes, on en comptait 199. Ils employaient la plus ancienne technologie et, en raison de la fréquence des épizooties prises souvent pour des empoisonnements du bétail par les Nègres ou les libres de couleur, ils étaient d'un emploi coûteux puisqu'il fallait

renouveler les bœufs ou les mulets employés à leur trac-
tion. L'île avait 178 moulins à eau, 20 à vent et 10 à
vapeur. La présence de ces derniers témoignait de l'émergence de nouvelles techniques ; le premier moulin à vapeur
avait été installé en 1809[14]. En Guadeloupe, il y avait une
dizaine de moulins à vapeur en 1829. Ces moulins à vapeur
manquaient de bois qui était rare et coûteux, et la bagasse
produite par la récolte des cannes sur des surfaces réduites
n'était pas suffisante pour alimenter les foyers des chaudières ; surtout, on manquait de main-d'œuvre qualifiée, les
esclaves ne parvenant pas à s'adapter au fonctionnement
des nouvelles machines. Il fallait aussi que la capacité de
l'équipage des chaudières fût augmentée pour absorber le
vesou produit en abondance par les nouveaux moulins. À
cela s'ajoutait le coût de ces installations, les habitants
manquaient des capitaux nécessaires alors que les prix du
sucre tendaient à décroître déjà.

On peut aussi relever au nombre des tentatives de
modernisation des plantations, dans cet âge de prospérité
de la Restauration et des débuts de la monarchie de Juillet,
l'emploi de charrues quasi général en Guadeloupe en
1837 mais restreint en Martinique en raison des fortes
pentes. À Bordeaux, en 1816, un « laboureur » de La Réole,
dans l'arrière-pays, était engagé par Louis Degage, négociant, propriétaire de l'habitation « la Camille », à la Trinité, pour trois ans avec un salaire annuel de 1 200 francs,
argent de France[15], étant logé et nourri, et le passage de
Bordeaux à la Martinique payé par le propriétaire[16].

Les progrès de la production du sucre aux Antilles françaises ne relevèrent donc pas à cette époque d'une modernisation de l'équipement. Ils étaient certes réels puisque les
importations de sucre colonial en France étaient passées
de 31 419 tonnes en 1817 à 52 304 tonnes dès 1822, à
59 373 tonnes en 1827 et culminaient à 82 247 tonnes en
1832. Mais la notion d'âge d'or ne saurait être retenue.
En premier lieu, les colons devaient toujours faire face aux
singuliers caprices du climat antillais avec les très fortes

pluies de l'hivernage, voire les ouragans, tels ceux de 1817
en Martinique, de 1821 et 1824 en Guadeloupe, ou avec
les « secs » de Carême, de janvier à juin qui empêchaient
la pousse des plants de canne. À Sainte-Marie, sur la côte
atlantique de la Martinique, le 17 octobre 1832, le colon
Pierre Dessalles relate combien les habitations ont été abî-
mées, même en l'absence d'un coup de vent violent :

> Nous voici à la fin de l'hivernage et nous avons
> échappé au coup de vent, nous n'en avons pas été
> plus heureux pour cela, il a fait des pluies tellement
> abondantes que toutes les routes de la colonie ont
> été obstruées par les éboulements de terre, les habi-
> tations ont été abîmées, j'ai particulièrement beau-
> coup perdu, mais j'ai été moins malheureux que nos
> voisins qui ont perdu nègres, bœufs et mulets... J'ai
> eu des cannes entièrement couvertes et impossible
> de les déterrer. Chignac évalue nos pertes à 20 bou-
> cauts de sucre[17] [10 tonnes].

À la suite de tels incidents climatiques, les prévisions de
récoltes étaient bouleversées puisque la relation de Pierre
Dessalles se situe seulement à trois mois de la roulaison
(fabrication du sucre). Sept ans plus tard, en 1839, alors
qu'il séjournait à Bordeaux, Dessalles reçut la nouvelle, le
21 février, du tremblement de terre qui avait dévasté la
Martinique le 11 janvier. La presse déplorait cinq cent dix-
sept morts dans l'île, Fort-Royal ayant été touché bien plus
que Saint-Pierre. « Jamais depuis que la Martinique est
habitée on avait vu chose pareille ; mon étuve, mes cases
à bagasses, ma cuisine, ma case à eau, sont tombées[18]. » Les
conséquences les plus graves, comme au siècle précédent,
demeuraient dans la destruction des réserves de vivres
nécessaires à la nourriture des ateliers. Certes, le gouverneur s'empressa d'ouvrir les ports en suspendant toute perception de droits sur les cargaisons afin de permettre aux

colons d'obtenir farines, morue, et autres vivres indispensables ; la force des ateliers n'en était pas moins diminuée.

À cet assujettissement au climat s'ajoutait pour le colon le souci constant d'une pénurie de la main-d'œuvre nécessaire comme celui de devoir utiliser des ateliers affaiblis par le manque de vivres, portés à l'indiscipline, sinon à la révolte, et ne donnant pas au travail l'attention nécessaire. En outre, sur la vie quotidienne du planteur plana dans ces années 1820 la menace d'une arme attribuée à ses esclaves, celle du poison, qui devint une véritable obsession pour les colons. Le Journal de Pierre Dessalles éclaire, à cet égard, de manière précise, la réalité de la vie du planteur pendant la « belle époque ».

L'optimisme pouvait y apparaître. Ainsi, le 6 novembre 1824, notre colon se faisait presque allègre pour présenter les bons résultats de la roulaison, ce qui n'était guère à son habitude car Dessalles était le plus souvent porté à voir les choses en noir : « Nous mettrons au moulin dans huit jours, ce sera le dernier roulage de l'année, nous avons fait 8 000 formes[19], ce qui est magnifique pour nos forces en nègres et en bestiaux[20]. »

La force en Nègres et en bestiaux de la Nouvelle Cité, l'habitation de Dessalles à Sainte-Marie, était celle d'une plantation capable de produire près de 150 tonnes de sucre ; elle était d'une superficie de plus de 250 hectares. Elle employait, en 1827, 159 esclaves, 35 mulets, 24 bœufs de cabrouet[21]. Proche de la Nouvelle Cité, l'habitation domaniale du Fonds Saint-Jacques comptait en 1826 un atelier de 438 esclaves, une centaine de bestiaux, et cultivait 188 hectares de cannes[22]. La plantation de Dessalles appartenait au groupe des habitations sucrières les mieux dotées en moyens de production puisque se classant dans les quelque soixante habitations pouvant produire de 150 à 300 tonnes de sucre sur un total de 495 habitations sucrières en 1839[23]. Mais la taille de l'atelier demeurait souvent inférieure aux besoins. Avant 1827, Pierre Dessalles avait dû procéder à des achats d'esclaves car, écrivait-il, « la population est nulle », entendons par là que le planteur ne pouvait compter sur un excédent naturel grâce à un plus grand nombre de naissances que de décès. « Les négresses faisaient couler leurs fruits..., il était à la connaissance de tout l'atelier que Marie-Jeanne venait tout dernièrement de détruire son enfant[24]. » Un an plus tôt, Dessalles avait noté qu'une autre Négresse, grosse de cinq mois, « avait fait disparaître son ventre ». L'avortement était pratiqué, mais notre planteur mettait davantage ces pertes au compte des maléfices commis dans le cadre d'une campagne de poison alors redoutée des habitants à laquelle les esclaves de l'île se livraient. Il devait donc se résigner à constater le besoin d'achats réguliers d'esclaves pour maintenir la force de l'atelier : « Il faut donc compter dans nos dépenses 8 nègres à acheter tous les ans[25]. » L'année précédente, Dessalles avait procédé en juillet 1823 à un achat bien supérieur de 27 esclaves, achetés pour 59 400 livres, soit 2 200 livres chacun en moyenne. Ils étaient destinés à cultiver des vivres sur la caféière, située au-dessus de l'habitation sucrerie que le planteur ne mettait que partiellement en café.

Tout cela pesait lourdement sur les coûts de l'exploitation : « Notre dépense sera encore un peu forte cette année à cause des nègres nouveaux », écrivait Dessalles après avoir acheté à Saint-Pierre « 3 jolis jeunes nègres », en décembre 1822. Les pertes en décès étaient fortes : le 30 avril 1823, il notait : « Je ne suis pas content de mon hôpital, 9 nègres de moins depuis janvier ». Et, le 20 mai de la même année : « L'hôpital ne désemplit pas, il n'a cessé de renfermer de 30 à 35 nègres. » À la fin de l'année, en novembre : « Nous n'aurons eu que 2 naissances cette année et peut-être 25 morts », constatait-il, amer[26].

Pierre Dessalles ne s'était pas plaint des conditions du crédit obtenu pour son achat d'esclaves de juillet 1823, paiement des intérêts à 5 % sur quatre ans, soit 11 680 francs, puis règlement du capital en deux termes annuels. Pour autant le financement de sa plantation n'était pas sans lui poser de sérieuses difficultés car, comme la majorité des colons, il avait à faire face aux charges permanentes de la propriété et à un lourd endettement d'origine ancienne. Une grande part des revenus était donc engagée à l'avance, et, à ce titre, les rentes à payer aux autres membres de sa famille pesaient fortement. Dans les partages successoraux, en Martinique comme en Guadeloupe, on évitait l'application stricte de la Coutume de Paris par des partages en nature qui auraient démembré les plantations. Les partages se faisaient en valeur, et l'héritier Pierre Dessalles, auquel revenait l'habitation qui était à la Nouvelle Cité, devait rembourser les autres héritiers du montant de leurs parts en rentes annuelles. Dessalles se trouvait en situation relativement privilégiée car il semble n'avoir dû verser de rente d'héritage qu'à son frère Charles demeurant en France. Mais il devait une pension à sa mère, elle aussi vivant à partir de 1822 en métropole. Ces charges pesaient sur le compte d'exploitation : « Ce que nous devons à Charles m'occupe beaucoup, il faudra qu'il se contente de ce que nous pouvons lui donner », écrivait-il avec quelque cynisme, le 11 août 1822[27]. En voyant sa mère partir en France, Dessalles avait cru que ses frais de pension ne seraient pas très lourds : « Elle ne dépensera pas plus en France qu'elle ne dépensera à la Martinique » ; ce en quoi il se trompait car le train de vie des « Américains » en métropole était toujours source de dépenses coûteuses. D'ailleurs les Dessalles avaient investi fortement en France, ils possédaient un château, Lespinassat en Dordogne, et un hôtel particulier à Bordeaux. À cela s'ajoutait, quand l'héritier chargé de la gestion de l'habitation préférait vivre en France, ce qui n'était pas rare, une exploitation souvent mal conduite en Martinique par des géreurs trop soucieux de leur propre fortune. « Nos propriétés d'ici ne peuvent plus être abandonnées par les propriétaires », constatait Pierre Dessalles en 1823.

Les charges de la plantation n'étaient couvertes que par les avances des négociants de métropole ou par celles des commissionnaires de Saint-Pierre, toutes étaient à l'origine d'un endettement croissant. L'enquête confiée par Louis XVIII au baron de La Mardelle, en 1820, à la Martinique, soulignait les difficultés générées par cet endettement :

> Les habitants planteurs rejettent sur les coups de vent sur l'incertitude de leur sort et la cherté des bras leur inexactitude à remplir leurs engagements... Ils prétendent que leurs commissionnaires ne leur font d'avances qu'à des intérêts usuraires qui finissent par se capitaliser et par engloutir leur fortune[28].

Quasi séculaires, les tensions existant entre planteurs et commissionnaires de Saint-Pierre avaient pu mener à une guerre civile en 1790. Elles demeuraient vives dans ces années 1820, cela en dépit de liens fréquents de parenté entre eux. Pour Dessalles, en 1825, « tout est mort dans ce pays, les négociants n'y sont plus que des marchands de sucre qui ne peuvent pas faire la plus légère avance[29] ». La mauvaise humeur du planteur se comprend car il venait d'essuyer un refus, celui de la maison Dupuy de Saint-Pierre, de davantage soutenir son habitation. Il ne tenait pas compte cependant de l'amélioration incontestable qui s'était produite sur le marché. À Bordeaux, un associé de la maison de Luze soulignait, le 12 mars 1825, l'embellie survenue en écrivant : « Le chiffre d'affaires en marchandises coloniales s'élève ici depuis la hausse à 2 à 3 millions par jour et les graves blessures des armateurs seront finalement fermées[30]. » Sept ans plus tôt, la situation était bien différente puisqu'il y avait, à la fin de l'année 1818, pour plus de 120 millions de francs de denrées coloniales dans les entrepôts du même port où le manque de demande provoquait la baisse des prix du sucre comme du café[31]. En 1822, année des cours les plus faibles, le même négociant se lamentait : « La valeur des marchandises est si faible que les commissions s'en ressentent, 75 barriques de sucre ne valent que 25 000 francs, où sont donc les bons temps d'autrefois ? » Ces données font ressortir un cours de moins de 67 francs les cent kilos, soit nettement moins que la même année au Havre où Christian Schnakenbourg relevait un cours de 78 francs[32].

Incontestablement la conjoncture s'était éclaircie. Peut-on pour autant accepter les dires de l'inspecteur des finances Lavollée pour lequel, de 1820 à 1830, « les habitations sucrières ont donné d'immenses revenus, des bénéfices considérables[33] » ? En réalité, le calcul de ces bénéfices reste aléatoire en raison de la difficulté à calculer les coûts. Dessalles se trouvait en situation relativement privilégiée. Mais son endettement affaiblissait considérablement sa position. Tout en gardant l'espoir que son habitation pût être « liquidée » – libérée de ses dettes –, il lui fallait recourir toujours aux prêts du négoce. « Mon rôle n'est pas facile à jouer et j'en frémis souvent : payer MM. Durant (Bordeaux), payer Mme Dupuy (Saint-Pierre), vous envoyer des fonds, payer les rentes de Charles, celles de M. Gruet[34], et faire exister ma nombreuse famille ; par-dessus toutes choses, maintenir l'habitation dans son état actuel. » Tout en déclarant être satisfait de la marche du domaine, « notre sucrerie est dans l'état le plus brillant », Dessalles, dans une démarche qui lui était habituelle, brossait en décembre 1824 un sombre tableau de ces dettes pesant sur la vie de la plantation.

Il semble avoir préféré se tourner vers les négociants des ports de la métropole pour obtenir les avances nécessaires plutôt que vers les commissionnaires de Saint-Pierre à partir de 1825. Il tenta de se passer de ces intermédiaires coûteux. Mais le projet de Dessalles ne fut pas complètement réalisé et, à la fin de la décennie 1820, il comptait sur les avances à Bordeaux de la maison Durant, au Havre de la firme Salles et Theubert, en leur adressant des sucres, tout en restant lié à un commissionnaire pierrotin. Pour le quotidien, le rôle de ce dernier restait d'une grande utilité, par les fournitures de vivres, de merrains à barriques, de Nègres, cela d'autant plus qu'il n'était pas payé comptant mais à la prochaine récolte. En 1826, Dessalles avait disposé en conséquence ses envois de sucre pour tenir compte de ce double réseau de négoce sur lequel reposait la marche de son habitation : 70 tonnes étaient envoyées au Havre, à Salles et Theubert, pour « éteindre les créances » du Bordelais Durant et payer les rentes, 40 tonnes à un négociant de Saint-Pierre pour les dépenses courantes.

Plus encore peut-être que les dettes, un dernier élément a joué un rôle exceptionnel dans la vie quotidienne du planteur. Pendant toutes ces années 1820, les habitants de la Martinique – ce fait ne paraît pas avoir constitué un élément important de la vie guadeloupéenne à la même époque – ont vécu dans la psychose du poison, craignant pour leur vie comme pour celle de leurs esclaves et de leur bétail. Cette hantise est présente dans de très nombreuses lettres de Pierre Dessalles et explique des réactions agressives et punitives, sources de nouvelles difficultés, dans ses rapports avec son atelier. Pesant sur la vie quotidienne, elles pouvaient paralyser les décisions à prendre. Quand, à la fin de 1824, Dessalles réalisa que son géreur, Chignac, avait dressé tout l'atelier contre lui – « la sortie de Chignac est aujourd'hui indispensable, nous devons à la haine qu'on lui portait tous nos malheurs » –, et se décida à s'en séparer, il était trop tard, on était en pleine période de poisons, le bétail était décimé. Les mulets indispensables à la marche du moulin allaient faire défaut, des décès de Nègres étaient survenus.

La panique qui s'empara alors de l'esprit de notre planteur l'empêchait sans doute de comprendre toujours l'origine de ces pertes dues vraisemblablement dans bien des cas pour le bétail à la fréquence des épizooties, mais elle le poussait à voir partout le poison sévir. Et Dessalles qui ultérieurement montra une certaine générosité dans ses rapports avec ses esclaves n'hésita pas à prendre les mesures les plus dures :

Je fais construire des cachots, des chaînes sont pré-
parées et tous les empoisonneurs connus sont préve-
nus que si je perds un homme ou un animal de
poison, je prendrai deux d'entre eux, que je les four-
rai à la chaîne pour le reste de leur vie, ayant soin
néanmoins de les bien faire travailler. Ce moyen a
réussi sur des habitations du Lamentin, je compte
beaucoup sur lui[35].

Le 6 novembre de la même année, « les alertes sont
continuelles, le quartier continue à éprouver des pertes,
surtout Saint-Jacques » ; quelques jours plus tard cependant, Dessalles pardonnait, relâchant les esclaves mis au
fer contre la promesse que le poison ne ferait plus de
ravages :

Le 25 [novembre], pendant que j'étais occupé à faire
marquer mon gros linge de table, j'entends du bruit
près de ma chambre, je parais à ma porte, et quel
est mon étonnement de voir à genoux, non seulement tous les nègres de chaîne, mais encore tout
l'atelier. Je demande ce qu'on veut : Jean (un
esclave à la chaîne) porte la parole le premier et me
demande de les relâcher ; à quelle condition lui dis-
je aussitôt. Monsieur, me répond-il, vous n'éprouve-
rez plus de pertes chez vous, le poison n'y fera plus
de ravages. J'ai tout pardonné, les coquins ont été
mis en liberté mais huit répondent des événements[36].

De tels événements ne pouvaient qu'avoir des conséquences négatives sur l'exploitation. Les tensions très vives
opposant parfois maîtres et esclaves provoquaient, sinon de
véritables arrêts de travail chez les esclaves, du moins le
relâchement en dépit du renforcement des contraintes. On
les verrait se développer encore davantage dans les années
de la crise sucrière.

La crise de l'économie sucrière

Alors que les débuts de la monarchie de Juillet avaient vu se maintenir la tendance relativement favorable apparue à partir de 1825, les signes de la crise se dessinèrent à la fin des années 1830. Au premier chef, il y eut baisse de la production : en 1836, la Martinique et la Guadeloupe faisaient respectivement 34 100 et 41 900 tonnes de sucre, en 1847, les deux îles n'en livraient plus que 23 900 et 38 000 tonnes. La chute la plus prononcée touchait la première : « Il n'est pas rare de rencontrer sur les routes de certains quartiers de récentes ruines au milieu de grandes savanes et de halliers qui annoncent une habitation abandonnée », écrivait au ministre de la Marine le gouverneur de la Martinique en 1831[37]. Ces propos auraient été encore plus vrais une quinzaine d'années plus tard. En 1837, l'île comptait plus de 500 sucreries, en 1840, leur nombre était tombé à 471. C'était la même tendance en Guadeloupe avec 620 sucreries en 1834, 530 en 1847. La baisse des prix du sucre accompagnait ce déclin : à Pointe-à-Pitre, à l'embarquement, le sucre payé 76 francs les cent kilos en 1827 ne l'étaient plus que 52 francs en 1847 ; au Havre, les cours avaient chuté de moitié pour la même période[38].

Il y eut un effondrement international des cours du sucre en 1839-1840, cela alors que la part des sucres coloniaux dans l'approvisionnement des raffineries de la métropole tendait à se relever de 55,9 % en 1837 à 68,7 % en 1840, en raison des taxes mises sur le sucre de betterave concurrent. La baisse parallèle des bénéfices des planteurs a été soulignée. Elle se fit très forte dans les petites habitations produisant moins de 40 tonnes. Les plus faibles, ne produisant que 20 à 25 tonnes, étaient souvent condamnées à disparaître. Le vrai seuil de rentabilité était fixé par l'administration de la Guadeloupe à 150 tonnes de production annuelle, mais cela ne concernait qu'un nombre réduit de plantations. Bien entendu les conditions climatiques restaient le facteur essentiel, secs de carême empêchant la pousse, pluies excessives d'hivernage paralysant les roulaisons.

Les causes de la crise étaient d'abord dans ce blocage des marchés déjà décrit pour les premières années de la Restauration et qui se fit à nouveau sentir. Il était créé par la forte concurrence des nouveaux producteurs mais plus encore par celle des betteraviers. Les années 1830 virent se développer en métropole le grand débat opposant sucriers coloniaux et sucriers de diverses régions françaises. En 1837, une première taxe était mise sur la fabrication des sucres de betterave qui étaient restés ignorés du fisc jusque-là. La position antillaise en parut renforcée car en même temps on avait abaissé les taxes à l'entrée du sucre colonial. Les planteurs en vinrent même à envisager de demander la suppression de toute fabrication de sucres concurrents moyennant indemnisation. En fait, c'était une victoire sans lendemain, et ce dernier projet relevait de la pure utopie en raison de la bien plus forte rentabilité des exploitations de métropole pour la production du sucre.

Le blocage financier dont tout l'Ancien Régime et la Restauration avaient déjà ressenti les effets s'accentua. Au moindre incident, les prévisions de récoltes pouvaient ne pas être remplies, la fabrication de sucre était insuffisante pour satisfaire aux engagements, les cours trop bas venaient aussi mettre fin aux projets de liquidation espérée. En juillet 1839, Dessalles le notait : « Le bas prix du sucre et ce que j'ai eu à payer à la Martinique l'ont empêché de remplir aucun des engagements que j'avais laissés... Que vais-je dire à mes créanciers... Mes sucres en France se sont toujours mal vendus[39]. » Pour liquider la dette de leur débiteur, les créanciers ne pouvaient saisir sa propriété ; un régime spécial empêchait, en effet, toute expropriation ; il existait depuis le XVIIIe siècle aux Iles et le débat ouvert sur l'expropriation forcée en Martinique à l'occasion de la mission de La Mardelle, en 1820, n'avait pu régler ce problème.

L'endettement de Pierre Dessalles s'était encore grossi depuis la Restauration au point qu'en mai 1844 la maison Assier de Montferrier à Bordeaux demandait l'hypothèque de l'hôtel de Dessalles dans cette ville. La même année cependant, à la veille de son départ pour la France, notre planteur croyait pouvoir terminer « toutes [ses] affaires avec [ses] différents créanciers et d'une manière inespérée » en répartissant ainsi les revenus des sucres : 50 tonnes pour la faisance-valoir, culture et fabrication, soit 13 000 francs à un cours de 26 francs ; 30 tonnes pour Dessalles lui-même, soit 7 800 francs, 25 tonnes pour Charles, soit 6 500 francs, 17,5 tonnes pour Durant (négociant de Bordeaux), soit 4 550 francs, 12,5 tonnes pour le commissionnaire Lefaivre à Saint-Pierre, soit 3 250 francs, et 15 tonnes pour les petites dettes et dépenses imprévues (3 900 francs), soit un total de 150 tonnes produisant 39 000 francs[40]. Pris avec la maison Paul Hauchecorne du Havre, chargée de désintéresser les Durant de Bordeaux, cet arrangement se faisait sur des bases assez sûres ; on approchait de la fin de la roulaison et le tonnage pouvait paraître être obtenu. Si l'on rapproche les prévisions ainsi faites de la valeur du domaine, on peut croire à un gain brut de 7,8 % : en décembre 1842, un acquéreur potentiel avait offert de la Nouvelle Cité 500 000 francs pour 129 hectares de terres et autant de bois ; Dessalles avait refusé car il ne voulait pas traiter pour moins de 550 000 francs. Mais on ne soufflait mot des anciennes créances des Assier de Bordeaux, de Dupuy à Saint-Pierre et d'autres maisons françaises comme les Fournier à Marseille. En 1843, l'année précédente, à l'occasion d'un tremblement de terre survenu en février à la Martinique, alors que la même année la Guadeloupe avait été dévastée par un autre séisme, Dessalles avait estimé ses pertes à près de 20 000 francs, « ce qui est énorme pour [lui] ».

Dans les causes de la crise sucrière, il faut aussi ranger les difficultés rencontrées par les colons pour recruter et gérer la main-d'œuvre. Il y eut diminution globale des populations serviles. Alors que, de 1816 à 1831, elles avaient progressé, passant de 81 470 à 97 339 esclaves en Guadeloupe et de 75 802 à 86 389 en Martinique, les deux colonies connurent ensuite leur déclin : on trouvait en Guadeloupe 87 732 esclaves en 1845, en Martinique 72 559 en 1847. Cette baisse était due au nombre croissant des affranchissements et à l'arrêt effectif de la traite négrière. Elle aurait dû même être plus forte s'il n'y avait pas eu un bilan démographique favorable en raison des améliorations apportées au sort des esclaves dans les années 1830. Au sein de la population servile les actifs étaient minoritaires. Ainsi, en Guadeloupe, sur les 99 454 esclaves recensés en 1832, 56 670 adultes, de 14 à 60 ans, représentaient près de 57 % de cette population, mais il n'y avait que 42 015 esclaves attachés aux cultures sur les sucreries, soit un peu moins de 75 % des actifs ; les esclaves sur les caféières étaient au nombre de 9 160, soit un peu plus de 16 %[41].

Pour pallier le manque de main-d'œuvre, on pouvait avoir recours à des solutions comme la location de Libres. Ainsi, le 7 avril 1840, Dessalles recevait trois Nègres du Gros-Morne venus lui demander du travail : « Je les ai loués au mois à 35 francs. Je leur donne trois livres de morue et trois pots de farine par semaine. Je les ai mis à nettoyer mes savanes[42]. » Son gendre, Georges Cacqueray de Valmenier, projetait en novembre 1839, pour sa plantation de Rivière-Monsieur, près de Fort-Royal, « étant donné la proximité de la ville », d'y trouver des esclaves à louer. Les planteurs purent aussi recourir à l'achat d'ateliers de sucreries en difficulté. C'est ce qu'envisagea Dessalles en septembre 1837. Un colon « menacé par ses créanciers » lui proposa un achat de 41 Nègres et de bétail pour 43 000 francs, payables en quatre ans à partir de septembre 1838. Très inférieur aux prix des années 1820, le prix de l'esclave revenait ici à moins de mille francs.

Mais les plus grandes difficultés venaient d'une gestion des ateliers souvent impossible à bien maîtriser. Dessalles, pour l'achat précédent, se montrait très intéressé car il s'agissait de Nègres « habitués au travail et à une discipline sévère ». En novembre 1839, il notait que ses Nègres sont « rétifs, insouciants, montrent de la mauvaise volonté » ; en décembre de la même année, il se disait forcé d'administrer des châtiments car les esclaves étaient lents et paresseux. Pour lui comme pour bien d'autres colons, les mesures prises par le pouvoir pour améliorer le sort des ateliers étaient en cause, et, au 4 juillet 1840, ses propos se faisaient durs : « Depuis l'ordonnance du 5 janvier, les Nègres deviennent bien difficiles à conduire. » Un incident s'était produit dans le grand atelier où un Nègre avait refusé d'obéir au commandeur et lui avait donné des coups, Dessalles se refusa à déférer l'esclave devant la justice :

> J'ai eu un moment envie de livrer ce nègre à la justice, le cas me paraissait très grave... Il sera temps lorsque nous y serons forcés de nous mettre en rapport avec la justice. J'ai fait donner 75 coups de fouet à ce nègre et lui ai fait mettre un collier de fer[43].

Cette attitude était conforme à celle observée par beaucoup. L'ordonnance sur le patronage du 5 janvier 1840 donnait mission à la justice d'enquêter dans les plantations pour y contrôler l'observation des règlements sur la nourriture, le travail, le régime disciplinaire. Dessalles entendait rester maître de la propriété que constituaient ses esclaves et ne désirait pas voir l'Administration s'immiscer dans la direction de l'atelier ; ce comportement avait été exactement le même chez les planteurs de la fin de l'Ancien Régime réagissant contre les ordonnances de Castries. Cependant, les temps avaient changé, et l'on ne pouvait toujours éviter les « tracasseries » de l'Administration. Le 16 décembre 1839, un de ses esclaves parti vendre sa farine (de manioc ?) à la Trinité fut arrêté et mis à la geôle. « Il aurait fait le mutin chez une marchande et le commissaire de police a dû intervenir. Ce sont les esclaves qui paient toujours les pots cassés ; les marchands les volent impunément et ils sont sans cesse leur dupe. » Ici le propos est doublement intéressant car il fait paraître un circuit commercial profitable aux esclaves qui vendent dans les bourgs leur production de vivres et, dans ces bourgs, la place tenue par des marchands qui sont, en majorité, des gens de couleur libres. Dessalles les oppose aux esclaves dont il prend la défense. On devait voir paraître cette tendance à l'opposition esclaves-gens de couleur dans les événements de 1848, à la suite de l'abolition de l'esclavage, lors des élections.

Dans cette conduite souvent difficile des ateliers, les planteurs étaient amenés à pratiquer ces châtiments contre lesquels s'élevait l'opinion antiesclavagiste en France. Lors d'un séjour en métropole, en 1838, Dessalles voyageant en Lozère y rencontra le maire du Lignon. À l'occasion de propos sur la musique de Gluck et de Piccini, notre planteur se laissa aller à dire que, « depuis onze ans » de séjour en Martinique, il n'avait entendu que « la musique des nègres ». Vertement repris par son interlocuteur, Dessalles s'entendit répondre que « la musique des nègres, c'est le fouet ». Indigné, le colon de rétorquer : « Monsieur, le fouet est à peine connu dans les colonies, on en a fait usage pour les chevaux et les insolents[44]. » Reprenant le discours de beaucoup d'autres colons, Dessalles alla même jusqu'à prétendre que le plus malheureux des Nègres était encore plus heureux que le plus heureux des paysans... Incontestablement, tout à son amertume face aux préventions existant alors en France contre les colons, Dessalles faisait bon marché des pratiques les plus courantes chez les planteurs tant blancs que de couleur. Deux ans plus tard, en 1840, il avouait lui-même que « sans le fouet ils ne travailleraient même plus dans nos cannes[45] ».

Il n'en restait pas moins que les situations étaient souvent les plus délicates à gérer, telle cette révolte d'un commandeur de Dessalles en février 1840 :

Avant-hier, le travail n'allait pas, je le lui ai observé en l'invitant à y faire attention. Il m'a répondu insolemment et m'a déclaré qu'il ne savait que sa manière de conduire les nègres et qu'il ne tuait pas de monde[46]. À midi, j'ai fait dresser trois piquets, je l'y ai fait attacher et il a reçu 50 coups de fouet.

Mais souvent, comme au XVIIIe siècle, la pratique débridée du châtiment correspondait aux absences du maître quand les gêneurs restaient libres d'agir à leur guise. Effectivement, Dessalles fut absent de la Martinique à deux reprises pendant ces années difficiles, de 1838 à 1840 et de 1844 à 1847. Il faut cependant se garder de trop vite conclure qu'une absence du maître entraînait inévitablement les désordres sur l'habitation. Les deux planteurs peut-être les plus riches dans les années 1840, Adolphe de Perrinelle et Auguste-François Pécoul, résidaient souvent à Paris. Leurs plantations, celle de Perrinelle, l'Union à Saint-Pierre, celles de Pécoul, l'une, la Montagne, aussi à Saint-Pierre, l'autre à Basse-Pointe, au nord de l'île, étaient parmi les mieux tenues. Séjournant à la Martinique en 1840, Schœlcher était « l'abolitionniste » que Dessalles montrait visitant les propriétés de Perrinelle et de Pécoul à Saint-Pierre[47] : « Il a parcouru les deux propriétés dans les plus petits détails et a eu l'occasion de voir de quelle manière y étaient traités les esclaves. » L'abolitionniste jugea bon de dire à Perrinelle que ses Nègres étaient beaucoup mieux que chez Pécoul, ce qui étonna fort le planteur car « M. Pécoul fait pour ses nègres ce que nos moyens ne nous permettent pas de faire », répondit-il. Schœlcher avait observé que « l'atelier de M. Pécoul, lorsqu'il passait devant son maître le saluait jusqu'à terre tandis qu'ici ils passent sans affectation devant vous, saluant ou ne saluant pas sans que vous y fassiez attention. Les nègres de M. Pécoul rappellent plus l'état d'esclavage que les vôtres ».

Or les procédés généreux de Pécoul à l'égard de son atelier étaient connus dans toute l'île. Dessalles s'en disait frappé l'année précédente : « Les moyens qu'il emploie pour civiliser le nègre lui réussissent. » Pécoul pratiquait dans son atelier une politique de mariages : sur trois cents Nègres, il avait « 40 ménages qui vivaient dans la meilleure intelligence » ; pour Dessalles, c'était la richesse de Pécoul qui lui permettait de faire de telles expériences donnant sa stabilité à l'atelier. Victor Schœlcher pouvait-il fonder son jugement sur le traitement des esclaves à partir de telles observations ?

En fait, il lui aurait fallu donner une grande attention à la vie festive à laquelle de nombreux planteurs savaient faire place. Dans cette vie les noces de Nègres jouaient un rôle certain. « Les contredanses et les bélairs sont en train, ma cour est éclairée par des flambeaux qui produisent le plus joli effet. Il est 9 heures du soir, ce tapage durera sans doute toute la nuit. Les nègres paraissent contents... Beaucoup de gens libres sont venus voir et ont même dansé avec les esclaves[48]. » Quelques jours plus tard, c'était une grande noce chez les Laguarigue de Survilliers : « Le tambour s'est fait entendre de bonne heure... Beaucoup de nègres sont passés dans ma cour, se rendant au bal. Quelques négresses sont venues prier mes servantes de leur attacher la tête, c'est la partie la plus essentielle de leur toilette » (on nouait sur la tête le foulard de madras traditionnel des Antilles). C'étaient aussi les réjouissances du Carnaval. Celui de Saint-Pierre était déjà éclatant par ses couleurs, mais on le trouvait célébré sur les plantations : le 4 mars 1840, les Nègres « ont fait des mascarades » à la Nouvelle Cité, « à minuit, le tambour a cessé ».

Les rapports entre maîtres et esclaves le plus souvent décrits comme très durs ne l'étaient donc pas de manière systématique. Mais il y avait certainement tendance à une dégradation ; celle-ci était soulignée par Dessalles, le 29 juin 1840, à l'occasion de sa fête :

> À mon réveil, le doyen de mes nègres est venu me souhaiter la bonne fête. Les autres se sont dispensés

de cette politesse... Il y a dix ans, ils n'y auraient pas manqué[49].

La crise aggravait aussi les rapports, elle portait les maîtres à plus de rigueur, les esclaves devenaient de plus en plus sensibles aux échos de la campagne antiesclavagiste de métropole.

Elle pouvait conduire des planteurs à la gêne, sinon à la ruine, ou même au découragement. Pourtant on se tromperait encore en décrivant le planteur comme étant incapable de rechercher des solutions pour une modernisation de sa sucrerie comme en ignorant la richesse réelle qui demeurait l'apanage de certains.

La recherche d'une modernisation de l'habitation sucrière n'a pas abouti, c'est un fait, à des résultats probants avant le milieu du XIXe siècle. Il y eut quelques tentatives d'amélioration de la technique d'emploi des chaudières dans le procédé traditionnel. Le colon Jabrun, de Guadeloupe, le plus ouvert aux innovations, adopta ainsi la chaudière Pecqueur, mais il se fit davantage connaître par un projet original de réorganisation complète de l'économie sucrière en séparant la culture de la fabrication du sucre. Ce serait chose faite avec l'usine centrale qui apparut à la fin des années 1840. Jabrun tenta de le faire mais en réservant la fabrication à la métropole. Un procédé de dessication des cannes permettant d'expédier en France les cannes coupées et desséchées devait aboutir à la fabrication du sucre dans une usine de la métropole. On trouve trace de l'idée de Jabrun dans la correspondance de Dessalles, c'est dire l'influence de ce planteur qui était très écouté dans les milieux créoles de Paris comme aux Iles. En mai 1840, Dessalles reçut une lettre de Jabrun qui s'efforçait alors d'intéresser le plus grand nombre de colons à ses projets de fondation d'une société pour la dessication des cannes. On ne s'occuperait plus dans la colonie que de la culture : « Plus de manufactures à entretenir, plus d'ouvriers à payer, plus de nuits blanches à passer », autant de conclusions séduisantes pour Dessalles car la roulaison était une des opérations les plus lourdes de l'exploitation sucrière. Surtout il en tirait l'idée présentée bien sûr par Jabrun qu'il pourrait planter davantage, n'ayant plus de fabrique. Elle sera d'ailleurs appliquée dans l'usine centrale approvisionnée en cannes par un certain nombre d'habitations qui purent ainsi augmenter leur culture. Dessalles ajoutait que « pour le nègre cesserait cette répugnance qu'il a pour la culture de la canne », affirmation sans doute assez contestable.

L'expérience de Jabrun s'avéra un échec complet. Il avait certes intéressé quelques grands planteurs qui entrèrent comme actionnaires dans sa société – les Gradis, les Perrinelle –, tandis que l'ingénieur Paul Daubrée dirigeait en Guadeloupe la tentative de dessication. Si l'on parvint à produire un sucre d'excellente qualité en septembre 1841, il ne fut pas possible de dépasser le stade des essais. Les coûts, celui du fret pour le transport à travers l'Atlantique des cannes desséchées pendant plusieurs semaines, celui de l'installation de machines difficiles à mettre au point, ne pouvaient permettre de supporter la concurrence des fabriques de sucre de betterave dont l'activité se développait considérablement. La Société des cannes desséchées créée par Jabrun disparut en 1843 après un incendie détruisant ses installations en Guadeloupe.

En revanche, les tentatives de création des usines centrales pour faire face à la concurrence des betteraviers que l'habitation sucrière traditionnelle ne pouvait vaincre se révélèrent positives. Paul Daubrée sut créer la révolution technologique, séparer la culture de l'industrie[50]. Le planteur libéré de la tâche lourde de la fabrication pouvait planter davantage. Surtout, Daubrée sut nouer l'entente nécessaire avec le constructeur Derosne et Cail pour trouver l'appareil à double effet d'évaporation et de cuisson dans le vide permettant d'abaisser la température de cuisson, donc d'économiser le combustible, condition importante dans les Iles où le bois était rare. Derosne et Cail en installèrent à la Réunion, Java, Cuba et au Mexique dès le début des années 1840. Après le tremblement de terre de 1843 en Guadeloupe qui endommagea de nombreuses sucreries, les premières usines y furent construites. La Compagnie des Antilles, fondée en 1844, dont les actionnaires se trouvèrent être des banquiers comme Jacques Lafitte, des négociants de Paris, du Havre et de Bordeaux, et des planteurs appartenant à l'élite coloniale guadeloupéenne, capables d'intéresser de nombreux habitants sucriers, donna le premier rôle à l'industriel Derosne et Cail. Il monta ses premières usines en 1844-1845 : Marly, Zevallos, Bellevue en Grande-Terre, Grande-Anse à Marie-Galante, qui manipulaient les cannes d'habitations adhérentes à la Compagnie. Paul Daubrée créa aussi des usines à Petit-Canal et au Moule. En 1845, la Martinique reçut ses premières usines au Robert et à la Pointe-Simon (Fort-de-France), ainsi qu'au François.

Le coût des investissements nécessaires demeurait très élevé, l'usine projetée pour la grande famille béké des Levassor à Sainte-Marie, sur leur plantation l'Union, nécessitait un fonds supérieur à 150 000 francs, mais les problèmes les plus délicats à surmonter furent ceux des charrois des cannes des habitations à l'usine, très coûteux, et encore plus ceux de la main-d'œuvre alors que déjà les esclaves manquaient dans l'habitation traditionnelle. On rencontrait aussi un obstacle psychologique de taille car beaucoup d'habitants, s'ils cessaient d'être sucriers, abandonnaient la possibilité d'accéder à la caste des grands blancs, ce qui explique les méfiances de beaucoup. Aussi les résultats immédiats furent-ils relativement décevants, et ce ne serait que dans la deuxième moitié du siècle que l'usine centrale deviendrait le pôle majeur du développement sucrier aux Iles.

Les difficultés créées par l'endettement à de nombreux habitants sucriers peuvent faire perdre de vue le fait que les fortunes demeuraient chez certains intactes, voire s'accroissaient. De la richesse réelle du groupe des grands planteurs, particulièrement des grands Békés de Martinique, on peut relever quelques indices. Il y a ceux qui se sont en partie « métropolitanisés », vivant de longs mois, voire des années, en France, à Paris ou dans les ports comme Bordeaux. Cette dernière ville comptait une centaine de colons dans les années 1840. On renouvelait par là les comportements de l'Ancien Régime. Un Jabrun qui eut une grande influence sur les milieux créoles de la capitale dans les débats de l'émancipation en offre un bon exemple mais il était loin d'être le seul. Toujours pour la Guadeloupe on trouverait un comte de Chazelles, délégué de la colonie à Paris, qui fut un des fondateurs de la Compagnie des Antilles, un Portier, ancien vice-président du Conseil colonial à Basse-Terre. Chez les Békés martiniquais, il y avait aussi ceux qui appartenaient au Conseil colonial siégeant à Fort-Royal, un Pécoul, un Perrinelle, un Laguarigue de Meilhac, un Crosnier de Lassichère, un Gentile, tous apparentés entre eux et liés en particulier aux Assier[51]. On les revoyait dans les cercles créoles de Paris ou de Bordeaux. Dans cette ville, au mariage Laguarigue de Survilliers de septembre 1838, Dessalles rencontra Assier de Montrose, Assier de Montferrier qui lui étaient apparentés ainsi que les Leyritz et les Crassous[52]. À la Noël 1847, Dessalles, de retour à la Martinique, put dîner chez Henri Assier de Pompignan à Saint-Pierre, « qui nous a donné des vins exquis », dit-il. Il s'y trouvait avec Joseph Gentile, Rémy Vatable, Laguarigue de Meilhac, Charles Crosnier de Lassichère.

Pierre Dessalles sait croquer le portrait des parvenus, un Duvallon qu'il a connu dans « une gêne horrible, aujourd'hui habitant riche de la colonie et un des négociants les plus importants de Saint-Pierre ». Les jalousies, voire les rancunes ancestrales, existent : un Georges Cacqueray de Valmenier ne pouvait pardonner à Pécoul de posséder la Montagne, l'ancienne habitation familiale que « son grand père avait perdue en mangeant en France plus que ses propriétés ne lui donnaient de revenus ».

Les trains de vie sont, en effet, parfois somptueux. À Paris, en août 1846, chez les Chalvet, nouveaux venus parmi les Békés, « magnifiquement logés et meublés, le prix seul du logement s'élève à 10 800 francs, à peu près ce que nous avons à dépenser dans l'année, on a admiré les cadeaux de noces, les diamants, les bijoux brillaient à éblouir, les cachemires, les dentelles étaient passés en revue par cette foule de curieux[53] ». Chez les Perrinelle, le 13 mai 1845, « le bal était fort beau et les diamants de Mme de Cassand ont ébloui tous les assistants et éclipsé toutes les autres parures » ; le mariage d'Elina de Perrinelle, petite-fille du magistrat Louis-Nicolas-Honoré de Perrinelle, avait été, en effet, l'événement de l'année. La future apportait deux cent mille francs de dot, « on avait étalé dans une chambre le trousseau, la corbeille, et les cadeaux ».

Pour la plupart des Békés qui appartenaient à des dynasties, cette aristocratie coloniale était riche d'un lointain passé. Elle hésitait devant les choix imposés par l'évolution de l'économie et de la société. En dépit de la crise, ses revenus restaient élevés, mais il leur restait difficile de demeurer passifs face à l'émergence d'une nouvelle société. Quelques-uns, un Jabrun, un Pécoul, adoptaient des vues relativement libérales, ils ressentaient la nécessité des transformations ; même un Dessalles se défendait, malgré ses craintes et ses méfiances, d'appartenir au camp des plus conservateurs. Mais presque tous se méfiaient de « ceux qui ne connaissent pas les colonies, qui en parlent comme s'ils les avaient toujours habitées, voulant des changements ».

L'ÉMERGENCE D'UNE NOUVELLE SOCIÉTÉ

Lors du retour des Antilles françaises à la France de la Restauration, la société insulaire demeurait attachée à ses structures d'Ancien Régime. La division en trois classes,

Blancs, libres de couleur et esclaves restait à la base de la vie quotidienne. En dépit de ses turbulences, la Révolution n'avait guère changé les statuts de chacun. Cependant, son événement principal, la révolte servile à Saint-Domingue, avait eu un considérable retentissement. Les Blancs de la Martinique et de la Guadeloupe vécurent pendant un demi-siècle dans la crainte d'un renouvellement de l'expérience haïtienne. Leurs comportements face aux révoltes d'esclaves qui se produisirent et à la montée d'un groupe de libres de couleur au nombre croissant qui revendiquait l'octroi de droits civils et politiques comparables à ceux des Blancs s'inspirèrent de cette hantise. Jointe à un profond attachement chez la plupart aux legs de l'Ancien Régime, celle-ci fit rejeter sous la Restauration toutes les tentatives de réforme. Cependant la nouvelle société allait émerger sous l'action des mouvements en métropole inspirés simultanément par les libres de couleur résidant en France et par les abolitionnistes à l'influence croissante pendant la monarchie de Juillet.

Les héritages

Sous la Révolution, les grands blancs de Martinique n'avaient pas vu diminuer leur pouvoir car le Conseil supérieur avait été maintenu dans ses prérogatives sous l'occupation anglaise. Il conservait en particulier le droit de faire des représentations et d'émettre des arrêts au poids important dans la vie quotidienne. De 1802 à 1806, les magistrats créoles avaient dû accepter la présence d'un grand juge venu de la métropole, mais, à la dernière date, le membre d'une dynastie, Pierre-Nicolas-François Bence de Sainte-Catherine, déjà conseiller avant 1789, procureur général en 1805, était élevé à cette charge. Reçu conseiller assesseur à la cour d'appel qui avait remplacé le Conseil supérieur, le 5 octobre 1808, à vingt-trois ans, Pierre Dessalles épousait le lendemain la fille du grand juge. Quelques mois auparavant, il avait écrit à son futur beau-père qu'il « pensait plus que jamais à se réunir à un corps aussi honorable et qu'il ne négligera rien pour cela ». Dessalles venait, en effet, de revenir d'un long séjour en France, et, pour lui, « occuper la même place que son père et son grand-père », c'était bien donner à sa dynastie la gloire nécessaire. En outre, en épousant Anna Bence, le nouveau conseiller entrait dans la parenté d'autres grands Békés, les Leyritz, Gaigneron de Jollimont, Cacqueray de Valmenier. Dans ce mariage on percevait la proximité du pouvoir : l'amiral Villaret-Joyeuse, capitaine général de la colonie, et Clément Laussat, son préfet, étaient ses deux témoins. Une solide rente de sept mille cinq cents francs par an était attribuée en dot à Anna Bence.

Villaret-Joyeuse avait répondu à leur exigence de maintenir la barrière de couleur et à leur crainte d'une montée brutale du nombre des gens de couleur en renforçant les conditions de l'appartenance au groupe des Libres : des preuves d'affranchissement, insupportables pour tous ceux qui en faisaient partie depuis plusieurs générations, furent demandées en 1805. Il y eut d'autres mesures vexatoires comme cette fermeture des écoles pour les gens de couleur. Pourtant la croissance du groupe ne parvenait pas à être arrêtée, et Villaret-Joyeuse lui-même accorda des libertés pour service militaire comme le faisaient les Anglais. Déjà, en 1809, la population des gens de couleur atteignait presque la parité numérique avec celle des Blancs : alors qu'en 1790, en Martinique, on comptait 11 171 Blancs pour 5 775 Libres, en 1807, il y avait 9 953 Blancs pour 8 616 Libres ; en 1816, les Libres dépasseraient légèrement les Blancs, atteignant le nombre de 9 364 personnes contre celui de 9 298[54]. En Guadeloupe, la situation paraissait moins critique pour les Blancs, avec, en 1817, 13 454 Blancs contre 8 364 Libres. Il est vrai que la position des Blancs n'y était pas aussi privilégiée qu'en Martinique car beaucoup avaient été ruinés par l'émigration sous le régime de Victor Hugues.

Le complot de 1811 parut rappeler aux Blancs de la Martinique les jours sombres de la révolte servile de Saint-

Pierre en 1789. En septembre, esclaves et Libres de Saint-Pierre tentèrent une rébellion qui, pour la plupart des Blancs, ne pouvait que venir de l'influence persistante des Noirs de Saint-Domingue. « Flattés de l'espoir de fonder à la Martinique un second empire d'Aïti », les révoltés étaient pour Dessalles aidés directement par Christophe qui venait de se proclamer roi de la partie nord de Haïti sous le nom d'Henri Ier. Mais, dénoncés par un domestique esclave, les rebelles allaient à l'échec. Saint-Pierre garni de troupes et de milices (de couleur), leur plan d'incendier la ville, d'y égorger les Blancs et de se répandre dans les campagnes devint impossible à réaliser. Ils échouèrent à soulever les esclaves des plantations : « Les ateliers se sont parfaitement conduits » ; des esclaves aidèrent même à la capture de plusieurs insurgés. Seize d'entre eux furent condamnés à être pendus dont sept mulâtres libres. Le gouverneur anglais accusa les hommes de couleur « de séduire les classes inférieures en répandant des opinions répétées depuis un demi-siècle[55] ». Pour lui (et pour d'autres), il y avait là une répétition de l'histoire de 1789. Pour le conseiller Dessalles, les esclaves n'étaient eux-mêmes pour rien dans le complot. Il faut souligner que la milice des libres de couleur de Fort-Royal se joignit à la répression, et il y avait certainement une différence d'attitude entre les gens de couleur de cette capitale de l'île et ceux de Saint-Pierre. Un nouveau complot, dressé par un mulâtre, est mentionné par Dessalles en mars 1812, mais il le présente comme étant le fruit d'une rumeur, chose en soi déjà importante car elle montre combien l'esprit des Blancs était sous l'empire d'une crainte des révoltes.

À la fin de l'Empire, le fossé entre libres de couleur et Blancs était plus que jamais profond, et les créoles éprouvaient toujours les mêmes inquiétudes. Mais il convient pour juger correctement des rapports entre Blancs créoles et libres de couleur de toujours en distinguer les deux aspects, rapports individuels et rapports de groupe. Dans les premiers, le créole était attaché souvent à ses enfants naturels, à leur éducation, à leur fournir des moyens d'existence ; mais ce qui était attitude personnelle à l'égard de ses enfants n'était pas observable à l'égard des autres. Et le rapport de groupe à groupe était trop souvent mené sous le signe de la panique qui saisissait les Blancs devant l'extension du nombre des Libres.

Les crises de la Restauration

Comme la Constituante, le 8 mars 1790, avait entendu respecter les coutumes locales en légiférant pour les colonies, Louis XVIII déclara n'appliquer la charte de 1814 qu'en fonction des spécificités coloniales. Cependant pour le pouvoir les « localités » ne pouvaient être prétexte à repousser les réformes nécessaires. Le commerce de métropole et des Iles éprouvait toujours les plus grandes difficultés à recouvrer ses créances sur les colons mauvais payeurs, et il fallait une réforme judiciaire favorable aux créanciers. Mais fallait-il surtout maintenir la prééminence exclusive d'une faible minorité qui constituait le système colonial ? On voulait à Paris adoucir le sort de l'esclave et encore plus effacer l'insultante distinction Blanc-libre de couleur.

Débarqué au Fort-Royal, le 6 janvier 1818, le commissaire de justice, le baron de La Mardelle, créole d'une famille de Saint-Domingue, avait pour mission d'harmoniser l'organisation judiciaire de la colonie avec le code en vigueur en métropole. Cet objectif fut interprété par les Békés comme devant affaiblir leur position alors que les gens de couleur demandaient à être traités avec impartialité. Constituant une commission, La Mardelle entreprit une large consultation auprès de l'élite blanche, les conseillers Duval de Grenonville, Perrinelle Dumay, Lucy de Fossarieu, Astorg, des habitants comme Jean Assier de Montrose, trois notaires de Saint-Pierre, trois commissionnaires dont le riche Pitault de La Rifaudière, beau-père de Perrinelle[56]. En effet, La Mardelle ne voulait rien faire sans le concours des colons. Il en obtint quelques concessions, notamment le droit pour un Blanc de donner un bien à un homme de couleur (mais c'était déjà un usage consacré), mais il échoua pour faire admettre la publicité des débats en justice et surtout faire accepter l'application de l'expropriation forcée indispensable au règlement de la question des endettements.

Une supplique des gens de couleur au roi pour l'obtention des droits civils fut transmise à La Mardelle car le bruit s'était répandu que le gouverneur et le commissaire avaient mission d'accorder ces droits et qu'ils s'y refusaient. Les Blancs réagirent vivement devant ce qu'ils considéraient comme une grave atteinte au statut de couleur auquel ils étaient fermement attachés.

Mais le pire pour l'opinion blanche devait arriver avec la panique qui s'empara d'elle à l'occasion des empoisonnements qui survinrent sous la Restauration. Dès septembre 1817, le gouverneur Donzelot était saisi des plaintes de colons pour des pertes produites par le poison. Bien souvent, sur les habitations, les morts dans le bétail et même chez les esclaves restaient inexpliquées. Il y avait de grosses difficultés à pratiquer les autopsies nécessaires, et l'on imputait aux Nègres un art de l'empoisonnement. « L'esprit des habitants de cette colonie est à l'égard des esclaves dans un état de tension et d'inquiétude visible », déclarait le commissaire Pichon en 1818[57]. La peur du poison poussait les colons à commettre des actes de cruauté afin de faire avouer les esclaves suspects de pratiquer les empoisonnements. Selon Pichon, cette panique saisit la Martinique mais le poison ne sévissait pas en Guadeloupe.

Pour poursuivre les suspects, des tribunaux d'exception furent créés. Déjà, sous l'Empire, on en avait fondé : dès 1803, la Cour prévôtale, tribunal spécial, fut installée par Villaret-Joyeuse. Au total, cent vingt-sept peines capitales furent prononcées de 1803 à 1819. En 1817, c'était un conseil spécial créé pour débarrasser la colonie des individus dangereux de toute classe. De telles juridictions faisaient l'objet de vives critiques en métropole, de la part des libéraux, tel le duc de Broglie qui avait fondé la Société de la morale chrétienne. Mais c'est en 1822 que fut installée la fameuse Cour prévôtale de la Restauration, aux jugements sans appel et sans débats publics, pour punir de mort les crimes d'empoisonnement. Elle fonctionna jusqu'en 1827, itinérante, se déplaçant dans les bourgs et les villes. Sa création correspondait à la révolte du Carbet qui augmenta encore la peur chez les Blancs. « La Cour prévôtale est dans notre quartier ; plusieurs nègres de différentes habitations sont en jugement, Marie à Mme de la Prade a fait des aveux effrayants, elle aura la tête tranchée[58]. » En quatre ans, la Cour rendit 41 jugements, sur 448 personnes poursuivies, 118 furent condamnées à mort, 90 aux galères à perpétuité. Les esclaves étaient les suspects les plus nombreux, mais l'on compte aussi des « patronnés », libres de fait, et quelques hommes de couleur libres. Trop rapidement le pressentiment anxieux s'était substitué à la preuve dans les enquêtes, parfois put s'imposer la réalité du poison alors que le plus souvent les décès survenaient à la suite d'épizooties dans le bétail ou de maladies pour les Nègres.

Des rumeurs pouvaient conduire les esclaves à agir. Ainsi, en septembre 1822, Dessalles relève que « tous les nègres empoisonneurs qu'on arrête déclarent qu'ils ne faisaient du mal à leur maître que parce que ces maîtres n'avaient pas voulu donner trois jours de travail aux nègres comme le désirait M. de La Mardelle[59]. » Comme en 1789, des rumeurs non fondées pouvaient être à l'origine de ces pratiques. On a pu aussi se demander dans quelle mesure les associations serviles nombreuses alors en Martinique purent influencer les Nègres qui en faisaient partie, et de nombreux colons les regardaient comme étant des sectes d'empoisonneurs. Cependant leurs origines urbaines ne leur donnaient pas une grande influence sur les habitations des campagnes où sévissait le plus l'art du poison, et on les trouvait aussi en Guadeloupe où le poison sévit bien moins. Il reste que les colons ont bien ressenti les pires craintes et purent croire, quand éclata une révolte comme celle du

Carbet en 1822, que se préparait un nouveau massacre à la haïtienne.

Cette révolte, les 12 et 13 octobre 1822, toucha un secteur de hautes terres où étaient installées des habitations caféières, au sud de Saint-Pierre[60]. Des gens de couleur y possédaient de petites habitations, de 2 à 9 hectares, avec quelques esclaves ; quelques grosses plantations, de 40 à 80 hectares, avec des ateliers de 30 à 40 esclaves, y étaient la propriété de Blancs. La vie y était moins dure que dans les sucreries, et la sous-alimentation ne fut pas une cause de la révolte. Dans les rangs des révoltés on compta des libres de fait, des marrons et des esclaves de ville dont le maître résidait au bourg du Carbet ou à Saint-Pierre. Dans ses Mémoires, Grenonville soutient que tous les révoltés étaient des esclaves, « hommes de confiance », loués par leurs maîtres et libres de leurs mouvements. Depuis les caféières ils projetaient de rallier de grands ateliers pour faire ensuite une tentative sur Saint-Pierre. Les révoltés égorgèrent un planteur blanc – ils avaient annoncé leur projet d'assassiner les Blancs –, blessèrent un couple de gens de couleur, et parcourant les habitations se livrèrent au pillage, mais, ce faisant, perdirent du temps. Ils laissèrent ainsi l'opportunité au gouverneur de mobiliser les milices de couleur – cinq compagnies de Fort-Royal – transportées par mer, jointes à des troupes de métropole. Les familles blanches et de couleur s'étaient réfugiées au bourg de Case-Pilote. Des primes de 275 francs par tête de révolté, de 412 francs pour les chefs, furent promises dans la chasse à l'homme qui s'organisa.

La répression fut rapide ; le 27 octobre, la plus grande partie des rebelles était prise, mais les opérations se prolongèrent jusqu'au 9 novembre, et il y eut des arrestations à Saint-Pierre. Une commission spéciale, composée de conseillers de la Cour, avec notamment le procureur général de Cacqueray de Valmenier et les conseillers Bence et Richard de Lucy, fut mise en place. C'était pour Pierre Dessalles « une copie de ce qui se passe à Saint-Domingue » ;

seuls les Nègres étaient en cause, et au 21 octobre il n'y avait pas eu un seul mulâtre libre de compromis, « ils se conduisent à merveille ». Il y eut 24 exécutions, 10 condamnations aux galères à perpétuité. L'éventualité d'une aide de Haïti paraît peu probable, et un exemple a peut-être joué, en revanche, pour inciter les esclaves à trouver leur liberté dans la révolte, celui de ces Africains, des Ibos, débarqués le 12 mars 1822 au Fort-Royal du négrier l'*Amélie* saisi par la Marine royale – la traite était interdite depuis 1818 – et employés par le domaine. Ils étaient libres le soir de jouer, de danser... Mais l'inquiétude des colons fut grande, « jamais des nègres ne s'étaient réunis pour massacrer des blancs, même alors que le cri de liberté retentissait à leurs oreilles... même à l'époque révolutionnaire, aucun nègre de la Martinique n'osa répandre le sang de son maître », écrivit le contrôleur des finances Ricard à la fin de l'année[61].

Alors que la Guadeloupe restait relativement calme tout en vivant toujours à la merci des caprices du climat, cyclones de 1821 et surtout de 1824 qui détruisit entièrement Pointe-à-Pitre, c'est encore la Martinique qui devait connaître la crise la plus grave de son histoire au XIXe siècle avec l'affaire Bissette. Pour Émile Hayot, elle fut « l'événement le plus important du XIXe siècle aux Antilles françaises, elle déclencha une lutte sans merci entre créoles et gens de couleur[62] ». Pour l'historien martiniquais, la libération de 1848 eut « des répercussions moins profondes et moins durables ».

De la mission du baron de La Mardelle, les libres de couleur avaient attendu des réformes. Le 15 mai 1823, à l'occasion de la guerre d'Espagne, les libres de Fort-Royal envoyèrent une adresse au roi qu'ils avaient fait précéder de pétitions au ministre de la Marine et aux députés pour réclamer la suppression des ordonnances qui les opprimaient et la remise en vigueur de l'article 59 du Code noir qui les déclarait égaux aux Blancs dès 1685. À la fin de l'année, le gouverneur Donzelot qui jusque-là avait observé

une politique relativement souple envers les Libres revenait
sur son attitude en publiant, le 20 décembre 1823, une
circulaire au ton très dur :

> Quelques agitateurs se sont emparés d'une classe
> crédule et peu éclairée pour la pousser au
> désordre... des pamphlets distribués clandestine-
> ment ont trahi de coupables vœux... et produit le
> déplorable effet d'enflammer les esprits de toutes les
> classes de la population... Je ferai poursuivre avec
> la dernière rigueur les perturbateurs[63].

Début décembre, avait circulé à la Martinique une brochure, *De la situation des gens de couleur libres aux Antilles
françaises*, imprimée et publiée légalement à Paris, commu-
niquée au ministre de la Marine et aux députés. Le ton
agressif employé contrastait avec celui bien plus modéré
adopté par les Libres de la Martinique dans leur pétition.
Y étaient exposés le sort des Libres, les humiliations, les
injustices, ils ne jouissaient pas des droits que la charte
garantissait à tous les sujets du roi, il leur fallait une législation conforme à leurs mœurs, appropriée à leurs besoins.

Un puissant réseau de relations des Libres, avec des
comités de gens de couleur à Paris, Bordeaux et Nantes,
existait en France. Deux Libres riches commerçants de
Saint-Pierre, Monlouis Thébia et Jos Eriché, avaient quitté
l'île en décembre 1821 avec l'autorisation du gouverneur,
Thébia conduisant ses filles en France pour leur éducation.
Leur retour en novembre 1823 coïncida aux yeux du procureur Champvallier à Saint-Pierre avec de nouvelles
intrigues des Libres, et la brochure serait arrivée dans leurs
bagages. Le notable de couleur, Cyrille Bissette, de Fort-
Royal où le groupe des Libres comprenait des familles aux
fortunes solides, entrepreneurs, commerçants, quelques-
uns même étant qualifiés de propriétaires sans profession,
expression marquant la grande considération jusque-là
réservée aux seuls Blancs, se vit suspecté d'avoir colporté

la brochure dont on prétendit avoir vu deux exemplaires chez lui. Bissette vit Donzelot qui le rassura mais fit en même temps ordonner une perquisition au domicile du mulâtre. On y trouva un projet d'adresse à la Chambre et, le lendemain, Bissette était arrêté. Ses amis, Fabien et Volny, le furent le 22 décembre. À Saint-Pierre, où les Libres ne formaient pas le groupe de notables reconnus de Fort-Royal, un complot leur fut attribué ; ils devaient s'appuyer sur les esclaves et étendre leur rébellion à toute l'île. Une quinzaine de Libres furent alors arrêtés le 23 décembre à Saint-Pierre et d'autres arrestations suivirent jusqu'à la fin de l'année.

Cependant, les plus notables, tel Papy, le père du futur député de 1848, furent ménagés : c'était « une sage politique autant [à cause] de la complication de ses affaires commerciales que pour servir d'otage et de garantie de la conduite future de tous les gens de couleur libres de Saint-Pierre ».

De décembre 1823 à février 1824, ce furent des jugements par un conseil spécial du gouvernement, par le tribunal de première instance de Fort-Royal et par la Cour royale. Le procès le plus retentissant fut celui de Bissette pendant lequel celui-ci maintint n'avoir jamais eu l'idée de faire soulever les hommes de couleur contre les Blancs, « ceux auxquels je l'ai lue [la brochure] ont tous autant d'intérêt que moi, et tous propriétaires, à maintenir l'ordre dans la colonie[64] ». Pourtant, convaincu d'être au moins un conspirateur comme distributeur de libelles – on ne put affirmer qu'il était l'auteur de la brochure –, Bissette fut condamné, le 5 janvier 1824, à être banni à perpétuité des territoires français, peine aggravée, le 12 janvier, par la Cour royale car transformée en travaux forcés à perpétuité. Fabien et Volny furent condamnés à la même peine. Il y eut au total plus de cent quarante condamnés, et beaucoup d'autres Libres furent aussi obligés de quitter l'île.

On était en Martinique au sommet d'une lutte entre libres de couleur et Blancs qui allait continuer sous la monarchie de Juillet et à jamais marquer les consciences. La métropole était restée très en retrait, et elle put faire prendre des mesures visant à contenir les Blancs. Ce fut, en 1826, la suppression de la Cour prévôtale, et, en 1828, on tenta de briser le recrutement créole de la cour d'appel : son procureur général ne serait plus un créole, des juges venant de métropole seraient avantagés, et il leur était interdit d'épouser des créoles pour ne pas se lier au milieu des grands blancs. Ce fut un échec, les magistrats créoles démissionnèrent en masse, les nouveaux juges trop vite recrutés se révélèrent inadaptés et, en 1829, les créoles reprirent le contrôle de la cour d'appel.

L'affaire Bissette agita les prétoires en France pendant plusieurs années. Le pourvoi en cassation du condamné fut déclaré recevable en avril 1825, et, analysant les vices de forme de la procédure, l'avocat de Bissette, Isambert, obtint, le 30 septembre 1826, que l'arrêt martiniquais fût cassé. Un nouveau procès eut lieu en Guadeloupe, devant la Cour royale, à Basse-Terre, le 28 mars 1827, et Bissette y fut condamné à dix ans de bannissement des colonies. En décembre 1827, la Cour de cassation rejeta son pourvoi tout comme ceux de Fabien et de Volny.

L'affaire contribua à renforcer la barrière de couleur. De nombreux Blancs étaient mécontents d'un arrêt jugé trop clément ; les Libres déportés étaient soutenus dans l'île dans des bourgs comme à Saint-Pierre et Fort-Royal. Les craintes étaient toujours aussi grandes chez les uns, l'amertume envahissait les esprits des autres qui cherchaient à trouver de nouveaux recours.

Révoltes et réformes sous la monarchie de Juillet

Dans la nouvelle charte de juillet 1830, les colonies devaient être régies par des lois particulières. Une telle disposition pouvait paraître annoncer un programme de réformes. Celles-ci se succédèrent sous la monarchie de Juillet alors que le début de la décennie 1830 était encore marqué par des révoltes et qu'en France l'opinion se faisait de plus en plus favorable à une émancipation des esclaves. Aux Iles, les résistances des Blancs étaient toujours tenaces tandis que l'Église faisait certains efforts pour une « moralisation » des Noirs préparant leur émancipation.

En septembre et novembre 1830, parurent les premières ordonnances préparant la complète assimilation des Libres aux colons d'origine européenne. La première ne fut qu'assez formelle car on décidait que tous les actes d'état civil des Blancs et des gens de couleur seraient inscrits sur les mêmes registres. En fait la pratique existait déjà, les avocats de Bissette qui s'étaient battus pour obtenir la réforme avaient affirmé à tort qu'il était tenu un registre séparé pour les gens de couleur. Mais, dès l'Ancien Régime, il était tenu un « registre de personnes blancs et gens libres seulement[65] ». En novembre, le gouverneur Dupotet abrogeait les textes déjà périmés également sur les lois somptuaires, port d'étoffes, refus de l'appellation sieur et dame dans les actes civils. À Saint-Domingue ces refus étaient déjà loin d'être appliqués à tous les Libres avant la Révolution[66].

Mais les réformes les plus importantes furent celles concernant les droits politiques. Pour former le conseil général créé en Martinique et en Guadeloupe en 1827, seuls étaient désignés les douze membres pris exclusivement parmi les créoles blancs, propriétaires de terres ou d'esclaves. Bissette soumit des observations aux commissions chargées de préparer la charte coloniale promulguée en 1833 : il proposa que toute personne libre, âgée de vingt-cinq ans au moins et résidant depuis deux ans dans une commune, payant des impôts, puisse être électeur des membres du conseil général. On retint l'idée, mais, en fait, le cens retenu pour les élections au conseil colonial qui remplaça le conseil général était trop élevé. Il fallait payer trois cents francs d'impôts directs ou posséder un bien de trente mille francs pour être électeur et, pour être éligible, payer six cents francs d'impôt ou posséder un bien de soixante mille francs. Un tel cens écartait une grande majorité des gens de couleur et, lors des élections du conseil de 1834, peu d'entre eux participèrent au scrutin, sur 750 électeurs inscrits, on en compta seulement 25, et aucun libre de couleur ne fut élu.

La décision de principe de la charte que toute personne née libre ou ayant acquis légalement la liberté jouissait aux colonies des droits civils et politiques, excluant toute discrimination, recevait une application bien limitée. Et pourtant la croissance du groupe des libres de couleur allait s'accentuer très fortement, favorisant à terme l'égalité. Les ordonnances d'émancipation se succédèrent, en effet, permettant aux deux colonies d'obtenir, de 1830 à 1848, plus de 25 000 affranchissements pour la Martinique, plus de 16 000 pour la Guadeloupe.

Le 5 mars 1831, une première ordonnance accordait les droits civils. Elle supprimait la taxe d'affranchissement, et de très nombreux libres de fait, patronnés, furent définitivement libérés. Désormais, il suffit d'une déclaration de la personne voulant affranchir l'esclave. On vit ainsi pour les seules années 1832-1836 se réaliser 18 819 affranchissements, dont 9 271 intéressaient des libres de fait et 9 548 des esclaves[67]. L'ordonnance du 29 avril 1836 accorda la liberté à tout esclave amené en France, il en était de même pour ceux séjournant alors avec leur maître en métropole. Et, le 1er juin 1839, on décida un affranchissement de droit entraîné par tout mariage entre esclave et Libre, entre maître et esclave ; aux esclaves adoptés par un Libre, ou leur légataire universel, l'affranchissement était aussi donné.

Malgré ces décisions, l'amertume restait grande chez les libres de couleur, et une nouvelle crise éclata avec la révolte de la Grande-Anse en 1833, aggravant encore la tension née de l'affaire Bissette dix ans auparavant. À la suite d'une tentative d'assassinat sur la personne d'un Blanc, le procès du libre de couleur mis en cause déchaîna les hostilités dans le quartier de Trinité entre Blancs et gens de couleur. À la Noël 1833, les gens de couleur du quartier se révoltèrent car ils n'avaient pas admis la condamnation à mort du Libre. Leur soulèvement ne fut pas soutenu par les esclaves et le complot échoua. Les insurgés avaient essayé de négocier la libération du condamné et l'arrêt de toute poursuite, ils se heurtèrent à une volonté encore plus affirmée qu'auparavant chez les Blancs de maintenir par la force le système colonial. La répression fut, en effet, des plus sévères : 183 personnes furent suspectées d'avoir participé à la rébellion, 117 traduites devant la Cour d'assises de Saint-Pierre en juin 1834, présidée par Perrinelle. Le chef d'accusation fut celui d'un complot pour allumer la guerre civile dans la colonie. La Cour prononça 41 condamnations à la peine capitale, 25 à la déportation ; 10 peines de travaux forcés furent infligées. En France, l'opinion réagit très vivement et l'on voulut faire annuler ces décisions, mais la Cour de cassation rejeta le pourvoi des condamnés. Il faut observer que, dans la répression, la milice de couleur eut une attitude nouvelle car de nouveaux affranchis en faisaient partie depuis 1831. Ils n'étaient pas propriétaires de terres ou d'esclaves comme les anciens miliciens de couleur et refusèrent de participer aux opérations menées contre les rebelles.

À la suite de ces événements, le fossé s'était encore élargi entre Blancs et libres de couleur alors qu'en métropole Bissette et ses amis augmentaient leur pression dans le débat qui s'ouvrait sur l'abolition de l'esclavage. Expulsés des colonies, et résidant à Paris, ils se montrèrent de plus en plus actifs à partir de 1830 en collaborant aux journaux libéraux, *Le Constitutionnel* et *Le Courrier français*. Bissette, avec son ami Fabien, estimait être le mandataire des hommes de couleur libres de la Martinique pour représenter leurs intérêts en métropole. En 1834, il fonda son journal, *La Revue des colonies*, dans lequel il allait défendre avant Schœlcher la cause des esclaves en réclamant l'abolition. Il faut cependant prendre garde au fait qu'il était loin de représenter l'opinion de tous les Libres, et dans sa propre revue il était possible de voir s'exprimer des libres de couleur adversaires de l'abolition immédiate de l'esclavage :

> Malheur au pays si pour l'anéantir la main de l'homme anticipe sur celle du temps, auquel il appartient de tout créer et de tout détruire sans désordre. Cette funeste proposition [l'abolition] est attentatoire au bien-être des colonies, à l'intérêt commercial de la France et au droit de propriété[68].

Encore, en 1837, des gens de couleur propriétaires d'esclaves, rejoignaient les Blancs dans leur résistance à toute tentative précipitée d'abolition. Bissette avait fait le chemin inverse. Lui, le propriétaire d'esclaves qui avait participé à la répression de la révolte du Carbet, le regrettait en 1836 : « Les hommes de couleur sont plus nègres que blancs, ils ne doivent pas l'oublier », rappelait-il à ses lecteurs.

On a pu penser que prôner l'émancipation pour lui comme pour d'autres hommes de couleur pouvait se révéler être un calcul opportuniste[69]. Une hostilité croissante à l'égard des Blancs pousserait l'homme de couleur à se servir de l'arme sûre, l'abolition de l'esclavage, en attendant d'utiliser le suffrage universel pour triompher des Blancs sur le plan politique. Il demeure cependant acquis que chez les libres de couleur les critères d'élévation restaient, en premier, celui de la richesse, en second, celui du degré de couleur le plus proche du blanc. Même chez Bissette, vers 1835, l'opinion était modérée. Alors que l'abolition venait d'être décidée pour les Antilles anglaises, le notable de couleur rejoignait les projets d'un duc de Broglie suggérant la libération progressive. Inquiet des conséquences à long terme de l'émancipation, Bissette pouvait écrire :

> Avant que l'abolition entière de l'esclavage sépare en deux parties le monde colonial, il faut préparer un lien social entre les anciens et les nouveaux citoyens. Il faut que les anciens citoyens trouvent

sécurité, que les nouveaux trouvent liberté et profit. La révolution sociale s'accomplira ainsi sans violence et sans confusion[70].

C'était déjà là l'attitude de Bissette en 1848.

Schœlcher, le futur adversaire de Bissette dans la campagne pour l'abolition de l'esclavage, se faisait très modéré dans son projet au début des années 1830. En écrivant *La Vérité aux ouvriers et cultivateurs de la Martinique*, il entendait demander la fin immédiate de la traite clandestine et prévoyait pour l'émancipation un délai de soixante ans : Il ne voyait pas « la nécessité d'infecter la société active (déjà assez mauvaise) de plusieurs millions de brutes décorées du titre de citoyen[71] ». En 1833, il se limitait toujours dans ses positions. La suppression immédiate des châtiments corporels (le fouet) lui paraissait prématurée. C'est en 1840, après son voyage aux Antilles, que son projet aboutit à l'abolition immédiate. Exaltant l'avenir réservé aux nouveaux libres, Schœlcher gardait à l'égard des anciens libres de couleur un ton plutôt acerbe ; il les jugeait « paresseux, presque tous sans famille, fruits du concubinage ou de la débauche..., se refusant à travailler la terre parce que c'est un travail d'esclave... L'oisiveté dévore et avilit cette race ». Dans le célèbre ouvrage de Schœlcher, *Des colonies françaises, abolition immédiate de l'esclavage*, ce furent les lignes réservées aux Libres qui indignèrent Bissette. Il voyait Schœlcher outrager d'honorables familles, ne trouver aux Iles qu'oisiveté, vices, figures de mulâtresses livrées aux caprices des Blancs. Le plus grave pour lui était de voir ces écrits aboutir à la désunion entre Noirs et libres de couleur alors que lui voulait l'unité des classes. La polémique ne cesserait pas désormais, et Bissette s'acharna à dénoncer les manœuvres de son adversaire, attitude qui devait lui porter un grave préjudice ; il ne serait pas appelé en 1848 à faire partie de la commission française pour l'abolition.

Chez les colons on pouvait observer des attitudes diverses. Bien peu se hasardaient à suivre le ton d'un Granier de Cassagnac, ce polémiste contre lequel s'acharna Bissette, qui traitait le nègre « d'animal sale et stupide » et le mulâtre « d'être digne de tous les mépris », même s'ils étaient en majorité loin d'adopter les vues libérales d'un Pécoul ou d'un Jabrun. Mais là encore l'exemple du magistrat Pierre Dessalles peut être utile à retenir pour comprendre la complexité des comportements. Pour Dessalles, la cause paraît entendue. Le magistrat qui a fait partie de la Cour condamnant les révoltés du Carbet, qui se lamentait après l'affaire de la Grande-Anse qui s'était déroulée tout près de son habitation de la Nouvelle Cité à Sainte-Marie, qui journellement côtoyait des libres de couleur, artisans ou marchands, souvent ses créanciers peut-être plus tenace en affaires que les Blancs, ne saurait défendre la position des Libres. Quand le curé du Gros-Morne réussit aux élections communales de 1843 « à faire nommer un mulâtre et à faire écarter les honnêtes gens », Dessalles espère voir casser l'élection. Il n'a pas de mots assez durs pour condamner « l'atroce loi Mackau » dans la discussion de laquelle, en juin 1845, « les discours les plus absurdes ont été prononcés[72] ». Quand la loi fut appliquée et qu'on vit des planteurs traduits en correctionnelle pour avoir puni des Nègres, ce fut pour lui la « ruine des colons ».

La Guadeloupe se résigna à l'émancipation en août 1847. Il admirait la Martinique d'être plus ferme que jamais dans sa résistance car pour lui l'émancipation ne faisait que « mettre de l'embarras dans le système colonial ».

Et cependant ce même Dessalles sut montrer parfois des attitudes très nuancées. Ainsi il condamnait les positions prises par certains colons maintenant injustement en esclavage des affranchis[73]. En mars 1832, alors que les Blancs étaient nombreux à être mécontents de la loi récente sur les affranchissements qui augmentait le nombre des Libres, Dessalles, procureur général par intérim, condamna l'attitude de colons se refusant à solliciter la liberté pour les enfants d'une esclave affranchie avec ses enfants par son maître, quelque vingt-cinq ans auparavant et dont les libertés n'étaient toujours pas accordées. « Cette restriction nous paraît tout à fait contraire à l'esprit de l'ordonnance [1767], l'esclavage dans lequel ils se trouvent, est dû à une négligence qu'ils peuvent reprocher aux héritiers ». Dessalles proposa d'accorder immédiatement le titre régulier de liberté à l'esclave, à ses enfants ainsi qu'à ses petits-enfants. Philippe et Bernadette Rossignol ont retrouvé trace d'une importante action personnelle de Dessalles en faveur de la légalisation d'affranchissements de fait ou d'autres régularisations semblables. Par ailleurs, notre magistrat savait faire preuve d'une certaine lucidité dans ses jugements : en 1837, il notait que « les libres de couleur ont plus de capacité que certains blancs » et disait sa méfiance à l'égard de métropolitains, « êtres obscurs et intrigants[74] ».

Dans la campagne pour l'abolition de l'esclavage, un des arguments favoris des négrophiles était le comportement des maîtres, les mauvais traitements dont ils abusaient envers leurs esclaves. L'exemple de Pierre Dessalles est encore là pour nous éclairer. Contre un maître accusé de mauvais traitements, il y avait des procédures en accord avec la législation du Code noir. Procureur général, Dessalles fut chargé d'enquêter sur le cas d'un géreur accusé de maltraiter ses esclaves[75]. Il constata que de graves présomptions existaient : châtiment excessif d'un jeune Nègre et d'une Négresse, deux cents coups de fouet donnés sans motif à deux autres Nègres, privation de son ordinaire infligée à l'atelier. Mais Dessalles releva que les faits reprochés n'existaient que « par les témoignages d'individus intéressés à altérer la vérité, aucun procès-verbal ne constatait le corps du délit ». L'atelier témoignait n'avoir pas eu à se plaindre, « qu'ils ne manquaient de rien, qu'ils ont tous de beaux jardins, sont aisés, bien vêtus et se sont toujours bien portés ». Dessalles remarquait que seuls les esclaves avaient été entendus, que l'interrogatoire contradictoire du géreur n'avait pas eu lieu et même que chez les esclaves arrêtés il avait trouvé trace d'un grand attachement à ce dernier. Ainsi ne le condamna-t-il pas.

Dans les dernières années de la campagne pour l'émancipation, les sévices à esclaves furent de plus en plus portés en justice. L'enquête de Ledru-Rollin agita les débats de la Chambre des députés, et Schœlcher publia des documents judiciaires compromettant quelques grandes familles des habitants de Martinique et de Guadeloupe, tel un Jabrun dans cette dernière colonie. Il y eut là incontestablement un des éléments les plus favorables à la campagne. Il est certain que les tribunaux des Antilles faisaient souvent preuve d'indulgence envers les maîtres poursuivis. Antoine Gisler a relevé en Guadeloupe, de 1839 à 1843, des acquittements suspects[76]. Encore faudrait-il, comme il est possible de le faire dans le cas de Dessalles, explorer toutes les données des procédures et ne pas s'en tenir aux seuls résultats des jugements, ce qui n'enlève rien à la réalité de certains sévices.

L'audience de la campagne pour l'émancipation avait pu s'élargir grâce au soutien que lui donnèrent certains écrivains et nobles libéraux tels Lamartine, Montalembert, Tocqueville et surtout le duc de Broglie qui fonda la Société française pour l'abolition de l'esclavage afin d'élaborer un programme d'émancipation progressive. Dans sa *Revue des colonies*, Bissette avait présenté en juillet 1835 un projet de loi pour une abolition immédiate prévoyant l'organisation du travail après l'émancipation mais sans indemnité pour les maîtres car, aux yeux de Bissette, la liberté ne pouvait se vendre. En 1838, le député Passy présenta un projet de loi visant à déclarer libres tous les enfants nés dans les colonies et prévoyant la possibilité du rachat pour les esclaves, mais rien n'était dit de l'indemnité que recevraient les colons. Le projet échoua mais il montrait combien la situation des esclaves était de plus en plus jugée insupportable par l'opinion. C'est aussi en ce sens qu'on peut relever l'étape constituée, le 5 janvier 1840, par la loi sur le patronage qui prévoyait des enquêtes périodiques menées par l'autorité judiciaire sur les habitations afin de contrôler les conditions de vie des esclaves. La majorité des colons en fut scandalisée car elle allait, selon eux, à l'encontre des fondements de leur propriété coloniale. Eux seuls avaient à s'occuper de leurs esclaves, et ils rappelaient que les tribunaux avaient déjà sévi contre les maîtres usant de mauvais traitements. La loi ruinait leur autorité. Les abolitionnistes furent d'ailleurs déçus par les rapports faits en vertu de cette loi ; les magistrats s'y montraient trop liés aux colons.

Cinq ans plus tard, c'était la loi Mackau, du nom du ministre de la Marine et ancien gouverneur de la Martinique. Pour Dessalles, elle ne pouvait se comprendre que comme préalable à une émancipation à laquelle, il est vrai, les colons s'attendaient tous les jours davantage : « On veut de l'émancipation à tout prix, des orateurs sans le moindre talent ont cherché à prouver que les esclaves étaient malheureux, sans la moindre connaissance des nègres et de la colonie, ils en ont parlé avec une assurance révoltante. »

L'amertume grandissante de Dessalles devant l'accélération des choses ne pouvait empêcher ce qui était déjà une condamnation sans appel du système colonial. La loi Mackau limitait la journée de travail à neuf heures et demie (ce qui n'était pas beaucoup par rapport à la métropole), interdisait le travail de nuit, et l'esclave pouvait se racheter, lui et sa famille, tout en étant obligé de rester cinq ans comme salarié sur l'habitation. Il y eut cependant un nombre très limité de rachats, quelque cinq cents en Martinique, moins de cent en Guadeloupe.

Schœlcher critiqua la longueur des délais de transmission de la législation aux colonies et la marge laissée aux assemblées coloniales pour amender la loi en accusant les bureaux de la Marine de trop favoriser les créoles. Au reste, il jugeait toujours cette législation très insuffisante ; elle correspondait aux vues d'émancipation progressive de la Société pour l'abolition de l'esclavage qu'il rejetait tout comme le faisait Bissette. Schœlcher était alors soutenu par des abolitionnistes britanniques qui lancèrent avec lui une campagne de pétitions. Cependant il ne refusait pas le débat avec des colons comme l'avocat de Basse-Terre Charles Dain, favorable à l'émancipation, qui préconisait une législation post-abolitionniste du travail que Schœlcher jugeait trop favorable aux propriétaires[77]. Il considérait Jabrun, membre du conseil colonial de Guadeloupe et délégué des colonies à Paris, comme « l'un des créoles les plus avancés de toutes nos colonies ». Tous les colons n'adoptaient donc pas une attitude de rejet, mais la question de l'indemnité restait un préalable pour eux. Schœlcher avait réfléchi au coût de la liberté et prévoyait une indemnité de 750 francs par esclave, mais les contraintes économiques n'étaient pas examinées par lui, on était en pleine crise sucrière, une diversification des productions et des marchés s'imposait, et seule une intervention de l'État pouvait résoudre le problème de l'indemnité. On notera que le projet de Jabrun d'émancipation prévoyait une indemnité du double de celle de Schœlcher.

Dans quelle mesure l'Église a-t-elle pu favoriser les projets d'émancipation et a-t-elle aussi tenté dans la pratique d'améliorer le sort des esclaves ? On pourra noter la prise de position de Rome avec la condamnation par le pape Grégoire XVI dans sa lettre *In Supremo* de la traite, « trafic inique, pernicieux, dégradant ». En 1842, déposant devant la Commission pour l'examen des conditions de l'esclavage, l'abbé Castelli, préfet apostolique de la Martinique, déclarait que les esclaves se tournaient avec confiance vers l'Église[78]. La précocité du baptême de leurs enfants, étudiée par Bernard David, les montre attachés à leur donner la qualité de chrétiens, cela malgré une grave pénurie de prêtres. Dessalles voyait aux messes des Rameaux et de Pâques 1840 l'église de Sainte-Marie « pleine de nègres ». Ses esclaves tenaient beaucoup à être enterrés en terre sainte, au cimetière de la paroisse, et, selon lui, un châtiment efficace était de dire à un Nègre puni qu'il serait enterré sur l'habitation. Des instructions aux Nègres étaient faites par le curé de Sainte-Marie. Certes, dans ces pratiques religieuses, les réminiscences africaines n'étaient pas absentes, perpétuées sans doute par des associations serviles. On les voyait présentes dans des rites comme ceux de la Toussaint où les esclaves pouvaient se concilier les ancêtres par des offrandes d'alcool, rhum et cierges allumés déposés sur les tombes. La situation de la Martinique et de la Guadeloupe était-elle alors tellement différente au XIXe siècle de celle que le père Labat constatait en Martinique où il voyait une piété remarquable à la fin du XVIIe siècle ? Labat montrait alors que les îles du Vent étaient dans une situation relativement privilégiée par rapport à Saint-Domingue. Selon Debien, la Martinique garda, pendant une grande partie du XVIIIe siècle, les habitudes du siècle précédent et un esprit chrétien[79].

On pourra considérer avec Antoine Gisler que la religion du XVIIIe siècle comme celle du XIXe siècle était faite pour « asseoir » l'esclavage, organiser la soumission. À la fin du XVIIIe siècle, le règlement du préfet apostolique des Capucins pour les îles du Vent développait les objets de l'instruction religieuse à faire aux esclaves, les pénitences publiques à imposer aux marrons, aux empoisonneurs, aux Négresses qui se font avorter. « Ordonnée avec un appareil imposant, la pénitence publique imprimera de la terreur aux coupables, elle fera plus d'impression que les châtiments les plus rigoureux, ce sera le frein le plus puissant contre le marronnage, les empoisonnement et les avortements si fréquents aux colonies[80]. » Ce ne serait cependant qu'une vue très partielle. Le catéchisme donné par les religieux l'était certes pour enseigner la soumission aux maîtres, mais il en était parlé au milieu d'autres devoirs comme de l'obéissance des enfants aux parents ou de la charité.

Mais une tâche nouvelle était demandée à l'Église par les abolitionnistes, c'était celle de la moralisation des esclaves : faire d'eux des hommes sociables et religieux avant qu'on ne les jette dans la nouvelle société par l'émancipation[81]. En 1845, un Montalembert critiquait dans *L'Abolitionniste français* la lenteur de cette moralisation et évoquait la responsabilité du clergé, s'étonnant de le voir en si bonne intelligence avec les planteurs, accusation déjà formulée par Schœlcher. Pendant les années 1830, les colons se montraient attachés à des comportements « blancs » des curés, condition nécessaire à leurs yeux pour avoir avec eux des rapports cordiaux. À partir de 1840, avec les nouvelles contraintes qu'on prétendait leur imposer, ils résistèrent à une catéchèse qui devait se pratiquer sur les habitations, en semaine, et non plus seulement le dimanche à la paroisse. Pour eux, c'était un vol du temps de travail de leurs esclaves. Il y eut cependant des initiatives prises par certains, telle celle de Pécoul sur son domaine de la Montagne en 1843 à Saint-Pierre, cela en dépit des réticences de son géreur ; d'autres habitations se déclarèrent ouvertes à la catéchèse, au Marin, à Trinité, au Carbet. Au sein du clergé, des voix s'élevaient pour faire sa part à la moralisation. Le préfet apostolique, l'abbé Castelli, dès 1837, déposait un projet au conseil colonial de la Martinique qui, posant l'émancipation comme une hypothèse lointaine, montrait le rôle civilisateur du christianisme dans une catéchèse liée à l'ordre.

Nettement plus audacieuse fut l'attitude à Fort-Royal, en 1839, du curé Goubert. À l'occasion d'une première communion d'enfants blancs, ce curé rappela l'égalité fondamentale de tous, créatures de Dieu, propos rappelant ceux des Jésuites, curés des Nègres du siècle précédent. Le conseil colonial réagit de manière très hostile : Leyritz y montra qu'il fallait poursuivre Goubert qui prêchait l'insubordination aux esclaves, Reynal de Saint-Michel mit en cause le gouverneur Moges qu'il tenait pour responsable de la situation. Deux ans plus tard, Goubert fit diffuser en Martinique son livre *Pauvre Nègre* où il démontrait que l'abolitionnisme modéré était voué à l'échec, qu'il fallait séparer la religion de la question de l'abolition. Malheureusement pour l'ancien curé de Fort-Royal, qui avait fait scandale dans la colonie par son mariage avec une créole et son départ du clergé, l'audience de Goubert fut des plus réduites, et les colons voyaient dans ses propos « les plus infâmes calomnies ».

Plus efficaces sans doute pour donner à l'Église un rôle dans la moralisation furent les efforts de l'abbé Bardy qui donnait de nombreuses instructions aux Nègres, y recommandait le travail, la patience, l'obéissance. Tenant par ailleurs des propos conservateurs, le successeur de Goubert à Fort-Royal, en 1840, l'abbé Joseph Rigord, conseilla l'émancipation soigneusement préparée par l'instruction.

Un catéchisme créole avait été, à cet égard, diffusé en 1842, mais il fut mal accueilli par les libres de couleur car le catéchisme en langue populaire ne répondait pas à leur désir de promotion sociale qui passait par l'enseignement du français. Arrivés à la fin de l'année 1839, les Frères de Ploermel, qui jouèrent un rôle remarquable au cours du siècle pour l'éducation des élites de couleur, eurent aussi beaucoup de mal à faire admettre l'ouverture d'écoles aux enfants d'esclaves. Les Libres possédaient leurs propres écoles au début du XIXe siècle ; Villaret-Joyeuse avait voulu les faire fermer, mais, à terme, ce fut un échec. Les grands notables de couleur, Bissette et ses compagnons, avaient une réelle culture. Mais les Frères se heurtèrent aux résistances des Blancs quand ils tentèrent d'ouvrir des écoles à la fois aux Libres et aux Blancs ; ces derniers refusaient l'intégration scolaire. Cependant, au début de l'année 1840, ils parvinrent à ouvrir des écoles primaires gratuites à Saint-Pierre et à Fort-Royal où ils faisaient venir des enfants d'esclaves. Mais, pour développer de telles ouvertures, les Frères de Ploermel manquaient d'effectifs enseignants, leurs classes étaient bondées d'enfants de gens de couleur, et ces derniers qui cherchaient à s'élever socialement pour rejoindre les Blancs résistaient à toute introduction d'enfants d'esclaves dans leurs écoles. Il était infamant pour eux que leurs enfants fréquentent des écoles où venaient des enfants d'esclaves.

Les sœurs de Saint-Joseph de Cluny avaient ouvert en 1827 à Saint-Pierre un pensionnat payant, un autre en 1842 à Fort-Royal, et elles avaient dans les deux villes des écoles primaires gratuites. Mais, encore en 1846, il n'était pas possible à un enfant de couleur d'entrer au pensionnat de Saint-Pierre ; ce n'est qu'en avril 1848 que les choses changèrent, mais il fallait encore que l'enfant fût de naissance légitime, et le prix de la pension écartait les plus modestes des gens de couleur.

Avec la croissance des écoles de ces congrégations il y eut un réel développement de l'instruction religieuse. Plus de mille élèves étaient scolarisés chez les frères de Ploërmel en 1845, deux mille en 1847. Au début de 1848, les sœurs de Saint-Joseph de Cluny avaient des écoles primaires ouvertes au Marin, à Trinité, à Fort-Royal et à Saint-Pierre. Dans cette dernière ville, les écoles du Mouillage et du Fort recevaient respectivement 160 et 170 enfants de Libres et 110 et 130 enfants d'esclaves. Pour la catéchèse sur les habitations, les frères de Ploërmel jouaient un rôle actif car certains se rendaient régulièrement sur celles-ci. Là encore Auguste Pécoul tenait une place exceptionnelle par le caractère très novateur de ses habitations : à la Montagne, une école pour filles et garçons y était tenue dès le milieu des années 1840, les frères visitaient son domaine pour la catéchèse.

Les résistances à l'émancipation étaient encore fortes au début des années 1840. Granier de Cassagnac obtint un grand succès en publiant son *Voyage aux Antilles* en 1841 et 1842 où il démontrait combien prématurée serait toute mesure d'émancipation. Après 1845, elles devinrent de plus en plus faibles, mais la violence de la polémique opposant, d'une part, Bissette (et avec lui de nombreux autres Libres) à Schœlcher, et, d'autre part, ce dernier à la majorité des colons allait rendre encore plus délicate l'application de l'abolition décidée en 1848. Schœlcher avait développé largement « les énormités antisociales » des colons, leur résistance aux modifications du système. Les

débats des conseils coloniaux de Martinique et de Guadeloupe portèrent principalement sur l'abolition en 1847.
Celui de Guadeloupe se prononça en faveur d'une abolition
immédiate avec indemnisation et surtout à condition qu'un
« règlement propre à maintenir le travail après l'émancipation fût mis au point[82] ». Sur ce dernier point, le conseil
de Martinique s'inquiéta de « ne pas détruire le bien-être
matériel dont les esclaves sont en possession », il fallait
donc garantir la poursuite des travaux sur les plantations
et « moraliser les prolétaires » que deviendraient les
esclaves par le mariage, cette institution encore relativement peu présente chez les esclaves.

De l'abolition de l'esclavage à la départementalisation

Quatrième partie

De l'abolition de l'esclavage
à la départementalisation

9

Les Antilles de 1848 à 1900

L'ABOLITION DE L'ESCLAVAGE

Les mesures partielles d'émancipation prises sous la monarchie de Juillet, en dépit de leur application très inégale, avaient constitué des premiers pas vers l'abolition. Les débats devant les Chambres avaient préparé et rallié l'opinion de la métropole. Cependant, malgré une majorité nettement antiesclavagiste, le gouvernement de Guizot n'avait pas osé prendre la décision ultime. Quelques semaines après les journées révolutionnaires de février, le décret d'abolition était signé par le gouvernement provisoire de la République, le 27 avril 1848. Solution radicale, l'abolition se voulait immédiate, elle tranchait avec l'émancipation progressive décidée pour les Antilles anglaises entre 1833 et 1838. Le 5 mars précédent, une commission d'abolition de l'esclavage avait été formée par Victor Schœlcher qui prit soin d'en écarter l'abolitionniste Cyrille Bissette avec lequel il polémiquait sévèrement depuis plusieurs années, ainsi que tout colon. Il faut, en effet, rappeler que parmi les délégués des Antilles auprès du gouvernement de Guizot il y avait certes des partisans résolus de l'esclavagisme tel le baron Charles Dupin, délégué de la Martinique, mais aussi des partisans de l'émancipation, tel Jabrun, délégué de la Guadeloupe.

La commission s'était donnée pour tâche, outre celle d'assurer les termes du décret d'abolition, celle de proposer les moyens pour assurer le travail avec la liberté[1]. L'abolition n'entraîna pas de crise profonde de l'économie sucrière, contrairement aux craintes des colons ; il y eut baisse momentanée des productions, mais le niveau des années 1846-1847 fut retrouvé dès 1854. En revanche, il y eut une crise sociale incontestable provoquée par la répulsion des nouveaux Libres à continuer leur travail dans la culture esclavagiste de la canne à sucre ; elle ne serait résolue que par des moyens coercitifs contestables – ce fut l'institution du livret – ou par une politique d'immigration d'autres travailleurs, des Africains, les Congos, des Indiens, rappelant à certains égards les méfaits de la traite. La crise fut aggravée dans le court terme par les débats politiques auxquels donna lieu l'application du statut de nouveau citoyen pour les élections des représentants des colonies en France par le suffrage universel ; ces débats furent accompagnée de troubles sévères en Guadeloupe, en 1849, dans le cadre du conflit aigu opposant Bissette et Schœlcher. Le retour à l'ordre assuré par le coup d'État du 2 décembre 1851 devait, pour près de vingt ans, priver les nouveaux comme les anciens Libres de leurs droits de citoyens en restaurant un système colonial favorable aux colons et permettant la prospérité d'une nouvelle économie sucrière avec les usines centrales.

Goûter à la liberté

Les décisions prises à Paris mirent un mois pour parvenir à la connaissance des Antillais. Chargés en même temps de les appliquer, les commissaires nommés par Schœlcher, Perrinon pour la Martinique, Gâtine pour la Guadeloupe, ne débarquèrent que début juin. Depuis les premiers jours de mars, en Martinique, les esclaves remuaient dans les ateliers, les bruits d'une émancipation toute proche et imposée à des colons jusque-là résistants à toute abolition immédiate se répandant de plus en plus. En Guadeloupe, la situation était plus calme. L'année précédente, le conseil colonial y avait accepté le principe de l'émancipation. On vit se multiplier des arrêts de travail alors qu'on était au cœur de la roulaison, phase la plus importante de la culture de la canne avec sa récolte et la fabrication du sucre au moulin. Husson, le directeur de l'Intérieur en Martinique, adressa une proclamation aux esclaves des habitations, le 5 avril :

> La liberté va venir... Ce sont de bons maîtres qui l'ont demandée pour vous... Mais il faut que la République ait le temps de préparer les fonds de rachat et de faire la loi de la liberté. Ainsi, rien n'est changé jusqu'à présent. Vous demeurez esclaves jusqu'à la proclamation de la loi[2].

Cette proclamation s'accordait avec les intentions du gouvernement puisque le ministre de la Marine Arago avait bien précisé qu'il fallait éviter de devancer les décisions du pouvoir, il n'y aurait pas de libération avant la fin de la récolte, et il avait rappelé la nécessité du maintien de l'ordre. L'entrée en vigueur du décret d'abolition ne devait être effective que deux mois après sa réception aux colonies.

Mais, dès le 27 mars, la presse en Martinique avait reproduit une lettre de Perrinon apprenant à tous que « ce sont des citoyens nouveaux que la République va donner à la France ». La tension avait dès lors considérablement monté, des pétitions rédigées par des gens de couleur circulaient à Fort-de-France, Saint-Pierre, le Prêcheur, Case-Pilote, dès le 10 avril ; plusieurs demandaient le retour de Bissette en Martinique. Le 15 avril, Pierre Dessalles notait que les esclaves « quittent déjà leur maître ». Un mois plus tard, le 18 mai, un planteur, devant le refus de son atelier de faire la coupe des cannes, loua des journaliers, mais ces derniers furent de force empêchés de travailler par les esclaves.

L'agitation était alors dirigée par les gens de couleur qui y voyaient un moyen de venger les morts de la Grande-Anse comme les injustes condamnations de 1824. Tous ne participaient pas cependant au mouvement : ainsi, appartenant à une des familles les plus importantes du Carbet, le négociant Eugène Procope, commissaire de police depuis le 5 avril, alla, selon Dessalles, « pérorer » les Nègres de l'habitation Perrinelle, à la fin d'avril, qui « prirent la résolution de travailler et d'être plus dociles ». Mais l'homme de couleur le plus influent était déjà l'avocat de Saint-Pierre, Pory Papy, estimé d'ailleurs par Dessalles, adjoint au maire et commissaire de police. Il était soutenu par la pression d'autres hommes de couleur qui s'étaient déjà signalés en signant des pétitions à la fin de l'année 1847 pour l'émancipation, tels les avocats de Fort-Royal Clavier et Quiqueron, membres du conseil colonial.

Le 21 mai, Saint-Pierre était « encombré par les nègres ». Le lendemain, se produisit l'incident à l'origine de l'émeute qui allait amener le gouverneur à proclamer l'émancipation immédiate.

> M. Léo Duchamp ayant été menacé par un de ses nègres qui a levé le coutelas sur lui, en a prévenu l'autorité qui a fait coffrer ce nègre. Tous les esclaves des ateliers voisins, avertis, se sont levés en masse, se sont transportés en ville armés et ont demandé qu'on relâchât leur camarade... Plus de vingt mille nègres encombraient les rues en poussant d'horribles hurlements. L'inquiétude était sur toutes les figures[3].

Léo Duchamp, apparenté à l'importante famille créole des Assier, possédait une habitation dans les environs de Saint-Pierre, proche de celle d'Adolphe de Perrinelle. Avant même cet incident, l'atelier était « fort animé » contre son maître. L'adjoint au maire, le mulâtre Pory Papy, réussit à ramener le calme en faisant délivrer le Nègre arrêté. Le massacre était évité à Saint-Pierre où les ateliers des habitations étaient soutenus par nombre d'esclaves de ville et de gens de couleur mais, au Prêcheur, l'affrontement sanglant se produisit entre les gendarmes et les quelque deux mille travailleurs qui revenaient de Saint-Pierre. Il y eut parmi les esclaves et les gens de couleur quelque vingt-cinq morts et cinquante blessés. La foule incendia plusieurs maisons, dont celle de Sanois, après qu'un coup de fusil tiré depuis cette maison cernée par les insurgés en eut tué un ; ses trente-deux occupants, dont une dizaine de domestiques de couleur, furent brûlés vifs.

La panique poussa de nombreux colons à se réfugier sur les navires en rade de Saint-Pierre. Le lendemain, 23 mai, à la demande de la municipalité, le gouverneur Rostoland proclama un décret solennel : « L'esclavage est aboli à partir de ce jour à la Martinique, le maintien de l'ordre public est confié au bon esprit des anciens et des nouveaux citoyens français[4]. » En fait, sa décision ne suffit pas à rétablir le calme : au Morne-Rouge, les habitations voisines de Saint-Pierre furent pillées, et dans d'autres bourgs il y eut les mêmes troubles, en particulier à Fort-de-France. En Guadeloupe, la nouvelle connue le 26 mai, la municipalité de Pointe-à-Pitre demandait aux autorités de s'aligner sur la Martinique, et, le 27, à Basse-Terre, le gouverneur Layrhe déclarait effective l'abolition.

Dès la proclamation de la liberté, la liesse fut énorme à Saint-Pierre : les cortèges parcouraient les rues ; les cris de joie se faisaient entendre, le nom de Bissette était acclamé, pas encore celui de Schœlcher. « Les rues sont pleines de nègres criant, hurlant, arrêtant les passants en les forçant à crier "Vive la République, Vive la Liberté[5]". » Un certain nombre de familles de colons avaient déjà quitté la Martinique pour les colonies voisines ou même pour les États-Unis. Affranchis par les lois de la monarchie de Juillet, très différents des autres Libres et ne possédant guère de biens à sauvegarder, des hommes de couleur parcouraient les campagnes pour piller.

Arrivé le 3 juin, le commissaire de la République Perrinon avait comme atout d'être mulâtre. Avec sa nomination, l'ambition politique des anciens libres de couleur, indéniable, était satisfaite. Deux objectifs s'imposaient au nouveau commissaire : donner aux nouveaux citoyens la possibilité de s'exprimer dans des élections au suffrage universel, organiser le travail. Le second paraissait bien difficile à réaliser car, pour bien des nouveaux Libres, ne plus travailler dans la culture détestée était le seul projet ; le premier se réaliserait dans l'improvisation, parfois le désordre, mais était très populaire.

Organiser le travail

Dès les premiers jours, Perrinon avait invité les ateliers à travailler. Bien peu se déclaraient portés à le faire. Comme le notait Dessalles, « dans les rues vous entendez des nègres qui disent tout haut *"Ennique travail qui qua sorti dans bouche li"* (il n'y a que le travail qui sort de sa bouche[6]) ». Sur son habitation de la Nouvelle Cité Dessalles tenta de démontrer aux Nègres les avantages du système de l'association par rapport au salariat. Les Nègres déclarèrent attendre la décision de Perrinon qui, le 19 juin, se prononça en faveur de cette association. Elle présentait l'avantage de fixer la main-d'œuvre à la terre ; le propriétaire gardait un certain ascendant ; mais elle se révéla difficile à gérer. Les nouveaux Libres étaient intéressés, soit au quart, soit au tiers, et plus rarement à la moitié des revenus bruts. Seuls les contrats sous ce dernier régime furent vraiment acceptés par eux. Les autres furent souvent rompus à peine signés, les Nègres contestaient les comptes qui leur étaient remis. Vu les cours très bas du sucre, les résultats se révélèrent, en effet, bien décevants pour eux ; ils n'admettaient pas qu'on déduisît de leurs parts des frais de commission et de fret à l'expédition. Les travailleurs conservaient la jouissance de leur case et de leur jardin ; samedis, dimanches et fêtes étaient laissés à leur disposition, à l'exception du samedi pour la période de roulaison ; la journée de travail était de neuf heures. Les Nègres eurent aussi du mal à accepter la discipline encore nécessaire pour l'exploitation : un chef d'atelier devait « piquer » (pointer) les présents, et un conseil de commissaires était appelé à arbitrer les conflits.

Après plus de deux mois de négociation, Dessalles put faire accepter son contrat d'association, le 18 août 1848. Son voisin à Sainte-Marie, Louis Levassor, sur l'habitation l'Union, fit accepter un contrat semblable à la même date. Selon Dessalles, ses Nègres comme ceux des autres habitations étaient soumis à l'influence nocive des gens de couleur des bourgs qui les incitaient à ne pas respecter leurs engagements.

Les autres choix offerts étaient ceux du colonage partiaire et du salariat. Le colonage avait été proposé dès 1847 sur certaines plantations à des Libres. L'habitation serait partagée entre trente à quarante colons, chacun recevant des lots de trois hectares à quarante-cinq ares. Quand Dessalles, devant les difficultés enregistrées dans l'association, introduisit en juillet 1849 le colonage à la Nouvelle Cité, la part des colons put être supérieure, elle atteignait de vingt-cinq à trente hectares pour deux d'entre eux, bien moins pour d'autres. Il y eut deux types de colons : tous étaient tenus de planter des cannes, mais les uns faisaient tout par eux-mêmes, d'autres étaient de véritables entrepreneurs. Ces derniers employaient chacun seize travailleurs. Le propriétaire percevait un fermage et des frais de moulin. On se trouvait très proche ici du système brésilien du *senhor de engenho* fabriquant le sucre avec les récoltes des colons. Cependant, dans le cas antillais, au moins chez Dessalles, une lourde charge fut pour lui d'avancer souvent l'argent pour la paye des travailleurs[7]. En décembre 1849, Bissette, très populaire chez les esclaves, conseilla aux cultivateurs de la Nouvelle Cité le colonage et l'association. Il avait « tonné contre le salariat ». Louer son industrie contre un salaire en argent parut cependant souvent le seul moyen de faire oublier l'esclavage, mais le système se révéla difficile à pratiquer.

En 1848, la réorganisation du travail avait bien du mal à s'opérer. Désordres et vagabondage furent, dès l'été, réprimés par des ateliers de discipline que Perrinon mit en place (22 août 1848). En effet, si la reprise du travail fut effective, dès le 31 mai à l'usine de la Pointe-Simon, près de Fort-de-France, comme à l'habitation Hayot, rattachée à l'usine, de même au Lamentin, par contre au Gros-Morne, à Saint-Esprit, vers le 24 juin, l'agitation perdurait – « au moindre appel de la corne, le lambi, les noirs se rassemblent, armés de leurs coutelas[8] ». Il y eut effondrement immédiat des productions. Les exportations de sucre tombèrent de 39 337 tonnes en 1847 à 18 152 tonnes en 1848, 19 522 tonnes en 1849 et 15 065 en 1850. Surtout, fait encore plus grave pour les planteurs, les cours chutèrent : au Havre, en mars 1849, les sucres se vendaient à moins de 60 francs les cent kilos[9] alors que, malgré une tendance déjà ancienne à la baisse, ils étaient encore en 1847 à 70 francs. Deux ans plus tard, en 1851, la situation se redressait car les prix augmentaient à nouveau, et l'amiral Vaillant, le nouveau gouverneur, estimait qu'on ferait 22 500 tonnes cette année-là. Malheureusement, pour bien des habitants, le pire était déjà atteint, la situation s'était dégradée au point qu'il leur fallait envisager de vendre des habitations sucreries qui devaient laisser place aux usines centrales. Celles-ci allaient ramener la prospérité sous le Second Empire.

Les élections

En 1848, les Antilles avaient obtenu le droit d'élire des députés à l'Assemblée nationale, trois pour la Martinique, autant pour la Guadeloupe, chaque colonie élisant aussi deux suppléants. En Guadeloupe, la campagne se déroula dans le calme, la nouvelle presse, *L'Avenir* et *Le Journal*

Commercial pour les colons, *La Réforme*, pour les hommes de couleur, et de nombreux clubs dans les bourgs l'animè- rent. Au 22 août 1848, Perrinon obtint 19 233 voix, Schœl- cher 16 038, Charles Dain 10 196. La population de couleur reconnaissait l'abolitionniste acharné en Schœl- cher, mais l'avocat créole Charles Dain avait pu rallier les voix des colons et de certains hommes de couleur tandis que Perrinon avait regroupé autour de son nom colons, hommes de couleur et esclaves. Élu en même temps à la Martinique Schœlcher opta pour cette dernière île et céda sa place au suppléant, un nouvel affranchi noir, Louisy Mathieu.

En Martinique, la campagne fut bien plus animée car, d'une part, y apparut dès le début la rivalité entre Bissette et Schœlcher, d'autre part, la crise des 22-23 mai avait énormément marqué les esprits. Le passé de l'île, avec les très dures répressions de 1824 et 1833, demeurait inscrit dans la mémoire des gens de couleur qui cherchèrent à prendre leur revanche. Pratiquement tous illettrés – mais c'était la même chose en Guadeloupe –, les nouveaux Libres furent l'objet de pressions notoires. On avait décidé à Paris que le vote serait secret mais, en raison du grand nombre d'électeurs, les bulletins, au lieu d'être écrits sur place, en présence du bureau de vote, pourraient être rédigés au préalable. Aussi les partisans des candidats, qui étaient Bissette, Schœlcher, Pory Papy, France et Masuline, remirent-ils aux nouveaux Libres des bulletins sur lesquels étaient écrits les noms. Le 9 août, sans difficultés, furent élus Bissette recueillant 19 850 voix, Pory Papy 19 263, et Schœlcher 19 117. La participation électorale était élevée, elle atteignait un taux de 75 % en Martinique comme en Guadeloupe. Elle ne serait plus que de 11 % en 1871 avec le rétablissement du régime républicain et du suffrage uni- versel[10]. Les mandats des députés furent tous validés à l'ex- ception de celui de Bissette, son élection étant déclarée annulée pour cause d'incapacité personnelle (il avait été condamné pour faillite à Paris auparavant, et cela entraînait une incapacité judiciaire).

L'année suivante, en 1849, la Martinique allait faire une élection triomphale à Bissette, dont la candidature était à nouveau recevable : il recueillit, en effet, en juin 16 327 voix, alors que son rival Schœlcher subissait une cuisante défaite, n'en obtenant que 3 617. Mais le fait aux plus larges conséquences était l'élection aux côtés de Bissette du planteur Pécoul qui réunissait sur son nom de créole blanc 13 482 voix. En effet, les esclaves avaient été appelés par Bissette à voter pour lui. L'ancien condamné de 1824 y voyait la consécration de sa doctrine de la fusion des races et de l'oubli du passé. Il avait déjà prôné l'oubli du passé dans *La Revue des colonies* dès 1835 : « Notre cause sera victorieuse un jour, écrivait-il, et alors ceux-là mêmes qui sont au bagne aujourd'hui (les condamnés de la Grande-Anse) donneront peut-être un grand exemple en pardonnant à leurs implacables ennemis[11]. » Quand le candidat débarque à Saint-Pierre en mars 1849, accueilli par une foule en liesse, il prêche concorde et conciliation, mutuel oubli du passé.

Déjà, en 1848, en septembre, la popularité de Bissette était grande aussi bien chez les hommes de couleur que chez les nouveaux Libres. Pory Papy, l'adjoint au maire de Saint-Pierre, était alors son partisan contre Schœlcher ; il se sépara de lui l'année suivante, refusant la fusion. Mais certains mulâtres lui restèrent fidèles tels ces hommes de couleur réunis à la Nouvelle Cité par Pierre Dessalles autour de Bissette en avril 1849[12]. Rencontrant Dessalles et Richard de Lucy, ces magistrats qui l'avaient condamné, Bissette feignit l'oubli.

Si les gens de couleur – les anciens affranchis – étaient de plus en plus nombreux à se tourner vers Schœlcher, en revanche la masse des cultivateurs, les nouveaux Libres, suivit « papa » Bissette et ses associés blancs. Les élections du 3 juin 1849 se préparèrent donc dans une atmosphère très tendue. Les pressions ne manquèrent pas : Dessalles voyait le curé de Sainte-Marie « distribuer des bulletins aux nègres qui venaient lui en demander, il retirait de leurs mains ceux que les scélérats du Bourg distribuaient et sur lesquels étaient écrits Bissette et Schœlcher[13]. »

Bissette avait voulu l'union des races, en fait l'inverse se produisit car les gens de couleur ne lui pardonnèrent jamais son alliance avec les Blancs, et les Noirs rejetteraient longtemps aussi les mêmes hommes de couleur schœlcheristes qu'ils accusaient de les avoir trompés et de les mépriser. Bien avant ces élections, en septembre 1848, Dessalles l'avait noté : « Sur beaucoup d'habitation, les nègres ne veulent plus entendre parler des mulâtres qui eux-mêmes ne défendent plus les nègres avec autant de chaleur[14]. » Les promesses excessives des mulâtres faites en l'été 1848 – partage des terres, élimination des Blancs – ne s'étaient pas réalisées.

Si l'on en croit l'ancien avocat de Bissette, Isambert : « La formation du parti bissettiste à la Martinique a été le signal de la formation de ce qu'on appelle le parti schoelcheriste à la Guadeloupe[15]. » Schœlcher, battu en Martinique, remporta effectivement un triomphe en Guadeloupe après un séjour très mouvementé de Bissette dans cette île, attaqué par la foule avec ses hôtes à Pointe-à-Pitre, à Sainte-Rose et au Port-Louis. Le 25 juin 1849, c'était l'élection de Schœlcher et de Perrinon, députés de la colonie, avec 14 098 voix pour le premier, 14 093 pour le second. L'agitation avait marqué la journée électorale dans la colonie où la commune de Marie-Galante fut secouée par de graves désordres. Au début de 1850, de sévères condamnations furent prononcées, suivies de troubles à Basse-Terre et à Pointe-à-Pitre, et l'état de siège était prononcé.

Schœlcher qui ne pouvait pardonner à Bissette sa défaite en Martinique s'employa à dénoncer ses ambitions politiques et son alliance avec les créoles, tout en éprouvant « une vive répugnance à s'occuper aussi longtemps d'un personnage taré comme M. Bissette[16] ». En Martinique, journaux schoelcheristes et bissettistes engagèrent le fer pendant plus de deux ans, *La Liberté* pour les gens de couleur schoelcheristes, *Le Courrier de la Martinique* pour les bissettistes. Mais, à la fin de l'année 1851, le coup d'État du 2 décembre devait faire disparaître de la colonie ces querelles qui avaient animé le pays et donné la fièvre à l'opinion sans pouvoir régler le problème de fond des affrontements entre colons blancs et gens de couleur.

LES CAMPAGNES ANTILLAISES DANS LA SECONDE MOITIÉ DU XIXe SIÈCLE

Vers la fin du règne de l'habitation sucrerie

L'habitation sucrerie traditionnelle avait déjà subi sous la monarchie de Juillet une crise qui lui faisait aborder la loi d'émancipation dans des conditions difficiles. L'abolition de 1848 posa un problème de main-d'œuvre difficilement résolu dans le court terme car beaucoup de nouveaux Libres abandonnèrent la culture de la canne à sucre. Les lois contraignantes du Second Empire contribuèrent à fixer à nouveau des journaliers à la terre, mais dans une situation toujours instable, et il fallut recourir à l'immigration indienne, noire et asiatique pour trouver les travailleurs indispensables. Mais, au-delà de ce problème de l'organisation du travail, ce fut la situation financière des habitations sucreries qui se révéla de plus en plus difficile. Déjà lourdement endettés, les planteurs pourraient-ils compter sur l'indemnité prévue par les abolitionnistes ? Schœlcher s'était prononcé pour l'indemnisation des propriétaires d'esclaves en cas d'émancipation : « L'argent donné pour faire un homme libre d'un homme esclave est de l'argent placé à bon intérêt et la fortune publique ne peut qu'y gagner[17]. » Il estimait à mille francs la somme qui devait être allouée pour chaque esclave. En fait, les sommes réellement versées furent très inférieures : les fonds en numéraire, versés comptant, représentèrent en Guadeloupe un peu plus de

23 francs par esclave, en Martinique, plus de 21 francs. Le solde serait versé en titres de rentes, soit 448 francs par Nègre en Guadeloupe, 409 francs en Martinique. Le total représentait moins de la moitié de la somme prévue par Schœlcher, laquelle se rapprochait de la valeur commerciale de l'esclave à la veille de l'abolition. De nombreux colons abandonnèrent aux négociants de Saint-Pierre et de la métropole les titres d'indemnité pour éteindre une part des créances.

Cependant, dans le long terme, l'évolution ne se fit pas vers un déclin brutal. Les habitations sucreries étaient encore fortes en 1870, au moins en Martinique où l'on comptait en 1869 un total de 564 habitations sucreries alors qu'en 1839 il n'y en avait que 495. En revanche, la situation se dégrada fortement après 1870 puisqu'en 1882 il n'y avait plus en Martinique que 423 habitations sucreries[18]. Il faut souligner dans cette île le contraste entre les régions du Sud et celles du Nord. Les premières souffrirent davantage du déclin des habitations sucreries de 1869 à 1882. Ce fait est noté par le planteur Louis Levassor, le 25 octobre 1865 : « Les habitations du Sud, du François, du Vauclin, du Robert, se donnent pour rien et ne trouvent pas d'acheteurs[19]. »

Globalement l'habitation sucrerie continua d'assurer en Guadeloupe l'essentiel de la production jusque vers 1860 ; les fermetures se multiplièrent ensuite[20]. Près de seize habitations sucreries étaient fermées chaque année de 1862 à 1865, près de vingt-six, de 1865 à 1869. Elles éprouvèrent de grosses difficultés à engager la modernisation nécessaire pour réduire les coûts et produire le sucre de qualité que commençaient à sortir alors les premières usines. Les habitations qui étaient obligées de fermer étaient mises en vente dans de très mauvaises conditions ; les prix de vente des années 1860 représentaient près de 10 % de la valeur des ventes des années 1830.

Quelques exemples permettent de saisir la diversité des situations, ils sont pris pour la Martinique dans la récente étude d'Annick François-Haugrin[21]. Possesseur à Case-Pilote de l'habitation La Démarche, couvrant 323 hectares, depuis 1805, le planteur Clauzel quitta l'île en 1848 pour Porto Rico, comme beaucoup d'autres Békés, puis se fixa à Bordeaux en 1860.

Jusqu'en 1870, le domaine ne connut pas de problème majeur. Pourtant, en 1871, il ne se vendit que 120 000 francs, valeur très inférieure à son estimation du temps de la Restauration (en 1819, pour sa moitié seulement, celle-ci montait à plus de 333 000 francs.) En 1874, les nouveaux propriétaires, de grands Békés de Saint-Pierre, Assier de Pompignan et Marraud des Grottes, obtinrent 126 000 francs de prêts, dont 75 000 francs du Crédit foncier colonial. Il s'agissait là d'un cas de modernisation relativement favorable. Tout autre était celui des Le Pelletier de Clary, toujours à Case-Pilote, pour leur plantation Moulin à eau qui couvrait 258 hectares. L'habitation fut adjugée cinq fois de suite, de 1859 à 1869. En 1874, on n'en obtenait que 43 025 francs à la vente sur saisie. Ces saisies se faisaient souvent au profit de négociants de Saint-Pierre qui tentaient de récupérer leurs créances. Dans les environs de Saint-Pierre, le Morne des Cadets, appartenant à une famille de Bordeaux, les Blondel Larougery, fut saisi en 1853 au profit du négociant Charles Depaz, détenteur d'une créance de plus de 90 000 francs, puis cédé vingt ans plus tard aux Pierrotins Th. de Gentile, L. de Gentile, E. Desgrottes, L. Petit et L. Boulin, tous appartenant à de vieilles familles békées.

Il y a eu, d'autre part, le cas de solides fortunes, préservées par une intelligente politique de conservation du patrimoine s'opposant ou freinant le déclin. Ainsi chez les Assier, aux très nombreuses alliances békées, comme les Reynal de Saint-Michel, Gentile, Fortier, Crassous, Laguarigue de Survilliers, Feissal, Cornette de Saint-Cyr, on relève un tel effort patrimonial. En 1883, les Assier contrôlaient vingt-trois habitations sucreries couvrant plus de 7 190 hectares sur le Lorrain et le Marigot dans le nord de l'île[22]. François Prix Henri Assier de Pompignan, négociant à Saint-Pierre et propriétaire, avait dans sa succession de 1871 des habitations au Lamentin, au Robert, parties d'habitation au Morne-Rouge et à la Grande-Anse, une habitation en savane à Champflore. Sa fortune immobilière à Saint-Pierre était confortable, magasins et immeubles. Pour protéger le patrimoine familial, son frère Gustave multiplia ses efforts.

Les grands Békés ne furent pas seulement les héritiers qu'on a souvent décrit mais aussi de dynamiques entrepreneurs, soutenus le plus souvent par la puissance financière des maisons de commerce de Saint-Pierre auxquelles ils étaient apparentés, et par leurs réseaux familiaux.

À l'opposé, il y eut de nombreux habitants incapables de faire face à la crise et dont les plantations furent, ou progressivement démantelées, ou adjugées dans des conditions désastreuses. Le rôle de la banque, le Crédit foncier colonial, fut à cet égard des plus défavorables. Fondé pour soutenir le développement des usines plus que le maintien des habitations, il faisait des prêts en échange desquels il prenait des hypothèques sur les propriétés des emprunteurs. Le plus souvent incapable de rembourser, l'habitant était exproprié, ses biens saisis. Au Lorrain, Annick François-Maugrin montre ainsi l'habitation L'Étoile couvrant plus de 130 hectares en 1846, d'une valeur de cent mille francs, ne plus s'étendre en 1869 que sur moins de 70 hectares valant soixante mille francs, plus de seize parcelles ayant été vendues. Le propriétaire avait obtenu du Crédit foncier colonial plus de quarante et un mille francs de prêts, mais avait été contraint de poursuivre des ventes de terres. L'adjudication sur saisie au profit de la banque se fit en 1876 pour à peine quarante et un mille francs ! Dans cette partie nord-est de l'île, au Lorrain, à Trinité, à Sainte-Marie, au Robert, le total des prêts du Crédit foncier colonial dépassa les six millions[23]. Même chez les Assier la crise n'était pas sans se faire sentir : toujours au Lorrain, l'habitation Gaultier rachetée par François Prix Henri Assier de

Pompignan en 1858 perdit plus de 38 hectares sur 42, de 1868 à 1872. Il avait acheté le carreau (1,29 hectare) 2 461 francs et il le cédait à 2 117 francs. Un processus d'endettement sévère touchait une branche des Assier, les Gentile et les Lasade, à Presbourg, autre habitation du Lorrain. Il leur fallait hypothéquer les trois quarts du domaine en 1872 pour garantir plus de 336 000 francs de créances quand la propriété fut rachetée par des négociants pierrotins[24].

L'essor des usines centrales

« Depuis l'émancipation, les habitations sucrières ont subi une dépréciation constante, faute de bras suffisants pour la grande culture. Les planteurs ont été absorbés dans la puissante corporation des usiniers[25]. » Exagérant peut-être l'élément négatif qu'a représenté pour l'habitant sucrier la difficulté à se procurer la main-d'œuvre, Armand Corre n'en soulignait pas moins fortement en 1890 la puissance de l'usine qui régna sur les Antilles à partir des années 1860-1870.

À cette date, l'industrie sucrière venait de traverser la crise de 1884 qui condamnait sans appel l'habitation sucrerie traditionnelle. Sur un marché mondial touché par la surproduction du sucre de canne et du sucre de betterave, la production du sucre roux brut de cette habitation ne pouvait affronter la concurrence. En Martinique, en 1882, les « sucrotes » produisaient 19 000 tonnes, les usines 26 000 tonnes ; cinq ans plus tard, les premières ne livraient plus que 5 000 tonnes, les secondes en produisaient 34 000. Mais déjà, en 1882, la situation des habitations sucreries était des plus fragiles, elles exportaient un sucre de qualité très inférieure à celui des usines. Comme l'a souligné Christian Schnakenbourg, seule l'ouverture du marché des États-Unis à partir de 1873 créa un sursis de quelques années. Les sucres bruts d'habitations y trouvèrent un important débouché, ce marché absorbant plus des trois quarts de ces sucres en 1881 pour la Guadeloupe quand les usines dirigeaient l'essentiel de leurs sucres sur la métropole[26]. Mais toujours en Guadeloupe, la même année, la comparaison de la production des usines et des « sucrotes » laissait aux premières une prédominance indiscutable : moins de 11 000 tonnes étaient produites par l'habitation traditionnelle, près de 46 000 par l'usine.

Cette place prise par celle-ci sur le marché ne doit d'ailleurs pas conduire à surestimer la position globale des Antilles françaises dans une production mondiale dominée par les géants qu'étaient Cuba – plus de 500 000 tonnes –, Java, au même rang, et même les Hawaii avec près de 140 000 tonnes. Les Antilles françaises exportaient moins de 106 000 tonnes en 1882, année record du siècle[27].

Les procédés de fabrication traditionnels avaient déjà été mis en cause avant l'émancipation. Paul Daubrée avait répandu dans l'opinion le principe de la séparation de la culture de la canne et de la production du sucre avec un certain succès. Les premières usines centrales en Martinique et en Guadeloupe avaient été créées, achetant les récoltes de plusieurs habitations. En passant des contrats avec des habitations voisines, dites « adhérentes », qui abandonnaient la fabrication du sucre, l'usine s'assurait un flux important de matière première pour fabriquer le sucre dans des chaudières à cuisson sous vide, en obtenant des rendements très supérieurs à ceux des sucreries « Père Labat ».

Pour pouvoir lutter contre la concurrence du sucre de betterave, une modernisation de la production s'était révélée indispensable. L'alliance de la technologie (Derosne et Cail), l'appui financier (capitaux des négociants commissionnaires de Saint-Pierre et de métropole, prêts du Crédit foncier colonial) allaient assurer l'implantation des usines dès le Second Empire, mais seulement de manière notable dans la décennie 1860, le démarrage véritable ne se faisant qu'après 1870.

En Martinique, le cas le plus patent de prise de contrôle de l'usine par le négoce, fut celui de l'établissement du Galion où Eugène Eustache, négociant pierrotin, propriétaire de 1 353 hectares à Trinité, obtint du Crédit colonial un prêt de 950 000 francs pour monter l'usine en avril 1862[28]. Le baron de Lareinty emprunta au même Crédit 735 000 francs en offrant en garantie ses quatre habitations du Lamentin (450 hectares). La société Cail qui avait déjà joué son rôle dans les créations d'usines antérieures à 1848 (Pointe-Simon à Fort-de-France) apparut ici. Son ingénieur Bougenot, chargé de monter le Galion et le Lareinty, épousa en 1864 la fille unique d'Eugène Eustache. L'année suivante, il devait se tailler une nouvelle place dans l'industrie sucrière en contribuant à la fondation de la société anonyme du François, le 26 juin 1865. Sur un capital de 1,2 million, composé de 2 400 actions, la société Cail détenait 460 actions, aux côtés de représentants de la même société, Bougenot, Quenesson et Quiollet, détenteurs chacun de 100 actions. La première année, ce fut un succès inattendu, la société put fournir la moitié du capital en dividendes. La qualité du sucre usine fourni était très supérieure à celle du « sucre brut habitant ». Le 1er septembre 1869, la chambre de commerce de Saint-Pierre le faisait ressortir : Sucre d'usine, les 50 kgs, 43 francs ; le sucre brut, les 50 kgs, 23 à 28,50 francs[29]. » En 1864, les beaux sucres bruts habitants se vendaient 37,50 francs les 50 kilos ; le déclin des prix face à la concurrence du sucre usine s'affirmait à la fin de la décennie pour le sucre de l'habitation sucrerie[30]. Cependant on attendait encore en 1870 les accords de l'Administration pour voir s'édifier les usines de Rivière-Salée, Petit-Bourg, le Vauclin, Sainte-Marie, Soudon et Dillon. En 1872, quand Sainte-Marie commença à fonctionner, le 15 juin, le géreur de la Nouvelle Cité lui livrait des cannes et se montrait fort satisfait, le 27 février 1873, écrivant aux héritiers de Pierre Dessalles : « Les cannes m'y ont donné un rendement magnifique et en dehors de toute mes prévisions. »

Malgré la crise de 1884, la puissance de l'usine se développa encore : en 1890, 14 usines sociétés par actions et 4 usines privées fonctionnaient en Martinique. Elles profitaient de la disparition progressive de nombreuses habitations sucreries pour se constituer de vastes domaines : autour du Galion, 15 habitations, au Marin, 14, au Lareinty, 18. S'assurant ainsi l'abondance et la régularité de la fourniture de matière première, elles n'étaient pas cependant sans entrer dans une ère de nouvelles charges en reprenant une fonction agricole abandonnée à l'origine de leur création. Un certain nombre d'habitants sucriers commencèrent alors à substituer la distillation du rhum à partir de mélasses à la fabrication du sucre. En 1850, la Martinique exportait 10 776 hectolitres de rhum, 80 443 en 1880, 150 070 en 1898. Elle était alors obligée d'importer des mélasses de Guadeloupe et d'autres îles pour cette production. Saint-Pierre comptait 19 distilleries industrielles à la fin des années 1890 et produisait quelque 120 000 hectolitres. La distillation du rhum intéressait les familles les plus anciennes des Békés, tels Perrinelle ou Pécoul à Saint-Pierre, Gradis et Leyritz à Basse-Pointe, mais les gens de couleur y participaient aussi, ainsi, à Saint-Pierre, l'établissement de la société Knight et fils, contrôlé par le célèbre sénateur Amédée Knight, comprenait deux distilleries.

Comme un nombre non négligeable d'habitants sucriers appartenaient aux familles békées qui investissaient dans les usines, la crise fut pour eux moins sensible qu'elle ne l'était dans la Guadeloupe voisine. Ils participaient aux gains de l'usine tout en gérant des habitations devenues seulement productrices de canne. Des mulâtres reprirent aussi des habitations qui avaient abandonné la fabrication du sucre. En 1887, le futur grand distillateur Homère Clément acheta ainsi à la famille Maillet une habitation qui livrait ses cannes à l'usine proche du François depuis une vingtaine d'années[31].

Comme en Martinique, les prêts du Crédit foncier colonial favorisèrent en Guadeloupe la création des usines centrales, et ils y étaient relativement plus importants car l'île ne disposait pas de la puissance financière du négoce de Saint-Pierre. En 1867, les usines fournissaient déjà plus de la moitié des exportations de la colonie, en 1877, elles en donnaient les deux tiers. Le cas le plus spectaculaire de réussite de l'usine est celui des Souques à Beauport et Darboussier.

Arrivé en 1826 en Guadeloupe, le père du célèbre Ernest Souques qui devait attacher son nom au destin de l'usine dans la colonie, Aman Souques, n'était pas sans lien avec les créoles, étant le neveu des Montalegre, habitants installés en Guadeloupe avant la Révolution, émigrés sous Hugues et revenus au Port-Louis en 1800. Aman Souques épousa en 1828 la fille d'un riche habitant de l'Anse-Bertrand, Marie-Victoire Guerry, et, dix ans plus tard, il devint habitant sucrier en achetant Beauport à une famille créole, les Ruillier, pour 110 000 francs. Il insérait encore plus sa famille dans le milieu colonial en mariant trois de ses enfants à des Ruillier entre 1850 et 1855 et son fils Ernest à la fille d'un médecin de Basse-Terre, Alice Cabre. Aman Souques, préoccupé de modernisation, avait installé un moulin à vapeur à Beauport en 1843, et, en 1860, Beauport était la huitième habitation de la Guadeloupe produisant 175 tonnes de sucre (la production moyenne étant de 76 tonnes). Pour créer l'usine centrale, Souques se tourna vers le Crédit foncier colonial qui lui consentit en 1861 un prêt de 550 000 francs, auquel s'ajouta un prêt de la Société Cail du même montant en 1862. Cette société allait pour vingt ans lier son nom à l'entreprise des Souques[32].

Ouverte en 1863, l'usine de Beauport portait son capital deux ans plus tard à 1,5 million, les Cail détenant neuf quinzièmes des actions, Souques les six quinzièmes. Mais ce fut avec la création de Darboussier, à Pointe-à-Pitre, qui nécessita un investissement de 2,7 millions pour sa construction de janvier 1868 à mars 1869, que le fils d'Aman Souques devait donner à sa famille le premier rang dans l'industrie sucrière. L'usine était reliée par un chemin de fer aux habitations de la plaine des Abymes, disposait de chalands à vapeur pour aller prendre les cannes d'habitations de la Guadeloupe proprement dite sur le pourtour des Culs-de-Sac. Avec deux moulins, elle pouvait manipuler 60 000 tonnes par campagne (le Lareinty, la première usine martiniquaise à l'époque, manipulait 40 000 tonnes). En 1869, Darboussier travaillait les cannes de 31 habitations adhérentes, en 1874, de 48. Comme en Martinique, un domaine foncier propre à l'usine fut constitué. De 7 habitations sur 1 127 hectares en 1871, il était porté en 1883 à 22 habitations sur 3 765 hectares[33]. Aussi, en faire-valoir direct, Darboussier obtenait 40 700 tonnes de cannes en 1883, soit un peu moins de la moitié des cannes manipulées. Sur ces 22 habitations on trouvait 544 travailleurs, dont 159 Indiens engagés, 196 Indiens gens casés ayant terminé leur engagement, 21 créoles casés, 168 colons partiaires.

À l'origine, l'usine traitait avec les habitations adhérentes les fournitures de cannes par contrats fixant le prix de la canne dans des conditions par trop favorables à Darboussier d'où de fréquents conflits avec les planteurs aux gains insuffisants, victimes dans les années 1870 de catastrophes climatiques, sécheresse en 1873 puis pluies diluviennes en 1879-1880, et amenés à demander des avances à l'usine. Aussi, suivant une tendance générale en Guadeloupe, l'usine s'approvisionna aussi auprès de petits propriétaires ; ceux-ci fournissaient 35 000 tonnes de canne aux usines de la colonie en 1871, 59 000 tonnes en 1883.

Une immobilisation lourde de capitaux était nécessaire pour parvenir aux acquisitions foncières, et, comme les autres usines, Darboussier fut conduite à contracter une dette croissante en métropole pour obtenir les fonds, son autonomie financière en était d'autant réduite. À la veille de la crise, en 1882, Souques fut obligé de demander de nouveaux emprunts, pour un montant de deux millions, au

Crédit foncier colonial, les Cail s'étant désengagés de la société. La crise de 1884, avec une forte baisse du prix du sucre mondial, qui se prolongea ultérieurement en deux autres phases de baisse des prix en 1894-95 et 1901-02, ruina les espoirs de Souques d'assurer le succès de sa fondation.

« Ceux-ci [les usiniers] ont multiplié les efforts pour soutenir la concurrence contre la betterave et le sucre étranger, ils n'ont reculé devant aucun sacrifice pour vaincre ou seulement pour obtenir un partage rémunérateur sur les marchés. À leur tour, ils ont été atteints[34]. » Le docteur Armand Corre dégageait fort bien en 1890 les données du drame qui s'était joué pour Souques et d'autres usiniers de Guadeloupe. Cependant, en l'espace d'une génération, des années 1850 aux années 1880, l'usine avait relevé le défi posé à l'économie antillaise en 1848. La Martinique avait, semble-t-il, grâce à la grande richesse de son négoce, mieux établi les bases de la prospérité, et, comme en Guadeloupe, l'ancienne habitation sucrerie tendait à disparaître aux Antilles françaises à la fin du siècle.

Le travail après l'émancipation

La proclamation de la liberté générale n'aurait dû avoir lieu que deux mois après l'arrivée des commissaires du gouvernement provisoire, Perrinon et Gâtine, afin de permettre la fin des travaux de la récolte de canne à sucre. Les nouveaux Libres, à la fin mai 1848, ne pouvaient que difficilement accepter de rester travailler dans une culture qui était celle de leur esclavage, et beaucoup pouvaient être tentés d'imiter ces affranchis des années 1830 dont un grand nombre avait gagné les villes. À Fort-de-France, après la loi d'affranchissement de 1832, on vit ainsi se constituer le faubourg misérable des Terres-de-Sainville.

Cependant la fuite hors des habitations fut loin d'être le cas général. Beaucoup y restèrent pour leur case et leur jardin tout en ne s'adonnant qu'irrégulièrement au travail.

Les témoignages sur la vie des affranchis au début des années 1850 sont divers et parfois contradictoires. Ainsi, à Sainte-Marie, sur la côte atlantique de la Martinique, en mars 1853, selon un rapport de gendarmerie, une soixantaine de nouveaux Libres avaient acheté ou loué plus de quarante-huit hectares où ils étaient établis avec femmes et enfants, « utilisant leur temps sur les habitations voisines[35] ». Il y aurait eu sortie de l'habitation, avec utilisation d'un pécule pour acheter de la terre, cela se conjuguant avec le maintien d'un travail sur les habitations. Quelques années plus tard, le maire du Vauclin, en 1859, déclarait : « Les cultivateurs indigènes travaillent avec zèle mais toujours dans le but d'acheter un morceau de terre. » Une tendance à vivre comme un petit agriculteur propriétaire grâce aux gains du travail à la plantation serait ici confirmée.

Tout autre est le ton d'un rapport de police, toujours à Sainte-Marie, en 1853 : « Mille deux cents individus, n'ayant rien, ne faisant rien, se livrent le samedi et le dimanche dans la nuit à des espèces d'orgies. » La même année, le 15 juillet, le rapport de la Société d'agriculture de Pointe-à-Pitre constatait : « Tout cultivateur cherche à se créer une apparence d'existence en dehors de la grande culture. Il suffit qu'il puisse satisfaire aux exigences des mesures administratives sur le travail[36]. » On citait l'existence aux Abymes de nombreux contrats de location de terres, « ce qui n'a été pour eux qu'un abri à la paresse et qu'un masque au vagabondage ». Ayant acquis ou loué une parcelle, le nouveau Libre échappait à la police du travail en fournissant quelques rares journées au propriétaire voisin et en déclarant que le reste du temps il cultivait sa terre.

« Une police du travail » avait, en effet, été mise en place. Dès 1848, Perrinon avait pris un arrêté contre le vagabondage. En 1852, ce fut l'institution du livret. Il fallait inciter au travail sans atteindre le régime de liberté. Le livret s'imposait à toute personne travaillant ou en état de travailler pour autrui, à la tâche, à la journée, avec un engagement inférieur un an. Les embauches successives y étaient inscrites avec l'appréciation des employeurs. Le nouveau Libre devait le faire viser par les autorités, et tout individu à livret sans visa était réputé vagabond. En Martinique, au 27 novembre 1852, les mairies en avaient délivré 27 000, au 31 décembre de la même année, 39 271.

Le 10 septembre 1855 intervint l'arrêté Gueydon. Tout individu de plus de seize ans devait avoir un passeport avec un visa du maire, obtenu contre l'acquittement d'un impôt en argent. Il était contraint au travail salarié pour se procurer l'argent nécessaire au passeport. Sinon, réputé vagabond, il devait se libérer par une amende ou un engagement de travail. En 1855, il y eut plus de cinq mille condamnés à l'amende en Martinique[37].

L'effet de cette législation contraignante fut réel et les craintes des planteurs de voir disparaître complètement la main-d'œuvre se dissipèrent. Certes, il y eut développement d'une population flottante allant vers les villes et bourgs, petits travailleurs indépendants, tenanciers de « lolos ». « Depuis quatre ans, la densité de la population des villes de Fort-de-France et de Saint-Pierre s'est considérablement accrue. Ils louent une maison, en divisant les chambres en petits compartiments par des cloisons de planches ou de tôles ; dans chacune d'elles s'installe une famille. Père, mère et enfants, tout cela grouille dans un espace qui, par son exiguïté, défie à un point incroyable tous les règlements possibles sur les logements insalubres[38] » (*La France d'Outre-Mer*, 1er août 1852). L'exemple de la Guadeloupe montre cependant une tendance bien réelle au retour d'un grand nombre des anciens esclaves, en dépit de résistances incontestables, sur les habitations. Ce fut la même tendance en Martinique. La chute du nombre des cultivateurs fut très nette après l'abolition de l'esclavage. Il y avait plus de 40 000 esclaves travaillant la canne à sucre en Guadeloupe avant 1848. Le nombre des cultivateurs sur les habitations tomba à près de 25 000 en 1849 et 1850. Mais il remonta au niveau des 40 000 dès 1853-1854[39]. Husson, le directeur de l'Intérieur dans cette colonie, pouvait déclarer, en prenant un arrêté semblable à celui pris par l'amiral Gueydon en 1855 pour la Martinique : « Le travail est... le principal objet de la police aux colonies. »

Mais la demande en main-d'œuvre était augmentée par l'installation des usines et allait provoquer le développement de l'immigration. Avant l'émancipation, l'éventualité d'un recours à l'immigration avait été soulevée. Le conseil colonial de la Guadeloupe demanda, le 1er juillet 1844, comme mesure préalable à l'émancipation d'introduire dans la colonie 10 000 « engagés » indiens ou chinois[40] (en 1852, la Réunion avait accueilli 27 278 immigrants, dont plus de 24 000 Indiens, plus de 2 000 Africains et 500 Chinois).

Après l'échec de tentatives d'immigration de travailleurs européens, le démarrage de l'immigration aux Antilles se fit en 1854-1855, avec des prêts des banques, subvention coloniale, et aide de l'État. En Guadeloupe, les planteurs « engagistes » payaient 150 francs par adulte introduit, 90 francs par enfant. Au total, de 1854 à 1870, 20 352 Indiens, soit 1 197 par an, furent débarqués dans la colonie, et 23 174 de 1869 à 1885. En Martinique, de 1855 à 1862, on introduisit 9 158 Indiens, soit 1 144 par an. La population indienne en Guadeloupe s'accrut notablement à partir de 1867. Elle s'élevait à :

1860	1865	1867	1869	1870	1885
5 761	8 489	11 591	11 628	12 190	21 805

Dans les années 1870, chaque engagiste payait une prime de 200 à 300 francs à l'Administration. Les Indiens étaient livrés par lots de dix, mais les demandes d'immigrants faites par les propriétaires dépassaient de beaucoup les possibilités de répartition offertes par le nombre d'engagés débarqués. En 1862, au bout de huit ans d'immi-

gration, restaient 16 844 demandes à satisfaire en Guadeloupe. Les mieux lotis furent en Guadeloupe les usiniers et
les grands planteurs de la Grande-Terre ; en Martinique,
les planteurs du nord de l'île.

À partir des années 1870, les planteurs furent davantage
incités à prendre les travailleurs asiatiques : d'une part, l'arrêt des mesures coercitives pesant sur les cultivateurs
locaux les poussait à abandonner le travail dans la grande
culture, d'autre part, du fait de la pénurie de travailleurs
créoles, se faisait sentir une forte hausse des salaires qui
doublèrent du début des années 1860 aux années 1870. De
0,60-0,75 franc par jour en 1848-1856, les salaires passèrent en 1875 à 1,25-1,50 franc, et, en 1880, à 1,80 franc.
Le salaire du travailleur indien était très inférieur, s'élevant
à moins de 0,60 franc en 1870.

Cependant cet emploi des cultivateurs indiens ne fut pas
sans poser des problèmes. Certes, l'Indien avait moins tendance à travailler irrégulièrement, mais, mal rétribué, mal
nourri, logé dans des conditions très précaires, il n'était pas
incapable de réactions de violences : en octobre 1870, alors
que la Martinique était secouée par la grande révolte du
Sud, les soixante immigrants de la Nouvelle Cité, l'habitation des Dessalles, voulurent massacrer leur géreur[41]. Mais,
surtout, cette main-d'œuvre se révéla très fragile, connaissant des taux de mortalité très supérieurs à ceux des autres
habitants des Antilles. En 1883, année sans épidémie, pour
16 083 personnes, en Guadeloupe, le groupe indien eut
1 089 décès et 452 naissances ; le déficit se montait à
637 personnes. En 1865, année du choléra catastrophique
de la même colonie, avec 1 281 décès pour 3 893 Indiens
sur 49 habitations, on parvint à un taux « terrifiant » de
329 ‰[42]. Or la même année, le taux de mortalité guadeloupéen fut de 79,9 ‰, 11 839 morts pour 149 707 habitants.

Pour maintenir un nombre suffisant de travailleurs, il fallait un afflux incessant d'immigrants. L'engagement n'était
signé que pour cinq ans ; au terme de ce délai, l'Indien

avait droit à son rapatriement aux frais de l'Administration, mais beaucoup ne le furent pas. Les uns furent autorisés à résider après l'engagement, les autres contractèrent un nouvel engagement, mais ils furent relativement peu nombreux à le faire. Après dix ans de séjour, ayant fondé des familles, habitués au pays, connaissant le créole, beaucoup de « coolies » renonçaient à repartir. Ils demeuraient « gens casés » sur les habitations, recevaient un lopin de terre pour y pratiquer des cultures vivrières, devant en retour le travail au seul propriétaire qui les casait et ne pouvaient travailler pour d'autres qu'avec son autorisation, condition identique à celle des ouvriers créoles casés.

Aux côtés des Indiens, on vit arriver des engagés africains, les Congos, 5 800 furent reçus en Guadeloupe de 1857 à 1861, 9 080 en Martinique pour les mêmes années. On mit fin rapidement à une immigration en laquelle beaucoup voyaient une traite déguisée. L'immigration chinoise fut nettement plus réduite, 428 Chinois introduits en Guadeloupe de 1853 à 1861, 979 en Martinique pour la même période.

Des paysans petits propriétaires

Dans son étude de l'économie agricole martiniquaise de 1845 à 1882, Annick François-Haugrin a dégagé avec clarté les caractères de la naissance d'une petite paysannerie propriétaire à la Martinique après l'abolition de l'esclavage. Christine Chivallon, dans une analyse très précise de la conquête des mornes alors faite par ces paysans, a montré comment plusieurs générations ont pu s'enraciner dans cette appropriation du sol et acquérir une identité jusquelà insuffisamment retenue[43].

De 1848 à 1875, 7 099 portions de terre, détachées des habitations traditionnelles, furent vendues dans l'arrondissement de Saint-Pierre, du Macouba au nord sur la côte atlantique jusqu'au Robert, et du Prêcheur à Case-Pilote sur la côte caraïbe. Le phénomène atteignit son paroxysme dans les années 1850-1870. Plusieurs milliers de nouveaux Libres accédèrent à la propriété sur ces terres des mornes. Ce qui entraîna une augmentation des cultures vivrières, comme en témoigne le tableau suivant.

	1831	1855	1895
Cannes (ha)	17 099	16 599	19 116
Vivres (ha)	7 597	12 536	15 067

Les ventes de portions de terres se faisaient dans des régions marginales, telle celles des mornes dont Christine Chivallon narre la conquête par les affranchis de 1848. Elles ne bouleversèrent pas le paysage des zones basses où la plantation conserva l'intégralité de son territoire. Cette appropriation fut favorisée par les intérêts conjugués d'une frange de planteurs spéculateurs et de nouveaux Libres voulant des terres et un style de vie sortant du cadre de la grande plantation. Le mode d'acquisition fut l'achat et non l'occupation sans titre. Il était le fruit de l'épargne longue de la part de nouveaux Libres qui continuaient à travailler pour un employeur, tout en achetant et en cultivant des lopins de terre. Tel cultivateur libéré en 1848 sera propriétaire de 10 hectares en 1864 et possédera jusqu'à une trentaine d'hectares en vivres et en café en 1880. Mais la moyenne des parcelles achetées ne dépassait pas 1,29 hectare. L'assise foncière obtenue permit toutefois au nouveau Libre d'étayer sa liberté.

Une telle situation fut le résultat d'une « stratégie de compromis ». Le travail qui pouvait être continué par l'ancien esclave sur la plantation représentait une corvée temporaire ou une source occasionnelle de revenus. Une véritable identité fut ainsi trouvée par le nouveau Libre, fondée sur la pluriactivité et des rapports marchands. Le travailleur échappait ainsi à la « dépossession permanente de son identité » décrite par la théorie de l'aliénation. Le surplus produit sur ces propriétés paysannes (vivres mais aussi café, cannes) servait de complément à la production des grands domaines pour être écoulé sur le marché extérieur. En phase de croissance des cours, le petit propriétaire était fondé à espérer pouvoir élever ses revenus monétaires et ainsi agrandir son domaine par de nouveaux achats. En phase de régression, il revenait à l'autosubsistance.

En fait, cette progression de la petite propriété aux mains des affranchis n'a pas commencé avec la période postabolitionniste. Ainsi Christine Chivallon observe qu'à Rivière-Pilote le hameau du Morne-Honoré ne fut pas créé par la mutation des années 1850-1860 : « Une partie de la population actuelle descend en ligne directe d'une famille de mulâtres libres installés en cet endroit dès le début du xixe siècle[44]. » Il reste que ce fut bien après 1848 que ce mouvement prit toute son ampleur. Ses participants purent émerger du monde de la plantation tout en lui restant liés pour en tirer un revenu susceptible de consolider leur émancipation.

VIE POLITIQUE ET SOCIÉTÉ

Les craintes des colons face à l'émancipation et à ses conséquences socio-économiques les poussèrent à obtenir du pouvoir en métropole les mesures propres à satisfaire leur désir de voir maintenues des traditions qui avaient permis la prospérité, sans tenir compte des mutations intervenues. L'échec de la fusion prônée par Bissette était patent au lendemain de l'abolition de l'esclavage. Dès 1849, une politique autoritaire annonçant celle mise en place deux ans plus tard après le coup d'État du 2 décembre 1851 parut l'écarter définitivement. Cependant certains n'y renonçaient pas, voire s'en rapprochaient en se plaçant en dehors de la seule arène politique, tel un Pory Papy, adjoint au maire de Saint-Pierre, en mai 1848, et premier député de la Martinique à la Constituante en 1871. Il pouvait déclarer devant la cour d'assises de Basse-Terre le 21 juin 1850 : « La conciliation aux colonies est une nécessité sociale, mais ce n'est pas dans l'urne du suffrage universel que la conciliation est possible ; c'est dans les travaux des champs et de l'usine, c'est dans les relations commerciales et privées, sans intermédiaire officiel et politique, que la conciliation aura lieu[45]. »

Chez tous les Antillais – Blancs, mulâtres et Noirs –, les repères culturels étaient les mêmes ; importance de la langue créole, du carnaval et d'autres fêtes, partage d'une histoire et d'une culture, méfiance profonde à l'égard des métropolitains, en même temps que tous étaient habités par le même racisme. L'octroi par la République du droit de vote pour tous en 1871 ne mit pas fin, en effet, à l'existence des problèmes raciaux en Martinique et en Guadeloupe. Le racisme fut le lot de tous, Blancs, mulâtres et Nègres eux-mêmes. L'auteur de *Nos Créoles*, Armand Corre, put être accusé de racisme quand il soulignait l'importance de ce problème, mais il était lucide.

> Je ne veux pas dire que les blancs soient exempts de tout reproche et qu'ils aient entièrement dépouillé les vieux sentiments de leur race vis-à-vis du monde de couleur. Mais je prétends que, chez eux, le préjugé est plus tempéré par une inclination réelle vers le *vrai* noir tandis que le mulâtre reporte à la fois ses vanités et ses haines et contre le noir et contre le blanc[46].

Masquant en partie la réalité de ces problèmes, la politique va l'emporter dans un jeu souvent stérile après les dix-huit années de régime autoritaire napoléonien. Portés par un suffrage universel tronqué car d'une part le pourcentage d'abstention fut toujours très élevé, dépassant les 88 % en 1871 et dans les années suivantes, d'autre part les Blancs ne participaient pas délibérément au vote et les Noirs s'abstenaient pour leur grande majorité, les mulâtres dirigèrent la vie politique. Ce ne fut pas sans connaître des affrontements sévères avec les Blancs – d'ailleurs plus avec les Békés de Martinique qu'avec les blancs-pays de Guadeloupe –, dans des campagnes de presse souvent très violentes, voire dans des rixes urbaines comme celle éclatant à Saint-Pierre avec l'affaire Lota dans la Martinique de 1881. Une mutation apparut dans la décennie 1890, quand l'exacerbation de la crise sucrière déclencha des troubles dans les campagnes qui permirent aux Noirs d'émerger pour la première fois dans la vie politique des Iles, en s'affranchissant de la tutelle des mulâtres.

La vie politique aux Antilles sous le Second Empire

On pourrait croire à l'absence de toute vie politique aux Iles à en croire les propos du gouverneur de la Martinique écrivant à son ministre au début de 1853 : « L'esprit public s'est amélioré..., j'attribue cet heureux résultat à l'anéantissement de la vie politique, amené principalement par la censure que j'ai maintenue à la Martinique[47]. » Ce serait cependant aller vite en besogne. Si effectivement l'empire autoritaire a pu réparer « le mal profond causé par le bouleversement profond de 1848[48] », au bout de quelques années, la censure se relâcha, des factions apparurent au sein du conseil général en Martinique pour faire pression sur le pouvoir.

Il est sûr qu'à ses débuts le régime a entendu effacer complètement l'esprit de 1848 qui voulait intégrer les Antilles au sein de la Deuxième République dans une perspective assimilationniste. « Lorsque le Prince Président de la République reconstitua la société française, il comprit, dans sa sagesse, que les colonies, bien que françaises par leurs territoires, leurs idées, leurs sentiments, leur esprit de nationalité, ne pouvaient être régies aujourd'hui par la même loi constitutionnelle[49] » (débat du Sénat, 1852). Le suffrage universel encore reconnu dans la métropole fut supprimé, et le gouverneur reçut un rôle encore plus prééminent peut-être que sous l'Ancien Régime. Il était assisté d'un conseil privé composé de fonctionnaires parmi lesquels se remarquait la présence de mulâtres, tel le maire de Fort-de-France, Étienne Didier. Mais on ne peut soutenir que toute représentation des colonies en France ait été supprimée. Un comité consultatif des colonies siégeait à Paris, il était en partie composé de membres choisis par le gouverneur mais comprenait aussi des délégués des conseils généraux des Antilles. Ces conseils étaient composés en majorité de Blancs, grands planteurs ou négociants, mais il y avait aussi des mulâtres, soit choisis par le gouverneur (en 1865, trois sur les douze nommés par lui en Martinique), soit par les conseils municipaux.

À partir de 1861, au sein du conseil général de la Martinique, le baron de Lareinty, un grand propriétaire usinier, mena campagne pour donner davantage de compétences au conseil. Le sénatus-consulte de 1866 fut en partie le résultat de cette action à laquelle avaient participé des hommes de couleur tel Marchet qui lança des pétitions au Sénat et dans la presse en revendiquant pour « une classe de couleur expulsée de toutes les carrières, de toutes les assemblées, la juste place conquise dans la société coloniale ». Ces propos étaient en partie inexacts : plusieurs mulâtres faisaient déjà carrière dans l'Administration, des maires mulâtres dirigeaient les municipalités de Fort-de-France, Saint-Pierre, le Prêcheur, Saint-Esprit, le Gros-Morne, et il y avait des mulâtres dans les conseils généraux. Mais ils montraient déjà quelles étaient les ambitions des gens de couleur déçus par l'Empire qui avait exilé « l'illustre Schœlcher », leur héros.

Les décisions de 1866 étaient importantes car, satisfaisant de très anciennes revendications, elles donnaient aux colonies une autonomie financière qu'elles n'avaient jamais eue. En effet, les conseils généraux recevaient le droit d'établir et de voter les budgets, d'orienter la législation douanière à laquelle le libre-échange instauré depuis 1861 donnait une assise nouvelle.

Si les hommes de couleur se faisaient déjà entendre sur la scène politique, les divisions internes profondes de la société étaient-elles aussi vives qu'en 1848 ? Certes, contraints au travail par la réglementation du livret, les cultivateurs cherchaient à s'évader, au moins partiellement, de la grande culture en devenant ces petits propriétaires actifs des mornes, et tentaient de rejeter l'autorité des grands propriétaires blancs ou mulâtres qui leur rappelait le temps de l'esclavage. Pris dans la servitude de la glèbe, les immigrés indiens demeuraient les plus mal lotis.

Mais il y avait entre Blancs et mulâtres ces contacts privés demandés par un Pory Papy, antérieurs d'ailleurs à la révolution de 1848. Les élites de couleur recevaient l'enseignement donné dans les institutions religieuses créées dans les années 1830. Le futur sénateur Pierre-Alexandre Isaac fut élève de l'institution des frères de Ploërmel à Basse-Terre avant de terminer sa scolarité à Nantes ; le mulâtre Étienne Lacascade, député en 1875, fréquenta aussi à Basse-Terre cette institution. Au-dessous de ce niveau des élites, « initiateurs aux choses de l'intelligence et de la morale », les frères de Ploërmel avaient obtenu dans leurs treize écoles de Martinique comme en Guadeloupe une audience reconnue auprès de la classe de couleur qui leur confiait ses enfants avec la plus grande confiance. Dans les années 1860, ils pouvaient rassembler jusqu'à près de deux mille élèves en Martinique et bénéficiaient d'une grande popularité, tout comme les sœurs de Saint-Joseph de Cluny qui avaient fondé quelque dix écoles primaires gratuites dans la même colonie.

En dehors des carnavals qui faisaient frémir villes et bourgs dans une liesse débridée, de grandes fêtes firent l'unanimité des créoles, telle celle de l'inauguration de la statue de Joséphine, l'impériale créole, en septembre 1859 sur la Savane de Fort-de-France. Si, comme le soutient Richard Burton, l'élite békée pouvait « s'identifier » avec cette créole idéale, les élites de couleur ressentaient, elles aussi, une grande fierté de voir célébrer la plus célèbre Martiniquaise.

Autre fête, moins propre à satisfaire la propension des créoles à trouver dans une figure emblématique le symbole du charme insolite de leurs îles, cette fête donnée en 1864 pour l'inauguration de la conduite amenant l'eau de Case-Pilote (Schœlcher) à Fort-de-France qui pouvait donner à la population de la ville le sentiment d'accéder à une certaine modernité.

Mais les tensions sociales perduraient ; sur la plantation, le monde du travail restait marqué par la dureté de sa condition, en même temps, le préjugé de couleur sévissait encore en marquant les rapports quotidiens. À la fin du Second Empire, en février 1870, en Martinique, une querelle, suivie d'une rixe, mit aux prises sur la route menant du Marin à Rivière-Pilote un Blanc métropolitain, Augier de Maintenon, accompagné d'un Blanc créole, Pelet de Lautrec, et un entrepreneur noir, Léopold Lubin. Deux mois plus tard, ce dernier se vengeait le 25 avril en rouant de coups Augier de Maintenon. Poursuivi, il fut condamné à cinq années de bagne, le 19 août 1870. Cette peine très excessive fut ressenti au Marin et à Rivière-Pilote comme « un malheur politique pour tous et une humiliation intentionnellement infligée à la race Nègre[50] ». Un des jurés responsable de la condamnation était un Blanc créole, Cléo Codé, propriétaire de l'habitation La Mauny, proche de Rivière-Pilote, qui affichait des opinions ouvertement conservatrices, mais était, selon Souquet-Basiège, connu pour « ses bienfaits continuels et un caractère très doux[51] ».

La nouvelle du désastre de Sedan et de la proclamation de la République au début septembre 1870 allait, près d'un mois plus tard, déclencher une insurrection qui, partie de Rivière-Pilote, atteignit tout le sud de l'île. Dans la nuit du 22 septembre, des habitations furent incendiées, dont celle de Codé, et des mulâtres, jugés trop favorables aux Blancs, furent agressés. Dès le lendemain, des renforts de troupes dispersèrent les insurgés, mais Codé était assassiné le 24 septembre. En 1871, au procès des rebelles, certains furent tentés de voir dans cette révolte une tentative de faire un nouveau Saint-Domingue. Les insurgés avaient-ils les vues politiques qu'on leur prêta ? Ils auraient récusé la France impériale et la classe békée qui s'y identifiait, et Codé était le mauvais Blanc à opposer au bon Blanc qu'était alors Victor Schœlcher. Séduisante, cette interprétation reste discutable. Un des chefs de l'insurrection, Eugène Lacaille, un mulâtre, était propriétaire d'une habitation et entrepreneur ; en même temps il avait des talents de *quimboiseur* qui lui permettaient d'exercer une certaine influence sur les cultivateurs qui se révoltèrent. Selon la tradition créole, il aurait promis aux insurgés l'invulnérabilité en les immergeant dans un bain à feuilles de sa confection. Békés et mulâtres de Saint-Pierre et de Fort-de-France soutinrent la répression en envoyant des détachements de volontaires contre les insurgés. Chez beaucoup de ces derniers, travailleurs congos ou coolies indiens, recrutés par les meneurs, il y avait désir de contester un ordre social s'identifiant avec la dureté de leur condition. Les menaces contre les Blancs et leurs propriétés se retournaient aussi contre les hommes de couleur aisés. Chez les mulâtres, seul « le dernier étage de la classe de couleur » s'était joint à la classe noire[52].

La répression fut sévère, cinq exécutions, vingt-huit condamnations aux travaux forcés à perpétuité, trente-trois aux travaux forcés de dix à vingt ans. Schœlcher ne vit dans l'insurrection que l'action de « quelques malfaiteurs » réussissant à égarer « les malheureux noirs[53] », tout en protestant contre les exécutions. Pour lui la rivalité entre Blancs et hommes de couleur devait se régler par le suffrage universel. En fait, ce fut loin d'être le cas.

Le temps des mulâtres

En septembre 1881, à la Martinique, un des grands mulâtres élevés au pouvoir par le rétablissement du suffrage universel dix ans plus tôt sut remarquablement définir au Lamentin, en pleine campagne électorale, la position des mulâtres et leur programme. Neveu du négociant Louis Fabien, l'ami de Bissette, condamné avec lui en 1824, Ernest Deproge, représenta la colonie à la Chambre des députés à Paris pendant plus de dix-sept ans, de 1881 à 1898. Hommes nouveaux s'opposant à l'ancienne classe dominante des Békés qui refusaient le suffrage universel et le nouveau régime républicain, les mulâtres se montraient avides d'occuper le terrain politique et de prendre en main le pouvoir local.

> Ces hommes partis de rien se sont peu à peu élevés par leur travail, leur énergie, leur patience et les épreuves...; le premier besoin d'une société long-temps méprisée est de se relever aux yeux de ceux-là mêmes qui l'avaient injustement méconnue..., l'avenir est plein de promesses pour nous, nous en attendons la réalisation de nos rêves[54].

Prononçant ces paroles, Deproge entendait aussi se définir comme un homme d'ordre : « Ce qu'il nous faut avant tout, c'est l'ordre, c'est la paix... qu'avons-nous à gagner au trouble ? » Par là il s'opposait nettement, lui le mulâtre de Fort-de-France où la classe de couleur héritait un long passé d'aisance et de notoriété, à ce mulâtre pierrotin, Marius Hurard, élu la même année que lui à la Chambre en 1881. Hurard, avocat et journaliste de talent, mais à la violence reconnue et traduite dans les colonnes de son journal *Les Colonies*, était le petit mulâtre qui s'opposait alors très durement aux Békés de Saint-Pierre. En Guadeloupe, Gaston Gerville-Réache, élu la même année, à l'âge de vingt-sept ans, et constamment réélu jusqu'en 1908, représentait comme Deproge la tendance des grands mulâtres modérés. Ce fils d'un greffier à la cour d'appel était pour Armand Corre un député travailleur, intelligent, « le seul à [son] avis qui se soit montré à la hauteur de sa mission parmi les favorisés du vote populaire dans [les] colonies[55] ».

Cette année 1881 devait marquer les destins antillais. À la Martinique fut nommé un gouverneur ouvertement favorable aux mulâtres, Gaétan-Vincent Allegre, qui devait soutenir Hurard, l'agitateur, dans le conflit opposant d'abord son journal *Les Colonies* à la presse békée puis au journal *Les Antilles*, soutenu par l'évêché, Hurard menant alors une campagne électorale délibérément hostile à l'Église. Le futur député mulâtre se déchaîna aussi contre un des Békés les plus portés à rejeter le nouveau pouvoir mulâtre, le Dr Lota qui faisait partie du cercle de l'Hermine à Saint-Pierre, bastion de la résistance nostalgique des grands Békés aux prétentions de la classe de couleur.

Disciple de Ferry, la classe politique mulâtre osa alors s'attaquer à une institution qui avait formé pourtant bien des siens, ces écoles des frères de Ploërmel qu'elle voulait remplacer par des maîtres laïcs. En la matière, Marius Hurard se fit le plus agressif, faisant voter par le conseil général la création d'un lycée à Saint-Pierre, remettant pour cela en question l'existence du séminaire collège diocésain où lui-même avait pu élever son niveau intellectuel et social. Les mulâtres ne craignirent pas de se heurter à des manifestations populaires qui marquaient la résistance des plus humbles attachés à leurs frères. Alors que le départ des frères de Ploërmel décidé en 1880 se voyait retardé faute de pouvoir disposer des instituteurs laïcs nécessaires, Deproge notait à Fort-de-France cet attachement de la foule aux écoles des frères : « Des femmes et des enfants s'étaient répandus dans la ville... et fêtaient le maintien des frères de Ploërmel..., pendant toute une après-midi, la ville fut livrée aux partisans des frères[56]. »

Cette laïcisation de l'enseignement déclencha l'ire des Békés de Martinique comme des Blancs de Guadeloupe. Quand, en 1880, à la même date que dans l'île voisine, le grand mulâtre Alexandre Isaac, lui aussi formé chez les frères de Ploërmel, récemment promu au poste important de directeur de l'Intérieur de la Guadeloupe, présenta son projet d'enseignement public gratuit et laïque devant le conseil général, prévoyant une école primaire par commune et la création d'un lycée à Pointe-à-Pitre, Ernest Souques, président de ce conseil, vota bien sûr contre le projet, et *Le Courrier de la Guadeloupe*, le journal des grands sucriers, tout en déclarant : « Il est bon que tout le monde sache au moins lire et écrire », ajouta : « L'instruction sans éducation et sans principes ne constitue pas un bien grand avantage pour l'individu[57]. » Pour les Blancs créoles, ces principes ne pouvaient être inculqués que par un enseignement chrétien. Le lycée Carnot de Pointe-à-Pitre fut inauguré le 1er septembre 1883.

La laïcisation de l'enseignement faisait partie du programme de l'assimilation à la République, cher à bien des grands mulâtres revenus de France riches du savoir et forts de leurs relations politiques, soutenus par Schœlcher, appartenant aux mêmes loges maçonniques que les républicains. Dès novembre 1874, le conseil général de la Martinique, déjà dominé par les mulâtres, se proclamait « français de droit, de langage, de coutumes, de cœur », soutenant qu'il fallait soustraire les colonies au régime exceptionnel et les faire jouir des lois et de l'administration de la mère patrie[58]. Préparant son élection sénatoriale en décembre 1884, Alexandre Isaac affirmait dans *Le Progrès de la Guadeloupe* ses convictions assimilationnistes : « Il n'existe plus aucune raison suffisante de considérer des pays comme le nôtre autrement que comme un des départements français qui doivent recevoir, sous la seule réserve de certaines mesures de décentralisation, la même constitution que les départements du continent[59]. »

L'assimilation pouvait se justifier par la mutation intervenue dans les rapports entre la métropole et ses colonies avec la mise en service de bateaux à vapeur, l'installation d'un câble transatlantique depuis le milieu du xixe siècle favorisant la circulation des personnes et des informations d'une rive à l'autre de l'Atlantique. L'influence des mulâtres (et des Blancs) sur l'opinion et le pouvoir central était déjà grande auparavant, elle se renforça. Un lobby colonial intervenait à la Chambre et au Sénat. Cette évolution n'était pas sans susciter la réaction de métropolitains comme un Corre qui supportait mal « l'immixtion de l'élément colonial dans nos propres affaires » et dénonçait le poids excessif de l'entretien des colonies sur les budgets de la République :

> La part de contribution budgétaire qui, pour nous autres métropolitains, équivaut individuellement à 84 F 90 ou à 34 journées de travail... se réduit à des chiffres singulièrement bas dans nos colonies... En Guadeloupe, on tombe à 29 F 90 (15 journées à 2 F), à la Martinique, à 38 F 80 (22 journées à 1 F 75)... La métropole accorde en outre une forte subvention à ces petits pays, prend à sa charge une grande partie des dépenses d'administration et de protection. Elle se laisse soutirer des emprunts qu'on lui rembourse mollement[60].

Relevant encore de cette tendance assimilationniste, la loi douanière de 1892 mit fin à l'autonomie douanière laissée aux Antilles depuis 1866. Les conseils généraux ne fixeraient plus le régime douanier des Iles. Il est vrai que la crise économique mondiale conduisait les différents pays à s'entourer de barrières protectionnistes. Il ne fut plus question pour les Antilles de donner une large place dans leurs importations aux produits venant des États-Unis sur lesquels pesèrent de lourdes taxes. Destinée à protéger les exportations françaises, la loi était également moins favorable aux importations en métropole des produits coloniaux – essentiellement le sucre – qui devraient acquitter à l'entrée en France les mêmes taxes que les produits étrangers. De telles dispositions suscitèrent la colère des sucriers.

En réagissant contre le prédécesseur d'Allegre au gouvernement de la Martinique, l'amiral Aube, qui s'employait à préserver l'identité coloniale et tendait à soutenir les Békés,

Deproge avait défendu en 1882 une intégration de la Martinique à la France républicaine, entendant par là le rapprochement des classes de la colonie, ce qui pouvait paraître bien illusoire, alors que Békés et Nègres ne participaient guère aux votes. Certes, les Békés et les mulâtres pouvaient se rencontrer dans la rue, dans les affaires, à l'église ou au cimetière pour enterrer une connaissance, mais là s'arrêtaient les contacts, et les affrontements ne cessèrent pas.

Les grandes familles békées restaient fières de leur passé de pionniers des habitations sucreries et de créateurs des usines centrales, elles voyaient mal l'invasion des pouvoirs locaux par les avocats, fonctionnaires et politiciens mulâtres, et commirent la faute de l'abstention du jeu politique, laissant les mulâtres se débattre à leur guise dans leurs si nombreuses querelles quotidiennes. Certes, la résistance au pouvoir mulâtre se fit en Guadeloupe dans quelques municipalités, des bourgs sucriers comme Saint-François, l'Anse-Bertrand, Port-Louis[61]. De 1857 à 1885, la dynastie des Souques dirigea Port-Louis, et des maires blancs créoles leur succédèrent jusqu'en 1906, bénéficiant de la toute-puissance de l'usine de Beauport. Ernest Souques entra au conseil général en 1864 et y régna jusqu'en 1898. Gerville-Réache lui prêtait ces mots : « Je laisse aux Nègres de la colonie la représentation politique et les fonctions publiques, mais je me réserve le conseil général[62]. »

À la fin du siècle, les Blancs revinrent jouer un rôle politique direct en s'alliant avec tel ou tel parti mulâtre, ces derniers restant guidés par des intérêts personnels. Des mutations allaient aussi intervenir : longtemps méprisés par les mulâtres, les Noirs devaient prendre aux Antilles une nouvelle place avec l'émergence d'un parti socialiste qui n'acceptait plus la hiérarchie des classes jusque-là acceptée. Le 27 août 1891, le journal Le Peuple rappelait celle-ci en Guadeloupe : « Le Blanc en haut de l'échelle sociale, le mulâtre à égale hauteur, et le nègre à l'extrémité opposée, c'est-à-dire en bas tout à fait. » Après l'échec du Noir David aux élections législatives de 1885 dans la même colonie alors qu'il était déjà conseiller général, treize ans plus tard, un autre Noir, promis à un exceptionnel destin politique, Légitimus, l'emportait sur le grand mulâtre Auguste Isaac, obtenant 5 127 voix contre 3 340 à son adversaire dès le premier tour[63].

Les mulâtres avaient fondé une part de leur popularité en exploitant les fêtes républicaines comme celle du 14 Juillet à partir des années 1880 qui était transformée à Saint-Pierre en quatre jours de festivités, telles celles qui, en 1881, précédèrent dans cette ville l'affaire Lota et l'élection de Marius Hurard. Dans la ville pavoisée le rhum coulait à flots, les paris se faisaient sur les vainqueurs des courses de canots dans la rade ; dans les grands bals, sous les lampions de la Savane du Fort, les *ti-tanes*, ces jeunes soupirantes de couleur, dansaient force biguines. Un affrontement violent suivit ces journées, qui dressa, du 18 au 20 juillet, les partisans surexcités de Marius Hurard, le futur député, contre la maison du Béké Lota qui avait osé défier leur idole. Ces débordements rappelèrent aux Blancs les journées de septembre 1870. Le 21 juillet, à la Saint-Victor, en l'honneur de Schœlcher, certains mulâtres n'hésitaient pas à arborer à leurs fenêtres l'image de l'abolitionniste vénéré.

Bien plus ancrées dans la tradition antillaise, les grandes fêtes du carnaval ou de la Toussaint donnaient à toutes les classes l'occasion de manifester, dans le désordre débridé de la première comme dans le recueillement de la seconde, la familiarité de populations exubérantes avec des joies ou des peines faisant battre le cœur des villes et des bourgs. On pouvait dans le carnaval oublier quelques jours la dureté du climat ou des conditions de vie. En effet, dans ces îles, le temps des grandes catastrophes était toujours présent, cyclone de 1891 en Martinique qui fit quarante-trois morts à Saint-Pierre, incendie de Fort-de-France l'année précédente où plus de la moitié de la ville fut en flammes et qui fit vingt-cinq victimes, des milliers de sans-abri, et détruisit la cathédrale, incendie encore plus dévastateur de Pointe-à-Pitre en 1899. Et il y avait cette peur latente de l'épidémie, le choléra de 1865 qui ne pouvait être oublié en Guadeloupe, la fièvre jaune dans les deux îles que les autorités s'efforçaient d'occulter.

Le carnaval commença à être fêté dès le début du XVIIIᵉ siècle, et les autorités s'efforcèrent d'empêcher les débordements ; à la fin de ce siècle, sous le régime anglais, il fut interdit de circuler masqué dans les rues, interdiction renouvelée jusqu'en 1850. L'Église tentait bien de rappeler à ses fidèles les règles de la bienséance, mais ces recommandations n'avaient que peu d'écho. Saint-Pierre était la ville la plus réputée pour son carnaval. Békés et grands mulâtres se retrouvaient dans le magnifique théâtre de Saint-Pierre pour les bals masqués. Place de la Batterie-d'Esnotz naissait le carnaval : une foule bigarrée, saisie par le choc des tambours et le cri des clarinettes, montait du bas de la ville, du Mouillage, et descendait des Mornes. Peuple déguisé, masqué, où se mêlaient les Nègres « gros sirop », les travailleurs du sucre, les congos des plantations, les coupeurs de canne armés de leur machette, les amarreuses en jupe de percaline, suivis des « diables » rouges des pieds à la tête, sautant, bondissant. Ces innombrables cortèges d'hommes et de femmes suivaient les mouvements des danses, au milieu des chants et des rires, on s'interpellait sans se connaître, tel ou tel poussait une chanson en créole raillant avec verve un notable[64]. En fait, c'était depuis le jour des Rois que duraient les réjouissances mettant toute la ville en fête. Le mercredi des Cendres, c'était l'enterrement du carnaval, en costume de deuil, et on déposait alors les masques, les rues s'animaient du célèbre « vidé des *guiablesses* » pour célébrer la mort de Sa Majesté Carnaval.

Le jour des morts, à la Toussaint, une foule recueillie allait vers les cimetières pour y tenir compagnie aux défunts, dans une grande familiarité, les enfants jouant avec des objets ayant appartenu aux disparus, coquilles de lambi, colliers, et autres souvenirs. Après les prières, devant les tombes, assis sur des pierres ou des bancs de bois, on papotait en attendant l'arrivée du prêtre.

Mais d'autres jours de fêtes réunissaient encore Guadeloupéens et Martiniquais, tel ce *Gloria* du samedi saint, à la veille de Pâques, qui voyait tout le monde rassemblé sur les plages, au bord des rivières, pour un plongeon propitiatoire qui devait débarrasser chacun de la saleté de ses fautes et lui faire obtenir le pardon divin. C'étaient aussi les parties de campagne où familles et voisins se retrouvaient le lundi de Pâques. *Les Colonies*, le journal de Marius Hurard, tenait à rappeler, en 1891, comment ces parties de campagne étaient plus que jamais de mode, et « l'on croirait manquer au plus saint des usages si l'on restait dans Saint-Pierre ». Des excursions amenaient les citadins sur les bords de la rivière des Pères, aux eaux thermales du Prêcheur, comme aussi jusqu'au sommet de la montagne Pelée. Le retour à la ville était tout un spectacle.

La fête aux Antilles ne pouvait masquer les difficultés encore grandes vécues par leurs populations. Un demi-siècle après l'abolition de l'esclavage, en dépit des efforts méritoires des grands mulâtres pour généraliser l'alphabétisation, les Nègres ne voyaient encore émerger que quelques-uns des leurs. La force du préjugé de couleur demeurait intacte d'une classe à l'autre, mépris pour les « nègue z'habitation » qui restaient attachés à la grande culture, désir de s'élever par le blanchiment de la peau et par les emplois procurant l'estime dans l'Administration ou par les professions libérales[65], orgueil du créole blanc qui se méfiait toujours d'une métropole émancipatrice, républicaine et jugée bien trop favorable aux mulâtres. Ces derniers avaient bénéficié pendant quelques années d'une certaine prospérité économique. La crise sucrière débuta cependant dès 1884, obligeant les usiniers à mettre tout en œuvre pour réduire les coûts de leur production, en particulier par une baisse des salaires et du prix de la canne qui provoquait la colère des cultivateurs et des planteurs. La décennie 1890 vit s'amplifier la crise et, au tournant du siècle, les îles devaient affronter une conjoncture difficile. Les grèves des travailleurs du sucre allaient se multiplier en même temps que les rivalités politiques se faisaient plus vives, avec l'émergence de dirigeants noirs comme un Légitimus en Guadeloupe et des alliances inattendues entre l'usine et les nouveaux notables.

Les Antilles de 1900 à 1946

La crise sucrière

Depuis 1884, la Martinique et la Guadeloupe connaissaient un repli de leur économie sucrière. Une concurrence internationale de plus en plus vive avec le poids de producteurs comme Cuba (en 1913, Cuba produisit 2,6 millions de tonnes de sucre, soit plus de 13 % de la production mondiale, la Martinique n'en produisit pas plus de 41 000 tonnes) et la part croissante prise par le sucre de betterave sur le marché – en 1884, plus de 60 % de la consommation en France – aboutissait à faire s'effondrer les prix. Trois crises majeures furent alors subies par l'économie sucrière antillaise, celles de 1884-1886, de 1894-1897 et de 1902-1904. Leurs conséquences sociales et politiques furent très importantes. Sur le plan social, ce furent, à plusieurs reprises des grèves chez les travailleurs du sucre, les difficultés croissantes subies par les usines dont les coûts de production étaient très supérieurs à ceux de leurs concurrents à Cuba ou à Porto Rico. Du côté politique, il y eut une émergence d'un parti socialiste favorisée par la crise et dominé par les Nègres, avec, en Guadeloupe, le succès d'un Légitimus.

L'année 1882 avait marqué l'apogée de la prospérité à la suite de l'expansion rapide de l'industrie sucrière dans les années 1860-1870, sous l'effet d'un brillant essor des usines qui obtenaient des rendements en sucre depuis la canne traitée très supérieurs à ceux réalisés dans les habitations sucreries traditionnelles. Dans la première crise, la baisse des prix fut brutale, en Guadeloupe : de 65 francs le quintal en 1883, le sucre tomba à 40 francs en 1884. La baisse devait s'affirmer encore plus dans la seconde crise, et, en 1897, son prix n'était plus que de 25 francs. L'offre dépassait de loin une consommation française estimée en 1883 à 402 000 tonnes avec une importation coloniale de 76 000 tonnes, étrangère de 125 000 tonnes, alors que la production française s'élevait à 423 000 tonnes. À Darboussier, en Guadeloupe, les bénéfices se montaient à plus d'un million en 1882, mais, en 1884, on y enregistrait une perte de près de six cent mille francs[1]. Déjà important avant la crise, l'endettement des usines s'accélérait. Certes la situation se redressa nettement à la fin de la décennie 1880 – Darboussier enregistra alors ses meilleurs résultats –, mais la crise refit son apparition en 1894, et, en 1895, la valeur des exportations guadeloupéennes était tombée à 7,7 millions, soit moins de la moitié de la valeur de celles de 1894.

À partir de l'année 1900, après une campagne sucrière catastrophique car la Guadeloupe avait connu un violent cyclone en 1899 et une sécheresse persistante en 1900, endommageant les plantations et réduisant les volumes récoltés, il y eut un nouvel effondrement des cours : à Darboussier, on vendait 37,97 francs, le quintal en 1900, 32,47 francs en 1901 et 28,75 en 1902[2]. En Martinique, le prix moyen du quintal était en 1900 de 39,10 francs, en 1902, de 26,78 francs, et tombait encore plus bas en 1904 au prix de 24,91 francs[3]. Dans la même colonie, le cours de 1882 était monté à 56 francs le quintal. Cette tendance à la baisse des prix réduisait fortement la valeur des exportations : en 1902, pour 34 943 tonnes exportées par la Martinique, leur valeur n'était que de 10,5 millions, alors que, l'année précédente, les 29 748 tonnes exportées valaient 16,7 millions. En outre, dans la même année 1902, la destruction de seize distilleries industrielles et de plusieurs distilleries agricoles à Saint-Pierre des suites de la terrible éruption de la montagne Pelée, le 8 mai, touchait très gravement l'industrie du rhum dont l'activité, depuis quelques années, compensait les effets de la crise sucrière. Dans les années 1890, la Martinique produisait, en effet, le tiers du rhum consommé dans le monde, ayant exporté, en 1880, plus de 80 000 hectolitres, elle en vendait 150 000 en 1898.

En 1902, les exportations martiniquaises de rhum tombèrent à moins de 80 000 hectolitres. À la fin du XIXe siècle, le rhum était alors d'un meilleur rapport que le sucre. Les distilleries industrielles fabriquaient leur rhum à partir des mélasses achetées aux sucreries et usines locales ou importées de l'étranger, la Martinique en importait de la Guadeloupe. Les distilleries agricoles produisaient leur rhum avec le jus de canne, le *vesou*, et de nombreux habitants sucriers étaient devenus producteurs de rhum agricole.

La crise frappait durement les usines qui, pour maintenir leur production malgré l'effondrement des prix, s'endettaient de plus en plus. Le cas de l'entreprise d'Ernest Souques à Darboussier en Guadeloupe est, à cet égard, exemplaire : en 1905, les pertes de la plus grande usine de Guadeloupe s'élevaient à 1 847 000 francs, soit plus des trois quarts du capital social[4]. Souques fut obligé de céder Darboussier à des négociants bordelais. Toujours en Guadeloupe, les usines de la Retraite et Blanchet n'avaient pu se maintenir que grâce à l'implantation de capitaux marseillais. Il est vrai que, dans cette colonie, la part du capital métropolitain avait toujours été prépondérante alors qu'en Martinique les Békés riches des capitaux du négoce de Saint-Pierre et de réseaux familiaux très supérieurs à ceux des Blancs-Pays de Guadeloupe purent imposer des stratégies de regroupement des usines sous le contrôle des Hayot, Assier de Pompignan, Despointes, Laguarigue ou Clerc.

Les usines cherchaient à réduire les coûts de production sur lesquels pesaient deux éléments essentiels ; le salaire des cultivateurs et ouvriers des usines et le prix de la canne payée aux petits planteurs. À la fin du XIXᵉ siècle, le nombre des habitations « adhérentes » qui, à l'époque du démarrage des usines centrales, représentaient de loin le plus gros des fournisseurs de canne, avait fortement diminué. Le faire-valoir direct sur des domaines contrôlés par l'usine et la fourniture de canne par des petits planteurs, des colons partiaires ou des locataires (cas de Darboussier) l'emportaient.

La réduction du salaire fut pour l'usine un des moyens de réduire ses coûts. Il y eut une première baisse dans les années 1880, correspondant à la première crise, et, selon Alain-Philippe Blérald, la crise de 1884 ramena le salaire journalier nominal de deux à un franc[5]. Cette baisse affecta le niveau de vie quand, quelques années plus tard, en 1895-1897, se produisit une forte hausse des prix à la consommation, après la loi douanière protectionniste de 1892 qui conduisit à diminuer les importations de vivres depuis les États-Unis. La livre de morue valait 0,40 franc en 1880, elle passa à 0,80 francs en 1895 et à 0,90 franc en 1900 ; le double litre de manioc était à 0,20 franc en 1885, il montait à 1 franc en 1896[6]. En 1898, le député Gerville-Réache rencontrant des ouvriers agricoles de la Grande-Terre leur demanda « comment ils faisaient pour vivre » par suite de l'abaissement du salaire et de l'élévation du coût de la vie et s'entendit répondre : « Nous avons dû supprimer un repas par jour pour vivre[7]. » Les salaires oscillaient alors en Guadeloupe entre 1 franc et 1,25 franc par jour, mais la baisse des prix du sucre continuant, ils tombèrent en 1901 jusqu'à moins de 1 franc par jour. Cette baisse était particulièrement ressentie en Grande-Terre, beaucoup moins en Basse-Terre. En effet, le gouverneur Pardon pouvait écrire en avril 1895 ; « Les immenses champs de cannes qui couvrent la Grande-Terre [ne] laissent place à aucune autre culture, même à des jardins où les habitants puissent, en cas de besoin, trouver les premières ressources contre la famine. La population de la Grande-Terre vit exclusivement du salaire des usines, achète tout et n'a pas, au moins sur la plus grande étendue de ce territoire, un plant de manioc ou de patate, un arbre à pain[8]. » Au contraire, en Basse-Terre, la même année, le conseiller général Dorval trouvait « un pays de montagne où vit une population libre et laborieuse, maîtresse de la terre qu'elle cultive[9]. »

La baisse du prix de la canne achetée aux petits planteurs était un autre moyen employé par l'usine pour faire baisser ses coûts. La crise de 1902 fut fortement ressentie par les petits planteurs quand les usines baissèrent le prix de la canne de 17 francs la tonne à moins de 11 francs (cas de Darboussier). Ils crurent à un complot des usiniers, et un énorme mécontentement se produisit parmi eux. Le prix de la canne ne devait cependant remonter qu'en 1905 à la faveur d'une conjoncture internationale plus favorable permettant une remontée des cours du sucre.

La tension sociale durait depuis le début de cette décennie 1900 ; rares y furent les années où le démarrage de la récolte de canne ne s'accompagna pas d'une agitation toujours engendrée par les litiges sur le prix de la tonne de canne et sur les salaires. Les deux grandes crises sociales de la période, le « Fourmies » colonial en Martinique du 9 février 1900 et les incidents de la Grande-Terre en Guadeloupe de février 1910 qui frappèrent tant l'opinion en France comme aux Antilles y trouvèrent leur origine.

En 1900, à la Martinique, la grève de quelque 1 500 ouvriers agricoles du François qui exigeaient 2 francs de salaire par jour fut très dure[10]. Une première grève avait éclaté autour de Sainte-Marie, au nord de l'île ; elle se transforma en grève marchante : les grévistes parcouraient les habitations pour faire cesser le travail. Le 6 février, le Lamentin était touché avec les usines de Lareinty et de Soudon ; le 8 février, c'était le tour du Robert et de Trinité (usines du Galion et du François). Là éclata une fusillade, la troupe tirant sur les grévistes alors que le maire du François, le distillateur Homère Clément, négociait avec eux, et il y eut une dizaine de morts dans leurs rangs. Le 12 février, les Hayot à l'usine de Petit-Bourg qui proposaient un salaire de 1,25 franc étaient aussi touchés par la grève qui atteignait à Fort-de-France l'usine Dillon. Sous l'arbitrage du gouverneur, un accord put être enfin conclu, sur la base d'un salaire pour les coupeurs de 2 francs par jour. En 1905, après une nouvelle baisse du salaire ce furent de nouvelles grèves en Martinique qui virent un comité d'arbitrage réunir les patrons, Bougenot, Duchamp, Plissonneau, Despointes, Lucy de Fossarieu, Assier de Pompignan, Clerc, et les représentants des grévistes ; la tâche à la coupe se ferait à 1,50 franc par jour, pour le coupeur, l'amarreuse recevrait 1,25 francs[11].

En Guadeloupe, les incidents les plus sérieux furent ceux de la campagne sucrière de 1910. Les premiers éclatèrent, le 15 février, parmi les coupeurs des habitations de la plaine des Abymes approvisionnant Darboussier. Un millier de grévistes y exigeaient l'augmentation du salaire et la suppression du travail à la tâche qui s'était substitué au travail à la journée depuis le début des années 1900. Le 21 février, c'était l'arrêt du travail sur les habitations du nord de la Grande-Terre dépendant de Beauport, avec près de cinq mille grévistes. Comme en Martinique en 1900, on assistait à des marches de grévistes en direction des usines Blanchet (Morne-à-l'Eau), Duchassaint et Gardelles (le Moule), Gentilly et Courcelles (Sainte-Anne), Sainte-Marthe (Saint-François). Toute la Grande-Terre était touchée. Après un refus des usiniers quant au travail à la tâche plus rentable que le travail à la journée, la grève s'étendit jusqu'à Capesterre. Une négociation menée par le gouverneur obtenait des usines un taux de 1,50 franc, mais elle fut remise en cause par les très graves incidents de Sainte-Marthe où les grévistes se heurtèrent à une milice patronale composée d'ouvriers d'usines, d'ouvriers indiens casés assistés de quelques gendarmes. Ils eurent trois morts et six blessés. Le climat d'émeute se développa avec des déprédations commises dans l'usine et les magasins d'approvisionnement. Grande-Anse à Marie-Galante était aussi touchée. Le 5 mars, mettant fin à trois semaines d'agitation, c'était un accord pour les salaires sur le taux obtenu précédemment et pour le prix de la tonne de canne sur la base des 15 francs la tonne.

Le climat social en Guadeloupe resta difficile au début des campagnes sucrières en 1911 et 1912. Dépêché par le gouverneur en mars 1910, le conseiller à la cour d'appel de Basse-Terre, Salinières, fit une enquête précise[12].

En présentant son rapport, il insistait sur la nécessité d'une grande souplesse dans l'adoption des modes de rémunération, le travail à la journée ne pouvant être totalement supprimé. Dans les rapports avec les petits planteurs, selon lui, les usiniers devaient tenter de mieux prendre en compte le tonnage réel livré. Les évaluations se faisant au nombre de charrettes apportées, il fallait déterminer le poids exact de celles-ci. Il souhaitait la création de commissions d'arbitrage. Tout en reconnaissant les lourdes charges pesant sur l'industrie, les concessions auraient pu être faites par les usiniers de manière plus précoce, « le geste eût été plus noble, plus beau, plus méritoire ». Encore ne faut-il pas oublier que cette tension sociale s'inscrivait sur le fond d'un nouveau combat politique avec la montée d'un socialisme profitant en partie à la classe jusque-là méprisée, celle des Nègres.

En Martinique, il semble qu'après les très violents affrontements du début de la décennie les conséquences sociales de la crise sucrière aient été moins favorables aux violences. Ces dernières existaient toujours, certes, sur le plan des politiques locales, mais un événement sans précédent, la catastrophe de l'éruption du volcan de la Pelée en 1902, avait contribué à marquer la colonie d'une empreinte exceptionnelle, faisant en effet des victimes dans toutes les classes.

La catastrophe de Saint-Pierre, 8 mai 1902

La terrible éruption de la montagne Pelée en mai 1902 provoqua la disparition de la capitale commerciale et culturelle de la Martinique. Tout le nord de la colonie subit aussi de très lourds dommages. Déjà atteint le 8 mai, il vit se produire le 30 août une nouvelle éruption faisant d'autres victimes et suscitant une âpre polémique sur l'attitude des autorités déjà fortement critiquées pour leur comportement du printemps[13].

Saint-Pierre, principale ville des Antilles françaises au XVIIIe siècle, l'était restée au siècle suivant. Avec une population supérieure à 26 000 habitants, elle dépassait de loin toutes les autres villes martiniquaises, Fort-de-France n'ayant en 1902 que 22 164 habitants, Sainte-Marie, 10 862, Rivière-Pilote, 7 956, Trinité, 7 212[14]. Un Martiniquais sur sept y habitait. Comme sous l'Ancien Régime, son port faisait la richesse de la cité, il assumait au moins les deux tiers des échanges commerciaux de la colonie, les deux autres ports dotés d'un trafic notable, Fort-de-France et Trinité, lui étaient subordonnés et vivaient avant tout d'un mouvement de cabotage les reliant à Saint-Pierre. La ville souffrait certes d'un handicap sérieux qui était le manque de bonnes liaisons terrestres aussi bien avec la capitale administrative, Fort-de-France, qu'avec la région du Nord dont elle était le principal centre d'échanges. Seul son réseau de cabotage, mais il était excellent, lui permettait d'obtenir sa prédominance, tant avec les ports de la côte atlantique, Trinité, Le Robert, Le François, qu'avec le sud de l'île et Fort-de-France.

Au sud de la cité, le quartier du Mouillage était animé par la vie maritime : il n'y avait pas de véritables quais ; les bâtiments de haute mer étaient obligés de s'amarrer à des bouées dans la rade et étaient reliés aux magasins des négociants par des navettes d'allèges. La place Bertin était au centre de l'activité marchande, dockers et hommes d'affaires – les Messieurs de Saint-Pierre – s'y rendaient chaque jour. Bien desservi par les navires du Havre, de Nantes ou de Bordeaux, Saint-Pierre avait aussi un trafic substantiel avec des ports étrangers comme Londres et New York. Avec l'instauration de taxes élevées en 1892 sur les importations étrangères, on pouvait craindre que son trafic avec les États-Unis et le Canada, essentiel pour l'approvisionnement de la colonie en vivres – farines et morue –, en bois et articles manufacturés, ne fût gravement atteint. Analysé par Lucien-René Abénon, le mouvement du port ne le montre pas, il y avait dix-sept navires venant de New York en 1891, vingt-six en 1897[15]. Les mélasses des Antilles britanniques approvisionnant les nombreuses rhumeries de la ville et de sa région continuaient à venir.

Quelques grandes maisons, partagées entre Békés et hommes de couleur, dominaient le commerce et avaient des succursales à Fort-de-France. Saint-Pierre tirait la plus grande part de sa prospérité du contrôle exercé par ses commissionnaires et sa banque sur la vie des usines et des habitations. Propriétaire lui-même de l'usine de la Rivière-Blanche, aux portes de la ville, le Dr Auguste Guérin a fort bien décrit cette activité :

> La sucrerie jette annuellement douze millions de francs dans la circulation, rien qu'en salaires. Cet argent, l'usine le prend à Saint-Pierre, à la banque ou chez ses commissionnaires. Il est facile d'en suivre le trajet. Le samedi, les habitations livrant les cannes à l'usine y font prendre l'argent du salaire ; la caisse de l'usine se vide. Le dimanche, chaque propriétaire distribue cet argent à ses travailleurs de la semaine ; la caisse du propriétaire est vidée, les travailleurs vont s'approvisionner pour la semaine suivante et reviennent les mains vides d'argent. Cet argent est resté aux mains des marchands qui, dès le lundi, l'expédient à Saint-Pierre afin de s'approvisionner en nouvelles marchandises[16].

Mais la cité exerçait aussi sur la colonie un incontestable ascendant culturel. Descendre à Saint-Pierre était une fête pour les travailleurs des habitations du nord de la Martinique comme pour les créoles ou les mulâtres prenant le bateau à vapeur à Fort-de-France pour s'y rendre. Les cercles huppés de l'Hermine pour les Békés et de la Martinique pour les hommes de couleur étaient animés par la fièvre des affaires et encore plus de la politique. Ils se retrouvaient aussi dans les loges maçonniques de la ville, celle de l'Union, ouverte aux Békés, avait été fondée en 1738.

En mai 1902, un cataclysme d'une ampleur exceptionnelle, l'éruption du volcan de la montagne Pelée, mit fin à ces années de prospérité. Dès avril, des signes précurseurs étaient apparus alors que la ville était prise par la fièvre des élections :

> Pour nous insulaires de la Martinique, avril, s'il n'a pas été comique, aura été tragique, doublement tragique, nous y aurons vu deux éruptions volcaniques, l'une dans les esprits, l'autre à la Montagne Pelée, l'une électorales, l'autre physique, l'une de discours, de propagande, de rhum, d'argent et de bulletins de vote, l'autre de pluie de cendres. L'une n'est pas finie car le volcan électoral fume encore et ne s'éteindra que dans quinze jours, l'autre continue car notre volcan est toujours en activité et éteindra son feu nous ne savons quand (*Les Antilles*, Saint-Pierre, 30 avril 1902[17]).

Le 24 avril, on avait vu s'élever du haut du volcan une colonne de vapeurs noires, chargée de cendres ; quatre jours plus tard, il y eut recrudescence de l'éruption. Les cendres couvraient tout le bourg du Prêcheur, mais aucune inquiétude particulière ne se manifestait encore à Saint-Pierre. Le premier tour des élections législatives qui opposait essentiellement les radicaux (hommes de couleur) et les progressistes (Blancs et hommes de couleur) s'était déroulé dans une atmosphère de violence. Vaincus aux élections précédentes de 1898, les premiers cherchaient une revanche car, depuis la fin du XIXᵉ siècle, les Békés étaient revenus à la politique en s'appuyant à Saint-Pierre sur le concours assez étonnant d'un Marius Hurard, leur ancien adversaire des années 1880, qui cherchait à se venger de ses ennemis dans le camp des mulâtres, Knight et Percin. Forts de leur victoire précédente, les Békés pouvaient donner à Saint-Pierre sa réputation de ville des Blancs alors que Fort-de-France apparaissait comme la citadelle des hommes de couleur. Le scrutin du 27 avril avait donné un score très serré, le Béké Fernand Clerc obtenant 4 496 voix et son adversaire Percin 4 167 alors qu'un jeune candidat socialiste, Joseph Lagrosillière, ne ralliait que 753 suffrages et se désistait pour Percin. La fièvre électorale sévissait donc à la veille de la catastrophe alors que, cependant, en quelques heures, les projets des hommes allaient être balayés.

Le 3 mai, les toits de la ville se couvraient de cendres, la poussière alourdissait l'air. Les premières inquiétudes commencèrent à se manifester et quelques départs eurent lieu. Le 7 mai, le journal *Les Colonies* le notait : « La moyenne (quotidienne) des voyageurs sur la ligne de Fort-de-France, qui était de 80 passagers s'est élevée depuis trois jours jusqu'à 300[18]. » De nombreux réfugiés des environs s'entassaient déjà dans la ville. Pourtant, le même jour, le maire téléphonait au gouverneur qu'aucun danger n'était à craindre mais réclamait des soldats pour surveiller la distribution de vivres à ces réfugiés. Curieuse passivité des autorités alors que, le 5 mai, la catastrophe de la Rivière-Blanche dont le flot de boue détruisit l'usine Guérin aurait dû davantage provoquer leur réaction. Ayant déjà fait plusieurs voyages à Saint-Pierre début mai, le gouverneur Mouttet s'y rendit le 7 mai après-midi pour mieux voir la situation.

Tout changea le 8 mai. Bien avant l'aube, un habitant pouvait écrire à sa femme réfugiée au Saint-Esprit :

> Ce matin 8 mai. Il est 3 heures et demie. Il y a plus de deux heures que je ne dors pas. Je vous écris au milieu d'un feu d'artifice que je ne saurais vous dépeindre. Figurez-vous deux orages ensemble, l'un volcanique avec des lueurs blafardes, d'un bleu indécis, affectant des formes fantastiques à travers des grondements sourds, sans une seconde d'inter-ruption entre eux, l'autre atmosphérique, avec ses brillants éclairs déchirant le ciel... Je m'efforce de garder mon sang-froid. Sans nier le péril, je ne le vois pas encore si près que ça[19].

En fait, le péril était imminent, et, moins de cinq heures plus tard, depuis l'habitation Beauregard au Carbet (à quatre kilomètres de la ville), Emilie Dujon est épouvan-tée : « Il semble, après une détonation terrible, que du vol-can entrouvert s'échappe avec la rapidité de l'éclair une masse énorme, fumante, épaisse, cependant sillonnée d'éclairs. En un clin d'œil, elle se précipite sur la ville, l'étouffe, l'embrasse, roule sur la mer. »

La nuée ardente venait de tout ravager sur son passage, lapilli et cendres brûlantes (à plus de mille degrés) tom-bent sur la ville.

La réelle passivité des autorités avant que ne se produisit le cataclysme peut surprendre. Certains, tel Fernand Clerc, accusèrent même le gouverneur d'avoir dépêché des troupes à Saint-Pierre pour empêcher ses habitants de fuir. Il semble bien que le maire et avec lui bien des notables, dont Clerc lui-même et Hurard, ne croyaient pas jusqu'au 8 mai à la réalité d'une catastrophe. Les habitants eux-mêmes, certes effrayés par la pluie de cendres, se rassem-blèrent ce jour-là dans l'église du Fort pour célébrer la fête de l'Ascension. Il y eut sans doute une pression exercée sur l'opinion de la ville pour la rassurer, un optimisme imprudent du gouverneur qui devait lui-même trouver la mort dans la destruction de Saint-Pierre.

Les pertes totales subies ce jour-là à Saint-Pierre purent être évaluées à plus de cent quatre-vingts millions de francs. La colonie perdait sa capitale commerciale. Fort-de-France était encore mal adaptée pour la remplacer. En outre, tout le nord de l'île devait éprouver pendant de longues années des difficultés pour sortir d'un isolement auquel le condamnait la disparition de son port. Si les secours vinrent rapidement aussi bien des États-Unis – le président Roosevelt fit débloquer deux cent mille dollars à titre d'aide immédiate – que de France, les mesures nécessaires à long terme ne furent pas toujours prises, en particulier, les mesures douanières permettant d'importer de l'étranger les vivres indispensables, farines et morues. L'aide aux réfugiés entassés dans des conditions sanitaires difficiles à Fort-de-France manqua de moyens financiers de grande ampleur, et l'opinion, en France comme à l'étranger (États-Unis), crut au gaspillage des ressources. Renvoyés trop tôt dans leurs villages du nord de l'île, ces réfugiés subirent, le 30 août, une nouvelle éruption qui fit mille trois cents morts.

Difficiles à mesurer, mais tout aussi importantes étaient les pertes subies par la société martiniquaise dans la mesure où ses élites de couleur aussi bien que békées étaient durement frappées dans la ville qui était de loin leur centre principal. Des familles entières avaient disparu, telle celle du grand notable de couleur Henry Lemery qui marqua de son influence l'entre-deux-guerres. Les enfants des Békés pensionnaires au séminaire collège comme ceux des hommes de couleur au lycée Schœlcher et au pensionnat colonial furent aussi au nombre des victimes. On ne peut mieux pénétrer l'ampleur du drame vécu cette société qu'en lisant ces lignes écrites par le négociant pierrotin Joseph Dumas à sa femme réfugiée à Saint-Esprit et lui montrant la Savane de Fort-de-France envahie, l'après-midi du 8 mai, par une foule tumultueuse « où se retrouvaient d'un seul coup tous les originaires de Saint-Pierre, où se confondaient dans la douleur toutes les familles, les Hayot, les Desgrottes, les Reynal, les Duchamp de Chastaigné, les Bally, les Pompignan. Toutes les familles mélangées dans la même douleur, les Lucy, les Bellard, les Percin, les Knight, oubliant tout ce qui les séparait, leurs préjugés, leurs jalousies, leurs discordes politiques[20] ».

La vie politique au tournant du siècle,
émergence des Nègres et crises

• La Guadeloupe et son leader nègre, Légitimus

C'est en Guadeloupe que l'émergence des nouvelles élites nègres s'est faite le plus rapidement à la fin du XIXe siècle. Tout en proclamant leur désir égalitaire, les mulâtres étaient restés méfiants à l'égard des Noirs et peu disposés à les laisser se tailler une place dans la sphère politique. Maire de Pointe-à-Pitre en 1894, le mulâtre Armand Hanne ne disait-il pas : « Plutôt que de remettre les clefs de la ville aux ouvriers, je préfère les remettre aux anciens maîtres[21] » ? D'origine modeste, boursier au lycée de Pointe-à-Pitre où une tradition veut qu'il ait châtié un répétiteur mulâtre qui avait puni sans motif un jeune Nègre, avocat à vingt-quatre ans, Légitimus se fit connaître en 1891 en fondant le journal du Parti ouvrier de la Guadeloupe, *Le Peuple*. Le titre de son premier article était un programme : « Nègres, en avant ! »

Dès ses débuts, Légitimus soutint une action violente à laquelle il devait souvent recourir par la suite. En 1893, après l'acquittement de deux bourgeois mulâtres accusés du meurtre d'un Nègre alors que quelque temps auparavant on avait condamné « un pauvre nègre » pour vol, il concourut au développement de trois jours d'émeutes urbaines à Pointe-à-Pitre. La faible représentation des Nègres dans les assemblées locales était notoire : en 1892, le conseil général comptait quatre Nègres contre treize mulâtres et quinze Blancs. La vie politique dominée par les mulâtres apparaissait sclérosée, les candidats aux diverses élections étaient plus préoccupés de gains électoraux que de grands problèmes. Dans son journal, *La Vérité*, le réachiste Dorval pouvait écrire, le 10 septembre 1898 :

> Il semble qu'on sollicite le mandat de conseiller général en vue de régler ses petites affaires, et alors on assiste à ce tripotage écœurant qui afflige tous les gens de bien de notre pays...; crédit en banque, pension pour sa sœur, bourses pour son fils, subvention pour son beau-père[22].

Les socialistes de Légitimus remportèrent leurs premiers succès aux élections municipales de 1893, s'emparant des mairies de Sainte-Rose, le Gosier, le Lamentin et l'Anse-Bertrand. En 1894, Légitimus entrait au conseil général, ce qui suscitait la colère de son président, l'usinier Ernest Souques, et, quatre ans plus tard, il devenait le premier député nègre de la Guadeloupe. Souques ne pouvait qu'être inquiet de l'irruption sur la scène politique de ce jeune Noir remarquablement doué et capable d'exercer son charisme sur les foules. Jusque-là, Blancs et mulâtres composaient des cercles urbains respectables. Avec Légitimus, c'était la masse nègre des habitations et des usines qui se taillait une place politique, appelée à voter sur les consignes de son leader. Blancs et mulâtres représentaient environ le quart de la population de l'île et détenaient auparavant un quasi-monopole de la représentation parlementaire et des fonctions électives locales[23]. En 1892, 85 % des conseillers généraux et 100 % des maires étaient blancs ou mulâtres. On sait comment l'abstention aux élections qui était énorme, tournant le plus souvent autour des 80 %, expliquait une telle situation, les masses nègres ne votant que rarement.

À trente ans à peine, Légitimus l'emportait en mai 1898 contre le candidat mulâtre Auguste Isaac, et, quelques mois plus tard, les socialistes remportaient les cantonales d'oc-

tobre. Leur électorat exaspéré par une hausse spectaculaire
des prix des denrées de première consommation, farines et
morue, s'était porté avec enthousiasme sur leurs candidats.
La majorité du conseil général qui regroupait les mulâtres
suivant Gerville-Réache et les socialistes de Légitimus
donna la présidence de l'assemblée aux Noirs, à Légitimus.
La crise sucrière était alors à son sommet et Souques avait
besoin d'une massive réduction de la fiscalité locale, des
droits de sortie sur les sucres. Le conseil n'était pas disposé
à la lui accorder ; tout au contraire il les augmenta.
Souques songea alors à se rapprocher de Légitimus.

Tout en célébrant le culte de Schœlcher, « grand et
immortel apôtre de la liberté et de la justice », Légitimus
mettait en avant des revendications portant sur le quotidien, hygiène, santé, interdiction du travail de nuit. Il fallait faire place aux Nègres dans le commerce de la colonie,
dans les cadres des habitations, dans l'Administration.
Souques qui avait longtemps méprisé « ce petit nègre de
Légitimus » ne perdait pas l'espoir d'arriver à briser l'alliance paradoxale des mulâtres et des Noirs. En 1899, les
données politiques commencèrent à changer car l'influence
de Légitimus s'affaiblissait avec l'apparition d'un autre leader socialiste, Boisneuf. Fils d'un cultivateur affranchi de
1848, Boisneuf n'hésitait pas à prôner la violence ; incendies nombreux dans les champs de canne, en ville, à
Pointe-à-Pitre. Légitimus commença alors à s'orienter vers
l'entente avec le capital et, pour maintenir son ascendant
sur les socialistes, il rompit avec ses alliés réachistes de
1898 en 1900.

Le rapprochement souhaité par Souques entre lui et Légitimus intervint en 1902. Les grèves de cette année-là
gênaient les usiniers, des violences furent commises pendant la campagne électorale des législatives où Légitimus
fut battu. L'alliance devenait urgente pour les deux parties.
Début 1903, le leader noir définissait l'Entente :

Le bonheur matériel de la Guadeloupe ne peut sortir que de l'entente des deux seules forces économiques, le capital et le travail... Ce sera alors le règne de la pleine et courtoise discussion sous un régime nouveau de liberté, de franchise et de sincérité entre ouvriers et patrons[24].

En mars 1903, Souques, président du Syndicat des fabricants de sucre, acceptait de laisser se créer un Comité de l'entente du capital et du travail, et les partisans de l'Entente l'emportèrent au conseil général, soutenus activement par le gouverneur et les syndicats. Aux élections municipales de 1904, ils étaient encore victorieux en dépit de l'action de Boisneuf qui appelait les socialistes alliés alors aux Blancs les « demideuillards ». En 1905, le gouverneur Boulloche confirmait pleinement le soutien de l'Administration à l'Entente : « J'ai reconnu que depuis plus de vingt ans les mulâtres avaient sucé tous les budgets de la colonie et j'ai décidé de les faire disparaître de la scène politique[25]. » Boulloche n'hésita pas à dissoudre des municipalités réachistes.

Soutenu en 1906 par le gouverneur et par l'Entente pour la campagne des législatives, utilisant ses « donneurs de fraîcheur » pour réduire au silence les journaux réachistes et attaquer la maison de Boisneuf à Pointe-à-Pitre, Légitimus l'emporta. Les Nègres triomphaient encore des mulâtres dans la Grande-Terre alors que la Basse-Terre ne connaissait pas un tel affrontement. En dépit des poursuites déclenchées contre lui, en 1910, Légitimus fut encore réélu, son succès étant favorisé par l'agitation que les grandes grèves de février 1910 créait en Grande-Terre.

Cependant, cette victoire fut sans lendemain, la Guadeloupe connaissait de profonds changements au début de la décennie 1910. L'Entente qui n'avait pas dépassé, en fait, l'année 1906, avait permis aux usiniers d'obtenir jusqu'en 1910 une précieuse « trêve sociale ». Après la mort de Souques en janvier 1908, ils tinrent à rester sur une grande réserve en matière de politique locale : « Il a été reconnu que nous ne devions plus faire la même politique active qu'autrefois, ce qui nous obligeait à descendre dans la lice et à être jugés avec passion, parti pris et haine ; que la neutralité était encore la meilleure attitude[26]. » Réélu à la faveur d'une fraude manifeste, Légitimus avait échoué dans sa tentative de négociation pendant la grève, et sa popularité, face à la montée des nouveaux leaders socialistes, Boisneuf et Lara, tendait à s'effriter. Il ne se maintenait que par la fraude et l'intimidation. Il dut s'effacer aux élections de 1914.

L'héritage de son action demeurait cependant intact. Les Nègres en politique avaient trouvé leur identité et une stratégie du pouvoir dont il n'était plus possible de ne pas tenir compte. Critiqué pour la violence de son action comme pour un certain culte du paraître, Légitimus avait su parler aux travailleurs de la Grande-Terre. Il faut cependant se garder de donner aux partis en Guadeloupe une base trop raciale. Chez les socialistes de Légitimus comme de Boisneuf, il y avait des Blancs jouant un rôle d'alliés utiles – le député Gerault-Richard fut le plus notable. Chez les radicaux de Gerville-Réache, on voyait se côtoyer des Blancs comme le notaire Cicéron, des mulâtres, les Isaac, Gerville-Réache et Dorval, des Nègres comme Boisneuf quand il se sépara de Légitimus, et les radicaux dénonçaient toute propagande de type racial.

• Békés, mulâtres et socialistes en Martinique

Une mythification du fait politique autour des querelles locales, coutumière de la vie antillaise, se produisit aussi en Martinique à la fin du XIXe siècle. On peut cependant noter deux faits importants : d'une part, le retour en force des Békés sur la scène politique, supérieur à ce qui se produisait en Guadeloupe où les Blancs-Pays étaient loin d'avoir le rôle joué par les Békés sur le plan économique et social, d'autre part, l'irruption des idées socialistes dans certains cercles avec l'émergence de Joseph Lagrosillière qui, comme Légitimus en Guadeloupe, sut asseoir sa popularité par des contacts quotidiens avec les travailleurs des plantations.

Jusque-là maîtres de l'arène politique, les deprogistes reculèrent à partir de 1894-1898 devant les progrès des Blancs dans la vie politique locale comme dans la représentation de la colonie à Paris. Le temps du refus du suffrage universel dont « le maintien serait de l'imbécillité ou de la folie » était révolu. L'usinier Fernand Clerc, propriétaire de Vivé et du Lorrain, put imposer, en 1898, dans la circonscription du nord de la Martinique, à Saint-Pierre, son candidat, un métropolitain, Denis Guibert, inconnu des Martiniquais. Mais Clerc avait su très habilement profiter de la scission intervenue dans les rangs des mulâtres quand Marius Hurard, l'ennemi acharné des Békés pierrotins des années 1880, abandonna le sénateur Knight et les deprogistes. Clerc profita de la popularité que Hurard avait conservée à Saint-Pierre, avec l'appui de son journal *Les Colonies*, et put organiser un nouveau parti, dit progressiste, qui dénonçait l'immobilisme de leurs adversaires et leur volonté de pratiquer « l'évictionnisme colonial » en rejetant toute collaboration avec les Blancs créoles.

Fernand Clerc profita aussi de l'apparition d'un nouveau venu sur la scène publique. Joseph Lagrosillière, à peine âgé de vingt-six ans en 1898, allait développer son influence auprès des ouvriers d'usine et des cultivateurs, cette masse noire jusque-là méprisée par les mulâtres. Pour la plupart, ces travailleurs s'abstenaient dans les élections et, même à Saint-Pierre où l'urbanisation relativement élevée aurait dû favoriser la participation au vote, les consultations électorales mobilisaient généralement moins de 20 % des inscrits. S'ils votaient, ils étaient ensuite déçus par les élus : en 1900, on pouvait lire sur les murs de Saint-Pierre des affiches remettant en cause les élections : « Le droit de vote ne nous a procuré jusqu'à présent qu'un litre de tafia et un vieux veston le jour des élections, et le candidat élu, sans même nous dire merci, nous a renvoyés dans notre case en compagnie de

notre vieille misère[27]. » Lagrosillière saura réveiller l'intérêt
des campagnes pour la chose politique. Les Békés bénéficiaient aussi d'une influence incontestable sur les cultivateurs, plusieurs usiniers soutenaient la fondation de sociétés
de secours mutuels très populaires, organisant des fêtes,
aidant leurs membres pour les mariages, les obsèques, s'insé-
rant fort bien dans la vie quotidienne. Cela se situait en
dehors de l'impact du fait politique lui-même mais permettait aux Blancs créoles de maintenir une influence en Martinique assez exceptionnelle.

La figure de Lagrosillière dépassa le seul cadre du socialisme avant et après la Première Guerre mondiale. « Papa
Lagro » joua sa propre carte en faisant et défaisant les
alliances. Cependant dans les années 1900, c'était bien le
socialisme qu'il présentait aux Martiniquais, un socialisme
qui trouva à Saint-Pierre, jusqu'à la catastrophe du 8 mai
1902, son premier et principal foyer. Un journal, *Le Prolé-
taire*, y fut fondé dès mars 1900, et Lagrosillière s'y montra
capable de réunir des auditoires subjugués par son élo-
quence, mille cinq cents personnes au théâtre de Saint-
Pierre, le 15 septembre 1900[28]. Tout naturellement, il se
porta candidat aux législatives de 1902 à Saint-Pierre, n'y
recueillant, à vrai dire, qu'un nombre très limité de voix,
guère plus de sept cents, au premier tour. Un bon nombre
de ses amis socialistes disparut dans la catastrophe, et les
années suivantes virent reprendre le conflit entre radicaux
mulâtres regroupés derrière Victor Sévère, élu à la mairie
de Fort-de-France en 1900, Homère Clément, élu député
du Sud en 1902, le sénateur Knight et les progressistes de
Fernand Clerc. Lagrosillière s'effaça de la scène politique
pendant quelques années, et les radicaux subirent des
échecs alors que la violence des affrontements électoraux
ne diminuait pas, au contraire – le maire radical de Fort-
de-France, Antoine Siger, fut assassiné en 1908.

Ce ne fut qu'en 1910 que Lagrosillière ayant reconstitué
le parti socialiste se rapprocha, dans un but électoral (car
leurs deux personnalités étaient rivales), de Victor Sévère,

devenu le principal leader des radicaux. Ce fut la création d'une Entente républicaine totalement victorieuse aux législatives. Lagrosillière enleva à Clerc son siège de député dans le Nord et devint maire de la commune d'où il était originaire, Sainte-Marie, sur la côte atlantique. Mais, inquiet de la grande popularité de Lagrosillière, Sévère conclut un pacte encore électoral avec l'usinier Clerc, ce qui confirmait combien les Békés étaient devenus les arbitres des querelles opposant entre eux les mulâtres.

Au-delà de ces affrontements causés avant tout par les ambitions personnelles, la question essentielle de l'assimilation restait posée. « L'assimilation est une erreur funeste, vous n'êtes pas, vous ne pouvez pas être un département à aucun point de vue », affirmait le gouverneur Richard (père), le 12 avril 1904, devant le conseil général[29]. Six ans plus tard, Lagrosillière avait un discours assimilationniste : « Les vieilles colonies meurent de ne pas être assimilées, nous voulons faire partie intégrante de la famille nationale, nous voulons que nos ouvriers et nos paysans soient entièrement de la famille prolétarienne de la métropole[30]. » Assimilation socialiste, le projet de Lagrosillière restait assez éloigné de l'assimilation prônée par les radicaux de Sévère, et l'application du service militaire à la Martinique, depuis longtemps revendiquée par les mulâtres, ne lui donnait que très peu satisfaction. Cependant, depuis plus d'une décennie, on entrait dans la voie de l'assimilation. On avait mis fin en 1900 à l'autonomie financière de la colonie en enlevant au conseil général une prérogative obtenue sous le Second Empire, le droit de voter les taxes nouvelles. D'aucuns demandaient même d'appliquer à l'île le système fiscal de la métropole, mais c'était une autre affaire[31].

D'UNE GUERRE À L'AUTRE

De 1914 à 1939, les Antilles françaises connurent sur le plan économique deux événements majeurs, d'une part, une poussée de la production du rhum, jusque-là relativement modeste, elle fut la plus forte en Martinique, d'autre part, l'émergence d'une nouvelle culture d'exportation, la banane, à la réussite la plus nette dans la Basse-Terre de Guadeloupe. Sur le plan social et politique, les Iles vécurent de nouvelles crises nées de la tension toujours présente entre l'Usine et les travailleurs de la canne. Dépassant le cadre de joutes électorales souvent aussi décevantes qu'avant la Première Guerre mondiale car faussées par la fraude et l'abstention, un projet d'entente Capital-Travail, reprenant le modèle proposé par Légitimus, resurgit en Martinique avec le populaire Lagrosillière en 1919. Promises à long terme à leur réalisation par la départementalisation, les ambitions des partisans de l'assimilation purent se faire jour à plusieurs reprises, notamment en 1935 lors de la fête du Tricentenaire.

La fièvre du rhum

Pendant la guerre de 1914-1918, le rhum connut en Martinique un boom spéculatif et devint le premier produit d'exportation de la colonie. L'industrie du rhum avait déjà montré à la fin des années 1900 une remarquable capacité de récupération après la catastrophe de Saint-Pierre où étaient concentrées au début du siècle les principales distilleries.

La guerre créa les conditions de cet essor. Les principales zones betteravières françaises envahies, l'État encouragea pour les réquisitions militaires l'importation du sucre et du rhum des colonies. Le rhum servait à la fabrication des explosifs, était utilisé dans les hôpitaux et la pharmacie, et la *gnôle* était généreusement distribuée aux Poilus dans les tranchées humides et froides. Une partie seulement du rhum réquisitionné était payée par l'État à un prix très inférieur à celui du marché, le reste étant envoyé en franchise de toute taxe dans la métropole, ses exportations bénéficiaient d'une rente de situation par rapport aux expéditions faites hors réquisition. Gros avantage pour les distillateurs, les mélasses des îles étrangères pouvaient entrer librement en Martinique et en Guadeloupe. Ce trafic était lucratif car ces mélasses étaient distillées ou mélangées aux martiniquaises pour fabriquer un rhum colonial entrant en franchise en métropole, cela alors que leur entrée y était interdite[32].

Ce régime prit fin le 29 décembre 1917 et sa suppression déclencha une très vive réaction chez les rhumiers antillais. Un des plus importants, Homère Clément, se fit leur interprète au conseil général de la Martinique en mars 1918 : « Cette mesure constitue la négation même du droit de propriété et la suppression pure et simple de la liberté du commerce et d'industrie pour une catégorie de Français mis hors du droit commun au profit d'une autre catégorie[33]. » Clément faisait ici allusion aux producteurs d'eau-de-vie de métropole fortement concurrencés par l'industrie coloniale du rhum. Les distillateurs antillais ne disposaient pas de suffisamment de mélasses, il leur fallait donc importer les mélasses étrangères, ce qui avait fait la prospérité des établissements de Saint-Pierre. Il est vrai qu'en 1917, avec des cours très élevés sur le rhum, les usines ne poussaient pas la production du sucre et utilisaient les mélasses d'autant plus riches pour fabriquer leur rhum. En 1913, les quinze usines de Martinique avaient produit 41 485 tonnes de sucre, en 1917, leur production ne dépassa pas 23 381 tonnes[34]. Les prix du marché libre furent rapidement très supérieurs à ceux du rhum soumis à réquisition. Jusqu'au milieu de 1915, les premiers restèrent raisonnables, à près de 50 francs l'hectolitre d'alcool pur[35], mais, au dernier trimestre de cette année, ce fut l'envolée des prix qui triplèrent pour se trouver à 350 francs en 1916 et à 700 francs en 1917. Les bénéfices réalisés par les rhumiers furent très élevés et stimulèrent la création de nouvelles distilleries. De petits planteurs furent incités à distiller leur propre canne. La presque-totalité de la production était destinée à la métropole, et l'exportation atteignit son maximum à la fin de la guerre avec 183 000 hectolitres AP (Alcool Pur). La part du rhum dans les exportations martiniquaises passa en valeur de 32 % en 1909-1913 à 76 % en 1917-1918 et 84 % en 1919[36].

À la paix, la métropole possédait de gros stocks et les prix baissèrent. Ils avaient connu, deux mois avant l'armistice, une hausse purement spéculative causée par une réquisition de l'intendance militaire pour satisfaire les besoins des hôpitaux devant l'ampleur de l'épidémie de grippe espagnole, avec des prix montant jusqu'à 1 200 francs l'hectolitre d'alcool pur. Les cours restèrent assez élevés en 1920, mais, à la fin de l'année, la baisse survint, et, en décembre, le prix était à 600 francs pour n'être plus en juin 1921 qu'à 200 francs. De nombreux négociants durent revendre à perte leurs stocks, et la Banque de la Martinique fut elle-même gravement touchée. L'activité de ces négociants avait été à l'origine de la prospérité antillaise. Du plus connu d'entre eux, Jean Galmot, un négociant de la Guadeloupe pouvait écrire : « Les capitaux importés dans nos vieilles colonies grâce au concours de M. Galmot et distribués en salaires dans le pays se sont élevés à la Guadeloupe, à la Martinique et à la Réunion à plus de 150 millions[37]. »

La forte baisse des cours rendait plus vive la concurrence faite par les colonies à la production métropolitaine d'eau-de-vie. Le risque de voir la France de plus en plus envahie par le rhum antillais poussa les producteurs de métropole à réagir. Sous leur pression, la Chambre vota, le 29 décembre 1922, en dépit de l'opposition très vive du député guadeloupéen Candace, une surtaxe frappant le rhum colonial sauf pour un contingent fixé par avance. C'était imposer le contingentement de l'importation qui fut alors fixée à

160 000 hectolitres AP pour l'ensemble des colonies. Les excédents importés seraient surtaxés, et on limitait le degré : les rhums de plus de 65 degrés ne pourraient plus être introduits. L'Algérie était aussi soumise au contingentement. La Martinique eut droit à 80 000 hectolitres, la Guadeloupe à 60 000, la Réunion à 18 000, le reste étant attribué aux autres colonies. Pour le Martiniquais Victor Sévère, l'émotion chez les planteurs et les rhumiers était telle « qu'on n'exagérerait pas en disant une véritable panique ». La chambre d'agriculture de la Guadeloupe se plaignit de « la scandaleuse inégalité de traitement entre la distillerie coloniale et la distillerie métropolitaine », dénonçant l'introduction en France de plus de trois millions d'hectolitres de vins étrangers livrés à la distillation pour produire 180 000 hectolitres AP[38]. Le contingent fut augmenté en 1924 puis en 1926 pour être alors amené à 200 000 hectolitres AP ; la Martinique obtenant 87 715 hectolitres et la Guadeloupe 67 145.

Les cours s'étaient maintenus jusqu'en 1924 à un niveau assez élevé pour attirer sur le marché les rhums hors contingent malgré la surtaxe. Mais celle-ci devint prohibitive en 1925 car les prix s'étaient abaissés à 400 francs en avril. Il y eut alors une crise brutale de l'économie du rhum aux Antilles, surtout en Martinique où la situation se fit catastrophique pour les planteurs, certains furent abandonnés par les distilleries agricoles, leur production excédant la part de contingent qu'elles avaient. Les usines refusèrent la canne des planteurs avec lesquels elles n'avaient pas de contrat. C'était dès lors le chômage pour les coupeurs, et une situation sociale explosive se créa.

Déjà, après la décision de contingentement de 1922, les usines qui avaient consenti des augmentations de salaire à la fin de la guerre en raison de la très forte montée du coût de la vie pendant celle-ci en avaient profité pour décider leur baisse. Cela avait déclenché des grèves au début de la campagne sucrière de 1923. Le 29 janvier, sur la côte atlantique de la Martinique, de Basse-Pointe à Trinité, devant un salaire proposé aux coupeurs à 3 francs, les grévistes réclamèrent 4,50 francs. Comme en 1900, la grève fut « marchante », les cortèges de grévistes l'étendant progressivement. Le 9 février, de violents incidents se produisirent à Bassignac, dans la région de Trinité, entraînant la mort de deux personnes. Deux ans plus tard, en 1925, les petits planteurs, très gravement touchés par l'arrêt de la vente de leur canne, se joignirent aux ouvriers agricoles en Guadeloupe à Petit-Canal et Morne-à-l'eau (usines Duval et Blanchet). Les heurts des grévistes avec la troupe firent là aussi un drame, il y eut cinq tués et quatre blessés dans les rangs des grévistes.

Par la suite, les cours remontèrent, s'élevant en 1926 à 700 francs, et surtout en 1928, après le cyclone du 12 septembre qui avait ravagé la Guadeloupe, ils purent atteindre jusqu'à 1 200 francs. Mais le rhum devenant trop cher en métropole, les distillateurs vendirent plus difficilement leur production, certains, d'ailleurs, espérant une nouvelle hausse, ne voulaient pas céder tout leur rhum et constituèrent des stocks qui devinrent invendables en 1930 quand les prix s'effondrèrent. Dans les ports importateurs, principalement à Bordeaux, se produisit une vague de faillites : des négociants comme les Besse qui avaient des intérêts en Guadeloupe à Beauport durent déposer leur bilan.

À la date de 1935, la Martinique gardait sa prépondérance. La production s'y partageait par moitié entre distillateurs agricoles et usiniers. Les très nombreuses distilleries agricoles – elles étaient 117 en 1919, passèrent en 1930 à 150 et en 1934 à 186 – possédaient pour les plus importantes leurs propres champs de cannes et achetaient la production des petits planteurs, parfois les excédents de mélasses des usines. Chez ces distillateurs, la production était irrégulière, les plus petits faisaient de 100 à 150 hectolitres par an, les plus grands, quelques milliers[39]. La majeure partie du rhum agricole était consommée sur place par les habitants de l'île, du « décollage » du matin aux divers *ti-punchs* de la soirée. Cette consommation locale « de bouche » était estimée à 24 litres par habitant. Certaines maisons se firent connaître par leur recherche de la qualité. Ainsi, un des premiers à exporter le rhum agricole en métropole, Charles Clément, possédait à l'Acajou une distillerie réputée dans les années 1930. Victor Depaz, qui était le seul survivant d'une famille installée à Saint-Pierre depuis le XVIIIe siècle, avait créé sur le domaine de la Montagne acheté aux Pécoul en 1917 une distillerie où il faisait vieillir son rhum. C'était la même technique du vieillissement qui était employée par les Crassous de Médeuil au Macouba ainsi que par les Bally dans leur domaine de Lajus au pied des pitons du Carbet. En 1935, tous ces distillateurs fondèrent, à côté de l'Union des syndicats de producteurs de rhum de la Martinique, un syndicat parallèle qui proposait son rhum en bouteilles avec garantie d'origine et contrôle de qualité.

En 1934, les rhumeries d'usine étaient au nombre de 19. Situées près des sucreries dont elles utilisaient les mélasses, elles pouvaient fabriquer dans les années 1930 une moyenne annuelle de 117 160 hectolitres de rhum à 55 degrés, destiné à l'exportation. En Guadeloupe, en 1939, on comptait 55 distilleries, le rhum industriel l'emportait sur le rhum agricole. Elles achetaient la canne des petits planteurs. Le cyclone de 1928 ruina plantations et distilleries, et les prix de la canne diminuèrent « avec une rapidité surprenante ». Les conséquences sociales furent à nouveau graves : en 1930, des grèves touchèrent les usines du nord de la Grande-Terre, à Beauport et Blanchet ; Darboussier fut affecté par les grèves de livraison de canne aux Abymes. Les plus graves incidents éclatèrent à Bonne-Mère en juin 1930. En Martinique, en 1935, ce furent aussi des grèves violentes, les coupeurs contestant l'emploi des étrangers, des Barbadiens qui acceptaient de bas salaires. Elles commencèrent au début de la campagne sucrière, en février, au Vauclin, au François, à Sainte-Marie. Le 11 février, c'était la « marche de la Faim », sur Fort-de-France, par les ouvriers agricoles venant de la région du Lamentin. Un accord fut obtenu avec les usiniers, mais il suscita la contestation car les patrons avaient fait préciser qu'il ne valait que pour les ouvriers faisant au moins cinq jours de travail par semaine[40]. L'accord du 11 février avait été signé par le mulâtre Charles Clément, le Béké Louis de Laguarigue et un petit planteur, Joinville Saint-Prix. Les industriels demandèrent un dégrèvement sur les droits de sortie du sucre et du rhum pour que les conditions de production fussent compatibles avec les nouveaux salaires (20 francs la tâche journalière du coupeur). Le très populaire Lagrosillière, député et président du conseil général, avait conseillé la modération et la reprise du travail.

La fièvre du rhum a apporté aux Antilles un nouveau stimulant dans les échanges avec la métropole. Elle était parvenue à donner pendant quelques années une assez grande prospérité aux petits distillateurs. Très forte dans les années 1920, quand la conjoncture globale était excellente pour les rhumiers, au moins jusqu'en 1928, elle retomba pendant la décennie 1930. Les conflits sociaux très durs dans les campagnes des deux îles pendant ces dernières années trouvèrent en partie leur origine dans les difficultés du marché du rhum.

Avec la production du rhum, la puissance des grands sucriers s'était aussi renforcée, d'autant que certains se mettaient à la production de qualité. En 1935, les petites propriétés de moins de 10 hectares rassemblaient 87 % du nombre des possédants sur moins de 15 % du sol (part sans doute sous-estimée dans le recensement de cette année-là). Les 365 propriétaires moyens et grands de plus de 40 hectares contrôlaient 65 % de la terre. Mais, fait caractéristique à la Martinique, les habitations n'avaient pas toutes disparu. « Véritables foyers par rapport auxquels s'organisait la vie économique de la région », les usines détenaient la réalité du pouvoir[41]. Cependant, face aux concurrents betteraviers de la métropole, il fallut en arriver à adapter la production à une consommation qui ne pouvait absorber tout le sucre mis sur le marché. L'accord nécessaire fut réalisé en 1933, il créait le contingentement pour les sucres.

On fixait à 13 % de la consommation la part du sucre colonial, soit 150 000 tonnes, ce qui paraissait très insuffisant, compte tenu de la production de la seule Martinique s'élevant en moyenne pour la période 1934-1939 à près de 55 000 tonnes. Il y avait là source de nouvelles difficultés pour l'industrie sucrière comme pour les petits planteurs dont la vie dépendait très largement de son activité.

Une nouvelle spéculation, la culture bananière

En 1939, le gouverneur de la Guadeloupe soulignait dans un rapport le triomphe de la spéculation bananière qui, en quelques années, avait relégué au second plan les vieilles cultures d'exportation, cacao et café. L'exportation de ce dernier produit qui montait en 1927 à 816 tonnes était tombée en 1938 à 380 tonnes[42]. À l'origine de ce déclin il y avait eu le cyclone de 1928 qui avait ravagé les caféières, mais bien plus encore le désintéressement des planteurs pour une culture qui ne payait plus. Les neuf dixièmes des caféières étaient grevées d'hypothèques. Il y eut reconversion vers la banane en Basse-Terre, à Gourbeyre, Trois-Rivières, Saint-Claude et Baillif. Les conditions n'étaient pas cependant très favorables : il y avait un manque de main-d'œuvre et celle-ci était de faible rendement. Surtout l'équipement portuaire indispensable fut longtemps insuffisant. L'outillage restait inadapté de même que les magasins trop étroits et ne donnant pas les conditions de stockage nécessaires à un produit très fragile. On relevait la médiocrité de la consommation française qui, avec 24 kilos par habitant, était très inférieure à celle de l'Angleterre montant à 41 kilos. Enfin le marché était dominé en métropole par les exportateurs espagnols avec la banane des Canaries.

Pourtant, l'ampleur et la rapidité de la mutation créée en Basse-Terre par cette expansion de la culture de la banane permettent à Jean-Claude Maillard d'employer le terme de « révolution bananière ». Les débuts furent cependant difficiles dans les années 1920 où la fièvre du rhum l'emportait chez presque tous les planteurs. Mais il faudrait dix année de tâtonnements et d'efforts pour assister à l'essor de la nouvelle spéculation dans les années 1930. Certes, dans *Le Nouvelliste* du 23 décembre 1921, le député Candace projetait déjà de développer la production : « Pourquoi ne pas intensifier la production de bananes de nos Antilles de façon à leur demander le fruit délicieux qui nous vient de la Jamaïque et de Nicaragua ? Pour le transport des régimes, il suffirait d'avoir des bateaux ayant des cales frigorifiques[43]. »

Les bananiers étaient jusque-là disséminés autour des cases pour la consommation domestique et l'élevage du bétail. En faire une culture d'exportation demandait de gros efforts. En 1923, un représentant aux Antilles d'une société métropolitaine qui voulait entamer l'exportation des bananes, Maurice Fissier, allait présenter un projet ambitieux en visitant la Basse-Terre méridionale. Engageant les planteurs à créer un syndicat fruitier lié par un contrat à une société d'exportation, la Banata, qui ferait enlever chaque mois les récoltes par deux steamers aux cales aménagées, Fissier sut se faire écouter par certains. Mais les premières expéditions furent faites en réalité par la Transatlantique aux frets élevés.

Le gros problème du transport des fruits demanda beaucoup de temps car l'essor de la production était inséparable de la régularité et de la fréquence des liaisons. Le fret consenti par la Transatlantique se révélait insuffisant en 1930 et, en 1931-1932, des navires étrangers, britanniques et allemands, relâchèrent à Basse-Terre. En 1933-1935, la Transatlantique créa sa véritable flotte bananière, détenant en décembre 1935 huit navires. En augmentant ses efforts, elle mit en service six nouveaux navires en 1938 et 1939. À la veille de la Deuxième Guerre mondiale, le transport de la banane à destination de la France mobilisait vingt-six navires frigorifiques ayant une capacité de transport de 200 000 tonnes ; quatorze desservaient les Antilles.

Dans ces conditions les exportations purent s'accroître à un rythme spectaculaire, passant de 4 289 tonnes en 1931 à 26 245 tonnes en 1935 et à 50 287 tonnes en 1938. À cette dernière date, elles représentaient plus de 36 % des exportations de la Guadeloupe. Le marché français était protégé de la concurrence internationale dès 1931 par un premier contingentement de l'importation étrangère et, en janvier 1932, une loi surtaxa ces importations en répartissant le produit obtenu entre les producteurs coloniaux. En même temps la profession s'organisait. En février 1933, à Saint-Claude, une première association de producteurs fut fondée, et par la suite les petits producteurs multiplièrent les coopératives qui se faisaient accorder des primes de qualité.

La Martinique devait aussi développer, mais plus tardivement, sa production, à partir des années 1930. L'exportation en 1926 y était insignifiante, 19 tonnes, mais elle s'accéléra à partir de 1932, avec un tonnage exporté de 4 548 tonnes pour atteindre en 1938 un tonnage de 34 407 tonnes[44]. Ses exportations se développeraient considérablement après la guerre. Avec la banane on dispose d'un exemple de sortie de la monoculture sucrière, certes tardif, mais appelé à de grands progrès ultérieurs. Culture d'exportation protégée, elle ne se prêtait pas comme la culture de la canne aux âpres débats sociaux et politiques de l'entre-deux-guerres.

Les jeux de la politique

Avant 1914, deux faits majeurs étaient apparus aux Antilles en politique, d'une part, le retour des Békés dans la vie politique, d'autre part, l'émergence, très nette en Guadeloupe, d'une élite noire contestant l'emprise exercée par les mulâtres sur les institutions en profitant pour cela des divisions existant dans la bourgeoisie de couleur mulâtre. Ces tendances persistèrent après la guerre et s'amplifièrent. Cependant la personnalisation de la vie politique s'accentua davantage. En Martinique, se déployèrent les efforts d'un Joseph Lagrosillière pour construire une carrière politique en profitant de sa forte popularité face aux grands bourgeois de couleur, Sévère ou Lémery, qui eux-mêmes ne négligeaient rien pour parvenir à détenir un mandat national, celui de député pour Sévère, celui de sénateur pour Lémery. En Guadeloupe, le Noir Gratien Candace, élu avant la guerre et sorti vainqueur en 1924 dans le conflit l'opposant à Boisneuf, rivalisa plus tard avec Maurice Satineau.

Candace pouvait écrire dans *La Petite Patrie* : « Rien n'existe en dehors de l'âpre jeu des ambitions personnelles, la Guadeloupe se meurt de politique électorale. » Plus sévère encore se faisait Gaston Sèze, en 1920, dans une *Note sur la situation économique et morale* de la Guadeloupe[45].

> La représentation coloniale... n'a jamais considéré le mandat législatif que comme moyen de favoriser les amis et de poursuivre les adversaires politiques... Les députés sont très généralement conseillers généraux et maires afin de tenir dans leurs mains ou dans celles de leurs amis les assemblées locales, le collège sénatorial, les urnes électorales.

Le système électoral ainsi dominé par certains prêtait le flanc aux plus fortes critiques. Sans aller jusqu'à dire avec Gaston Sèze que « les élections de tout ordre sont une plaisanterie », force est bien de constater la présence fréquente de la fraude, de la corruption et de la violence dans les joutes électorales. Cela était encore accentué par la participation très abusive de l'Administration, à plusieurs reprises, dans la lutte politique lorsqu'elle prenait parti pour tel ou tel candidat.

Les moyens utilisés pour frauder étaient multiples. Fraude sur la composition des listes électorales qui étaient de simples noms sans adresse ni profession ni indication d'âge. Il était difficile d'identifier l'électeur et des électeurs déjà morts y figuraient[46]. Des candidats pouvaient obtenir plus de voix que le nombre de votants et d'inscrits : ainsi, à Vieux-Habitants, en Guadeloupe, il n'y eut, en 1924 aux législatives, que 80 votants sur 1 680 inscrits, et Candace remporta cependant 1 626 suffrages[47] ! Les urnes étaient bourrées de bulletins faux, c'était le recours aux « mamans-cochons[48] ».

Les irrégularités étaient commises en fait par les deux partis dans les consultations électorales et les résultats toujours suspects. Les années 1924 et 1925 restèrent les plus célèbres dans les annales antillaises par un spectaculaire déchaînement d'une fraude largement favorisée par l'ingérence des gouverneurs dans les élections. S'illustrèrent à ce titre, en Guadeloupe, le gouverneur par intérim Jocelyn Robert qui était l'obligé du député Candace se représentant pour un nouveau mandat, et en Martinique, le gouverneur Henri Richard dont le père avait été gouverneur de l'île avant la guerre. Robert s'était fait promettre la titularisation si Candace, était réélu, il multiplia les pressions, tentant de dissoudre les conseils municipaux favorables à Boisneuf, l'adversaire de Candace, pour s'assurer le contrôle des urnes. La fraude dirigée par Richard fut encore plus manifeste et déboucha sur des drames, les violences de Ducos et du Diamant en 1925. Aux législatives de mai 1924, le gouverneur de la Martinique procéda à la suspension de plusieurs élus, fidèles de Lagrosillière, dont le maire de Rivière-Salée, Louis des Étages[49]. Il soutenait les adversaires de « Papa Lagro », Victor Sévère et Alcide Delmont. Pour les municipales de 1925, les incidents de Ducos où deux conseillers généraux socialistes, Charles Zizine et Louis des Étages, lagrosilliéristes, furent assassinés, le 24 mai, et du Diamant, où un conseiller général, partisan de Lémery, fut tué, révoltèrent la plus grande partie de l'opinion. À son départ en août de la même année pour la France, Richard fut victime d'un attentat, étant grièvement blessé par le fils de Louis des Étages.

On a pu soutenir qu'un Sévère ou un Lagrosillière s'étaient davantage créé une clientèle électorale qu'ils n'avaient forgé de véritables partis dans le climat de fraude existant. On votait pour un homme, et les carrières de chacun le montrent. Sévère fut maire de Fort-de-France de 1900 à 1945, sauf pour une très brève période de 1907 à 1908, et pendant le « Temps Robert », sous Vichy, quand il fut exilé en 1941-1943. Son mandat de député le fit représenter la Martinique en France en 1906-1914 et en 1924-1928 puis en 1936-1940. Sa carrière marquait la réussite d'un grand bourgeois de couleur capable de prendre la succession d'un Deproge dès le début du xxe siècle. Il fut surnommé dans l'entre-deux-guerres « l'Imperator ».

Henry Lémery qui avait perdu toute sa famille dans la catastrophe de Saint-Pierre fut député en 1914, sénateur en 1919 jusqu'en 1940. Il était capable de rassembler sur son nom au banquet de Saint-Esprit, le 26 septembre 1932, ses fidèles pour un véritable culte : « On salue l'espèce Lémery sous laquelle communient tous les présents[50]. »

Le plus populaire fut certainement Joseph Lagrosillière, député de 1910 à 1924, puis de 1932 à 1940, maire de Sainte-Marie jusqu'en 1937. Homme de couleur, il était cependant haï des mulâtres de Fort-de-France pour son projet d'entente avec les Békés comme des communistes du groupe Jean-Jaurès pour ce qui pouvait être considéré comme une trahison du socialisme. Mais Lagrosillière ne disait-il pas : « Si je n'ai pas réussi le socialisme, j'ai au moins réussi le lagrosilliérisme » ? Doué d'une action charismatique, distribuant ses ressources aux nécessiteux, il s'était imposé aux foules des campagnes, ouvriers du sucre, petits propriétaires, petits fonctionnaires des bourgs. Lagrosillière fut capable d'imposer à deux reprises un pacte avec l'Usine, en reprenant le projet de Légitimus mais à une échelle moindre, tout en déclenchant la colère de ses adversaires en 1919 et en 1929. L'économie de son projet était certes inspirée par la situation économique et sociale, il fallait assurer la paix sociale indispensable à la prospérité du pays, mais il se situait sur un plan électoral. Il le soulignait du second, le pacte de la Poterie, « pacte électoral qui n'a rien d'économique..., ne nous empêche pas d'exécuter la part de notre programme réalisable dans le cadre de la société bourgeoise... le bout de chemin que nous faisons avec l'usine ne nous coûte aucune concession en opposition avec nos principes et les traditions de notre parti ».

C'était bien cependant ces « concessions » que lui reprochaient certains. Après le célèbre banquet du 21 juin 1919, à Sainte-Marie, où il avait présenté son premier pacte, le « bout de chemin avec l'usine » lui permit de trouver des alliés chez les Békés. Il se présenta à la députation avec Fernand Clerc, le premier Béké engagé à Saint-Pierre dans la lutte politique, dès la fin du XIXe siècle. Clerc et Lagrosillière créèrent alors un parti républicain schœlchériste et remportèrent les élections, mais tous les Békés n'acceptaient pas cette alliance : Eugène Aubery, les Hayot appuyaient Sévère contre Lagrosillière. Mais le pacte donna à l'usine une nouvelle force, elle allait le démontrer en 1923 en tenant tête aux grévistes. D'ailleurs les Békés tenaient aussi le conseil général, Gabriel Hayot devenait son président. Au second pacte, le même Hayot se faisait l'allié de Lagrosillière et prenait encore en 1931 la présidence de l'assemblée locale.

L'interprétation de cette politique reste difficile. Lagrosillière avait rompu à deux reprises avec le parti socialiste français. En revanche, il pouvait être un interlocuteur écouté des Békés, il défendait les droits et les prérogatives de l'assemblée locale, le conseil général, contre une administration envahissante. En 1930, il fut dénoncé pour corruption, mais il ne paraît pas qu'il ait perdu son crédit auprès des campagnes martiniquaises. Il est certain que son ambition, assurer la paix sociale, fut mise en échec par les violences des années 1920 et 1930, avec en particulier cette marche de la Faim sur Fort-de-France des ouvriers agricoles du Lamentin en février 1935.

En dehors de ces combats politiques où les confrontations se faisaient souvent dures et étaient parfois empreintes de violence, les plus anciennes tensions subsistaient. Si les pactes de Lagrosillière purent paraître si contestables, c'est qu'ils perpétuaient la position d'un Bissette prônant la fusion des races, sans tenir compte du préjugé de couleur. S'allier avec les Békés ne pouvait se faire quand dans la vie quotidienne tant d'oppositions subsistaient. Certes, sur la Savane de Fort-de-France, « théâtre d'émulation, de vanités, de présomptions »[51], une foule pouvait faire se côtoyer, à la sortie des bureaux, Békés et hommes de couleur. Mais comment rapprocher, dans la même ville, la « Route Didier » où « d'un bout à l'autre de cette double rangée de coquettes demeures circule un même sang, le sang de la race des Békés » et les quartiers autres, fût-ce ceux des mulâtres aisés, ou encore moins les bidonvilles de Sainte-Thérèse ?

Comme au temps des Hurard et des Lota, une affaire allait faire resurgir les vieilles passions. Eugène Aubery avait marqué la société martiniquaise par la rapidité de sa fortune au sein de la casse des Békés. Son mariage avec Berthe Hayot, la fille du grand Béké Gabriel Hayot, l'avait allié à une des plus anciennes et honorées familles békées, et lui avait permis de prendre la direction de l'usine du Lareinty. Une enquête fiscale le fit accuser de fraude dans la présentation de l'actif de la société du Lareinty dissoute en 1924. Acquitté par les tribunaux, il fut accusé en 1933 de corruption par le journaliste André Aliker qui appartenait au groupe communiste Jean-Jaurès et écrivait dans le journal *La Justice*. Le 12 janvier 1934, le cadavre d'Aliker fut découvert sur une plage. L'assassinat suscita une très vive émotion dans toute l'île. Les assassins présumés déférés à la Cour de Bordeaux furent acquittés par le jury faute de preuves suffisantes. La famille d'Aliker n'entendait pas laisser impuni un crime qu'elle imputait à Aubery et à son entourage qui s'était heurté en public au journaliste. Un des frères de ce dernier voulut abattre Aubery, le

31 janvier 1936, lors des obsèques du maire béké du Lamentin, mais son arme s'enraya et, déféré au tribunal mais soutenu par l'opinion, il fut acquitté.

On était loin de l'esprit des pactes de Lagrosillière, et les pires outrances dominaient l'opinion. « Dans les îles étroites où nous vivons au coude à coude, les uns sur les autres, c'est folie de la part des possédants de contrarier le courant pour la paix sociale », avait pu écrire Lagrosillière. Les Békés avaient répondu, au moins en partie, aux appels de « Papa Lagro », le scandale Aubery put paraître rendre encore moins acceptable par la classe de couleur « la trahison » du leader socialiste.

Tout cela se passait moins de deux ans avant la célébration aux Antilles des fêtes du Tricentenaire de la fondation des colonies par Belain d'Esnambuc, fêtes qui allaient donner un nouveau lustre à la politique de l'assimilation. Depuis 1875 et l'instauration du suffrage universel, chez les mulâtres le projet assimilationniste avait été très populaire. La représentation coloniale, la fonction publique, l'École, la langue étaient pour les mulâtres autant de moyens capables d'assurer à terme le succès du projet. L'impôt du sang, avec le service militaire depuis longtemps sollicité par les élus et enfin décidé en 1913, à la veille d'une guerre qui vit plus de trente mille Antillais combattre en métropole, était la preuve d'un patriotisme sincère. Il s'y ajoutait la pénétration des pratiques culturelles, celle de la religion catholique largement répandue, celle du mariage religieux se diffusant encore lentement.

L'entre-deux-guerres serait la période de l'assimilationnisme triomphant aboutissant au vote de la loi du 19 mars 1946 sur la départementalisation. Au lendemain de la Première Guerre mondiale, la presse se fit l'interprète d'une opinion très favorable. Déjà, le 20 mars 1918, un éditorial de la *Démocratie coloniale* demandait l'assimilation : « Mais notre secrète pensée, tandis que nous demandions, par ces heures de guerre, d'être admis à l'honneur de servir la France était d'arriver, en retour de nos modestes sacrifices,

à être pleinement assimilés aux Français[52]. » Un projet
prêté aux États-Unis de mettre la main sur la Martinique
put servir indirectement la cause de l'assimilation au
moment de la paix. Déjà, en 1899, des bruits de cession
avaient couru dans le cas de la Guadeloupe. Le dédommagement partiel des sacrifices consentis par l'Amérique au
cours de la guerre aurait conduit la métropole à envisager
de céder la Martinique aux États-Unis. Le 20 février 1919,
un démenti officiel fut donné par le ministère des Colonies.
Cependant, en Amérique, la presse s'en était fait l'écho. Tel
journal de Caracas l'affirmait sans ambages : « L'île de la
Martinique qui est la possession la plus grande de la France
dans les Indes occidentales, il est possible qu'elle soit bientôt propriété des États-Unis comme résultat des négocia-
tions de la Conférence de la Paix. » Il y eut de vives
réactions, ainsi, le maire de Fort-de-France adressa une
motion de son conseil au président Wilson, au nom des
habitants de l'île, disant leur désir de rester attachés à la
patrie française.

Faire aboutir le projet demandait une modification des
institutions. En 1925, la mission Leconte vint étudier aux
Antilles les conditions de réalisation d'une assimilation[53].
Deux options extrêmes se présentaient, celle du gouvernement colonial général traditionnel, celle de l'assimilation
absolue en département. Le travail mené fut sérieux au
cours de consultations des gouverneurs et des assemblées
(les conseils généraux). En Martinique, le conseil général
se montra partagé : le député Victor Sévère repoussait l'assimilation intégrale en utilisant l'argument financier :
« Que deviennent nos finances, comment faire face à nos
obligations ? » Il choisissait l'assimilation mitigée avec l'autonomie financière et fiscale. On rencontre la même réaction à la chambre de commerce de Fort-de-France,
l'assimilation ferait perdre sa situation privilégiée au
contribuable martiniquais. Il faut rappeler d'ailleurs que les
Békés s'étaient toujours montrés réservés sur l'application
de l'assimilation en matière économique. Le conseil général

de Guadeloupe exprima des positions assez proches, il soutenait l'assimilation politique et entendait garder à l'île son autonomie dans les domaines financier et économique.

Après les festivités qui marquèrent à Paris l'Exposition coloniale de 1931, les fêtes du Tricentenaire furent en 1935 l'occasion de donner au discours de l'assimilation une nouvelle expression. Les comités de commémoration se multiplièrent en métropole et aux Antilles où les diverses communes entendaient participer aux comités locaux. Discours officiels, articles de presse rendirent compte du désir profond de l'opinion et firent valoir l'identité des Iles et de la mère patrie. Le 23 décembre, en Martinique, l'inauguration de la statue de Belain d'Esnambuc, le fondateur, donna à tous l'opportunité de célébrer le culte assimilationniste. Au banquet du conseil général, au siège de la Transatlantique, Lagrosillière mettait en avant l'urgence de la départementalisation : « Vivent désormais les Antilles, la Guyane et la Réunion, en départements français. »

Cependant des réserves étaient encore émises. D'une part, aux Antilles, où la chambre de commerce martiniquaise exposait les lourdes incidences fiscales : « Les vieilles colonies ont des latitudes que peuvent leur envier les départements métropolitains, l'assimilation ferait perdre une situation privilégiée. » Victor Sévère demandait des mesures « destinées à respecter et à préserver les spécificités locales, l'assimilation intégrale serait la mort sans phase de notre pays[54] ». D'autre part, un nouvel état d'esprit naissait chez certains Antillais de la métropole, des étudiants qui prenaient conscience de leur identité créole et africaine, de l'aliénation culturelle vécue par eux. Aimé Césaire devait, en 1939, se faire le « chantre de la négritude » en publiant le *Cahier d'un retour au pays natal*. Les critiques de l'assimilation restaient cependant peu nombreux. La Seconde Guerre mondiale et le régime de Vichy allaient constituer une nouvelle étape dans la voie de l'assimilation.

LES ANTILLES DU « TEMPS ROBERT » À LA DÉPARTEMENTALI-
SATION

En « temps Robert »

La Seconde Guerre mondiale redonna aux colonies de la Caraïbe l'importance stratégique qu'elles avaient eue aux XVIIe et XVIIIe siècles. Cependant, au début du conflit, personne aux Iles ne croyait à une guerre de longue durée. L'économie paraissait à nouveau en bonne voie, la campagne sucrière de 1939 avait été exceptionnelle et terminée avant le début de la guerre. En revanche, la récolte 1940 se ressentit des incertitudes de la guerre. Les sucriers et les rhumiers se souvenaient des grosses fortunes réalisées en 1914-1918, aussi développèrent-ils la production malgré le manque d'engrais et de matériel de remplacement pour les usines : – 60 460 tonnes de sucre en 1940, 67 640 tonnes en 1941 ; 80 305 hectolitres de rhum étaient exportés en 1940. Ils constituèrent des stocks en dépit du manque de magasins dans les usines, du manque de foudres et de tonneaux pour le rhum. Son exportation était tombée à 27 972 hectolitres pour la Martinique seulement en 1941 en raison du manque de navires et surtout du début du blocus des Iles par les Anglo-Saxons, elle ne serait que de 1 883 hectolitres en 1942. Une économie de pénurie s'installa, il fallait développer les cultures vivrières, mais on tarda à le faire ; la surface occupée par ces cultures en Martinique passa de 3 700 hectares en 1941 à 5 383 hectares en 1943, le manioc cultivé sur 800 hectares en 1942 l'était sur 1 500 en 1943. Les résultats furent limités et la population souffrit.

Le sort des Iles, isolées de la France, dépendait en dernier ressort des rapports avec les Américains. Ces derniers, dès 1940, après la défaite française, tout en restant encore neutres, manifestaient des inquiétudes sur l'avenir de la Caraïbe qui, en raison de l'importance des intérêts américains dans la zone, avec en particulier le canal de Panama, ne pouvait les laisser indifférents.

Le 30 juillet 1940, les Américains publièrent la déclaration de La Havane. C'était un rappel de la doctrine de Monroe : l'Amérique devait être libre de toute ingérence européenne, les questions américaines devaient être réglées uniquement par les Américains du continent. Pour la politique des États-Unis, des bases « points d'accrochage du filet protecteur à constituer autour du continent pour sa défense à distance » étaient indispensables[55]. Rappelant la politique des bases britanniques, ces vues exigeaient un programme d'extension du réseau existant. Le 30 juillet les Américains entendaient, entre autres, prévenir un transfert de souveraineté dans une région de l'hémisphère américain appartenant à une nation non américaine et prévoir l'administration provisoire des colonies européennes en Amérique. Ces territoires seraient organisés comme des États autonomes, « s'il apparaît qu'ils sont capables de se maintenir dans cette condition ou bien rétablis dans leur statut précédent, suivant le principe que les peuples ont le droit de déterminer librement leur destin ».

L'interlocuteur des Américains aux Antilles françaises serait, de 1940 à 1943, l'amiral Robert, nommé haut-commissaire des territoires français dans l'hémisphère occidental en septembre 1939. Fin juin 1940, une certaine incertitude régnait sur les positions qui seraient prises aux Antilles. Le 24 juin, alors que l'armistice du 22 juin n'y était pas encore connu, les conseils généraux de la Martinique et de la Guadeloupe faisaient part à Robert de leur « indéfectible attachement à la France », de leur volonté de continuer la lutte aux côtés des Alliés avec l'Empire français d'outre-mer. Le haut-commissaire jugeant « inopérantes et inopportunes » leurs motions refusa de les câbler. Cependant déjà l'adhésion de plusieurs représentants des colonies en France au gouvernement de Vichy était apparue : le sénateur Lémery était entré dans ce dernier comme ministre des Colonies ; président du conseil général de

Martinique, le député Lagrosillière confirmait son accord avec les vues de Lémery, les députés Gratien Candace et Satineau voteront eux aussi le 10 juillet les pleins pouvoirs à Pétain.

Le 24 juin, le croiseur *Émile Bertin*, chargé de trois cents tonnes d'or de la Banque de France, était arrivé à Fort-de-France. Par la suite, les Alliés s'inquiétèrent du sort de ce stock, craignant qu'il ne tombe aux mains des Allemands. Enfin, en juillet après Mers el-Kébir, le contact avec les Anglais était devenu très difficile alors que Robert avait eu auparavant une entrevue sans résultat avec le gouverneur de la Barbade.

Le 4 août 1940, l'amiral eut une rencontre importante avec l'amiral américain Greenslade, commandant en chef les forces des États-Unis dans la Caraïbe. Il lui demanda des facilités d'achat de denrées alimentaires et de matériels divers dans son pays en raison des premiers effets de l'isolement des colonies. Les 2 et 3 novembre étaient conclus les accords Robert-Greenslade pour de tels achats couverts par les fonds français bloqués aux États-Unis ; Greenslade avait alors demandé à Robert des garanties sur l'or de la Banque de France. Une violente campagne de presse agitait l'opinion outre-Atlantique et, fin décembre, le *Daily News* prêtait à la marine américaine l'intention de prendre Fort-de-France comme base : « Le port sera une dent de plus au râtelier antillais de l'Oncle Sam, il y a en ce moment une brèche affreuse dans ce râtelier entre Porto Rico et Trinidad[56]. »

En dépit d'une exécution relativement correcte des accords Robert-Greenslade pour les achats aux États-Unis, un an plus tard, les rapports se tendirent : en décembre 1941, Robert se plaignit auprès de l'amiral Horne venu à Fort-de-France d'entraves mises au ravitaillement, parlant même de blocus. Il fallait maintenir le débouché du sucre existant en Afrique du Nord, avec acheminement en France, comme pour d'autres produits antillais. Des navires avaient été arraisonnés. Effectivement, de septembre 1941 à avril 1942, on put acheminer sur le Maroc 36 000 tonnes de sucre, la moitié de la récolte de 1941. Mais cela fut impossible pour la récolte de 1942 ; en septembre 1942, les stocks de rhum dépassaient les cent mille hectolitres dans chacune des deux îles[57].

En novembre 1942, après le débarquement allié en Afrique du Nord et l'invasion de la France non occupée par les troupes allemandes, la coupure entre la France et les Antilles devint totale. Les rapports officiels de Robert avec les États-Unis cessèrent en avril 1943, et le mois suivant, en mai, Laval ordonnait à Robert de faire saborder les navires de guerre, détruire les avions et immerger l'or. L'amiral n'exécuta pas cet ordre de Vichy, sachant bien qu'il obéissait à une pression allemande plus qu'à la volonté de Laval, mais la situation se détériorait à l'intérieur de la Martinique, dans une moindre mesure en Guadeloupe. Les stocks de vivres s'épuisaient, le blocus américain devenait très sévère. Un passage à la dissidence était envisagé par certains – il y eut des départs pour Sainte-Lucie et d'autres îles anglaises. L'armée de terre gagnée à la France Libre s'opposait aux marins de l'amiral plus légaliste ; au camp de Balata et au fort Desaix de Fort-de-France régnait un esprit de mutinerie.

Jusqu'au début de 1943, l'amiral avait bien tenu en main les Iles. En Guadeloupe, le gouverneur Sorin avait su rester dans l'obédience vichyste, et, en Martinique, Robert jouissait d'une incontestable popularité auprès de nombreux habitants. Le 14 septembre 1942, le troisième anniversaire de son arrivée aux Antilles avait été fêté dans l'exubérance caractérisant les fêtes coloniales sur la Savane de Fort-de-France. Au mois de mai précédent, la Quinzaine impériale réunissant les colonies de l'Empire autour de Vichy avait été un succès. Lors de la fondation du nouveau régime, en 1940, la « Révolution nationale » avait reçu l'adhésion de beaucoup, Békés, fonctionnaires, commerçants, employés de bureau, de toute couleur, qui voulaient le maintien des valeurs traditionnelles. Les conseils généraux supprimés en octobre, les conseils municipaux nommés par le gouverneur, il ne pouvait guère y avoir d'opposition. Le 28 mars 1941, *L'Informateur de la Guadeloupe* exprimait sa satisfaction des réformes : « Les bastilles de l'Ancien Régime tombent une à une, le tour des municipalités véreuses et politiciennes est arrivée. Presque tous les anciens maires et conseils municipaux ont été démissionnés. L'Ancien Régime était faussé à la base par la démagogie électorale et ne permettait presque jamais de travailler au bien public[58]. »

Au printemps 1943, il apparut que les jours du régime de Vichy aux Antilles étaient comptés. Les difficultés économiques croissantes, les mesures prises à l'encontre de certains, franc-maçons, communistes, socialistes comme le Guadeloupéen Valentino, avaient dressé l'opinion contre Robert et Sorin. En mars 1943, les Guyanais s'étaient ralliés à la France Libre. En avril, le général de Gaulle fit passer à Fort-de-France le médecin général Le Dantec pour tenter de convaincre Robert de se rallier, mais ce fut un échec. Un Comité martiniquais de libération se fonda sous la direction de Victor Sévère, et, le 18 juin, jour anniversaire de l'appel de De Gaulle en 1940, ce Comité fit déposer une croix de Lorraine devant le monument aux morts de Fort-de-France. Sévère appela la population à manifester en masse le 24 juin. Six jours plus tard, Robert, qui refusait toujours le sabordage des navires de l'escadre exigé par les Allemands, s'inclinait sous la pression de l'opinion, annonçant « qu'il avait demandé au gouvernement des États-Unis l'envoi d'un plénipotentiaire pour fixer les modalités d'un changement de l'autorité française et qu'il se retirerait ensuite[59] ».

Le 14 juillet, arrivait à Fort-de-France Henri Hoppenot, ambassadeur de France à Washington, mandaté par le Comité de la libération d'Alger comme délégué extraordinaire aux Antilles. « Je vous ramène la France et la République », déclarait-il en débarquant, applaudi par la foule. Mais il rendait aussi hommage à Robert pour avoir maintenu la souveraineté française sur les Iles et avoir rendu intacts or et flotte à la nouvelle autorité.

Le 26 août, dans une lettre à René Pleven, commissaire aux colonies du Comité d'Alger, Victor Sévère soulignait comment lui et ses amis avaient entendu donner à leur action « un caractère strictement et exclusivement français » et se montrait inquiet des visées impérialistes dont l'île pourrait être l'objet[60]. La mésentente avec les Américains toujours soupçonnés d'entretenir des projets antillais était claire. « Le sort de la plus vieille des colonies françaises et de la plus française des vieilles colonies » était en jeu ; il fallait sauvegarder les liens séculaires. À la même date, dans une lettre au même Pleven, Hoppenot montrait son souci de « calmer bien des impatiences, de faire comprendre la nécessité de certains compromis inévitables[61] ». Il ne fallait pas « braquer » contre l'Administration certains membres du clergé ou du monde des affaires. L'attitude du clergé était réservée, celle de la société « blanche » sourdement hostile. Mais on devait tenir compte du vaste mouvement d'enthousiasme qui saluait la restauration de la République et rendait aux Martiniquais « leur dignité d'homme et de citoyen ».

Vers la départementalisation

En 1945, la remise en marche de l'économie s'avéra difficile. La France ne pouvait fournir les denrées et les biens manufacturés dont les Antilles avaient besoin. Les plantations de canne n'avaient pas été faites en 1943 et 1944, les engrais manquaient, l'entretien des machines avait été insuffisant dans les usines pendant la guerre, les entreprises étaient presque entièrement privées des pièces de rechange et des produits nécessaires, et bien souvent une remise en état eût été plus onéreuse que leur remplacement. Les usiniers estimèrent qu'il valait mieux profiter de cette situation pour moderniser complètement les installations industrielles et remplacer par du matériel moderne tout le matériel désuet afin d'adapter l'appareil de production à la concurrence internationale toujours vive. Il fallait donc de gros investissements, on ne pouvait procéder que par étapes, les délais de fabrication étaient longs au lendemain de la guerre, et l'on ne pouvait arrêter les établissements qui devaient toujours traiter les récoltes. Les programmes nécessaires seraient étalés sur cinq ou six ans et ne seraient réalisés que vers le début des années 1950.

Au total, dans le cas de la Guadeloupe, plus de cinq milliards furent investis dans les usines[62]. Dans cette île, la production de sucre qui avait été de 59 502 tonnes en 1939 ne s'élevait en 1948 qu'à 28 095 tonnes ; elle passa à 65 000 tonnes en 1950 pour dépasser les 100 000 en 1954. Ayant des possibilités de financement plus limitées que celles des grosses entreprises métropolitaines installées en Guadeloupe, les usiniers martiniquais ne retrouvèrent la capacité de broyage de 1939 que vers 1950 mais ne purent atteindre le même tonnage en 1954.

Il est vrai aussi que les aléas climatiques associés aux crises sociales freinèrent considérablement après 1945 la restauration des productions. Il y eut en Guadeloupe de mauvaises récoltes en 1946 et 1947 dues à la sécheresse ; 1948 fut une année de grèves et de troubles sociaux graves dans les deux îles. Ce ne fut qu'à partir de 1949 que les résultats s'améliorèrent sensiblement. Il fallait aussi une concentration des usines. En Martinique, un projet fut esquissé en ce sens en juillet 1945 ; date à laquelle une commission réunit de grands sucriers, Louis de Laguarigue, Guy de Pompignan, Théodore de Reynal, Maurice, Joseph et Léon Hayot, Charles Clément, Jean Aubery. Un rapport fut présenté en février 1946 qui proposait de créer cinq grandes usines à la place des quatorze existant, l'aménagement d'un nouveau port à Trinité rompant l'isolement du Nord-Est atlantique. Mais les nouvelles conditions fiscales nécessaires ne purent être obtenues.

Un point positif est à relever, celui des exportations des stocks accumulés pendant la guerre. Elles purent commencer en direction de la métropole à partir de 1945, mais, jusqu'en 1947, le manque de navires gêna le trafic. Les exportations de rhum ne reprirent vigoureusement qu'en 1947 en Martinique, année où elles dépassèrent les 228 000 hectolitres AP[63].

Les besoins de biens importés étaient considérables, et les États-Unis en fournirent la majorité. En mars 1945, fut créée dans ce pays une agence des colonies, mais les cinq cent mille dollars attribués pour couvrir les achats se révélèrent insuffisants. Aussi l'économie de pénurie se maintint-elle jusqu'au-delà de 1946. Les salaires avaient augmenté : en Martinique, le coupeur de canne qui gagnait 30 francs par jour en 1938 en obtenait 120 en 1945. Mais les prix avaient grimpé encore plus[64]. Le conseil général de l'île, pour agir sur les prix des denrées les plus courantes, supprima en mars 1945 les taxes à l'importation de la morue, de l'huile et de la farine. Les tensions sociales étaient inévitables, et, comme auparavant, le début des campagnes sucrières fut marqué par les grèves. D'autres causes de tensions dans les campagnes, elles aussi assez anciennes, étaient les appels faits à des immigrants : ainsi, de 1946 à 1953, une grande partie des travailleurs agricoles des bananeraies guadeloupéennes venaient de la Dominique anglaise. Darboussier et Beauport recrutaient aussi des coupeurs de canne étrangers dans les mêmes années.

Une certaine hostilité régnait aussi dans le petit commerce à l'encontre des immigrants syro-libanais nombreux en Guadeloupe venus s'installer comme marchands ambulants, colporteurs. Le gouverneur de la Guadeloupe soulignait leur présence en 1939 : « Les Syriens refoulés d'Haïti et de Saint-Domingue dont le nombre augmente chaque jour envahissent le territoire de la Guadeloupe et circulent dans tous les centres les plus éloignés pour apporter leur camelote au domicile même de l'acheteur, évitant à celui-ci les inconvénients d'un déplacement toujours onéreux[65]. » En 1944, la Martinique comptait 152 Libanais et Syriens, colporteurs et marchands, en 1946, il y avait en

Guadeloupe 163 Libanais et 98 Syriens. Il y avait des campagnes de presse hostiles à ces commerçants, et, dans la population créole, une opinion xénophobe à leur égard.

La situation au début de l'année 1946, quand fut prise la mesure de la départementalisation, était donc loin d'être dépourvue de facteurs d'inquiétude pour la population des Antilles : une économie en grande partie délabrée, une situation sociale tendue, autant d'éléments paraissant annoncer un avenir encore difficile. Mais la décision pouvait paraître à même de rétablir dans l'opinion un consensus justifié par une longue attente.

À la demande des conseils généraux des « vieilles colonies », l'Assemblée constituante vota, à l'unanimité, la mesure de l'assimilation par la loi du 19 mars 1946. La Martinique et la Guadeloupe, comme la Guyane et la Réunion, étaient érigées en départements français. Les Antillais n'étaient plus des colonisés mais des Français à part entière. La proposition de loi avait été déposée, le 26 février, par l'ensemble des députés de ces colonies ; seuls les deux députés de la Guadeloupe étaient intervenus dans le débat pour défendre les privilèges acquis du conseil général, et, avant l'application de la loi, obtenir une délibération préalable de ce conseil jaloux de son autonomie financière.

En fait, l'organisation publique et administrative était déjà à peu près complètement assimilée à celle de la métropole : les codes civil, pénal, de commerce, la représentation au Parlement, la loi d'assistance publique de 1920, étaient en place. Aimé Césaire, le député de la Martinique, rapporteur, renonça au terme départementalisation au profit du terme assimilation. Cela impliquait pour lui qu'il fallait appliquer les lois sociales en vigueur en métropole, et il souhaitait une éventuelle nationalisation des monopoles privés et de l'industrie.

De l'attitude des conseils généraux, on peut retenir celle du conseil de la Guadeloupe qui, le 13 mars 1946, avait exprimé ses vœux représentant assez bien l'opinion de la colonie :

> Considérant que le peuple guadeloupéen est suffi-
> samment évolué pour mériter son assimilation à
> celui de la métropole,
> Considérant que les territoires de la Corse, de la
> Savoie, de Nice, de l'Algérie, rattachés à la métro-
> pole plusieurs années après la Guadeloupe, sont
> assimilés depuis fort longtemps,
> Considérant qu'outre les avantages moraux considé-
> rables qu'en tirera la population, son assimilation
> déterminera sa rupture définitive avec le pacte colo-
> nial rétrograde et source de troubles sociaux
> constants,
> Considérant que toutes les classes de la société antil-
> laise profiteront utilement de la réalisation de cette
> mesure longtemps attendue, émet le vœu que l'assi-
> milation de la Guadeloupe soit votée sans délai par
> l'Assemblée Constituante et appliquée effectivement
> le plus rapidement possible[66].

Dans cette délibération, les communistes avaient souligné la nécessité de l'assimilation totale ; les socialistes
avaient émis des réserves car il fallait, selon eux, maintenir
les prérogatives du conseil, « l'autonomie financière qu'il a
depuis un siècle ; nos ancêtres nous ont permis d'avoir des
leviers de commande, ne les abandonnons pas ».

L'application effective ne devait se faire qu'en 1948. Les
conditions économiques et sociales étaient loin d'être
complètement favorables, les conditions politiques ne le
furent pas toujours. Dans le cas de la Guadeloupe, on
assista à « une valse des gouverneurs » de 1945 à 1947 ;
le premier préfet nommé en octobre 1947 fut rappelé en
novembre, son successeur fut accusé de faire la politique
des usiniers. Cependant, les conseillers généraux, dont un
grand nombre siégeaient dans les municipalités (sur

36 conseillers, il y avait 19 maires et 7 conseillers municipaux), qui espéraient obtenir des subventions pour leur
commune, s'abstinrent de faire une forte opposition à l'administration préfectorale.

Des déceptions vinrent assez vite. Avant le vote de la loi,
le pouvoir de tutelle dont disposaient les assemblées
locales sur l'administration du gouverneur n'était pas négligeable et, en cas de désaccord, les décisions du conseil
général étaient prises en considération.

À long terme un malaise apparut. Les Antillais déploré-
rent que le pouvoir politique se soit éloigné d'eux, Paris
légiférait et non les représentants élus des Antilles. Le
régime de la départementalisation n'était pas sans introduire la confusion : les dossiers coloniaux étaient étudiés
dans différents ministères et non plus dans un seul, ils
étaient souvent mal informés des caractères spécifiques des
terres d'outre-Mer. Les rapports déjà tendus des fonctionnaires métropolitains en poste aux Iles l'étaient davantage
dans la mesure où le nombre de ces fonctionnaires s'accroissait.

Sur le plan fiscal, le régime nouveau fut loin d'être favorable. Sous le régime « colonial », l'essentiel des ressources
provenait des taxes et impôts indirects, relativement peu
perçus par l'opinion. La départementalisation entraîna
l'alourdissement des impôts directs auxquels le contribuable était bien plus sensible. De manière plus générale,
la recherche de l'identité législative avec la métropole ne
favorisait pas la prise en considération des spécificités
locales, et l'importance des transferts publics, pour financer
des dépenses alourdies qui excédaient de beaucoup les ressources prélevées sur place par l'impôt, paraissait accentuer
un état de dépendance, à terme facteur de déséquilibre.

Saluée par tous avec enthousiasme, à l'exception de
quelques Békés et d'hommes de couleur qui manifestaient
des réserves, la départementalisation ne pouvait masquer
la réalité d'une civilisation créole spécifique et de la diversité antillaise. Blancs et Noirs partagèrent, aux XIXe et

xxe siècles, en dépit des affrontements fréquents, les mêmes repères culturels. Ce furent l'importance de la langue créole pour les enfants, l'attrait de la fête, en particulier du carnaval, l'influence profonde de la religion chrétienne, et cependant l'attachement aux superstitions communes. Il y eut aussi la domination de catastrophes toujours menaçantes, choléra, cyclones, incendies, tremblements de terre. Il y eut la réalité et la constance du même préjugé fondé sur la supériorité du plus clair sur le plus foncé. Il y eut des mémoires tenaces : celle du courage des pionniers blancs du xviiie siècle, confrontés à une existence difficile, dans une nature non maîtrisée, celle de la lutte des mulâtres, plus tard des Noirs, pour la reconnaissance d'une identité que l'abolition de l'esclavage voulue par un Bissette et un Schœlcher ne pouvait encore satisfaire pleinement.

POSTFACE

Un demi-siècle après la décision de la départementalisation, le visage des Antilles a bien changé. Ancien fleuron
des îles, l'agriculture, et en particulier la culture de la
canne à sucre, a très fortement décliné. En Martinique, elle
ne représentait plus, en 1998, que moins de 5 % du PIB et,
en Guadeloupe, moins de 7 %[1]. Avec une consommation
de beaucoup supérieure à la production, le déséquilibre des
échanges, déjà net au lendemain de la Seconde Guerre
mondiale, s'était lourdement accentué : en 1998, en Martinique, les importations approchaient les 10 milliards de
francs, les exportations n'atteignaient pas 1,7 milliard ; en
Guadeloupe, à la même date, le déficit était encore plus
grand, pour seulement 704 millions d'exportations, les
importations portaient sur 10,7 milliards.

Au sortir de la guerre, dans une situation économique
très difficile, un des objectifs de la départementalisation
était de faciliter le rattrapage de l'économie de la métropole par les économies insulaires. La forte dégradation des
termes de l'échange est loin d'avoir permis de réaliser ces
vues. En raison des difficultés croissantes de l'économie
fondée sur le sucre, qui n'étaient que partiellement
compensées par l'essor de la culture bananière et de
cultures annexes (ananas et autres fruits) comme par le
développement du tourisme, faute de dégager des ressources locales suffisantes, il fallut transférer de plus en
plus de fonds publics métropolitains. Ces transferts devin-

rent le moteur principal de l'économie : ils s'élevaient, en 1998, à 8 309 millions pour la seule Martinique. Il fallait, en effet, couvrir les dépenses de fonctionnement de l'administration et des politiques sociales, combler le retard des équipements collectifs.

Les transferts de fonds de la métropole stimulèrent la consommation d'une population à la croissance spectaculaire dans la seconde moitié du xxᵉ siècle. Comptant quelque 468 000 habitants en 1954, la Martinique et la Guadeloupe en ont plus de 800 000 en 2000. En fait, cette croissance s'est considérablement ralentie à partir des années 1970 et l'on aboutit à une certaine stabilité démographique. L'exemple de la Guadeloupe le montre : le taux de natalité qui y avait dépassé les quarante pour mille en 1955 tomba au-dessous du seuil des vingt pour mille en 1981, cela alors que le taux de mortalité qui approchait encore les douze pour mille à la première date descendait à moins de sept pour mille à la seconde.

Soutenu par une certaine désaffection pour les métiers de la terre, le déclin des économies agricoles poussa bien des habitants de campagnes à gagner la ville. Dès les années 1930, une tendance à la concentration urbaine s'était affirmée, elle se renforça encore plus. En Martinique, Fort-de-France et quelques bourgs côtiers constituèrent le pôle d'absorption privilégié des migrations, en Guadeloupe, Pointe-à-Pitre, dans une moindre mesure Basse-Terre, le furent aussi. À partir des années 1960, encouragée par les pouvoirs publics, l'émigration vers la métropole s'offrit comme un moyen de pallier une pression démographique de plus en plus forte. Paris et l'Ile-de-France purent alors être appelés la « troisième île des Antilles ». Mais depuis les deux dernières décennies, on assiste à un phénomène de retour des Martiniquais et des Guadeloupéens installés en France pour trouver outre-mer des conditions de vie plus agréables. Nombreux sont ceux qui reviennent s'y fixer à l'occasion de leur retraite, de jeunes fonctionnaires y obtiennent des postes locaux préférés à ceux de la métropole.

L'extraordinaire essor urbain permettait à Fort-de-France de pouvoir polariser, en 1998, les trois quarts du territoire martiniquais. Les gros bourgs de la côte au vent de l'île étaient devenus de petites villes de la grande banlieue, de Sainte-Marie au Vauclin. Comptant 25 000 habitants en 1921, la ville était déjà passée à 52 031 habitants en 1936 et sa population quadrupla après la guerre, elle était de 114 707 habitants en 1967, dépassait les 211 000 habitants en 1999. En Guadeloupe, Pointe-à-Pitre passa de 42 000 habitants en 1950 à près de 70 000 en 1967 pour monter à 132 472 en 1999. Pour le plus grand nombre, la ville exerçait une attraction correspondant au développement de la consommation de masse favorisée par la progression des équipements, des services et la prospérité du grand commerce. Une frange importante de la population « en dérive sociale » depuis les années 1960[2] est venue habiter dans des bidonvilles sordides opposés aux villas les plus luxueuses des secteurs résidentiels. L'ampleur du chômage s'y faisait fortement ressentir. En Martinique, pour une population active de 166 400 personnes, en 1998, le nombre des demandeurs d'emploi s'élevait à 49 993, soit 30 % des actifs ; celui des allocataires du RMI, en augmentation, était de 23 720, soit un ménage sur cinq. En Guadeloupe, pour 182 200 actifs, le chômage touchait, à la même date, 55 900 personnes, soit un taux un peu supérieur à celui de la Martinique, 30,6 % ; les allocataires du RMI étaient au nombre de 22 922.

Pour mettre fin à cet inquiétant manque d'emplois, les perspectives économiques demeurent limitées. La fonction publique, au fort développement après la départementalisation, a abouti à un taux d'encadrement relativement élevé, difficile à faire progresser. Les filières traditionnelles agricoles, malgré la rétraction de l'assise foncière sous l'effet de la pression urbaine, emploient encore vingt pour cent de la population active. Le déclin de la canne à sucre est le plus spectaculaire, avec une seule usine à sucre maintenue au Galion, en Martinique, et deux usines en Guadeloupe, Gardel en Grande-Terre et Grande-Anse à Marie-Galante. En 1949, les deux îles comptaient chacune quatorze usines ; dix ans plus tard, le processus de fermeture des établissements s'était déjà accéléré avec douze usines en Guadeloupe et onze en Martinique. En dépit des effets destructeurs des cyclones et des sécheresses, la production s'était bien maintenue en Guadeloupe jusqu'aux années 1970, en 1971, l'île exportait encore 151 000 tonnes. En 1998, sa production n'atteignit pas 39 000 tonnes. Au début des années 1950, la Martinique pouvait encore livrer près de 90 000 tonnes, en 1998, sa production descendit au-dessous des 6 600 tonnes.

On peut attribuer à ce déclin sévère trois séries de causes : comme elle le fit dès le XIXe siècle, la pression des sucriers betteraviers de la métropole s'exerça fortement afin de faire baisser la production du sucre de canne concurrent ; les coûts de production se révélaient, en dépit de nets progrès dans la culture et la fabrication, encore supérieurs à ceux des autres producteurs, tels Hawaii ou Porto Rico ; il y eut aussi un transfert de capitaux vers la banane ou l'hôtellerie, très sensible chez les Békés de Martinique. Dans cette île, le rhum reste le principal débouché de la production de canne. L'obtention récente de l'appellation d'origine contrôlée y favorise la production de rhums de qualité, vendus pour le rhum agricole après un vieillissement exigeant de grosses immobilisations de capitaux. Sur une production totale de 68 716 hectolitres AP, dont 57 043 hectolitres AP de rhum agricole, la métropole absorbe 40 652 hectolitres, le marché international (Union Européenne et États-Unis) 4 934 hectolitres, le solde allant au marché local. Un régime fiscal privilégié protège ce rhum sur le marché européen. La Guadeloupe produit, en 1998, 62 685 hectolitres AP, dont seulement 19 019 hectolitres AP de rhum agricole.

Dans les deux îles, la culture de la banane est devenue la filière la plus importante. Elle s'est particulièrement étendue sur le versant atlantique de la Martinique, de Grand-Rivière au Vauclin, employant 80 % de la population agricole, en majorité de petits et moyens exploitants comme en Guadeloupe. Une organisation commerciale commune a été mise en place par l'Union européenne pour assurer un écoulement privilégié aux 243 360 tonnes exportées par la Martinique, en 1998, comme aux 78 658 tonnes de la Guadeloupe. Une « guerre de la banane » a vu les pays latino-américains producteurs et les compagnies fruitières nord-américaines qui exploitent leurs fruits contester le régime protecteur européen contraire à la liberté du commerce international. Comme certains importateurs européens, surtout les Allemands, n'étaient guère favorables au régime protégé européen, l'organisation commune du marché se vit l'objet d'attaques en règle de la part des multinationales bananières qui, représentant un peu plus des trois quarts de l'offre mondiale, se réclamaient de l'établissement de l'organisation mondiale du commerce créée en 1994[3].

La filière bananière avait été favorisée, dès le début des années 1930, par des mesures de soutien direct, dans la phase pionnière des exportations antillaises. C'est dans les débuts de la Ve République, alors que les effets des mesures d'alignement salarial prises dans le cadre de la départementalisation fragilisaient les bases agro-industrielles de l'économie antillaise, que la politique des quotas bananiers fut mise en place. Après un intense effort de « lobbying », un arbitrage favorable fut rendu par le Président de Gaulle, en 1962[4]. Un tiers de la consommation française serait réservé à la banane antillaise, avec des prix garantis, les deux tiers aux bananes ACP, originaires des pays ACP (Afrique, Caraïbe, Pacifique), provenant d'anciennes colonies des pays européens.

Pour comprendre les avantages obtenus par la spéculation bananière, il faut ajouter les positions novatrices prises en matière de culture et d'organisation de la profession. Dès les années 1960, furent ainsi créées la Sicabananière de la Martinique et l'Association bananière de la Guadeloupe ; puis ce fut l'apparition, au tournant des années 1980, d'un groupement bananier indépendant en Martinique. Dans la décennie 1990, en dépit d'une certaine atomisation de la production, avec la création d'une coopérative bananière martiniquaise, les bananiers se montrèrent capables de peser sur une amélioration des conditions de transport transatlantique et de choisir une politique de marques comme le faisaient déjà leurs concurrents américains.

L'avenir demeure cependant incertain. Par un accord passé en avril 2001 entre l'Europe et les États-Unis il est prévu d'ouvrir progressivement le marché européen aux « bananes dollar », distribuées par les multinationales américaines, Chiquita, Dole et Del Monte, ceci jusqu'à la suppression des quotas auxquels sont soumises ces bananes et l'adoption d'un tarif douanier unique en 2006. Alors jouerait pleinement, avec la suppression des avantages commerciaux, l'écart spectaculaire des coûts de production : le salaire journalier d'un ouvrier agricole du Costa Rica équivaut à une heure de travail d'un Martiniquais ou d'un Guadeloupéen[5].

En Martinique, le tourisme a obtenu ses réalisations les plus attrayantes dans le sud de l'île et en bordure de l'agglomération foyalaise[6]. Avec le complexe hôtelier de la Pointe du Bout, la baie de Fort-de-France offre la plus grande capacité d'accueil. Détournés de la filière sucrière, les capitaux de certains Békés s'y sont investis comme dans la culture bananière. L'exemple du Marin est à retenir : des Békés, parmi les plus puissants de Martinique, détenaient la majorité des parts de l'usine à sucre, tous apparentés aux Hayot. En 1920, Joseph Hayot, en 1933, son beau-frère, Antoine de Reynal et Marcel Huyghes Despointes ; vers 1960, Georges de Reynal, fils d'Antoine, en 1976, le beau-frère de Georges, Guy de Gentile, s'étaient succédé à la tête de l'établissement. Celui-ci cessa ses activités en 1969 mais, vingt ans plus tard, la société de l'usine du Marin subsistait toujours, détenant plus d'un millier d'hectares de terres. Elle put utiliser cette réserve foncière pour des opérations immobilières lucratives, dont en particulier la création du domaine touristique de Belfond, sur la commune de Sainte-Anne[7]. Alors qu'en Martinique 540 800 touristes avaient fréquenté l'île en 1998, en Guadeloupe le nombre des visiteurs fut supérieur, cette année-là ; il s'éleva à 693 000 auxquels il faut ajouter les touristes, 390 000, reçus dans les îles du nord, dépendances de la Guadeloupe ; Saint-Martin et Saint-Barthélemy. Ces dernières étaient les seules à accueillir en nombre notable les clients nord-américains quand la Martinique ne comptait que 4 % de touristes nord-américains et la Guadeloupe 6 %. Il demeure que le tourisme, avec une très forte majorité de clients métropolitains, est devenu essentiel à l'économie des îles, rapportant 1,7 milliard en Martinique et 2,3 milliards en Guadeloupe, en 1998.

On a perdu le sens de produire, dans une très large mesure, mais on ne cesse de consommer plus, en appliquant les plans de rattrapage de l'économie qui ont accentué la dépendance antillaise à l'égard de la métropole. Ce renforcement de la dépendance a fait craindre à beaucoup une dégradation constante de l'identité locale. Il est vrai que dans les sociétés rurales, du temps de l'ère sucrière, les solidarités étaient très fortes, c'était la pratique du coup de main, le « koudmen », permettant l'entraide des exploitants. Vers les années 1950, il y avait déjà réduction de la taille des équipes de « coup de main » et l'on assista par la suite à une dégradation irréversible du système d'entraide paysanne. C'était la fin de la « Martinique rurale » déplorée avec tout son talent par Aimé Césaire devant le parti progressiste martiniquais en 1967.

La prolifération des lotissements immobiliers périurbains, la venue de nombreux métropolitains, fruit de la départementalisation à l'égard desquels persistait une méfiance traditionnelle, favorisèrent la naissance de ten-

sions sociales d'un type nouveau, opposant non plus tellement les Békés et les Noirs, mais ces derniers aux Blancs
de la métropole. En même temps, les espoirs mis en 1946
dans la départementalisation furent en grande partie déçus
et les ambitions « assimilationnistes », si grandes à la fin du
XIXe et au début du XXe siècle, se réduisirent chez beaucoup.
Une tendance autonomiste se fit jour. Certes, au cours de
ses voyages aux Antilles, en 1956, 1960 et 1964, le général
de Gaulle, venant avec son visage d'émancipateur des
peuples de couleur, put être l'objet du culte des foules.
« Papa de Gaulle » reçut en Martinique un accueil déli-
rant, au milieu des flots de musique, déclenchant une
effervescence collective comparable à celle produite pour
Bissette en 1848 ou pour Henri Hoppenot en 1943. En
août 1956, de Gaulle salua la Martinique « réussite française » et, dans son discours du 22 mars 1964, il soutenait que « la France a fait son devoir et continuera de le
faire vis-à-vis de ses enfants[8] ». Aimé Césaire, le maire et
député de Fort-de-France, avec tout l'ascendant qui était
le sien, exprimait le même jour à de Gaulle « notre gratitude et notre respect qui va au Chef prestigieux, au
patriote, au mainteneur de la France, au décolonisateur qui
a marqué son époque ». De Gaulle pouvait alors paraître
renforcer l'image de l'assimilation en reconnaissant à la
foule sa qualité française : « Mon Dieu, mon Dieu, comme
vous êtes français ! »

Mais, dès ces années 1960, et encore plus dans la décennie suivante, le souci de défendre l'identité antillaise faisait
dire oui à la départementalisation, non à l'assimilation. Les
émeutes sévères qui avaient déchiré Fort-de-France, en
1959 comme celles de Pointe-à-Pitre, en 1967, encore plus
violentes, furent marquées du sceau d'un racisme nouveau
qui voyait les Noirs s'en prendre aux métropolitains. En
1959, à Fort-de-France, la confrontation entre Blancs et
Noirs ne dressait plus face à face, comme au temps de l'affaire Lota ou de l'insurrection de 1870, des Békés et des
Noirs. Un automobiliste métropolitain fut agressé, après un

banal incident de rue par un Noir dont il avait renversé le scooter. Tirés de leurs voitures, les Blancs étaient admonestés en créole, s'ils répondaient en créole, donc s'ils étaient des Blancs du pays, ils ne subissaient ni traces ni violences.

Les élections ne traduisaient que difficilement le nouveau climat social. Aux présidentielles, les Antillais votaient pour la légitimité, c'était le candidat sortant qui l'emportait, en 1981, le vote fut favorable à Giscard d'Estaing alors que Mitterrand gagnait en métropole. Dans les années 1970 et 1980, la droite restait départementaliste alors que la gauche se voulait autonomiste mais le néo-schoelchérisme socialiste marqué par la visite de Mitterrand en avril 1988 fut loin de susciter l'équivalent de l'enthousiasme gaulliste de 1964.

Les changements intervenus dans le pays légal avec la loi de la départementalisation n'entamèrent que peu les comportements. Les grèves si nombreuses dans l'économie sucrière avant la guerre se reproduisirent encore violentes et s'étendirent de plus en plus au secteur bananier. Les hommes politiques bénéficiaient de l'aura que leur conférait leur place dans le discours antillais et le plus prestigieux, Aimé Césaire, put dénoncer le « malaise martiniquais » en fondant le parti progressiste martiniquais en 1958, après sa rupture avec le parti communiste français. Plus clairement la nouvelle génération se prononçait pour l'autonomie, soutenue par la gauche de la métropole quand le programme commun prévoyait dans la décennie 1970 un changement du statut politique des DOM, avec la reconnaissance du droit à l'autodétermination. Mais l'attitude globale de la grande majorité des populations restait la fidélité à la France ; aux élections de 1978, où l'on vota pour ou contre l'autonomie, la droite l'emporta.

En fait, les stratégies locales prenaient souvent le pas sur les intérêts des partis nationaux. Il y avait, comme auparavant, une très forte personnalisation des débats, avec dans les rapports de force, la recherche d'un certain équilibre. Ce fut, en Martinique, un double patronage, le gaulliste Émile Maurice étant président du conseil général, Aimé Césaire, le député-maire, conservant tout son prestige personnel mais ne pouvant empêcher un déclin du PPM qui profitait aux indépendantistes. Dans une recherche souvent pragmatique, les plus astucieux de ces derniers parlaient plus d'adaptation que de rupture. On peut, à cet égard, faire une grande place au président actuel du conseil régional de la Martinique, Marie-Jeanne. Il est vrai que d'aucuns, à Paris, trouvaient trop lourde la facture de l'outre-mer et voulaient l'alléger. L'entrée des Iles dans l'Europe peut, à cet égard, paraître représenter une perspective intéressante. Des relations directes des Antillais avec les instances européennes les affranchiraient d'une tutelle métropolitaine trop pesante[9].

À terme, on peut croire au renforcement des tendances autonomistes. De nouvelles initiatives seraient laissées aux instances régionales qui pourraient recevoir des attributs de quasi-souveraineté. Des intellectuels, pris par la force des slogans à la mode et confondant trop souvent le verbe avec l'action, peuvent aller au-delà. Ils demeurent assez éloignés de l'attitude profonde des Antillais. Il reste qu'il faudra choisir entre une négritude aliénante qui, comme l'écrit Jack Corzani[10], empêche de poser les problèmes réels, ceux des structures socio-économiques, et un savoir-vivre en accord avec ses ressources, régi par une politique responsable. Ceci impliquerait une progressive diminution des transferts de fonds métropolitains et davantage de production locale, pour ne pas voir se produire des réductions d'un niveau de vie qui reste parmi les plus hauts de la Caraïbe.

Ne faut-il pas alors souhaiter qu'une vraie culture antillaise, retenant le poids de l'histoire des îles dans l'ensemble de l'aire caraïbe, une culture forgée au cours de quatre siècles, au prix de confrontations souvent brutales et douloureuses, même après l'abolition de l'esclavage, fasse de la créolité la personnalité culturelle capable d'assumer toutes les richesses des sociétés antillaises ? Elles sont faites d'héritages français aussi bien qu'africains et nourries aussi des échanges avec les autres îles et le continent.

NOTES

INTRODUCTION

1. Du Tertre (Jean-Baptiste), *Histoire générale des Antilles habitées par les Français*, Paris, E. Kolodziej, 1978, réédition de la version de 1667, t. II, p. 83.

2. *Ibid.*, p. 88.

3. Hayot (Émile), *Les Officiers du Conseil souverain de la Martinique et leurs successeurs les conseillers de la cour d'appel*, Fort-de-France, Société d'histoire de la Martinique, 1964, p. 53.

4. Pour l'étude de la « dernière belle époque » de l'économie sucrière traditionnelle aux Antilles, voir Schnakenbourg (Christian), *Histoire de l'industrie sucrière en Guadeloupe aux XIXᵉ et XXᵉ siècles*, t. I, La crise du système esclavagiste (1835-1847) Paris, L'Harmattan, 1980, p. 140-143.

5. Bonne mise au point sur les réactions face à l'affaire Bissette dans Thésée (Françoise), *Le Général Donzelot à la Martinique, vers la fin de l'Ancien Régime colonial (1818-1826)*, Paris, Karthala, 1997, et Pame (Stella), *Cyrille Bissette, un martyr de la liberté*, Fort-de-France, Desormeaux, 1999.

6. Chivallon (Christine), *Espace et identité à la Martinique, paysannerie des mornes et reconquête collective, 1840-1960*, Paris, CNRS, 1998.

7. Sur le climat politique et social au lendemain de l'abolition voir Dessalles (Pierre), *La Vie d'un colon à la Marti-*

nique au XIXᵉ siècle, Journal, 1848-1856, ed. Frémont de (Henri), Courbevoie, 1986.

8. Chivallon (Christine), Espace et identité, op. cit.

9. Cherdieu (Philippe), La Vie politique en Guadeloupe, l'affrontement Boisneuf-Légitimus, 1898-1914, Paris IEP, 1981, p. 23.

10. Dessalles (Pierre), La Vie d'un colon, op. cit.

Première partie

LES ANTILLES AU XVIIᵉ SIÈCLE

1

LE TEMPS DES PIONNIERS

1. Butel (Paul), Histoire de l'Atlantique de l'Antiquité à nos jours, Paris, Perrin, 1997, p. 134.

2. Ibid. p. 208-212.

3. Bennassar (Bartholomé), 1492, un monde nouveau, Paris, Perrin, 1991, p. 211.

4. Moreau (Jean-Pierre), Les Petites Antilles de Christophe Colomb à Richelieu, Paris, Karthala, 1992, p. 44.

5. Butel (Paul), Histoire de l'Atlantique, op. cit., p. 130.

6. Vergé-Franceschi (Michel), Chronique maritime de la France d'Ancien Régime, 1492-1792, Paris, SEDES, 1998, p. 309-310.

7. Moreau (Jean-Pierre), Les Petites Antilles, op. cit., p. 208-209.

8. Du Tertre, Histoire générale des Antilles, op. cit., I, p. 58.

9. Ibid., I, p. 47.

10. David (Bernard), Les Origines de la population martiniquaise au fil des ans (1635-1902), Société d'histoire de la Martinique, 1973, p. 10, et Moreau (Jean-Pierre), Les Petites Antilles, op. cit., p. 151.

11. Du Tertre, Histoire générale des Antilles, op. cit., I, p. 117.

12. *Généalogie et Histoire de la Caraïbe*, n° 64, oct. 1994, p. 1155, « Les exploits et logements des Français dans l'isle de Guadeloupe ».

13. Moreau (Jean-Pierre), *Un flibustier français dans la mer des Antilles, (1618-1620)*, Paris, Seghers, 1990, p. 106-107.

14. Père Raymond Breton, *Relations de l'île de la Guadeloupe*, Basse-Terre, Société d'histoire de la Guadeloupe, 1978, I, p. 90.

15. Du Tertre, *Histoire générale des Antilles*, op. cit., I, p. 130, lettre du 25 juin 1636.

16. *Ibid.*, p. 107.

17. Père Raymond Breton, *Relations*, op. cit., p. 92.

18. Du Tertre, *Histoire générale des Antilles*, op. cit., I, p. 98.

19. Mathias Du Puis, *Relation de l'establissement d'une colonie française dans la Guadeloupe, isle de l'Amérique, et des sauvages*, Caen, Marin Yvon, 1652, p. 32-33.

20. La rare exception est celle de missionnaires comme le père Raymond Breton ou de flibustiers tel Charles Fleury, ayant vécu parmi les Indiens.

21. Du Tertre, *Histoire générale des Antilles*, op. cit., I, p. 408.

22. *Ibid.*, I, p. 410.

23. *Ibid.*, I, p. 473.

24. Père Raymond Breton, *Relations*, op. cit., p. 49.

25. Debien (Gabriel), *Les Engagés pour les Antilles, 1634-1715*, Paris, 1951, p. 92. Cet ouvrage fait référence pour l'étude des engagés au XVIIe siècle.

26. Le 26 août 1635, la *Petite Notre-Dame* du Havre, de 100 tonnes, partait avec 94 passagers et 40 hommes d'équipage, voir Petitjean Roget (Jacques) et Bruneau-Latouche (Eugène), *Personnes et Familles à la Martinique au XVIIe siècle*, Paris, Desormeaux, 2000, p. 11.

27. Du Tertre, *Histoire générale des Antilles*, op. cit., II, p. 459.

28. Du Tertre, *Histoire générale des Antilles*, op. cit., II, p. 459.

29. Petitjean Roget, *Personnes et Familles*, op. cit., p. 23.

30. Du Tertre, *Histoire générale des Antilles*, op. cit., I, p. 58.

31. *Ibid.*, I, p. 138.

32. *Ibid.*, I, p. 243.

33. *Ibid.*, I, p. 258.

34. *Ibid.*, I, p. 312.

35. Petitjean Roget, *Personnes et Familles*, op. cit., p. 26.

36. Du Tertre, *Histoire générale des Antilles*, op. cit., I, p. 493.

37. *Ibid.*, III, p. 231, et Petitjean Roget, *Personnes et Familles*, op. cit., p. 622. Littée détenait à Saint-Christophe dans son habitation de la Pointe-de-Sable 21 nègres.

2

LE NOUVEL ÂGE COLONIAL, LES ANTILLES SOUS LOUIS XIV

1. Du Tertre, *Histoire générale des Antilles*, op. cit., I, p. 544.

2. Devèze (Michel), *Antilles, Guyanes, la mer des Caraïbes de 1492 à 1789*, Paris, Sedes, 1977, p. 210. Les bâtiments britanniques y étaient alors une quarantaine.

3. Cité par Frostin (Charles), *Les Révoltes blanches à Saint-Domingue aux XVIIe et XVIIIe siècles*, Paris, L'École, 1975, p. 98, lettre de Tracy à Colbert du 24 octobre 1664.

4. Du Tertre, *Histoire générale des Antilles*, op. cit., III, p. 167.

5. Petitjean Roget (Jacques) et Bruneau-Latouche (Eugène), *Personnes et Familles à la Martinique au XVIIe siècle, d'après recensements et terrier nominatifs*, Fort-de-France, 2000, Desormeaux, I., p. 42, pour Rodomon et p. 43 et 79 pour Henault.

6. Petitjean Roget (Jacques), *La Société d'habitation à la Martinique, un demi-siècle de formation, 1635-1685*, Paris, thèse, 1978, Champion, 1980, II, p. 1249.

7. *Ibid.*, p. 1255.

8. Frostin (Charles), *Les Révoltes blanches, op. cit.*, p. 96-97, lettre de d'Ogeron du 15 septembre 1664.

9. *Ibid.*, p. 103.

10. Price (Jacob M.) *France and the Chesapeake, A history of the French Tobacco Monopoly, 1674-1791, and of Its Relationship to the British and American Tobacco Trades*, Ann Arbor, 1975, 2 vol. 1240 p., p. 73-115, la crise de Saint-Domingue.

11. Hayot (Émile), *Les Officiers du conseil souverain de la Martinique et leurs successeurs, les conseillers de la cour d'appel, 1675-1830*, Société d'histoire de la Martinique, 1965, p. 15.

12. *Ibid.*, p. 53.

13. *Ibid.*, p. 37, Mémoires du comte de Grenonville, 1823.

14. Petitjean Roget (Jacques) et Bruneau-Latouche (Eugène), *Personnes et Familles, op. cit.*, p. 605 pour Le Pelletier et 681 pour Picquet de la Calle.

15. Petitjean Roget (Jacques), *La Société d'habitation, op. cit.*, II, p. 1327-1328.

16. *Ibid.*, p. 1311.

17. *Ibid.*, p. 1337-1338.

18. Petitjean Roget (Jacques), *La Révolte du Gaoulé*, Paris, 1966, p. 116.

19. *Ibid.*, p. 140.

20. Vergé-Franceschi (Michel), « Fortunes et plantations des administrateurs coloniaux aux Iles d'Amérique aux XVIIᵉ et XVIIIᵉ siècles », in *Commerce et Plantation dans la Caraïbe, XVIIIᵉ-XIXᵉ siècles*, éd. Butel (Paul), Bordeaux, Maison des Pays ibériques, 1982, p. 118.

21. Petitjean Roget (Jacques), *La Société d'habitation, op. cit.*, II, p. 1343.

22. Buchet (Christian), *La Lutte pour l'espace caraïbe et la Façade atlantique de l'Amérique centrale et du Sud (1672-1763)*, Paris, Librairie de l'Inde, 1991, 2 vol. 1297 pages.

23. Petitjean Roget (Jacques), *La Société d'habitation, op. cit.*, II, p. 1269.

24. Buchet (Christian), *La Lutte pour l'espace caraïbe*, op. cit., p. 1146.

25. Petitjean Roget (Jacques), *La Société d'habitation*, op. cit., II, p. 1281.

26. Buchet (Christian), *La Lutte pour l'espace caraïbe*, op. cit., p. 95.

27. De Roux (Antoine), « La ville du Fort-Royal de la Martinique, naissance et développement aux XVIIe et XVIIIe siècles », in *Bulletin du Centre d'histoire des espaces atlantiques*, n° 4, 1988, p. 190.

28. Buchet (Christian), *La Lutte pour l'espace caraïbe*, op. cit., p. 1152.

29. Butel (Paul), *Histoire de l'Atlantique*, op. cit., p. 134.

30. Buchet (Christian), *La Lutte pour l'espace caraïbe*, op. cit., p. 198.

31. *Ibid.*, p. 269.

32. Camus (Michel-Christian), « Le général de Poincy, le premier capitaliste sucrier des Antilles », in *Le Sucre de l'Antiquité à son destin antillais*, éd. Begot (Danielle) et Hocquet (Jean-Claude), Paris, C.T.H.S. 2000, p. 80.

33. Belrose (Vincent-Huyghes), « Les Jésuites, premiers sucriers à la Martinique, 1640-1770 », in *Le Sucre, op. cit.*, p. 96.

34. Butel (Paul), *Les Caraïbes au temps des flibustiers, XVIe-XVIIIe siècles*, Paris, Aubier-Montaigne, 1982, p. 175.

35. *Ibid.*, p. 175.

36. Camus (Michel-Christian), Le général de Poincy, *loc. cit.*, p. 79.

37. Belrose (Vincent-Huyghes), Les Jésuites, *loc. cit.*, p. 97.

38. Petitjean Roget (Jacques) et Bruneau-Latouche (Eugène), *Personnes et Familles, op. cit.*, I., p. 26.

39. Pérotin-Dumon (Anne), *La Ville aux Iles, la ville dans l'île, Basse-Terre et Pointe-à-Pitre, Guadeloupe, 1650-1820*, Paris, Karthala, 2000, p. 731.

40. Schnakenbourg (Christian), « Notes sur les origines de l'industrie sucrière en Guadeloupe au XVIIe siècle », in *Revue d'histoire d'outre-mer*, 1968.

41. Taillemite (Étienne), « Une description de la Guadeloupe en 1700 », in *Bulletin de la société d'histoire de la Guadeloupe*, 1967 n° 7, p. 12.

42. Butel (Paul) *Les Caraïbes, op. cit.*, p. 199.

43. À Londres, de 1672 à 1688, le prix du sucre brut baissa de 22 shillings le cent à 13 shillings ; à la Barbade, sur la plantation, en 1650, le prix était de 60 shillings le cent, à Londres, il était, à la même date, de 80 à 100 shillings le cent ; de 1672 à 1688, le même sucre tombait à 16-20 shillings le cent à Londres, à 10 shillings sur la plantation. À Amsterdam, la livre de sucre brut baissait de 0,51 à 0,16 florins de 1654 à 1688.

44. Pérotin-Dumon (Anne), *La Ville aux Iles, op. cit.*, p. 110.

45. Petitjean Roget (Jacques) et Bruneau-Latouche (Eugène), *Personnes et Familles, op. cit.*, p. 22.

46. Petitjean Roget (Jacques), *La Société d'habitation, op. cit.*, II, p. 1187.

47. *Ibid.*, II., p. 1316.

48. *Ibid.*, II., p. 1438.

49. Postma (Johannes), « The Dutch Slave Trade, a quantitative assessment », in *Revue française d'histoire d'outre-mer*, LXII, p. 226-227, 1975, p. 237.

50. Pérotin-Dumon (Anne) *La Ville aux Iles, op. cit.*, p. 114.

51. McCusker (John), *Rum and the American Revolution, The Rum Trade and the Balance of Payments of the Thirteen Continental Colonies* Garland, Princeton U.P. 1989, II, p. 631.

52. Petitjean Roget (Jacques) et Bruneau-Latouche (Eugène), *Personnes et Familles, op. cit.*, I., terrier de 1671, p. 126 à 249.

53. Petitjean Roget (Jacques), *La Société d'habitation, op. cit.*, p. 1307. Les superficies données en carreaux ont été converties en hectares, sur la base d'un carreau pour 1,29 hectare.

54. Petitjean Roget (Jacques) et Bruneau-Latouche (Eugène), *Personnes et Familles, op. cit.*, I, p. 33.

55. Butel (Paul), *Les Caraïbes, op. cit.*, p. 197.

56. Du Tertre, *Histoire générale des Antilles, op. cit.*, p. 471.

57. Pérotin-Dumon (Anne) *La Ville aux Iles, op. cit.*, p. 111.

58. Dunn (Richard), *The Rise of the Planter Class in the English West Indies, 1624-1713*, Chapell Hill, 1973.

59. Petitjean Roget (Jacques) et Bruneau-Latouche (Eugène), *Personnes et Familles, op. cit.*, I., p. 266 pour Jaham de Vertpré et p. 284 pour Roy.

60. *Ibid.*, II. *Dictionnaire*, pour les ventes de prises à Saint-Pierre ; Pérotin-Dumon (Anne), *La Ville aux Iles, op. cit.*, p. 129.

61. Petitjean Roget (Jacques), *La Révolte du Gaoulé, op. cit.*, p. 102.

62. Butel (Paul), *Les Caraïbes, op. cit.*, p. 151, mots de l'intendant Michel Begon sur les flibustiers.

63. Frostin (Charles), *Les Révoltes blanches, op. cit.*, p. 125-126.

64. Père Labat, *Voyages aux Iles de l'Amérique (Antilles, 1693-1705)*, Paris, Duchartre, 1931, p. 234, et p. 240 pour la citation sur les forbans.

65. Cauna (Jacques de), *L'Eldorado des Aquitains, Gascons, Basques et Béarnais aux Iles d'Amérique (XVIIe-XVIIIe siècles)*, Biarritz, Atlantica, 1998, p. 82.

66. Cité par Frostin (Charles), « Les Pontchartrain et la pénétration commerciale française en Amérique espagnole (1690-1715) », *Revue Historique*, t. 498, avril juin 1971, p. 326.

67. Père Labat, *Voyages, op. cit.*, p. 282.

68. Cité par Frostin (Charles), *Les Révoltes blanches, op. cit.*, p. 156-157, mémoire de Montholon, gouverneur de Saint-Domingue.

69. Butel (Paul), *Histoire de l'Atlantique, op. cit.*, p. 136-139.

Deuxième partie

LES ANTILLES AU XVIIIe SIÈCLE

3

L'ESSOR ANTILLAIS, PROMESSES ET RÉALITÉS

1. Huetz de Lemps (Christian), « Les engagés au départ de Bordeaux, fin XVIIe-XVIIIe siècle », in *L'Atlantique et ses rivages*, colloque de l'association des historiens modernistes, éd. Butel (Paul), Bordeaux, Presses Universitaires, 1983, p. 138.

2. *Ibid.*, p. 140-141.

3. Cauna (Jacques de), *La Colonisation française aux Antilles, les Aquitains à Saint-Domingue*, thèse, Paris-IV, 1999, t. I, p. 197-198.

4. Ordonnance du 24 janvier 1713, interdisant la mendicité au Cap, cité par Frostin (Charles), *op. cit.*, p. 193.

5. Cauna (Jacques de), *La Colonisation*, *op. cit.*, p. 211-212.

6. Girod de Chantrans (Justin), *Voyage d'un Suisse dans différentes colonies d'Amérique*, éd. Pluchon (Pierre), Paris, Tallandier, 1980, p. 129.

7. Moreau de Saint-Méry, *Description topographique, physique, civile, politique de la partie française de Saint-Domingue*, éd. Maurel (Blanche) et Taillemite (Étienne), Paris, Larose, 1950, p. 62. Le terme de sucrerie désigne l'ensemble d'une plantation, terres, bâtiments, notamment moulin et purgerie si la sucrerie produit du sucre blanc.

8. Geggus (David), « Slave Society in the Sugar Plantation zones of Saint-Domingue and the Revolution of 1791-93, in *Slavery & Abolition* », *Frank Cass Journal*, 20. n° 2, p. 35.

9. Moreau de Saint-Méry, *Description*, *op. cit.*, p. 949.

10. *Ibid.*, p. 818.

11. Debien (Gabriel), *Les Esclaves aux Antilles françaises, XVIIe-XVIIIe siècles*, Fort-de-France et Basse-Terre, 1974, p. 191.

12. Petitjean Roget, *La Révolte, op. cit.*, p. 260.

13. Abénon (Lucien-René), *La Guadeloupe de 1671 à 1759, étude politique, économique et sociale*, Paris, L'Harmattan, 1987, p. 270.

14. Pérotin-Dumon (Anne), *La Ville aux Iles, op. cit.*, p. 187.

15. *Ibid.*, p. 191-192.

16. Petitjean Roger, *La Révolte, op. cit.*, p. 257.

17. Mousnier (Mireille) et Caille (Brigitte), *Atlas historique du patrimoine sucrier de la Martinique*, Paris, L'Harmattan, 1992, p. 57.

18. Élisabeth (Léo), *La Société martiniquaise aux XVIIᵉ et XVIIIᵉ siècles, 1664-1789*, thèse, Paris I, 1989, I, p. 175 et 182.

19. Blérald (Alain-Philippe), *Histoire économique de la Guadeloupe et de la Martinique du XVIIᵉ à nos jours*, Paris, Karthala, 1986, p. 23.

20. Hayot (Émile), *Les Officiers du Conseil souverain de la Martinique et leurs successeurs les conseillers de la cour d'appel, 1675-1830*, Fort-de-France, Société d'histoire de la Martinique, 1965, p. 126.

21. Regourd (François), *Science et colonisation sous l'Ancien Régime, le cas de la Guyane et des Antilles françaises, XVIIᵉ-XVIIIᵉ siècles*, thèse, Bordeaux-III, 2000, III, p. 470.

22. Cavignac (Jean), *Jean Pellet, commerçant de gros, 1694-1774*, Paris, SVEPEN, 1967, p. 186.

23. Moreau de Saint-Méry, *Description, op. cit.*, p. 1396.

24. Debien (Gabriel), *Les Esclaves, op. cit.*, p. 142.

25. *Ibid.*, p. 142.

26. *Ibid.*, p. 145.

27. Cité par Bély (Ghislaine), *Une plantation caféière à Saint-Domingue au XVIIIᵉ, l'habitation Pirly de Bassin Cayman*, TER, Bordeaux-III, 1994, p. 43-44.

28. Cité par Cauna (Jacques de), *L'Eldorado des Aquitains, op. cit.*, p. 351.

29. Thésée (Françoise), *Négociants bordelais et colons de Saint-Domingue, Liaisons d'habitations, la maison Henry*

Romberg, Bapst et Cie, 1783-1793, Paris, Société française d'histoire d'outre-mer, 1972, p. 47.

30. Abénon (Lucien-René), *La Guadeloupe*, op. cit., p. 265.

31. *Ibid.*, p. 115-116.

32. *Ibid.*, p. 93.

33. Cauna (Jacques de), *L'Eldorado des Aquitains*, op. cit., p. 233-234.

34. Butel (Paul), *Les Négociants bordelais, l'Europe et les Iles au xviii* siècle, Paris, Aubier-Montaigne, 1974, p. 232.

35. Petitjean Roget, *La Révolte*, op. cit., p. 66.

36. Butel (Paul), *Les Négociants*, op. cit., p. 236.

37. Élisabeth (Léo), *La Société martiniquaise*, op. cit., p. 130.

38. Pérotin-Dumon (Anne), *La Ville aux Iles*, op. cit., p. 171.

39. Butel (Paul), *Vivre à Bordeaux sous l'Ancien Régime*, Paris, Perrin, 1999, p. 169.

40. Butel (Paul), *Histoire de l'Atlantique de l'Antiquité à nos jours*, Paris, Perrin, 1997, p. 170.

41. Butel (Paul), *Les Négociants*, op. cit., p. 224. Pour les huit Nantais, voir Price (Jacob M.), « Credit in the Slave Plantation Economy » in *Slavery and the Rise of the Atlantic System*, Cambridge U.P. 1991, p. 261.

42. *Ibid.*, p. 244.

43. *Généalogie et Histoire de la Caraïbe*, nᵒ 26, avril 1991, compte rendu de la thèse de Bernard Foubert, Les habitations Laborde à Saint-Domingue dans la deuxième moitié du xviii* siècle, p. 305.

44. Schnakenbourg (Christian), « Les habitations sucrières de la Guadeloupe dans la deuxième moitié du xviii* siècle », *Revue française d'histoire d'outre-mer*, 1967.

4

RICHESSE ET POLITIQUE

1. Butel (Paul) et Crouzet (François), « Empire and Economic Growth the case of 18th Century France », *Revista de Historia Economica* XVII, 1998, p. 181.

2. Voir Butel (Paul), *Vivre à Bordeaux sous l'Ancien Régime*, Paris, Perrin, 1999, p. 181-205.

3. Raynal (Guillaume-Thomas), *Histoire philosophique et politique des établissements et du commerce des Européens dans les deux Indes*, Genève, Pellet, 1780, XIII, p. 123.

4. *Ibid.*, XIV, p. 483.

5. Vergé-Franceschi (Michel), *La Marine française au XVIIIᵉ siècle*, Paris, SEDES, 1996, p. 85.

6. Butel (Paul), *Histoire de l'Atlantique, op. cit.*, p. 213.

7. Bély (Lucien), *Les Relations internationales en Europe, XVIIᵉ-XVIIIᵉ siècle*, Paris, PUF, 1992, p. 541.

8. Crouzet (François), *La Grande Inflation, la monnaie en France de Louis XVI à Napoléon*, Paris, Fayard, 1993, p. 66.

9. Pour voir les « boulevards » de la fraude aux Antilles, en particulier à Saint-Domingue, Frostin (Charles), *Les Révoltes, op. cit.*, p. 285.

10. *Ibid.*, p. 159.

11. *Ibid.*, p. 162.

12. Petitjean Roget (Jacques), *La Révolte, op. cit.*, p. 197.

13. *Ibid.*, p. 67.

14. Raynal (Guillaume-Thomas), *Histoire, op. cit.*, XIII, p. 247.

15. Devèze (Michel), *Antilles, op. cit.*, p. 242.

16. Rossignol (Bernadette et Philippe), « L'éphémère maréchaussée de la Guadeloupe (1763-1766) et son prévôt, le sieur Berranger », *Généalogie et Histoire de la Caraïbe*, nᵒ 114, avril 1999, p. 2486-2491.

17. Abénon (Lucien-René), *Petite Histoire de la Guadeloupe*, Paris, L'Harmattan, 1992, p. 164.

18. Vergé-Franceschi (Michel), « Fortune et plantations des administrateurs coloniaux aux Iles d'Amérique aux

xviie et xviiie siècles », in *Commerce et Plantation dans la Caraïbe, xviiie et xixe siècles*, Bordeaux, Maison des Pays ibériques, 1992, p. 129.

19. Vergé-Franceschi (Michel), *La Marine française, op. cit.*, p. 236.

20. Raynal (Guillaume-Thomas), *Histoire, op. cit.*, XIII, p. 279.

21. Hayot (Émile), *Les Officiers, op. cit.*, p. 71.

22. *Ibid.*, p. 18.

23. Voir Chauleau (Liliane), *Conseil souverain de la Martinique, (Série B) 1712-1791. Inventaire analytique*, Fort-de-France, 1985.

24. Ce terme du Gaoulé pourrait provenir d'une expression caraïbe, signifiant mouvement, remue-ménage.

25. Petitjean Roget (Jacques), *La Révolte, op. cit.*, p. 331.

26. *Ibid.*, p. 290.

27. Frostin (Charles), *Les Révoltes, op. cit.*, p. 301.

28. Vergé-Franceschi (Michel), *La Marine française, op. cit.*, p. 236.

29. Frostin (Charles), *Les Révoltes, op. cit.*, p. 331.

30. *Ibid.*, p. 370, l'intendant de Vaivre écrit : « Si nous employons quelquefois une rigueur nécessaire, nous sommes croisés dans les conseils. »

5

LA SOCIÉTÉ ET LA COULEUR

1. Si les données sur la traite sont relativement sûres, les chiffres sur le nombre des esclaves dans les îles sont sujets à suspicion. Il y a souvent sous-estimation car les esclaves étaient déclarés par les planteurs qui avaient intérêt à minorer le nombre des esclaves de leurs ateliers puisqu'ils payaient la capitation par esclave sur cette base. Pour les arrivées en 1785-1789 à Saint-Domingue, voir Geggus (David), « The French Slave Trade, an overview », *William and Mary Quaterly*, janvier 2001, p. 121.

2. Pérotin-Dumon (Anne), *La Ville aux Iles, la ville dans l'Ile*, Paris, Karthala, 2000, p. 192.

3. *Ibid.*, p. 328, et Pluchon (Pierre), *Histoire de la colonisation française*, Paris, Fayard, 1991, p. 1015.

4. Pérotin-Dumon (Anne), *La Ville aux Iles, op. cit.*, p. 328 pour la Guadeloupe, Élisabeth (Leo), *La Société martiniquaise aux XVIIe et XVIIIe siècles, 1664-1789*, thèse, université de Paris-I, 1989, I, p. 41.

5. Pour 1789, une estimation basse est fournie par Ducœur Joly, *Manuel des Habitants de Saint-Domingue*, Paris, an X, avec un nombre de 31 000 Blancs, elle paraît très inférieure à la réalité.

6. Debien (Gabriel), *Les Colons de Saint-Domingue et la Révolution*, Paris, Colin, 1953, p. 36-37.

7. *Ibid.*, p. 38.

8. Taillemite (Étienne), Introduction à Moreau de Saint-Méry, *Description topographique, physique, civile, politique et historique de la partie française de l'île Saint-Domingue*, Paris, Larose, 1958, p. VIII.

9. Petitjean Roget (Jacques) et Bruneau-Latouche (Eugène), *Personnes et Familles, op. cit.*, p. 406, cite le père Labat.

10. Frémont (Henri de), *Histoire et Généalogie de la Famille Dessalles ou des Salles*, Courbevoie, 1974, p. 123.

11. *Mémoires* du comte de Grenonville. Nous remercions M. Xavier de Bartillat de nous en avoir communiqué un exemplaire.

12. Cauna (Jacques de), *L'Eldorado, op. cit.*, p. 352.

13. Moreau de Saint-Méry, *Description, op. cit.*, p. 576-577.

14. Le terme habitation désigne l'ensemble des terres, des bâtiments industriels, des cases d'esclaves et la demeure du planteur.

15. Moreau de Saint-Méry, *Description, op. cit.*, p. 1282.

16. Debien (Gabriel), *Études antillaises, XVIIIe siècle*, Paris, Colin, 1956, p. 42 et sv.

17. Cauna (Jacques de), *Au temps des Isles à sucre*, Paris, Karthala, 1987, p. 74-75.

18. *Ibid.*, p. 63 et 68.

19. *Ibid.*, p. 78.

20. Debien (Gabriel), *Les Colons, op. cit.*, p. 43.

21. Cauna (Jacques de), *L'Eldorado, op. cit.*, p. 259.

22. Pluchon (Pierre), *Nègres et Juifs au XVIIIe siècle, le racisme au siècle des Lumières*, Paris, Tallandier, 1984, p. 226.

23. Savine (Albert), *Saint-Domingue à la veille de la Révolution*, Souvenirs du baron de Wimpffen, Paris, Michaud, 1911, p. 152.

24. Cité par Pluchon (Pierre), *Histoire des Antilles-Guyane*, Toulouse, Privat, 1982, p. 185.

25. Moreau de Saint-Méry, *Description, op. cit.*, p. 480.

26. *Ibid.*, p. 362.

27. Debien (Gabriel), *Les Esclaves aux Antilles françaises*, (XVIIe-XVIIIe siècles), Fort-de-France, Société d'histoire de la Martinique, 1974, p. 372.

28. Rogers (Dominique), *Les Libres de couleur dans les capitales de Saint-Domingue, fortune, mentalités et intégration à la fin de l'Ancien Régime (1776-1789)*, thèse, université de Bordeaux-III, 1999, p. 72.

29. Debien (Gabriel), *Les Esclaves, op. cit.*, p. 385.

30. Rogers (Dominique), *Les Libres, op. cit.*, p. 277.

31. *Ibid.*, p. 270-71.

32. *Ibid.*, p. 74.

33. Pérotin-Dumon (Anne), *La Ville aux Iles, op. cit.*, p. 676.

34. Élisabeth (Léo), *La Société martiniquaise, op. cit.*, p. 849.

35. Rogers (Dominique), *Les Libres, op. cit.*, p. 233.

36. Debien (Gabriel), *Les Colons, op. cit.*, p. 39.

37. Rogers (Dominique), *Les Libres, op. cit.*, p. 251.

38. *Ibid.*, p. 308.

39. *Ibid.*, p. 318.

40. Petré-Grenouilleau (Olivier), « La traite atlantique au XVIIIe siècle, réflexions sur un apogée », *Négoce, Ports et Océans, XVIe-XXe siècles*, éd. Marzagalli (Silvia) et Bonin

(Hubert), Mélanges offerts à Paul Butel, Bordeaux, 2000, p. 189.

41. Élisabeth (Léo), *La Société martiniquaise*, op. cit., p. 18 2-188.

42. Geggus (David), « La traite des esclaves aux Antilles françaises à la fin du xviiie siècle, quelques aspects du marché local », *Négoce, Ports et Océans*, op. cit., p. 236.

43. Debien (Gabriel), *Études antillaises*, op. cit., p. 107.

44. Debien (Gabriel) et Pluchon (Pierre), Trois sucreries de Léogane, 1776-1802, *Bulletin d'histoire des Espaces Atlantiques*, n° 2, 1985, p. 126-127.

45. Pérotin-Dumon (Anne), *La Ville aux Iles*, op. cit., p. 662.

46. Debien (Gabriel), *Études antillaises*, op. cit., p. 107.

47. Cauna (Jacques de), *Au temps des Isles*, op. cit., p. 111.

48. Debien (Gabriel), *Les Esclaves*, op. cit., p. 153.

49. Thésée (Françoise), *Négociants bordelais et colons de Saint-Domingue*, Paris, Société française d'histoire d'outre-mer, 1972, p. 61.

50. Abénon (Lucien-René), *La Guadeloupe de 1671 à 1759*, Paris, L'Harmattan, 1987, p. 1031.

51. Debien (Gabriel), *Études antillaises*, op. cit., p. 60, lettre de l'indigotier Trembley associé au planteur Maulévrier, 15 décembre 1776.

52. Le terme viendrait du mot espagnol « cimarron », singe qui se retire dans les bois et qui n'en sort que pour se jeter furtivement sur les fruits des lieux voisins de sa retraite, opinion du père Margat, jésuite, à la fin du xviie siècle.

53. Debien (Gabriel), *Les Esclaves*, op. cit., p. 472, lettre du 29 août 1788.

54. Fouchard (Jean), *Les Marrons de la liberté*, Paris, Éd. de l'École, 1972.

55. Debien (Gabriel) *Les Esclaves*, op. cit., p. 487.

56. *Ibid.*, p. 461.

57. Moreau de Saint-Méry, *Description*, op. cit., p. 325.

58. Dyonet (Nicole), Le père Bréban, missionnaire berrichon à Saint-Domingue, *Bulletin d'histoire des Espaces Atlantiques*, 1998, n° 8, p. 125.

59. Moreau de Saint-Méry, *Description*, op. cit., p. 338.

60. Élisabeth (Léo), *La Société martiniquaise*, op. cit., p. 514.

61. Pérotin-Dumon (Anne), *La Ville aux Iles*, op. cit., p. 649.

62. Moreau de Saint-Méry, *Description*, op. cit., p. 1316.

63. Pluchon (Pierre), *Vaudou, sorciers, empoisonneurs, de Saint-Domingue à Haïti*, Paris, Karthala, 1987, p. 63.

64. Élisabeth (Léo), *La Société martiniquaise*, op. cit., p. 615.

65. Pluchon (Pierre), *Vaudou*, op. cit., p. 73-74.

6

LA VILLE ANTILLAISE

1. Moreau de Saint-Méry, *Description*, op. cit., p. 226.

2. Le regretté Pierre Pluchon faisait de cette expression le titre d'un chapitre d'une *Histoire des Antilles et de la Guyane* dans lequel il ne donnait que deux pages à la ville.

3. Pérotin-Dumon (Anne), *La Ville aux Iles*, op. cit.

4. Debien (Gabriel), *Études antillaises*, op. cit., p. 28-29.

5. Price (Jacob M.), *Atlantic Port Cities, Economy, Culture and Society in the Atlantic World, 1650-1850*, éd. Knight Franklin et Liss Peggy K., Knoxville, 1991, p. 267.

6. Fonds Dutilh, Eleutherian Mills Library, Wilmington, Delaware, États-Unis.

7. Moreau de Saint-Méry, *Description*, op. cit., p. 320.

8. Encore faut-il comparer ces échanges avec ceux du commerce français sous le régime de l'Exclusif qui s'élevaient, en 1789, à plus de 46 millions de livres tournois d'apports au Cap et à plus de 34 millions à Port-au-Prince.

9. Butel (Paul), *Les Dynasties bordelaises de Colbert à Chaban*, Paris, Perrin, 1991, p. 141-142.

10. Archives nationales, Section d'outre-mer, Notaires de Saint-Domingue, Guieu, 886, inventaire du 12 juin 1784, au décès de la veuve Dumont, Port-au-Prince.

11. Cauna (Jacques de), *Au temps des Isles*, op. cit., p. 50.

12. Thésée (Françoise), *Négociants bordelais et colons de Saint-Domingue ; « Liaisons d'habitations »*, *La maison Henry Romberg, Bapst et Cie, 1783-1793*, Paris, Société française d'histoire d'outre-mer, 1972, p. 38 et 47.

13. Butel (Paul), *Les Dynasties*, op. cit., p. 161.

14. Pérotin-Dumon (Anne), *La Ville aux Iles*, op. cit., p. 128.

15. Petitjean Roget, *La Révolte*, op. cit., p. 45-46.

16. Pérotin-Dumon (Anne), *La Ville aux Iles*, op. cit., p. 735.

17. Butel (Paul), *Les Négociants bordelais*, op. cit., p. 230-231.

18. Petitjean Roget (Jacques) et Bruneau-Latouche (Eugène), *Personnes et Familles*, op. cit., II, p. 501. Le magasin de la maison Gaschet, construit en pierres, à Saint-Pierre, était estimé 230 000 livres en 1694.

19. Pérotin-Dumon (Anne), *La Ville aux Iles*, op. cit., p. 182.

20. *Ibid.*, p. 137.

21. *Ibid.*, p. 183.

22. Butel (Paul), *Les Négociants bordelais*, op. cit., p. 234-236.

23. Pérotin-Dumon (Anne), *La Ville aux Iles*, op. cit., p. 185.

24. *Ibid.*, p. 209.

25. Pluchon (Pierre), *Histoire des Antilles et de la Guyane*, Toulouse, Privat, 1982, p. 201.

26. Geggus (David), « The Major Port Towns of Saint-Domingue in the Later Eighteenth Century », *Atlantic Port Cities*, op. cit., p. 105. Les chiffres entre parenthèses représentent la population de la ville, inférieure à celle de la paroisse.

27. Moreau de Saint-Méry, *Description*, op. cit., p. 478-479.

28. Loupès (Philippe), « Le modèle urbain colonial au XVIIIe siècle, la maison et l'habitat au Cap-Français et à Port-au-Prince », *Cities and Merchants, French and Irish Perspectives on Urban Development, 1500-1900*, éd. Butel (Paul) et Cullen (Louis), Dublin, 1986, p. 167.

29. Pluchon (Pierre), *Haïti au XVIIIe siècle, Richesse et esclavage dans une colonie française*, Paris, 1993, p. 175-176.

30. Loupès (Philippe), *Le Modèle urbain, op. cit.*, p. 171.

31. *Ibid.*, p. 173.

32. Roux (Antoine de), « La ville de Fort-Royal de la Martinique, naissance et développement aux XVIIe et XVIIIe siècles », *Bulletin du Centre d'histoire des espaces atlantiques*, n° 4, 1988, p. 191.

33. Rogers (Dominique), « Politique urbanistique et intégration, Alexandre Le Brasseur, intendant à Saint-Domingue (1780-1782) », *Identités caraïbes*, 123e Congrès des sociétés historiques et scientifiques Antilles-Guyane, 1998.

34. Moreau de Saint-Méry, *Description, op. cit.*, p. 31.

35. *Ibid.*, p. 306.

36. Pluchon (Pierre), *Histoire de la colonisation française*, I, p. 387-389, Paris, Fayard, 1991.

37. Moreau de Saint-Méry, *Description, op. cit.*, p. 103.

38. Pérotin-Dumon (Anne), *La Ville aux Iles, op. cit.*, p. 603.

39. Pluchon (Pierre), *Histoire des Antilles, op. cit.*, p. 220.

40. Moreau de Saint-Méry, *Description, op. cit.*, p. 1316.

41. Pérotin-Dumon (Anne), *La Ville aux Iles, op. cit.*, p. 599.

42. Pluchon (Pierre), *Haïti au XVIIIe siècle, op. cit.*, p. 118-119.

43. Hayot (Émile), Les gens de couleur libres de Fort-Royal, *Revue d'histoire d'outre-mer*, 1969, p. 95.

44. Rogers (Dominique), *Les Libres de couleur, op. cit.*, p. 515 et sv.

45. Hayot (Émile), *Les Gens de couleur, op. cit.*, p. 51.

46. Moreau de Saint-Méry, *Description*, p. 424.

47. Bégot (Danielle), « Une bibliothèque de colon à la fin du XVIIIe siècle, Antoine Mercier de la Ramée (1781) », *Créoles de la Caraïbe*, Paris, Karthala, 1996 ; pour une étude complète et stimulante du livre et de la culture scientifique, voir Regourd (François), « Les Antilles françaises dans la République des Lettres », *Dix-huitième siècle*, 2001.

48. Regourd (François), *Sciences et colonisation sous l'Ancien Régime le cas de la Guyane et des Antilles françaises*, thèse, Bordeaux-III, 2000.

49. Regourd (François), *Les Antilles, op. cit.*

50. Pérotin-Dumon (Anne), *La Ville aux Iles, op. cit.*, p. 614.

Troisième partie

LA FIN DE L'ANCIEN RÉGIME COLONIAL,
1789-1848

7

LA RÉVOLUTION AUX ANTILLES

1. Dessalles (Pierre François Régis), *Historique des troubles survenus à la Martinique pendant la Révolution*, Société d'histoire de la Martinique, 1982, p. 24.

2. Debien (Gabriel), *Les Esclaves, op. cit.*, p. 487.

3. Dessalles (Pierre François Régis), *Historique, op. cit.*, p. 18.

4. Geggus (David), « Esclaves et gens de couleur libres de la Martinique pendant l'époque révolutionnaire et napoléonienne, trois siècles d'histoire », *Revue Historique*, t. I, 295, p. 112.

5. Dessalles (Pierre François Régis), *Historique, op. cit.*, p. 23, note 7.

6. Élisabeth (Léo), Gens de couleur et révolution dans les Iles du Vent (1789-1793), *Revue française d'histoire d'outre-mer*, 1989, p. 80.

7. Geggus (David), Esclaves, *loc. cit.*, p. 114, note 39.

8. Debien (Gabriel), *Les Colons, op. cit.*, p. 77.

9. Debien (Gabriel), *Études antillaises, op. cit.*, p. 119.

10. *Ibid.*, p. 162.

11. Debien (Gabriel), *Les Colons, op. cit.*, p. 153.

12. *Ibid.*, p. 163.

13. Cauna (Jacques de), *L'Eldorado, op. cit.*, p. 380.

14. Debien (Gabriel), *Les Colons, op. cit.*, p. 106.

15. *Ibid.*, p. 325.

16. Debien (Gabriel), *Études antillaises, op. cit.*, p. 121.

17. *Ibid.*, p. 120.

18. « Le début de la révolte de Saint-Domingue dans la plaine du Cap vécu par Louis de Calbiac », *Généalogie et Histoire de la Caraïbe*, éd. Rossignol (Philippe), n° 48, avril 1993, p. 777.

19. Geggus (David), Marronage, « Voodou and the Saint-Domingue Slave Revolt of 1791 », *Fifteenth Meeting of the French Colonial Historical Society, Martinique and Guadeloupe*, May 1989, éd. Galloway (Patricia) et Boucher (Philip), Lanhau, États-Unis, 1992, p. 30-33.

20. Cauna (Jacques de), *Antilles 1789, la Révolution aux Caraïbes*, Paris, Nathan, 1989, p. 137.

21. « Le début de la révolte... », *loc. cit.*, p. 777.

22. Debien (Gabriel), *Études antillaises, op. cit.*, p. 112.

23. Thésée (Françoise), *Négociants bordelais, op. cit.*, p. 165.

24. Drescher (Seymour), *Econocide, British Slavery in the Era of Abolition*, Pittsburgh Press, 1977, p. 116.

25. Meadows (R. Darrell), « Engineering Exile : Social Networks and the French Atlantic Community », 1789-1809, *French Historical Studies*, 23, 1, 2000, p. 70-4.

26. Pluchon (Pierre), *Histoire de la colonisation française*, t. I, Paris, Fayard, 1991, p. 937.

27. Debien (Gabriel), *Études antillaises, op. cit.*, p. 131.

28. Pluchon (Pierre), *Toussaint-Louverture, un révolutionnaire noir d'Ancien Régime*, Paris, Fayard, 1989, p. 406.

29. Mémoires du comte Jean-Marie Duval de Grenonville. Nous avons emprunté l'expression « immuable Martinique » à Duval de Grenonville. Ces mémoires sont riches de détails très précis sur la période.

30. *Ibid.*

31. *Historial Antillais*, Fort-de-France, 1985, Chauleau (Liliane), III. p. 47.

32. Geggus (David), « Esclaves... », *loc. cit.*, p. 122.

33. Hayot (Émile), « Les gens de couleur libres de Fort-Royal, 1679-1823 », *Revue française d'histoire d'outre-mer*, 1969, p. 17.

34. *Ibid.*, p. 17.

35. Abénon (Lucien-René), « Ordre révolutionnaire en Guadeloupe », *De la Révolution française aux révolutions créoles et nègres*, éd. Martin (Michel L.) et Yacou (Alain), Paris, Éd. caribéennes, 1987, p. 98.

36. *Ibid.*, p. 99.

37. Pérotin-Dumon (Anne), *La Ville aux Iles, op. cit.*, p. 229 et 248.

38. *Ibid.*, p. 254.

39. Elisabeth (Léo), *Histoire des Antilles, op. cit.*, p. 382.

8

LES ANTILLES FRANÇAISES DE 1815 À 1848

1. Crouzet (François), « The British Imperial Economy (1803-1807) », *The Early Modern Atlantic Economy*, éd. McCusker (John J.) et Morgan (Kenneth), Cambridge U.P. 2000, p. 282.

2. Marzagalli (Silvia), *Les Boulevards de la fraude, le négoce maritime et le Blocus continental, 1806-1815*, P.U. du Septentrion, Villeneuve-d'Ascq, 2000, p. 76.

3. *Ibid.*, p. 99.

4. Crouzet (François), « The British Economy... », *loc. cit.*, p. 284.

5. Pérotin-Dumon (Anne), *La Ville aux Iles, op. cit.*, p. 264. Il s'agit de livres-poids.

6. Cité par Yacou (Alain), « Essor et déclin du système esclavagiste des habitations sucrières à Cuba et en Guadeloupe », *Commerce et Plantation dans la Caraïbe, XVIIIe-*

xixe siècles, éd. Butel (Paul), Bordeaux, Maison des Pays ibériques, 1992, p. 191.

7. Schnakenbourg (Christian), *La Crise du système esclavagiste*, 1835-1847, Paris, L'Harmattan, 1980, p. 140.

8. Butel (Paul), « Traditions et renouvellements dans le négoce bordelais », *L'Économie française du xviiie au xxe siècle, Mélanges Crouzet*, Paris, P.U. Sorbonne, 2000, p. 633.

9. Bertide (Muriel), *Bordeaux et les Antilles au début du xixe siècle, 1800-1830*, université de Bordeaux-III, T.E.R., 1987, annexes, p. 21 et 28.

10. Schnakenbourg (Christian), *La Crise, op. cit.*, p. 79, note 66, soit 3 500 tonnes pour 7 000 barriques de 500 kilos.

11. Bélénus (René), *Les Problèmes antillais devant l'opinion bordelaise, 1830-1838*, université de Bordeaux-III, T.E.R. 1969.

12. Schnakenbourg (Christian), *La Crise, op. cit.*, p. 138-139.

13. David (Bernard), La population de Rivière-Pilote, 1802-1829, *Revue française d'histoire d'outre-mer*, 1973, p. 333.

14. Schnakenbourg (Christian), *La Crise, op. cit.*, p. 177, note 11.

15. La monnaie coloniale est dévaluée par rapport à celle de la métropole.

16. Archives de la Gironde, étude Mailleret, 15 oct. 1816.

17. Dessalles (Pierre) *Vie d'un colon (1808-1834)*, éd. Frémont (de Henri), Courbevoie, 1988, p. 194.

18. *Ibid.*, 1837-1841, p. 169-171.

19. Le sucre liquide, à la sortie de la chaudière de cuite, dite la batterie, était versé dans des formes de terre coniques, le sucre en pâte s'y égouttait et se solidifiait ; par extension, la forme était le pain de sucre sorti du moule.

20. Dessalles (Pierre), *Vie d'un colon (1808-1834)*, p. 132.

21. *Ibid.*, p. 178, les cabrouets étaient des chariots utilisés pour transporter les cannes pendant la récolte.

22. Schnakenbourg (Christian), *La Crise*, *op. cit.*, p. 164, note 122.

23. *Ibid.*, p. 163, note 118, rapport Lavollée de 1839.

24. Dessalles (Pierre), *Vie d'un colon (1808-1834)*, *op. cit.*, p. 126, 15 sept. 1824.

25. *Ibid.*, p. 136, 6 déc. 1824.

26. *Ibid.*, p. 101, 17 nov. 1823.

27. *Ibid.*, p. 65.

28. Thésée (Françoise), *Le Général Donzelot à la Martinique, vers la fin de l'Ancien Régime colonial (1818-1826)*, Paris, Karthala, 1997, p. 17-18.

29. Dessalles (Pierre), *Vie d'un colon (1808-1834)*, *op. cit.*, p. 146, 15 mars 1825.

30. Butel (Paul) Traditions, *loc. cit.*, p. 638.

31. Crouzet (François), « Un document sur le commerce de Bordeaux au début de la Restauration », *Revue historique de Bordeaux*, 1960, p. 55, note 11.

32. Schnakenbourg (Christian), *La Crise*, *op. cit.*, p. 159.

33. *Ibid.*, p. 168, note 135.

34. Ancien géreur de la Nouvelle Cité, intéressé à l'habitation.

35. Dessalles (Pierre), *Vie d'un colon (1808-1834)*, *op. cit.*, p. 128, 15 sept. 1824.

36. *Ibid.*, p. 134, 6 déc. 1824.

37. Nicolas (Armand), *Histoire de la Martinique*, I, Paris, L'Harmattan, 1996, p. 333.

38. Schnakenbourg (Christian), *La Crise*, *op. cit.*, p. 159.

39. Dessalles (Pierre), *Vie d'un colon* (1837-1841), p. 188 ; Adrien, le fils de Dessalles, dirigeait alors la plantation.

40. Dessalles (Pierre), *Vie d'un colon (1842-1847)*, p. 119.

41. Schnakenbourg (Christian), *La Crise*, *op. cit.*, p. 49.

42. Dessalles (Pierre), *Vie d'un colon (1837-1841)*, p. 243.

43. *Ibid.*, p. 257.

44. *Ibid.*, p. 130.

45. *Ibid.*, p. 256, 29 juin 1840.

46. Il peut y avoir ici une allusion à une propension exagérée à l'usage du fouet par ce commandeur, le fouet était l'insigne de sa fonction, il pouvait en user de façon variable puisqu'il était chargé de la discipline du travail.

47. Dessalles (Pierre), *Vie d'un colon (1837-1841)*, *op. cit.*, p. 259, 9 juillet 1840.

48. *Ibid.*, p. 229, 11 janv. 1840.

49. *Ibid.*, p. 255-256.

50. Schnakenbourg (Christian), *La Crise*, *op. cit.*, p. 202 *sq.*

51. Voir en annexe le tableau familial des Assier.

52. Dessalles (Pierre), *Vie d'un colon (1837-1841)*, *op. cit.*, p. 145.

53. Dessalles (Pierre), *Vie d'un colon (1842-1847)*, *op. cit.*, p. 227.

54. Hayot (Émile), *Gens de couleur*, *loc. cit.*, p. 20.

55. Geggus (David), « Esclaves et gens de couleur », *loc. cit.*, p. 128.

56. Thésée (Françoise), *Le Général Donzelot*, *op. cit.*, p. 20 et sv.

57. *Ibid.*, p. 83.

58. Dessalles (Pierre), *Vie d'un colon (1808-1834)*, *op. cit.*, p. 86, 30 avril 1823.

59. *Ibid.*, p. 69.

60. Thésée (Françoise), *Le Général Donzelot*, *op. cit.*, p. 116-119.

61. *Ibid.*, p. 143.

62. Hayot (Émile), *Gens de couleur*, *loc. cit.*, p. 19, note 1.

63. Pame (Stella) ; *Cyrille Bissette, un martyr de la liberté*, Fort-de-France, Desormeaux, 1999, p. 53.

64. Thésée (Françoise), *Le Général Donzelot*, *op. cit.*, p. 170.

65. Hayot (Émile), *Gens de couleur*, *loc. cit.*, p. 6.

66. Rogers (Dominique), *Les Libres*, *op. cit.*, pour l'analyse des situations réelles.

67. Elizabeth (Léo), *Histoire des Antilles*, *op. cit.*, p. 402.

68. Pame (Stella), *Cyrille Bissette*, op. cit., p. 183, *Revue des colonies*, 1837.

69. *Ibid.*, p. 173.

70. Hayot (Émile), *Gens de couleur*, loc. cit., p. 141, note 1.

71. Pame (Stella), *Cyrille Bissette*, op. cit., p. 190.

72. Dessalles (Pierre), *Vie d'un colon, 1841-1847*, op. cit., p. 85 et 172.

73. Rossignol (Philippe et Bernadette), « Des affranchis maintenus en esclavage », *Généalogie et histoire de la Caraïbe*, n° 25, mars 1991, p. 262.

74. Dessalles (Pierre), *Vie d'un colon, (1837-1841)*, op. cit., p. 45.

75. Frémont (de Henri), « Le temps de l'esclavage à la Martinique », *Généalogie et histoire de la Caraïbe*, n° 23, janv. 1991, p. 262.

76. Gisler (Antoine), *L'Esclavage aux Antilles françaises (XVIIe-XIXe siècle)*, Fribourg, 1965, p. 49.

77. Schmidt (Nelly), *Victor Schœlcher et l'abolition de l'esclavage*, Paris, Fayard, 1994, p. 64-69.

78. David (Bernard), « La population de Rivière-Pilote », loc. cit., p. 362.

79. Debien (Gabriel), *Les Esclaves*, op. cit., p. 255 et sv.

80. Gisler (Antoines), *L'Esclavage*, op. cit., p. 184-185.

81. Voir, pour la question de l'Église et la moralisation, Delisle (Philippe), *Renouveau missionnaire et société esclavagiste, la Martinique, 1816-1848*, Paris, Publisud, 1997.

82. Schmidt (Nelly), *Victor Schœlcher*, op. cit., p. 90.

Quatrième partie

DE L'ABOLITION DE L'ESCLAVAGE À LA DÉPARTEMENTALISATION

9

LES ANTILLES DE 1848 À 1900

1. Schmidt (Nelly), « L'élaboration des décrets de 1848, application immédiate et conséquences à long terme », *Les Abolitions de l'esclavage de L.-P. Sonthonax à V. Schœlcher*, Presses universitaires de Vincennes, éd. Dorigny (Marcel), 1995, p. 347.

2. Pame (Stella), *Cyrille Bissette, op. cit.*, p. 199.

3. Dessalles (Pierre), *La Vie d'un colon, 1848-1856*, p. 40-41.

4. Stehlé (Guy), L'abolition aux Antilles, *Généalogie et Histoire de la Caraïbe*, n° 81, avril 1996, p. 1600.

5. Dessalles (Pierre), *La Vie d'un colon, op. cit.*, p. 42.

6. *Ibid.*, p. 48.

7. *Ibid.*, p. 167-8, n° 17.

8. François-Haugrin (Annick), *L'Économie agricole martiniquaise ses structures et ses problèmes entre 1845 et 1882*, université de Paris-I, thèse 1984, p. 64-65.

9. Dessalles (Pierre), *La Vie d'un colon, op. cit.*, p. 115.

10. Schmidt (Nelly), « L'élaboration... », *loc. cit.*, p. 353.

11. Pame (Stella), *Cyrille Bissette, op. cit.*, p. 208.

12. Dessalles (Pierre), *La Vie d'un colon, op. cit.*, p. 118.

13. *Ibid.*, p. 124.

14. *Ibid.*, p. 79.

15. Pame (Stella), *Cyrille Bissette, op. cit.*, p. 215.

16. Schœlcher (Victor), *La Vérité aux ouvriers et cultivateurs de la Martinique*, 1849, cité par Pame (Stella), *Cyrille Bissette, op. cit.*, p. 222.

17. Schmidt (Nelly), *Victor Schœlcher*, Paris, Fayard, 1994, p. 120.

18. Pour l'année 1839, Schnakenbourg (Christian), *La Crise, op. cit.*, p. 163, n° 118, rapport Lavollée ; pour 1869 et 1882, Mousnier (Mireille) et Caille (Brigitte), *Atlas histo-*

rique du patrimoine sucrier de la Martinique, Paris, L'Harmattan, 1992.

19. Dessalles (Pierre), *La Vie d'un colon, op. cit.*, p. 327.

20. Schnakenbourg (Christian), « La disparition des habitations sucreries à la Guadeloupe », *Revue française d'histoire d'outre-mer*, 1987, p. 273.

21. François-Haugrin (Annick), *L'Économie agricole, op. cit.*, p. 298 et sv.

22. *Ibid.*, p. 352 *sq.*

23. *Ibid.*, p. 388.

24. *Ibid.*, p. 392-4.

25. Corre (Armand), *Nos Créoles, étude politico-sociologique, 1890*, Paris, L'Harmattan, éd. Thiebaut (Claude), 2001, p. 123.

26. Schnakenbourg (Christian), « La disparition... », *loc. cit.*, p. 287-288.

27. Blérald (Alain-Philippe), *Histoire économique de la Guadeloupe et de la Martinique du xviiⁱᵉ siècle à nos jours*, Paris, Karthala, 1986, p. 65-7.

28. Lacourt-Léonard (Michèle de), « Habitations sucreries et usines centrales à la Martinique », *Commerce et Plantation dans la Caraïbe, xviiiᵉ et xixᵉ siècles*, Bordeaux, Maison des Pays ibériques, éd. Butel (Paul), 1992, p. 185.

29. *Ibid.*, p. 185.

30. Dessalles (Pierre), *La Vie d'un colon, op. cit.*, p. 325.

31. Ferré (Jean-François), *La Canne à sucre, les industries du sucre et du rhum à la Martinique, évolution contemporaine (1950-1974)*, Bordeaux, CNRS-CEGET, 1976, p. 245.

32. Hoton (Claude), « Ernest Souques, le manipulateur de Nègres », *La Guadeloupe, 1875-1914, les soubresauts d'une société pluri-ethnique, ou les ambiguïtés de l'assimilation*, Paris, Autrement, 1994, p. 132-142.

33. Schnakenbourg (Christian), *La Compagnie sucrière de Pointe-à-Pitre, Ernest Souques et Cie*, Paris, L'Harmattan, 1997, p. 60-1.

34. Corre (Armand), *Nos Créoles, op. cit.*, p. 123.

35. François-Haugrin (Annick), *L'Économie agricole, op. cit.*, p. 202.

36. Schnakenbourg (Christian), *La disparition, loc. cit.*, p. 263, n° 32.

37. Nicolas (Armand), *Histoire de la Martinique*, 2, Paris, L'Harmattan, 1996, p. 48.

38. *Ibid.*, p. 40-1.

39. Schnakenbourg (Christian), « La disparition... », *loc. cit.*, p. 293, n° 12.

40. Lasserre (Guy), *La Guadeloupe*, Bordeaux, Union française d'impression, 1961, p. 304.

41. Dessalles (Pierre), *La Vie d'un colon, op. cit.*, p. 331.

42. Lasserre (Guy), *La Guadeloupe, op. cit.*, p. 312.

43. François-Haugrin (Annick), *L'Économie agricole, op. cit.*, et Chivallon (Christine), *Espace et identité à la Martinique, paysannerie des mornes et reconquête collective, 1840-1960*, Paris, CNRS : 1998.

44. Chivallon (Christine), *Espace et identité, op. cit.*, p. 90.

45. Corre (Armand) *Nos Créoles, op. cit.*, p. 168, n° 11.

46. *Ibid.*, p. 175-6.

47. Nicolas (Armand), *Histoire de la Martinique, op. cit.*, p. 68.

48. Burton (Richard), *La Famille coloniale, la Martinique et la mère-patrie, 1789-1992*, Paris, L'Harmattan, 1994, p. 81, cite un article du journal *Nos Antilles*.

49. *Ibid.*, p. 78.

50. *Historial Antillais*, IV, p. 222.

51. Souquet-Basiège (G.), *Le Préjugé de race aux Antilles françaises*, Fort-de-France, Desormeaux, 1974, p. 119.

52. Nicolas (Armand), *Histoire de la Martinique, op. cit.*, p. 87.

53. *Ibid.*, p. 98.

54. Burton (Richard), *La Famille, op. cit.*, p. 99-101.

55. Corre (Armand), *Nos Créoles, op. cit.*, p. 208-209.

56. Burton (Richard), *La Famille, op. cit.*, p. 108, n° 16.

57. Enoff (Rodolphe), « Pierre-Alexandre Isaac (1845-1899) », *Généalogie et histoire de la Caraïbe*, 123, fév. 2000, p. 2764-5.

58. *Historial*, IV, 54.

59. Enoff (Rodolphe), « Pierre-Alexandre Isaac... », *loc. cit.*, p. 2765.

60. Corre (Armand), *Nos Créoles*, *op. cit.*, p. 188, on pourra consulter Dormois (Jean-Pierre de) et Crouzet (François), « The significance of the French Colonial Empire for French Economic Development (1815-1960) », in The Costs and Benefits of European Imperialism from the conquest of Ceuta, 1415, to the treaty of Lusaka, 1974, *Revista de Historia Economica*, XVI, Madrid, 1998, p. 323-9.

61. Hoton (Claude), « Ernest Souques, le manipulateur de Nègres », *loc. cit.*, p. 136.

62. *Ibid.*, p. 147.

63. Abénon (Lucien-René), *Petite Histoire de la Guadeloupe*, Paris, L'Harmattan, 1992, p. 160.

64. On trouvera une description remarquable du carnaval de Saint-Pierre dans Tauriac (Michel), *Les Années créoles*, Paris, Omnibus, 1996, p. 358.

65. Il convient, bien sûr, de ne pas adopter des vues trop superficielles, certains mulâtres se sont élevés dans le cadre de la plantation et de l'industrie sucrière, il y a l'exemple des Knight et des Clément, grands rhumiers. En Guadeloupe, la carrière d'Etienne Lacascade se déroula dans l'Administration (médecin de la Marine et administrateur colonial, mais aussi dans la banque, il fut directeur de la Banque de la Guadeloupe, et dans l'usine, achetant Bonne-Mère en 1882, voir Enoff (Rodolphe), Étienne Théodore Mondésir Lacascade (1841-1906), *Généalogie et histoire de la Caraïbe*, 112, fév. 1999, p. 2440-2447.

10

LES ANTILLES DE 1900 À 1946

1. Schnakenbourg (Christian), *La Compagnie sucrière de Pointe-à-Pitre, E. Souques et Cie*, Paris, L'Harmattan, 1997, p. 137.

2. *Ibid.*, p. 172, n° 43.

3. Petitjean Roget (Bernard), « Aperçu sur l'évolution économique de la Martinique au début du XXᵉ siècle », *Historial antillais*, V, p. 115-153.

4. Schnakenbourg (Christian), *La Compagnie, op. cit.*, p. 174.

5. Blérald (Alain-Philippe), *Histoire économique, op. cit.*, p. 124.

6. Cherdieu (Philippe), *La Vie politique en Guadeloupe, l'affrontement Boisneuf-Légitimus, 1898-1914, op. cit.*, p. 244.

7. Schnakenbourg (Christian), *La Compagnie, op. cit.*, p. 184, nº 103.

8. *Ibid.*, p. 185, nº 108.

9. Cherdieu (Philippe), *La Vie politique, op. cit.*, p. 16.

10. Nicolas (Armand), *Histoire de la Martinique, op. cit.*, p. 156.

11. Petitjean Roget (Bernard), « Aperçu... », *loc. cit.*

12. Adélaïde-Merlande (Jacques), Une société en crise vue par un contemporain, *Guadeloupe 1875-1914, op. cit.*, p. 125.

13. Sur l'ensemble du sujet, consulter Ursulet (Léo), *Le Désastre de 1902, à la Martinique, l'éruption de la montagne Pelée et ses conséquences*, Paris, L'Harmattan, 1997 ; évocation très suggestive sur les comportements dans Tauriac (Michel), *Les Années créoles, op. cit.*

14. Ursulet (Léo), *Le Désastre, op. cit.*, p. 338. Ces chiffres de population sont ceux des communes et ils comprennent une part de population qui est rurale. La population urbaine de Fort-de-France n'était que de 6 997 habitants, alors que celle de Saint-Pierre atteignait 19 042 habitants.

15. Abénon (Lucien-René), *L'Activité du port de Saint-Pierre (Martinique) à la fin du XIXᵉ siècle*, Paris, L'Harmattan, 1996, p. 56.

16. Ursulet (Léo), *Le Désastre, op. cit.*, p. 55.

17. Berté (Daniel), *La Catastrophe de la Martinique et la Presse*, Bordeaux, Université Bordeaux-III, TER, 1974.

18. *Ibid.*, p. 91.

19. *Ibid.*, p. 45.

20. Tauriac (Michel), *Les Années créoles*, op. cit., p. 443.

21. Cherdieu (Philippe), *La Vie politique*, op. cit., p. 41.

22. *Ibid.*, p. 286.

23. Schnakenbourg (Christian), *La Compagnie*, op. cit., p. 209, n° 233.

24. Cherdieu (Philippe), *La Vie politique*, op. cit., p. 372.

25. *Ibid.*, p. 417.

26. Schnakenbourg (Christian), *La Compagnie*, op. cit., p. 216, n° 260, mars-avril 1908, lettre d'un usinier.

27. Constant (Fred), *Pouvoir et institutions en Martinique, essai de sociologie politique*, Université d'Aix-Marseille, thèse, 1985, p. 156.

28. Nicolas (Armand), *Histoire de la Martinique*, op. cit., p. 170.

29. *Ibid.*, p. 185.

30. Burton (Richard E.), *La Famille coloniale*, op. cit., p. 117.

31. Ursulet (Léo), *Le Désastre*, op. cit., p. 433-4, cite un discours d'Amédée Knight réclamant l'instauration en Martinique d'un véritable impôt foncier : « Reconnaissez avec moi que l'agriculture ici est moins frappée que partout ailleurs », l'impôt foncier réparti de manière complète sera établi en 1938 ; Celma (Cécile), *Historial antillais*, VI, p. 172.

32. Huetz de Lemps (Alain), *Histoire du rhum*, Paris, Desjonquères, 1997, p. 193, c'est actuellement l'ouvrage de référence pour l'étude de l'histoire de ce produit.

33. Ursulet (Léo), *Le Désastre*, op. cit., p. 441.

34. Petitjean Roget (Bernard), « Aperçu... », *loc. cit.*, p. 140.

35. Dans les documents officiels les quantités sont données en hectolitres d'alcool pur (hectolitre AP : 100 % d'alcool), le rhum n'était pas consommable ainsi, le degré ou volume d'alcool dépendait de la quantité d'eau ajoutée après la distillation ; le rhum le plus souvent vendu titrait entre 40 et 55 degrés vol. d'alcool. Cf. Huetz de Lemps (Alain), *Histoire du rhum*, op. cit., p. 10 et 194.

36. Huetz de Lemps (Alain), *Histoire du rhum, op. cit.*, p. 195.

37. *Ibid.*, p. 197.

38. *Ibid.*, p. 198.

39. *Ibid.*, p. 206.

40. Celma (Cécile), *Historial antillais*, VI, p. 215-220.

41. Petitjean Roget (Bernard), « Situation économique... », *loc. cit.*, p. 16.

42. Maillard (Jean-Claude), « Éléments pour une histoire bananière de la Guadeloupe », *Bulletin Société d'histoire de la Guadeloupe*, 11-12, 1969, p. 123.

43. Cité par Maillard (Jean-Claude), « Éléments... », *loc. cit.*, p. 46.

44. Blérald (Alain-Philippe), *Histoire économique, op. cit.*, p. 70.

45. Sainton (Jean-Pierre), *Les Nègres en politique, couleur, identité et stratégie de pouvoir en Guadeloupe au tournant du Siècle*, université d'Aix-Marseille, thèse, 1997, p. 589.

46. Celma (Cécile), « La vie politique à la Martinique », 1920-1939, *Historial antillais*, VI, p. 319-359, dresse un tableau très précis.

47. Farrugia (Laurent), « La Guadeloupe de 1939 à 1945 », *Historial antillais*, VI, p. 249-256.

48. Abénon (Lucien-René), *Petite Histoire, op. cit.*, p. 162.

49. Nicolas (Armand), *Histoire de la Martinique, op. cit.*, p. 204.

50. Celma (Cécile), « La vie politique... », *loc. cit.*, p. 321.

51. Zobel (Joseph), *La Rue Case-Nègres*, Paris, Présence africaine, 1974, p. 227.

52. *Historial antillais*, VI, p. 32.

53. Celma (Cécile), « La vie politique... », *loc. cit.*, p. 328-333.

54. Burton (Richard D.) *La Famille coloniale, op. cit.*, p. 105.

55. Robert (Georges), *La France aux Antilles (1939-1943)*, Paris, Plon, 1950, p. 68.

56. *Ibid.*, p. 86.

57. Huetz de Lemps (Alain), *Histoire du rhum, op. cit.*, p. 211.

58. Farrugia (Laurent), « La Guadeloupe de 1939 à 1945 », *loc. cit.*, VI, p. 383.

59. De Gaulle (Charles), *Mémoires de guerre, II. L'Unité, 1942-1944*, Paris, Plon, 1956, p. 130.

60. *Ibid.*, p. 523.

61. *Ibid.*, p. 522.

62. Lasserre (Guy), *La Guadeloupe, op. cit.*, II, p. 533.

63. Huetz de Lemps (Alain), *Histoire du rhum, op. cit.*, p. 275, n° 19.

64. Petitjean Roget (Bernard), Situation économique, *loc. cit.*, p. 28-29.

65. Lafleur (Gérard), *Les Libanais et les Syriens en Guadeloupe*, Paris, Karthala, 1989, p. 85-86.

66. Bélénus (René), *Les Conseillers généraux de la Guadeloupe sous la IVe République*, Bordeaux, université de Bordeaux-III, TER, 1975, p. 32.

POSTFACE

1. Doumenge (Jean-Pierre), *L'Outre-Mer français*, Paris, Colin, 2000, p. 88 et 95 ; toutes les références statistiques de cette page et des suivantes sont tirées de cet ouvrage pour l'année 1998.

2. *Ibid.*, p. 87.

3. Maillard (Jean-Claude), « Les départements d'Outre-Mer antillais entre l'organisation commune du marché (OCM Banane) et l'organisation mondiale du commerce, une nouvelle donne pour une vieille spéculation », *Sociétés et espaces littoraux et insulaires dans les pays tropicaux*, Actes des 7es journées de géographie tropicale, Brest, septembre 1997, p. 483. Nous désirons remercier vivement notre collègue et ami pour avoir bien voulu nous communiquer cet article important.

4. *Ibid.*, p. 486.

5. Godard (Henri) et Benjamin (Didier), « Banane : la fin des protections douanières », *Géo*, décembre 2001, p. 120.

6. Doumenge (Jean-Pierre), *L'Outre-Mer*, op. cit., p. 94.

7. Chivallon (Christine), *Espace et identité à la Martinique*, op. cit., p. 171, nº 52.

8. Burton (Richard D.E.), *La Famille coloniale*, op. cit., p. 174.

9. Le projet d'assemblée unique pour les DOM, capable d'avoir ses propres relations avec l'Union européenne, pourrait répondre à ces vues.

10. Corzani (Jack), *Histoire des Antilles*, op. cit., p. 460.

Annexes

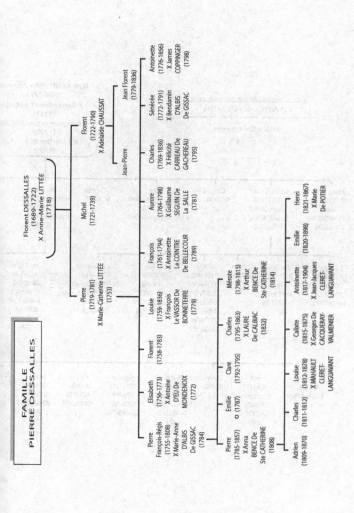

FAMILLE
PIERRE DESSALLES

Florent DESSALLES
(1689-1722)
X Anne-Marie LITTÉE
(1718)

Pierre
(1719-1781)
X Marie-Catherine LITTÉE
(1753)

Michel
(1721-1739)

Florent
(1722-1790)
X Adélaïde CHAUSSAT

Pierre François-Régis (1755-1808)
X Marie-Anne D'ALBIS De GISSAC (1784)

Elisabeth (1756-1773)
X Antoine D'EU De MONDENOIX (1772)

Florent (1758-1783)

Louise (1759-1836)
X François Le VASSOR De BONNETERRE (1779)

François (1761-1794)
X Antoinette Le CONTRE De BELLECOUR (1789)

Aurore (1764-1798)
X Guillaume SEGUIN De La SALLE (1781)

Jean-Pierre

Charles (1769-1836)
X Félicité CARREAU De GACHEREAU (1795)

Jean Florent (1779-1836)

Sénécé (1772-1791)
X Bendamin D'ALBIS De GISSAC

Antoinette (1776-1856)
X James COPPINGER (1798)

Pierre (1785-1857)
X Anna BENCE De Ste CATHERINE (1808)

Emilie O (1787)

Clare (1792-1795)

Charles (1795-1863)
X LAURE De CALBIAC (1832)

Mérote (1799-1815)
X Arthur BENCE De Ste CATHERINE (1814)

Adrien (1809-1870)

Charles (1811-1812)

Louise (1812-1878)
X MAHAULT CLÉRET-LANGUAVANT

Calixte (1815-1875)
X Georges De CACQUERAY-VALMENER

Antoinette (1817-1904)
X Jean-Jacques CLÉRET-LANGUAVANT

Emilie (1820-1898)

Henri (1821-1867)
X Marie De POTIER

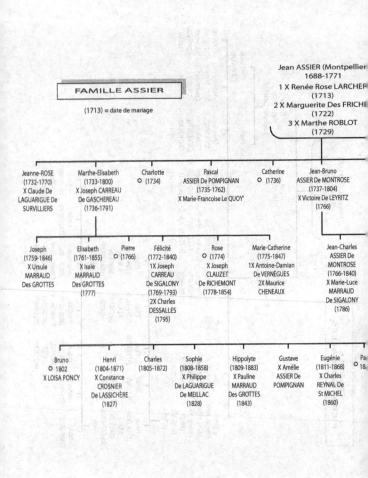

FAMILLE ASSIER

(1713) ≡ date de mariage

Jean ASSIER (Montpellier
1688-1771)
1 X Renée Rose LARCHER
(1713)
2 X Marguerite Des FRICHE
(1722)
3 X Marthe ROBLOT
(1729)

Jeanne-ROSE
(1732-1770)
X Claude De
LAGUARIGUE De
SURVILLIERS

Marthe-Elisabeth
(1733-1800)
X Joseph CARREAU
De GASCHEREAU
(1736-1791)

Charlotte
O (1734)

Pascal
ASSIER De POMPIGNAN
(1735-1762)
X Marie-Francoise Le QUOY'

Catherine
O (1736)

Jean-Bruno
ASSIER De MONTROSE
(1737-1804)
X Victoire De LEYRITZ
(1766)

Joseph
(1759-1846)
X Ursule
MARRAUD
Des GROTTES

Elisabeth
(1761-1855)
X Isaie
MARRAUD
Des GROTTES
(1777)

Pierre
O (1766)

Félicité
(1772-1840)
1X Joseph
CARREAU
De SIGALONY
(1769-1793)
2X Charles
DESSALLES
(1795)

Rose
O (1774)
X Joseph
CLAUZET
De RICHEMONT
(1778-1854)

Marie-Catherine
(1775-1847)
1X Antoine-Damian
De VERNÈGUES
2X Maurice
CHENEAUX

Jean-Charles
ASSIER De
MONTROSE
(1766-1840)
X Marie-Luce
MARRAUD
De SIGALONY
(1786)

Bruno
O 1802
X LOISA PONCY

Henri
(1804-1871)
X Constance
CROSNIER
De LASSICHÈRE
(1827)

Charles
(1805-1872)

Sophie
(1808-1858)
X Philippe
De LAGUARIGUE
De MEILLAC
(1828)

Hippolyte
(1809-1883)
X Pauline
MARRAUD
Des GROTTES
(1843)

Gustave
X Amélie
ASSIER De
POMPIGNAN

Eugénie
(1811-1868)
X Charles
REYNAL De
St MICHEL
(1860)

Pa
O 18

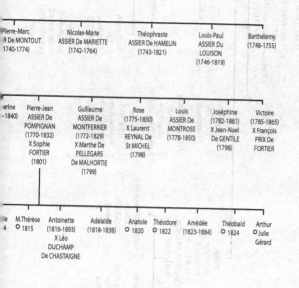

Pierre-Marc
R De MONTOUT
1740-1774)

Nicolas-Marie
ASSIER De MARIETTE
(1742-1764)

Théophraste
ASSIER De HAMELIN
(1743-1821)

Louis-Paul
ASSIER Du
LOUISON
(1746-1819)

Barthélemy
(1748-1755)

erine
-1840)

Pierre-Jean
ASSIER De
POMPIGNAN
(1770-1832)
X Sophie
FORTIER
(1801)

Guillaume
ASSIER De
MONTFERRIER
(1772-1829)
X Marthe De
PELLEGARS
De MALHORTIE
(1799)

Rose
(1775-1850)
X Laurent
REYNAL De
St MICHEL
(1798)

Louis
ASSIER De
MONTROSE
(1778-1850)

Joséphine
(1782-1861)
X Jean-Noel
De GENTILE
(1798)

Victoire
(1785-1865)
X François
PRIX De
FORTIER

ile
4

M.Thérèse
O 1815

Antoinette
(1816-1893)
X Léo
DUCHAMP
De CHASTAIGNE

Adelaide
(1818-1838)

Anatole
O 1820

Théodore
O 1822

Amédée
(1823-1884)

Théobald
O 1824

Arthur
O Julie
Gérard

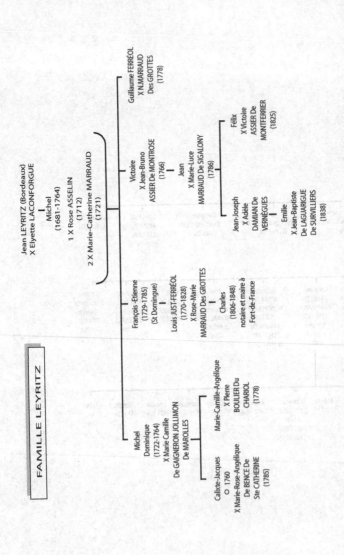

FAMILLE LEYRITZ

Jean LEYRITZ (Bordeaux)
X Elyette LACONFORGUE

Michel
(1681-1764)
1 X Rose ASSELIN
(1712)
2 X Marie-Catherine MARRAUD
(1721)

Guillaume FERRÉOL
X N.MARRAUD
Des GROTTES
(1778)

Victoire
X Jean-Bruno
ASSIER De MONTROSE
(1766)

Jean
X Marie-Luce
MARRAUD De SIGALONY
(1786)

Félix
X Victoire
ASSIER De MONTFERRIER
(1825)

Jean-Joseph
X Adèle
DAMIAN De
VERNÈGUES

Émilie
X Jean-Baptiste
De LAGUARIGUE
De SURVILLIERS
(1838)

François-Étienne
(1729-1785)
(St Domingue)

Louis JUST-FERRÉOL
(1770-1828)
X Rose-Marie
MARRAUD Des GROTTES

Charles
(1806-1848)
notaire et maire à
Fort-de-France

Michel Dominique
(1722-1764)
X Marie Camille
De GAIGNERON JOLLIMON
De MAROLLES

Marie-Camille-Angélique
X Pierre
BOULIER Du
CHARIOL
(1778)

Calixte-Jacques
O 1760
X Marie-Rose-Angélique
De BENCE De
Ste CATHERINE
(1785)

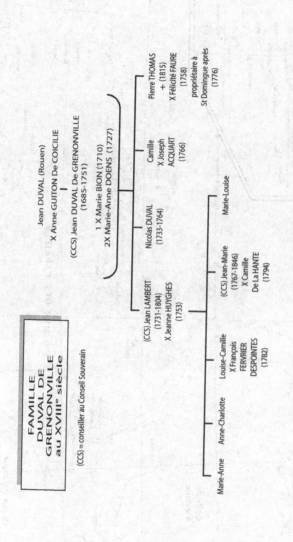

FAMILLE DUVAL DE GRENONVILLE au XVIII° siècle

(CCS) = conseiller au Conseil Souverain

Jean DUVAL (Rouen)
X Anne GUITON De COICILIE

(CCS) Jean DUVAL De GRENONVILLE (1685-1751)
1 X Marie BION (1710)
2X Marie-Anne DOENS (1727)

Nicolas DUVAL (1733-1764)

Camille X Joseph ACQUART (1766)

Pierre THOMAS + (1815)
X Félicité FAURE (1758)
propriétaire à St Domingue après (1776)

(CCS) Jean LAMBERT (1731-1804)
X Jeanne HUYGHES (1753)

Marie-Anne

Anne-Charlotte

Louise-Camille X François FERVRIER DESPOINTES (1782)

(CCS) Jean-Marie (1767-1846) X Camille De La HANTE (1794)

Marie-Louise

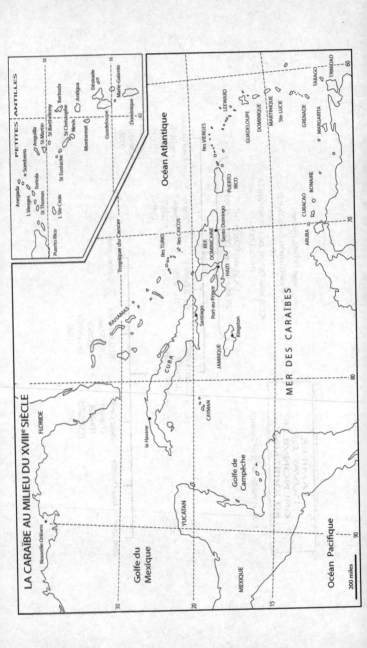

LA CARAÏBE AU MILIEU DU XVIIIe SIÈCLE

PETITES ANTILLES

Anegada
I. Vierges
Puerto Rico
I. Ste Croix
St Thomas
Tortola
Sombrero
Anguilla
St Martin
St Barthélemy
St Eustache
St Christophe
Nevis
Montserrat
Barbuda
Antigua
Guadeloupe
Désirade
Marie-Galante
Dominique

Océan Atlantique

FLORIDE

Nouvelle-Orléans

Golfe du
Mexique

Tropique du Cancer

BAHAMAS

Iles TURKS
Iles CAICOS

Iles VIERGES

PUERTO
RICO

la Havane

CUBA

Santiago

REP.
DOMINICAINE
Santo Domingo
HAITI
Port-au-Prince

LEEWARD

GUADELOUPE
DOMINIQUE
MARTINIQUE
Ste LUCIE

JAMAIQUE

Kingston

CAYMAN

MER DES CARAÏBES

GRENADE

MARGARITA

ARUBA
CURACAO
BONAIRE

TABAGO

TRINIDAD

YUCATAN

Golfe de
Campêche

MEXIQUE

Océan Pacifique

200 miles

30

20

15

90

80

70

60

62

16

18

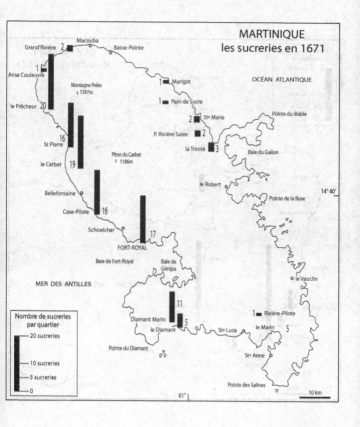

**MARTINIQUE
les sucreries en 1671**

OCÉAN ATLANTIQUE

Grand'Rivière 2
Macouba
Basse-Pointe

Anse Couleuvre 1

Montagne Pelée
s 1397m

1 Marigot

le Prêcheur 20

1 Pain de Sucre

2 Ste Marie

Pointe du diable

St Pierre 16

P. Rivière Salée 2

la Trinité 3

Baie du Galion

le Carbet 19

Piton du Carbet
s 1196m

le Robert

14° 40'

Bellefontaine

Pointe de la Rose

Case-Pilote 16

Schoelcher

17

FORT-ROYAL

Baie de Fort-Royal

Baie de
Génipa

MER DES ANTILLES

le Vauclin

Nombre de sucreries
par quartier

— 20 sucreries

11

— 10 sucreries

Diamant Marin

5

1 Rivière-Pilote

— 5 sucreries

le Diamant

Ste Luce

le Marin

5

— 0

Pointe du Diamant

Ste Anne

Pointe des Salines

61°

10 km

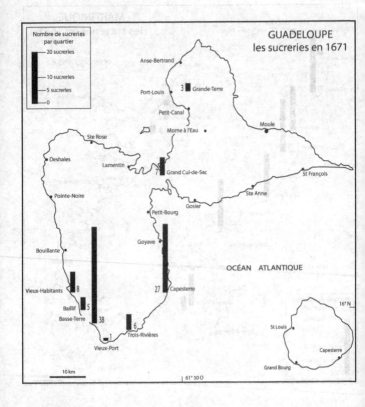

GUADELOUPE
les sucreries en 1671

Nombre de sucreries
par quartier

20 sucreries
10 sucreries
5 sucreries
0

Anse-Bertrand

Port-Louis   3 Grande-Terre

Petit-Canal

Morne à l'Eau   Moule

Ste Rose

Deshaies   Lamentin

7 Grand Cul-de-Sac

St François

Pointe-Noire   Ste Anne

Gosier

Petit-Bourg

Bouillante   Goyave

OCÉAN ATLANTIQUE

27 Capesterre

Vieux-Habitants   8

Baillif   5   16° N

Basse-Terre   38

6   St Louis

Trois-Rivières

Vieux-Port   1   Capesterre

Grand Bourg

10 km   61° 30 O

LES PORTS DE SAINT-DOMINGUE EN 1754 ET 1790

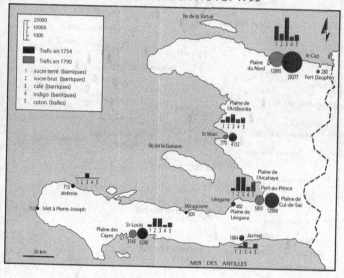

Légende :

- 25000
- 10000
- 1000

Trafic en 1754
Trafic en 1790

1 sucre terré (barriques)
2 sucre brut (barriques)
3 café (barriques)
4 indigo (barriques)
5 coton (balles)

Île de la Tortue

Plaine du Nord
Le Cap
12895 29377
180 Fort Dauphin

Plaine de l'Artibonite
St Marc 770 4132

Île de la Gonave

Plaine de l'Arcahaye
Port-au-Prince
Plaine de Cul-de-Sac
Léogane 460 5855 12998
Plaine de Léogane

Jérémie 710
Islet à Pierre-Joseph 110
Miragoane 300

St-Louis
Plaine des Cayes 3145 6288

Jacmel 1684

30 km

MER DES ANTILLES

LES USINES DE LA GUADELOUPE AUX XIXᵉ et XXᵉ SIÈCLES

Anse-Bertrand

Bellevue 1845-1891

Beauport 1863-1990

Duval 1844-1928

Port-Louis

Clugny 1863-1901

Blanchet 1864-1979

Petit-Canal

Moule — Gardel 1870

Zevallos 1844-1907

Morne à l'Eau

Duchassaing 1862-1912

Ste Marthe 1863-1974

Ste Rose

les Abymes

Deshaies

Lamentin

St François

Bonne-Mère 1863-1973

Baie Mahault

Pointe à Pitre

Marly 1844-1894

Courcelles 1862-1965

Pointe-Noire

Ste Anne

la Retraite 1884-1950

Gentilly 1865 vers 1920

Petit-Bourg

Gosier

Montmein 1868-1885

Duquerry 1863-1995

Darboussier 1869-1980

Goyave

Bouillante

OCÉAN ATLANTIQUE

Marquisat 1884-1968

Capesterre

Vieux-Habitants

16° N

Baillif

St Claude

Basse-Terre

Gourbeyre

les Mineurs 1849-1919

Bologne 1875-1886

St Louis

Trois-Rivières

Vieux-Port

Grande-Anse 1845

Capesterre

Trianon 1861-1874

Grand Bourg

Caspesterre de M.G. 1886-1928

10 km

61° 30 O

LES USINES DE LA MARTINIQUE EN 1902

Grand'Rivière
Macouba
Basse-Pointe
Cap St Martin
Vivé
le Lorrain
OCÉAN ATLANTIQUE
Montagne Pelée
1397m s
Fond St Jacques
Ste Marie
Pointe du diable
la Trinité
Rivière Blanche
St Pierre
Galion
Piton du Carbet
s 1196m
Bassignac
Baie du Galion
le Robert
14° 40'
Pointe de la Rose
Case-Pilote
Dillon
Soudon
le François
Pointe Simon
le Lamentin
FORT-de-FRANCE
Lareinty
Simon
Baie de Fort-de-France
Ducos
St Esprit
les Trois-Ilets
Petit Bourg
le Vauclin
MER DES ANTILLES
Rivière-Salée
les Anses-d'Arlets
Rivière -Pilote
le Diamant
Trois-Rivières
le Marin
Cap Ferré
Pointe du Diamant
Pointe Dunkerque
10 km
61'
Pointe des Salines
Pointe d'Enfer

BIBLIOGRAPHIE

I. Histoire générale

ABÉNON (Lucien-René), *Petite Histoire de la Guadeloupe*, Paris, L'Harmattan, 1992.

BLÉRALD (Alain-Philippe), *Histoire économique de la Guadeloupe et de la Martinique, du XVIIe siècle à nos jours*, Paris, Karthala, 1986.

BUTEL (Paul), *Histoire de l'Atlantique de l'Antiquité à nos jours*, Paris, Perrin, 1997.

CHAULEAU (Liliane), *Dans les îles du Vent, la Martinique, XVIIe-XIXe siècles*, Paris, L'Harmattan, 1993.

NICOLAS (Armand), *Histoire de la Martinique*, 2 vol., Paris, L'Harmattan, 1996.

PLUCHON (Pierre), *Histoire de la colonisation française*, Paris, Fayard, 1991.

—, s. dir. *Histoire des Antilles et de la Guyane*, Toulouse, Privat, 1982.

II. XVIe-XVIIIe siècles

Ouvrages contemporains

BOUTON (Jacques), *Relation de l'établissement des Français depuis l'an 1635 en l'isle de la Martinique, l'une des Antilles de l'Amérique, des mœurs des sauvages, de la situation et des autres singularités de l'Ile*, 1640.

BRETON (Père Raymond), *Relation de l'île de la Guadeloupe*, Basse-Terre, Société d'histoire de la Guadeloupe, 1978.

DUPUIS (Mathias), *Relation de l'establissement d'une colonie dans la Guadeloupe isle de l'Amérique et des Sauvages*, Caen, Marie Yvon, 1652.

DU TERTRE (J.-B.), *Histoire générale des Antilles habitées par les Français*, 2 vol., Paris, E. Kolodziej, 1978, réédition de la version de 1667.

GIROD DE CHANTRANS (Justin), *Voyage d'un Suisse dans différentes colonies de l'Amérique*, Paris, Tallandier, éd. Pluchon (Pierre), 1980.

LABAT (R.P.), *Voyages aux Isles de l'Amérique (Antilles)*, 1693-1705, 2 vol., Paris, Duchartre, 1931.

MOREAU DE SAINT-MÉRY, *Description topographique, physique, civile et politique de la partie française de Saint-Domingue*, éd. Maurel (Blanche) et Taillemite (Étienne), Paris, Larose, 1950.

RAYNAL (Guillaume-Thomas), *Histoire philosophique et politique des établissements et du commerce des européens dans les deux Indes*, Genève, Pellet, 1780.

Ouvrages et articles

ABÉNON (Lucien-René), *La Guadeloupe de 1671 à 1759, étude politique économique et sociale*, Paris, L'Harmattan, 1987.

BUCHET (Christian), *La Lutte pour l'espace caraïbe et la façade atlantique de l'Amérique centrale et du Sud (1672-1763)*, Paris, Librairie de l'Inde, 2 vol., 1991.

BUTEL (Paul), *Les Négociants bordelais, l'Europe et les Iles au XVIIIe siècle*, Paris, Aubier-Montaigne, 1982.

—, *Les Caraïbes au temps des flibustiers, XVIe-XVIIe siècles*, Paris, Aubier-Montaigne, 1982.

—, « Le modèle urbain colonial au XVIIIe siècle, l'investissement immobilier dans les villes de Saint-Domingue », *Cities and Merchants, French and Irish Perspectives on urban development, 1500-1900*, éd. Butel (Paul) et Cullen (Louis-Marie), Dublin, 1986.

CAUNA (Jacques de), *Au temps des Isles à sucre, Histoire d'une plantation de Saint-Domingue au XVIIIe siècle*, Paris, Karthala, 1987.

—, *L'Eldorade des Aquitains, Gascons, Basques et Béarnais aux Iles d'Amérique (XVIIe-XVIIIe siècles)*, Biarritz, Atlantica, 1998.

—, *La Colonisation française aux Antilles : les Aquitains à Saint-Domingue (XVIIe-XVIIIe siècles)*, Paris, université de Paris-IV, thèse, 2000.

CHAULEAU (Liliane), *La Société à la Martinique au XVIIe siècle, 1635-1713*, Caen, 1966.

DEBIEN (Gabriel), *Les Engagés pour les Antilles (1634-1715)*, Paris, 1951.

—, *Études antillaises*, Paris, Colin, 1956.

—, *Les Esclaves aux Antilles françaises*, Fort-de-France, Société d'histoire de la Martinique, 1974.

DEVÈZE (Michel), *Antilles, Guyanes, la mer des Caraïbes de 1492 à 1789*, Paris, Sedes, 1977.

ÉLISABETH (Léo), *La Société martiniquaise aux XVIIe et XVIIIe siècles*, Paris, Université de Paris-I, thèse, 1989.

FROSTIN (Charles), *Les Révoltes blanches à Saint-Domingue aux XVIIe et XVIIIe siècles (Haïti avant 1789)*, Paris, L'École, 1975.

FOUCHARD (Jean), *Les Marrons de la liberté*, Paris, L'École, 1972.

GEGGUS (David), « Urban Development in 18th Century, Saint-Domingue », *Bulletin du centre d'histoire des espaces atlantiques*, Bordeaux, 1990.

—, « The French Slave Trade, an Overview », *William and Mary Quaterly*, janvier 2001.

—, « La traite des esclaves aux Antilles françaises à la fin du XVIIIe siècle, quelques aspects du marché local », *Négoce, Ports, et Océans XVIe-XXe siècles*, éd. Marzagalli (Silvia) et Bonin (Hubert), Mélanges Butel, Bordeaux, Presses universitaires, 2000.

HAYOT (Émile), *Les Officiers du Conseil souverain de la Martinique et leurs successeurs, les conseillers de la cour d'appel*

(1675-1830), Fort-de-France, Société d'histoire de la Martinique, 1964.

—, « Les gens de couleur libres du Fort-Royal, 1679-1823 », *Revue française d'histoire d'outre-mer*, 1969.

Huetz de lemps (Christian), « Les engagés au départ de Bordeaux, fin XVIIe-XVIIIe siècle », *L'Atlantique et ses rivages*, Association des historiens modernistes, Bordeaux, Presses universitaires, 1983.

Loupès (Philippe), « Le modèle urbain colonial au XVIIIe siècle, la maison et l'habitat au Cap-Français et à Port-au-Prince », *Cities and Merchants, French and Irish Perspectives on Urban Development, 1500-1908*, éd. Butel (Paris), éd. Cullen (Louis-Marie), Dublin, 1986.

Moreau (Jean-Pierre), *Les Petites Antilles de Christophe Colomb à Richelieu*, Paris, Karthala, 1992.

Pérotin-Dumon (Anne), *La Ville aux Iles, la Ville dans l'Ile, Basse-Terre et Pointe-à-Pitre, Guadeloupe, 1650-1820*, Paris, Karthala, 2000.

—, *La Société d'habitation à la Martinique, un demi-siècle de formation*, Paris, Champion, 1980.

Petitjean Roget (Jacques), *La Révolte du Gaoulé*, Paris, 1966.

Petitjean Roget (Jacques) et Bruneau-Latouche (Eugène), *Personnes et Familles à la Martinique au XVIIe siècle*, Paris, Desormeaux, 2 vol., 2000.

Pluchon (Pierre), *Vaudou, sorciers et empoisonneurs de Saint-Domingue à Haïti*, Paris, Karthala, 1987.

—, *Haïti au XVIIIe siècle, Richesse et esclavage dans une colonie française*, Paris, 1993.

Regourd (François), *Sciences et colonisation sous l'Ancien Régime, le cas de la Guyane et des Antilles françaises, XVIIe-XVIIIe siècles*, Bordeaux, Université de Bordeaux-III, thèse, 2000.

—, « Hommes de pouvoir et d'influence dans une capitale coloniale d'Ancien Régime, intendants et gouverneurs généraux à Port-au-Prince dans la 2e moitié du XVIIIe siècle », *Des Hommes et des Pouvoirs dans les villes*, s.dir. Pontet (Josette) Bordeaux, Cesurb, 1999.

Rogers (Dominique), *Les Libres de couleur dans les capitales de Saint-Domingue : fortune, mentalités et intégration à la fin de l'Ancien Régime (1776-1789)*, Bordeaux, université de Bordeaux-III, 1999.

Rossignol (Bernadette et Philippe), « L'éphémère maréchaussée de la Guadeloupe (1763-1766) et son prévôt, le sieur Berranger », *Généalogie et Histoire de la Caraïbe*, 114, avril 1999.

Roux (Antoine de), « La ville de Fort-Royal de la Martinique, naissance et développement aux XVIIe et XVIIIe siècles », *Bulletin du centre d'histoire des espaces atlantiques*, Bordeaux, 1988.

Saugera (Éric), *Bordeaux, port négrier*, Paris, Karthala, 1995.

Taillemite (Étienne), « Une description de la Guadeloupe en 1700 », *Bulletin de la Société d'histoire de la Guadeloupe*, 1967.

Vergé-Francheschi (Michel), « Fortunes et plantations des administrateurs coloniaux aux Iles d'Amérique aux XVIIe et XVIIIe siècles », *Commerce et Plantation dans la Caraïbe, XVIIIe-XIXe siècles*, éd. Butel (Paul) Bordeaux, Maison des Pays ibériques, 1992.

III. Révolution et Empire

Chauleau (Liliane), s. dir., *Antilles 1789, la Révolution aux Caraïbes*, Paris, Nathan, 1989.

Dessalles (Pierre-François-Régis), *Historique des troubles survenus à la Martinique pendant la Révolution*, Fort-de-France, Société historique de la Martinique, 1982.

Favre (Marcel), « Le début de la révolte de Saint-Domingue dans la plaine du Cap vécu par Louis de Calbiac », *Généalogie et histoire de la Caraïbe*, 48, avril 1993.

Geggus (David), « Esclaves et gens de couleur libres de la Martinique pendant l'époque révolutionnaire et napoléonienne : trois instants de résistance », *Revue Historique*, 1996.

—, « Slave Society in the Sugar Plantation Zones of Saint-Domingue and the Revolution of 1791-1793 », *Slavery and Abolition*, 20 février 1999, Londres, Frank Cass.

MARTIN (Michel) et YACOU (Alain), s. dir. *De la Révolution française aux révolutions créoles et nègres*, Paris, Éditions caribéennes, 1989,

MARZAGALLI (Silvia), *Les Boulevards de la fraude, le négoce maritime et le Blocus Continental, 1806-1813*, Villeneuve-d'Ascq, Presses du Septentrion, 1999.

MEADOWS (R. Darrell), « Engineering Exile : Social Networks and the French Atlantic Community », 1789-1809, *French Historical Studies*, 2000.

PLUCHON (Pierre), *Toussaint-Louverture, un révolutionnaire noir d'Ancien Régime*, Paris, Fayard, 1989.

TARRADE (Jean), s. dir. « La Révolution et les colonies », *Revue française d'histoire d'outre-mer*, 1989.

IV. XIXᵉ-XXᵉ siècles

BÉLÉNUS (René), *Les Conseillers généraux de la Guadeloupe sous la IVᵉ République*, Université de Bordeaux-III, TER, 1975.

BELISLE (Philippe), *Renouveau missionnaire et société esclavagiste la Martinique, 1816-1848*, Paris, Publisud, 1997.

BUFFON (Alain), « La crise sucrière de 1882-1886 à la Guadeloupe », *Revue française d'histoire d'outre-mer*, 1987.

BURTON (Richard D.E.), *La Famille coloniale, la Martinique et la Mère-Patrie, 1789-1992*, Paris, L'Harmattan, 1994.

BUTEL (Paul), « Succès et Déclin du commerce colonial français de la Révolution à la Restauration », *Revue Économique*, 1989.

CELMA (Cécile), « La vie politique à la Martinique, 1920-1939 », *Historial antillais*, VI.

—, « Le mouvement ouvrier aux Antilles », *Historial antillais*, VI.

CHAULEAU (Liliane), *La Vie quotidienne aux Antilles françaises au temps de Victor Schœlcher, XIXᵉ siècle*, Paris, Hachette, 1979.

CHERDIEU (Philippe), *La Vie politique en Guadeloupe, l'affrontement Boisneuf-Légitimus, 1898-1914*, Paris, Institut d'études politiques, thèse, 1981.

CHIVALLON (Christine), *Espace et identité à la Martinique, paysannerie des mornes et reconquête collective, 1840-1960*, Paris, CNRS, 1998.

CONSTANT (Fred), *Pouvoir et Institutions en Martinique, essai de sociologie politique*, université d'Aix-Marseille-III, thèse, 1983.

CORRE (Armand), *Nos Créoles, étude politico-sociologique, 1890*, éd. Thiébaut (Claude), Paris, L'Harmattan, 2000.

DAVID (Bernard), « La population d'un quartier de la Martinique au début du XIXe siècle d'après les registres paroissiaux à Rivière-Pilote, 1802-1829 », *Revue française d'histoire d'outre-mer*, 1973.

DESSALLES (Pierre), *La Vie d'un colon à la Martinique, Correspondance 1808-1834*, éd. Frémont (Henri de), Courbevoie, 1988.

—, *La Vie d'un colon à la Martinique, Journal*, 1837-1856, 3 vol. éd. Frémont (Henri de) et Élisabeth (Léo), Courbevoie, 1984-1986.

DESSALLES Adrien et Frémont (Henri de), *Histoire et Généalogie de la famille Dessalles ou des Salles, Martinique et France, 1650-1974*, éd. Frémont (Henri de), Courbevoie, 1974.

DORIGNY (Marcel), s. dir. *Les Abolitions de l'esclavage de L.F. Sonthonax à V. Schœlcher, 1793-1794-1848*, Vincennes, Presses universitaires, 1995.

EGA (Françoise), *Le Temps des Madras, Récit de la Martinique*, Paris, L'Harmattan, 1989.

ENOFF (Rodolphe), Étienne Théodore Mondésir Lacascade (1841-1906), *Généalogie et histoire de la Caraïbe*, 112, février 1999.

—, Pierre Alexandre Ildephonse Isaac (1845-1899), *Généalogie et histoire de la Caraïbe*, 123, février 2000.

FARRUGIA (Laurent), La Guadeloupe de 1939 à 1945, *Historial antillais*, VI.

FERRÉ (Jean-François), *La Canne à sucre, les industries du sucre et du rhum à la Martinique, évolution contemporaine, 1950-1974*, Bordeaux, CEGET, 1976.

GAMA (Raymond), *Évolution d'un grand domaine sucrier à la Guadeloupe, rapports sociaux dans le nord Grande-Terre, aire de la société anonyme des usines Beauport*, Pointe-à-Pitre, université des Antilles, thèse, 1997.

FRANÇOIS-HAUGRIN (Annick), *L'Économie agricole de la Martinique, ses structures et ses problèmes, entre 1845 et 1885*, Paris, université de Paris-I, 1984, thèse.

HUETZ DE LEMPS (Alain), *Histoire du rhum*, Paris, Desjonquères, 1997.

LAFLEUR (Gérard), *Les Libanais et les Syriens en Guadeloupe*, Paris, Karthala, 1999.

LEVILLAIN (Henriette), s. dir., *Guadeloupe 1875-1914, les soubresauts d'une société pluriethnique ou les ambiguïtés de l'assimilation*, Paris, Autrement, 1994.

MAILLARD (Jean-Claude), « Éléments pour une histoire bananière de la Guadeloupe », *Bulletin de la Société d'histoire de la Guadeloupe*, 1969, 1977.

NICOLAS (Armand), *Histoire de la Martinique*, 2 vol., Paris, L'Harmattan, 1996.

PAME (Stella), *Cyrille Bissette, un martyr de la liberté*, Fort-de-France, Desormeaux, 1999.

PETITJEAN ROGET (Bernard), « Aperçu sur l'évolution économique de la Martinique au début du xxᵉ siècle », *Historial antillais*.

—, « Situation économique de la Martinique à la veille de la départementalisation », *Historial antillais*, VI.

SAINTON (Jean-Pierre), *Les Nègres en politique, couleur, identité et stratégie de pouvoir en Guadeloupe au tournant du siècle*, université d'Aix-Marseille-III, 1997.

SCHNAKENBOURG (Christian), « La disparition des habitations sucreries en Guadeloupe, 1848-1906 », *Revue française d'histoire d'outre-mer*, 1987.

—, *Histoire de l'industrie sucrière en Guadeloupe aux xixᵉ et xxᵉ siècles*, t. I, *La Crise du système esclavagiste, 1835-1847*, Paris, L'Harmattan, 1980.

—, *La Compagnie sucrière de la Pointe-à-Pitre. E. Souques et Cie. Histoire de l'usine Darboussier de 1867 à 1907*, Paris, L'Harmattan, 1997.

SCHMIDT (Nelly), *Victor Schœlcher et l'abolition de l'esclavage*, Paris, Fayard, 1994.

SINGARAVELOU, *Les Indiens de la Guadeloupe, étude de géographie humaine*, Bordeaux, Ceget, 1975.

TAURIAC (Michel), *Les Années créoles*, Paris, Omnibus, 1995.

URSULET (Léo), *Le Désastre de 1902 à la Martinique, l'éruption de la montagne Pelée et ses conséquences*, Paris, L'Harmattan, 1997.

THÉSÉE (Françoise), *Le Général Donzelot à la Martinique, vers la fin de l'Ancien Régime colonial*, Paris, Karthala, 1997.

ZOBEL (Joseph), *La Rue Case-Nègres*, Paris, Présence africaine, 1974.

INDEX DES NOMS DE PERSONNES

REMERCIEMENTS

La réalisation de ce livre a été facilitée grâce à l'aide précieuse de MM. Pierre Assier de Pompignan, Xavier de Bartillat, Henri de Frémont, Bertrand Hayot. Je tiens à les remercier très chaleureusement. J'exprime aussi ma gratitude à M. et Mme Philippe et Bernadette Rossignol ainsi qu'à mes collègues et amis les professeurs Alain Huetz de Lemps et Jean-Claude Maillard. Leur soutien si bienveillant m'a beaucoup apporté.

Sans l'affection de mon épouse qui a bien voulu supporter, une nouvelle fois, de longs mois de labeur ingrat, ces pages n'auraient pu être écrites. Qu'elle trouve ici un hommage mérité plus que tout autre.

TABLE

TABLE 565

QUATRIÈME PARTIE

DE l'ABOLITION DE L'ESCLAVAGE
À LA DÉPARTEMENTALISATION

À PARAÎTRE

L'histoire des papes, de 1789 à nos jours – Bernard Lecomte.
Vercingétorix – Paul M. Martin.

PERRIN — 12, avenue d'Italie 75013 — PARIS

Cet ouvrage a été imprimé en France par CPI Bussière
à Saint-Amand-Montrond (Cher) en mars 2014.
N° d'impression : 2009008. N° d'édition : 2247. Dépôt légal : avril 2007.
Suite du premier tirage : mars 2014.
K02662/09